Sonklar, Karl Albrech

Reiseskizzen aus den Alpen und Karpaten

Sonklar, Karl Albrecht von

Reiseskizzen aus den Alpen und Karpaten

Inktank publishing, 2018

www.inktank-publishing.com

ISBN/EAN: 9783747793633

Reiseskizzen

aus den

Alpen und Karpathen.

———

Von

Karl A. Sonklar Edlen von Innstädten,

k. k. Major.

———

Wien 1857.

Verlag von L. W. Seidel.

Vorwort.

Das Werkchen, welches ich hier der Oeffentlichkeit übergebe, ist die Frucht einiger nach verschiedenen Richtungen unternommenen Ferien= reisen. Erst fröhlich genossen, wurde das Genossene nachher ernst= lich durchdacht und dadurch nach Möglichkeit erst recht gewonnen. Das Reisen nützt in doppelter Beziehung, u. z. erstlich durch den unmittelbaren Genuß, den es gewährt, und dann durch die Anre= gung zu jenen Studien, die die gesehenen Dinge dem Geiste klar zu machen suchen. Vielleicht wird der freundliche Leser aus meiner Erzählung erkennen, daß ich mich redlich bemühte, sowohl dem einen wie dem anderen Zwecke gerecht zu werden. Ob dabei etwas Nen= nenswerthes zu Tage gekommen, ist freilich eine andere Frage.

Hat es der Leser bemungeachtet dahin gebracht, sich bis zu dem Ende dieses Buches durchzuarbeiten, so wird er sich bil= lig über die Verschiedenheit wundern, die er in der Auffassungs= weise der einzelnen Partien dieser Reiseskizzen wahrgenommen haben wird. Denn ist in einigen Theilen die Natur als die Haupt= sache, und das menschliche Treiben fast nur als die accidentelle Staf= fage derselben behandelt, so treten dafür in einem anderen Theile die Menschen und ihre Verhältnisse in den Vordergrund, und die Natur erscheint meist nur wie eine Dekoration, vor der sich die regen Gestalten des Lebens und der Vergangenheit auf und nieder bewegen. Die Sache ist indeß sehr einfach zu erklären. Was kann ein ehrlicher Tourist über Tirol und Salzburg, über die Alpen und Tauern, etwa sagen wollen, was nicht schon andere und gescheidtere

Leute vor ihm umständlich auszusprechen und zu erörtern sich
bemühten? Eine Zahl wissenschaftlicher Werke erklärt ihm Boden,
Klima und Produkte, und weitläufige Topographien lehren ihm,
wie viele Einwohner jedes Oertchen, wie viele Glocken jede Kirche,
wie viele Kühe jede Alpe und wie viele Metzen Korn jede Tenne
zählt; der ausreichendsten historischen, ethnographischen und politischen Nachweisungen gar nicht zu gedenken. Auch alle Märchen
und Sagen haben ihm Andere bereits weggeschnappt, und Touristen ohne Zahl haben des Umständlichen von sich gegeben, wie das
Volk aussieht, wie es lebt und sich benimmt in den mannigfaltig-
sten Gelegenheiten. Unter solchen Umständen kann für den Leser
kaum etwas anderes von Interesse sein, als die Natur, die, in ihrer
Großartigkeit und in der ungeheueren Mannigfaltigkeit ihrer Erscheinungen eine neue und, nach der Beschaffenheit des Beobach-
ters, selbst auch lohnende Schilderung möglich und zulässig macht.
Diese Betrachtung hat mich in den Skizzen über Tirol und die
Glocknerbesteigung geleitet.

Ein ganz anderes Verhalten drang sich mir dagegen unwillkürlich bei meiner Reise nach Oberungarn auf. In dieser für das
größere deutsche Publikum beinahe völlig unbekannten Region stand
das Neue nach jeder Richtung menschlicher Interessen in vollen
Garben beieinander, und die einfachste Betrachtung war der lohnendsten Ernte sicher. Neben der Natur, die uns häufig genug in
ihrer reizendsten Gestalt entgegentrat, boten jetzt die Menschen, in
dem Reichthume fremdartiger Formen und Verhältnisse, und in
der unendlichen Verschiedenheit ihrer Abstammung, Sprache, Kultur und Sitte, die anziehendsten Objekte der Betrachtung dar.
Aber damit verband sich auch auf natürliche Art der Rückblick in
die Vergangenheit, durch die allein, hier wie überall, die Gegenwart erkannt und erklärt werden kann. Welches Land der Welt hat

überdies eine Geschichte aufzuweisen, die von einem so merkwürdigen Gange staatlicher Entwicklung, von so wilden Entladungen unversöhnlicher Gegensätze, von so straffen Spannungen orientalischen Wesens mit westeuropäischen Ideen, von so grausen Parteikämpfen, und von so großen tragischen Schicksalen zu erzählen im Stande wäre, als die des einstmaligen ungarischen Reiches! Nirgends hatte sich kräftiger als hier die schonungslose Herrschaft des erobernden Stammes und die gänzliche Unterdrückung der unterworfenen, die unverständige Beschränkung des Königthums, und die maßlose Macht des Adels, namentlich der großen Feudalherren, ausgeprägt; nirgends wühlte öfter und verheerender die innere Zwietracht und der alles verwildernde Bürgerkrieg in dem Fleische der Nation, hemmte damit die Entwicklung humaner Rechtszustände, und vertrocknete die Quellen der inneren Kraft. Gegen solche Uebel erscheint die anderthalb hundertjährige Okkupation Ungarns durch die Türken fast nur als ein geringes Unglück. — Alle diese Ereignisse wurden selbstverständlich zu wichtigen Faktoren der bestehenden Verhältnisse und machten es nothwendig, daß ich manchmal ihrer hier gedachte. Zum Ueberflusse hat mich auch noch mancher historisch wichtige Punkt zu einem Exkurse in die Vergangenheit verleitet, und wenn dieser hie und da vielleicht etwas zu lang geworden, so möge mir die Nachsicht des gütigen Lesers zu Theil werden. Immer aber dürften diese Schilderungen etwas dazu beitragen, demjenigen, der die ungarische Geschichte niemals zu seinem Studium gewählt, die eigenthümlichen Verhältnisse dieses einstmaligen Oligarchenstaates in anziehenden Beispielen vor das Auge zu führen.

Auf solche Art ist denn aus meiner Reiseskizze über Oberungarn ein Gewächs geworden, das den übrigen Partien dieses Werkchens sehr wenig ähnlich sieht. Dies ist aber auch der Grund, der mich veranlaßte, die ersterwähnte Abtheilung an die Spitze dieser Skizzenfolge zu stellen. — Wenn dann der Leser durch jenen Theil müde geworden, so mag er sich, aus der staubigen Atmosphäre geschichtlicher Abrisse und langweiliger Abstraktionen anderer Art, vielleicht gerne auf die grünen Alpmatten des Oetz= und Zillerthales, oder auf die stolze Eiszinne des Glockners, oder endlich in die kühlen Gletschergründe des Rosenthales und der Pasterze flüchten, und im ungestörten Verkehr mit den Wundern der Natur die gute Laune wieder gewinnen.

Die Tirolerreise wurde im Jahre 1852, die Glocknerfahrt 1854 und die Tour in das Tatragebirge im vorigen Jahre ausgeführt.

Wien im März 1856.

Der Verfasser.

In's Tatragebirge!

le

1. Von Wien bis Trentschin.

Einleitung. Abreise von Wien. Ungarisch-Hradisch. Annowitz. Ungarisch-Brod. Grosenkow. Prietowa. Trentschin. Piaristenkollegium in Trentschin. Stadtpfarrkirche und Burgruine ebendaselbst.

Im vorigen Jahre hatte mein sehr geehrter Freund, Herr Kanonikus H....., dem von mir ausgegangenen Vorschlage zu einer Reise in die Salzburger- und Kärntner-Tauern bereitwillig beigestimmt, und war mir nachher bei unseren Fahrten über so viele hohe Joche und selbst auf den Glocknergipfel mit großer Selbstverläugnung nachgefolgt. Was war nun natürlicher, als daß ich meines Ortes für die diesjährige Ferienzeit dem von ihm aufgestellten Reiseprogramme, das den gebirgigen Theil Oberungarns und vornehmlich das Tatragebirge in's Auge faßte, mit gleicher Bereitwilligkeit beitrat. Was ihn zunächst bewog, sich und mir dieses Reiseziel zu setzen, war nicht allein der Wunsch, einen bisher von ihm noch nicht besuchten Theil seines Vaterlandes kennen zu lernen, sondern auch die erklärliche Sehnsucht nach einem Naturgenuß, der, nach den gut orientalisch abgefaßten Schilderungen über jene Gegenden von Seite ungarischer Topographen, für Sinn und Geist den ausreichendsten Gewinn versprach.

Das Tatragebirge ist vor allen anderen Naturschönheiten ihres Landes der erklärte Liebling bemeldeter Schriftsteller, und horcht man gläubig ihren Worten, so wird man versucht, es für ein himmelstürmendes Schneegebirge zu halten, dessen Granitsäulen dem Firmamente als willkommene Stützen dienen, in dessen Schluchten ewiges Eis lagert und fabelhafte Meeraugen schimmern, dessen Seiten eine Vegetation von seltener Pracht und Mannigfaltigkeit deckt, und das überhaupt an allerlei Sehenswürdigkeiten und Wundern seines Gleichen sucht. Kaum geringeres Lob wird dem Waagthale von Trentschin aufwärts, der bergumthürmten Thuröcz, dem romantischen Thale der Arva, den Alpengegenden des Liptauer Komitats und dem herrlichen Zipserländchen gespendet, so zwar, daß es niemand über-

1 *

4

raschen darf, wenn meinem edlen Freunde nach so vielen Schönheiten
der Mund wässerte, und auch ich von meinen touristischen Absichten
auf das Kaprunerthal, den Großvenediger und die wilde Krimmel
für diesmal abstand, und mich gerne einem Vorschlage fügte, dessen
Ausführung mir so viel des Schönen im Gebiete der Natur, und so
viel Neues in Volk und Leben, zu bieten versprach.

Nachdem wir auf solche Art mit unseren diesmaligen Reisezwecken
in's Reine gekommen waren, unterlag die Festsetzung unserer Reise-
route im Detail keinen besonderen Schwierigkeiten. Ein großes Hinderniß aber schien sich uns in dem Umstande zu erheben, daß keiner
von uns beiden der slavischen Sprache, die in jenen Gegenden die
herrschende, hinreichend mächtig ist. Doch auch hierin fand sich
Rath, indem Herr Abbé P....., Spiritual im hiesigen Pazma-
neum und Slave von Geburt, als Dritter in unseren Bund trat, wodurch wir nicht allein das angedeutete Hinderniß vollkommen beseitigt,
sondern auch unsere Gesellschaft mit einem eben so gebildeten, als
in jeder Beziehung hochachtbaren Mitgliede vermehrt sahen. Der letzte
August war schon früher als der Tag unsers Reiseantritts festgesetzt
worden, und als dieser Tag erschien, trug uns der Frühtrain der
Kaiser Ferdinands-Nordbahn unserem Ziele entgegen.

Es war ein herrlicher Morgen, und mit den frohesten Empfindungen durchflogen wir die Ebene des Marchfeldes, dessen landschaftliche Armuth die Sonne mit ihren hellsten Strahlen verdecken zu wollen schien. In Lundenburg erregte die Ankunft unseres Trains ein
großes Vergnügen unter dem dortigen Publikum, was wir deutlich aus
dem musikalischen Gepränge entnahmen, mit welchem wir empfangen
wurden; — es rührte von einer Schaar tschechischer Musensöhne her,
die offenbar mehr Klarinette führten, als für schwielenlose Ohren heil-
sam war, und deren Kontrebaß den Eigensinn hatte, mit zwei bis drei
Akkorden alle möglichen Tonarten zu begleiten. — In Lundenburg
werden bekanntlich alle von Wien kommenden Trains getheilt, und
das Loos der Uebersiedlung trifft diejenigen, die ihre Reise in der Richtung gegen Prerau fortsetzen, was eben bei uns der Fall war. Gerne
hätten wir uns nun des immer schöner werdenden Landes erfreut, wenn
dies, bei dem unverantwortlichen Schütteln des Wagens, in welchem

12

wir faßen, möglich gewesen wäre. Es ist in der That unbegreiflich, wie ein solcher Wagen ohne Noth noch immer in Verwendung bleiben konnte. Seine Oszillationen waren so permanent und heftig, daß eine Dame, die mit uns in demselben Coupé saß, heftigen Kopfschmerz davontrug und leichenblaß wurde; von dem Befremdlichen und Unheimlichen der Sache gar nicht zu reden. Dies machte, daß wir unsere Ankunft in Ungarisch-Hradisch wie eine Art Erlösung betrachteten, und der kranken Dame und ihrem Töchterchen gerne zu einem Platze in einem anderen Wagen verhalfen. Das arme kleine Mädchen, auf das, ihres geringeren Gewichtes wegen, die Schwingungen des Wagens noch ungleich stärker wirkten, mußte die Fahrt von Lundenburg weg stehend mitmachen, und war einige Male nahe daran aus Furcht in Thränen auszubrechen.

Es war ungefähr halb zwölf Uhr Vormittag als wir in Ungarisch-Hradisch anlangten, und im Gasthause „zum schwarzen Bären" abstiegen. Der Weg dahin geht vom Bahnhofe weg erst durch die Altstadt, die als Vorstadt figurirt, in Wirklichkeit aber ein elendes Dorf ist, dann über eine Brücke, welche einen Arm des Marchflusses übersetzt, und endlich durch einige Gassen, die von der Schönheit des Städtchens nicht viel erwarten lassen, auf den unteren Ring oder Platz. In Böhmen und Mähren herrscht nämlich der eigenthümliche Gebrauch, die Stadtplätze, mögen sie welche Form immer besitzen, Ringe zu benennen. Der in Rede stehende Ring ist denn in Wahrheit von der Kreisform sehr weit entfernt, indem er ein ansehnlich großes, von meist häßlichen Häusern umgebenes, schmutzerfülltes Rechteck darstellt, dem nur das nahe Franziskanerkloster mit seiner Kirche einigen Schmuck verleiht. Unsere erste Sorge war nun dem Auftreiben einer Fahrgelegenheit für unsere unverzügliche Weiterreise nach Trentschin zugewendet, aber da sah es leider sehr übel aus. Die landesfürstliche Stadt Hradisch besitzt nämlich zur Zeit einen einzigen Lohnkutscher, und dieser Alleinherrscher im Reiche der Lokomotion hatte die Unverschämtheit, für die nicht mehr als drei Posten betragende Wegstrecke bis nach Trentschin 24 Gulden Konventionsmünze zu begehren. Weit entfernt, uns dieser betrügerischen Forderung zu unterwerfen, wollten wir uns der Extrapost bedienen; dazu fanden sich jedoch im Poststalle nicht

genug Pferde vor, und so sahen wir uns denn genöthigt, für heute auf
jede Weiterreise zu verzichten, die nöthigen Karten für die des anderen
Morgens 6 Uhr abgehende Postbotenfahrt zu lösen, und uns bis dahin mit den Merkwürdigkeiten von Ungarisch-Hradisch zu trösten, unter deren Genuß wir die kurzen Stunden des Nachmittags fröhlich
hinzubringen gedachten.

Aber Du lieber Himmel! Der Nachmittag kam wohl nach Tisch,
doch mit ihm kam auch die Einsicht in das eigentliche Wesen dieser lan-
desfürstlichen Kreisstadt. Die größte Merkwürdigkeit darin ist eben der
gänzliche Mangel jeder sichtbaren Merkwürdigkeit. Vergebens durch-
streiften wir alle holperigen, jämmerlich gepflasterten und zum Theil
mit offenen Gossen versehenen Straßen dieser langweiligen Ortschaft;
vergebens waren alle unsere Erkundigungen nach Sehenswürdigkeiten,
es wollte sich durchaus nichts vorfinden, was uns über einige, oder
auch nur eine, der schwerbeflügelten Horen leidlich hinübergeholfen
hätte, und zuletzt jagte uns gar ein tüchtiger Regenguß zu unserem
„Bären" zurück. Unter solchen Umständen bleibt mir, mit Rücksicht auf
unseren großen Zeitverbrauch in Hradisch, nichts anderes übrig, als
meine freundlichen Leser in das Gebiet der Vergangenheit zurück zu
führen, und nachzusehen, ob sich daselbst nicht etwas findet, was uns über
die langweilige Gegenwart selbiger Stadt Hradisch zu trösten vermag.

Ich unterfange mich nicht zu glauben, daß ich etwas Unbekanntes
sage, wenn ich erwähne, daß Ungarisch-Hradisch in dem Weichbilde
des alten Wellehrad liegt, das auch Dewina hieß, und etwa zwei Jahrhunderte lang die Hauptstadt des großmährischen Reiches war. Hier
also residirte und herrschte ein Samomir und Mogemir, ein Samoslav
und Ratislav, ein Swatopluk und Swatobog, und wie sie alle hießen
diese Schafpelz-Könige, deren Politik eine so weise war, daß sie sich in
wenig langer Zeit um ein Reich brachten, dessen Grenzen einst längs
der Drau, der Theiß und den Karpathen hinliefen. Wellehrad aber
mag eine herrliche Residenz gewesen sein, was jedem klar werden muß,
wenn er um tausend Jahre später, d. h. in der Gegenwart, die strohdächi-
gen Lehmhüttendörfer des Marahanenvolkes ins Auge faßt. In der
vorhin erwähnten Altstadt sollen sich noch einige schwache Spuren der
alten Herrlichkeit vorfinden. Von dem Untergange des mährischen Rei-

7

ches angefangen beobachtet die Geschichte vier Jahrhunderte lang bezüglich Wellehrabs ein verstocktes Stillschweigen, bis um die Mitte des
dreizehnten Säkulums die insularische Lage der Stadt den rüstigen
Czechenkönig Przemisl-Ottokar dazu verleitet, aus ihr eine Grenzfe-
stung gegen die Magyaren zu errichten, und ihren alten Namen in den
gegenwärtigen umzuändern. Die Folgen dieser Vorkehrung ließen auch
nicht lange auf sich warten. Etwa siebzig Jahre später (1315) ward
sie zuerst durch Matthäus von Trentschin, und 1382 durch Stephan
Konth berannt. Noch Aergeres aber widerfuhr ihr durch König Mathias Corvinus von Ungarn, der sie, in seinen ehrgeizigen Händeln
mit König Podjebrad und dessen Nachfolger Wladislav, in fünf Jahren nicht weniger als fünfmal belagerte. Durch diese Zahl von Belagerungen steht Ungarisch-Hradisch unter allen Festungen der Welt vielleicht oben an. Aber auch nachher hatte die gute Stadt wenig Ruhe,
und im siebzehnten Jahrhunderte klopften abwechselnd Botskaj, Bethlen und die Schweden viermal unsanft und monatelang, obgleich allemal ohne Erfolg, an ihre Pforten. Diese Dinge beweisen klärlich die
einstmalige Wicht'gkeit der Veste, und trugen ihr nach und nach wichtige Privilegien ein. In dem Rathe der Stadt aber müssen ehedem sehr
weise Männer gesessen haben, was daraus zu entnehmen, daß ihrem
Urtheil und Unterweis, sowohl in Civil- als strafrechtlichen Sachen,
eilf andere Städte der Umgebung unterworfen waren. Da solches jetzt
nicht mehr der Fall, so liegt der Schluß nahe, daß das alte Kapital
erblicher Richterweisheit seither jämmerlich verschleudert worden. Vielleicht haben es die Preußen davongetragen, die im Jahre 1742 ein
Detachement von etlichen Tausend Mann hieher schickten, und die Thore
der Stadt offen fanden. Seit 1780 ist Hradisch keine Festung mehr,
und von ihren Wällen sind zur Stunde nur mehr geringe Reste vorhanden. Die beiden schönen und hochgewachsenen Töchter im „Bären,"
die uns Abends unseren Thee brauten und die, nebenher gesagt, trefflich Klavier spielten, waren weitaus die angenehmsten Gegenstände,
denen wir in Ungarisch-Hradisch begegneten.

Das herrlichste Wetter begünstigte des anderen Tages unsere
Weiterreise; es war ein duftiger, thaublitzender Morgen, und alles um
uns und in uns schwamm in Sonnenlicht und Freude. Schnell verga-

ßen wir da unsere Hradischer Täuschungen und ließen in tausend Scher=
zen und Gesängen unsere frohe Laune frei hinausflattern in die mor=
genfrische Welt. Da heute Markttag war in Hradisch, so strömte das
Landvolk von allen Seiten herbei, und zog, theils zu Fuß, theils zu
Wagen, zuweilen in hellen Haufen, meist lebhaft plaudernd und im=
mer freundlich grüßend, an uns vorüber. Es schien fast unglaublich, .
wie wesentlich sich, in wenigen Stunden von Wien weg, die Staffage
der Natur verändern konnte. In Wien noch deutsches Leben, deutsche
Sprache, deutsche Sitte in all und jedem; hier dagegen, in allem was
das Auge sieht und das Ohr hört, in Wohnung, Sprache und Klei=
dung, in Ton und Geberde, in Haus und Hof, in Feld und Dorf —
das Slaventhum in seines Wesens eigenster Gestalt. Nächst der Sprache
nimmt bei einem Volke, das uns fremd, die Art und Weise wie es sich
kleidet unsere Aufmerksamkeit zuerst gefangen; als Ingredienz der
äußeren Form fällt sie gleich von vorne herein in's Auge, und zeichnet
in dem Bilde, das wir uns von der Eigenthümlichkeit der Existenz die=
ses Volkes entwerfen, die ersten lebendigen Contouren, deren Farben=
füllung und geistige Ausstattung erst eine Folge fortgesetzter Beobach=
tungen sein kann. Im Uebrigen läßt sich der Satz aufstellen, daß die
Kleidung eines Volkes im Allgemeinen, ihre Anordnung und ihr Ge=
schmack, nirgends, wo die Mode nicht alle ursprüngliche Sitte wegge=
wischt, etwas von außen Gegebenes oder gar etwas Zufälliges sei; sie
ist vielmehr, wie jede andere Seite des Volkslebens, ein aus der Natur
des Elements und aus den physischen und gesellschaftlichen Verhält=
nissen entspringendes Produkt. Die Wahrheit dieser Behauptung ließe
sich leicht durch manches interessante Beispiel, und selbst aus der Ge=
schichte, illustriren, und eben dadurch werden die Volkstrachten für den
Ethnographen wichtig, der denn auch den Slaven in dieser Beziehung,
wie in Sprache und Sitte, eine ausgesprochene Originalität zugeste=
hen muß.

    Die Tracht des Landvolks bietet in den einzelnen Landstrichen
zwischen Ungarisch-Hradisch und Trentschin keine auffallenden Verschie=
denheiten dar. Die Frauen tragen weiße oder schwarze, in dünne Falten
gelegte Röcke und darüber eine Schürze von weißer oder blauer Farbe,
an den Füßen Schuhe von weißem Filz, um den Leib kurze Spenser

von weißem Tuche mit gelben Metallknöpfen besetzt, um den Kopf rothbunte, wulstig geschlungene Tücher, deren Zipfen rechts und links bis zur Achsel herabhängen, und, der kühlen Morgenluft wegen, hie und da-lange weiße, schwarzverbrämte Pelze von Schaffell. Die Kleidung der Männer folgte weniger als die der Frauen einer bestimmten Regel; sie bestand jetzt meist aus weiten Unterhosen von Linnen nach ungarischer Art, statt denen nur selten enge Beinkleider von blauem oder weißem Tuche sich sehen ließen; aus kurzen, blauen, rothausgenäh= ten Spensern, und aus grünsammtenen, pelzverbrämten Mützen, oder aus schwarzen Filzkappen mit hohen enganliegenden Stülpen, an deren Stelle auch wohl häufig die bekannten kleinen runden Hüte traten. Das Ganze trägt ein entschieden fremdartiges Gepräge, das nur eine Zeich= nung in zureichendem Grade versinnlichen kann, in welcher Beziehung ich meine Leser auf die schönen, bei J. Müller in Wien unlängst er= schienenen Abbildungen mährischer Volkstrachten, von J. Kalliwoda gezeichnet, zu verweisen mir erlaube.

Kaum weniger eigenthümlich als die Kleidung zeigte sich uns bei dem hiesigen Volke die Form und Einrichtung der gewöhnlichsten Appa= rate des Lebens. Dies lehrt schon die flüchtigste Beobachtung, wie sie jeder Reisende von seinem Wagen herab in jedem Augenblicke machen kann. Die Fuhrwerke denen wir begegneten waren in der Regel sehr klein, sehr einfach, und weder mit Eisentheilen noch mit den fast über= all üblichen Vorrichtungen für die Bequemlichkeit der darin Sitzenden verschwenderisch ausgestattet. Dafür aber waren die Pferde meist schön und wohlgenährt, denn der Slave liebt sein Pferd, und wenn er auch viel von ihm fordert, so hält er es dafür sehr gut. — In den Dörfern sind die Häuser fast ohne Ausnahme klein und unansehnlich, die Wände aus Lehm, die Dächer von Stroh, die Fenster winzig und selten, die Ställe höchst dürftig, und im Hofraume, wenn er anders vorhanden, nur schwache Andeutungen des für die Wirthschaft nöthigen Inventars sichtbar. Allenthalben herrscht viel Schmutz, und nur sehr selten offen= bart sich das Bestreben, der häuslichen Existenz eine gewisse Behaglich= keit und trauliche Abgeschlossenheit zu verleihen. Die Scheu des Slaven vor festen, bestimmten Formen tritt auch hier überall zu Tage. Eine andere merkwürdige Eigenthümlichkeit aller slavischen Ortschaften ist der faſt durchgängige Mangel jeder Einfriedung der Hofräume, wo= durch die Dörfer den Anſchein gewinnen, als ob die Häuſer aus denen ſie beſtehen zu einem bloß vorübergehenden Meeting zuſammengekom= men, und in jedem Augenblicke bereit wären, ihre gegenwärtigen Plätze wieder zu verlaſſen. Es fehlt deßhalb den ſlaviſchen Ortſchaften der anderwärts gewöhnliche Zuſammenhang der einzelnen Feuerſtellen un= ter ſich, und dies iſt es, was jedem Fremden augenblicklich auffallen, und das er als ein wichtiges Merkmal der häuslichen Exiſtenz des Sla= ven anerkennen muß. Das Haus des ſlaviſchen Bauers ſteht neben dem ſeines Nachbars frei da wie eine Inſel im Waſſer, wie eine Sennhütte auf der Alpe, und der erſte Schritt, den er über die Schwelle ſeiner Wohnung macht, geht unmittelbar ins Freie heraus, wo ihn alle Welt nach Gefallen ſehen und beobachten kann, und durch das jedem der Zutritt zu ſeiner Thüre und ſeinen Fenſtern, zu Stall und Tenne offen ſteht. „Mein Haus iſt meine Burg“ — dieſer uralte germaniſche Rechts= grundſatz — ſcheint demnach dem Geiſte der ſlaviſchen Völker im All= gemeinen unverſtändlich zu ſein. Welchen wichtigen Aufſchluß aber dieſe Beobachtung über das innerſte Weſen des ſlaviſchen Volkes zu gewäh= ren vermag, dies ſoll bei einer ſpäteren Gelegenheit zu zeigen verſucht werden.

Das erſte Dorf von Hrabiſch weg iſt Kunowitz, eine weitläufige Ortſchaft, die einſt ein k. Flecken, und nach der Zerſtörung Wellehrads längere Zeit ſogar der Sitz eines Biſchofs war, welche werthvolle hiſto= riſche Erinnerung eine Schaar Knaben dennoch nicht abhielt, ſich mitten im Dorfe eines erfriſchenden Morgenbades zu erfreuen, was ſie ganz in jener Bekleidung thaten, in der wir uns Altvater Adam vor dem Sündenfalle vorzuſtellen pflegen.

Schon vor Kunowitz war unſer Weg aus der Ebene der March in das Thal der Olſchawa eingebogen, und zog nun durch ein in ho= hem Grade freundliches, trefflich angebautes Hügelland dahin. Nach drittehalb Stunden erreichten wir Ungariſch-Brod, ein von etwa 5000 Seelen bevölkertes, auf einer ſanften Berglehne amphitheatraliſch hin= gebautes Städtchen. Alte, noch ziemlich wohlerhaltene Ringmauern und düſtere, widerhallende Thore weiſen auf vergangene romantiſche Zeiten hin, und ſuchen die Phantaſie in allerlei Vorſtellungen von Ur=

fehden und Belagerungen, Mauerbrechern, Katapulten, Pfeilschützen
hinter den Zinnen und dgl. zu verwickeln: aber die Einfahrt in das
Innere der Stadt zerstreut nachdrücklich alle Schwärmereien dieser Art
und läßt nachgerade ein Gemeinwesen sehen, das nicht besser und nicht
schlechter ist als jenes von Ungarisch-Hradisch, nur mehr geschlossen und
etwas lebhafter auf Straßen und Plätzen. Wie dieses hat es zwei große
viereckige Ringe, auf welchen jetzt des Sabbaths wegen viele Juden her=
umlungerten, und zahlreiche Gänseheerden das grüne Gras abweideten.
Das Hervorholen des Postwagens — bei der Botenfahrt wird dieser
nämlich auf jeder Station gewechselt — verschaffte mir die Gelegenheit
zu einer kleinen Promenade über die beiden Ringe. Auf dem einen
steht die Pfarrkirche: ein in ziemlich nüchternem, italienischem Style auf=
geführtes Gebäude ohne Thurm, und auf dem anderen das Dominika=
nerkloster, das wegen Mangel an Nachwachs jetzt nur mehr drei Kon=
ventualen zählt, unter denen einer über hundert Jahre alt sein soll.
Es ist eine sonderbare Erscheinung, daß dieser Orden, der noch immer
über ein großes Besitzthum verfügt, und der früher in der Welt eine
so wichtige Rolle spielte, dem Erlöschen nahe ist. Hat er etwa in den
religiösen Wirren vergangener Zeiten, in seinen großen geistigen An=
strengungen, und in seinen Kämpfen um kirchliche und weltliche Macht,
die ihm eingepflanzte Lebenskraft aufgezehrt? Ein anderer mag diese
Frage beantworten, so viel aber ist gewiß, daß dieser Orden heut zu
Tage fast wie verschollen im Schooß der Kirche ruht.

Die Landestopographen wissen von Ungarisch-Brod, so gut wie
von jedem anderen Landeswinkel viel Merkwürdiges zu berichten, als
da ist: von absonderlichen Freiheiten, königlichen Besuchen, sehens=
werthen Gebäuden, blutigen Schlachten und harten Belagerungen,
sammt mitunterlaufenden schrecklichen Hungersnöthen, wobei immer,
der Rührung nachfolgender Geschlechter wegen, Ratten und Mäuse für
Leckerbissen galten. Eine Belagerung nach solchem Muster ward denn
auch der Stadt im Jahre 1622 durch Bethlen Gabor zu Theil, zu
deren Schrecknissen sich noch eine Seuche gesellte, die von den Einwoh=
nern nur wenige übrig ließ *), und wobei nur der Umstand Bewunde=

*) Schwoy Fr. J. Topographie vom Markgrafthum Mähren.

rung verdient, daß es der Stadt dennoch gelingen konnte, sich des an=
stürmenden Feindes zu erwehren. Ungarisch=Brod war vordem eine
nicht unbedeutende Handelsstadt, doch sank ihr Flor im siebzehnten Jahr=
hunderte, theils durch die erwähnte Belagerung, theils durch zwei Plün=
derungen, mit denen sie die Schweden in den Jahren 1643 und 1645
heimsuchten, welche antimerkantile Maßregel die Preußen Anno 1742
zu wiederholen für gut fanden. Noch verdient erwähnt zu werden, daß
fast die Hälfte der Einwohner des Städtchens aus Kindern Israels be=
steht, welche häufig pfandweise die Land güter des benachbarten, schnaps=
süchtigen Landvolkes bewirthschaften, lange Bärte und eine große Syna=
goge besitzen, die von der Ferne gesehen wie eine Art Burg aussieht.
Als wir weiterfuhren und die Anhöhe emporstiegen, die sich in der
Richtung gegen Banow erhebt, bot die Stadt in ihrer eigenthümlichen
Lage, und unter dem Einflusse reizender Umgebungen, einen wahrhaft
fesselnden Anblick dar.

Hinter der letztgenannten Ortschaft hebt sich das Hügelland, das
wir bisher durchzogen, nach und nach zur Würde eines Gebirgslandes
empor, und gewinnt zusehends an Schönheit und Interesse. Tiefe schat=
tige Thäler, dunkelwaldige Höhenzüge, und selbst etwelche luftige Berg=
scheitel treten jetzt näher an die Straße heran, und erinnern an die so=
genannten weißen Karpathen, die wir auf unserem Wege nach Ungarn
übersetzen sollten. Und immer tiefer werden die Thäler, und immer hö=
her die Berge; auch trotzige Felspartien nah' und fern mischen sich
in das allgemeine Bild; und immer mehr erweitert sich der Umkreis des
sichtbaren Horizonts. Endlich ist die Höhe erreicht, und damit für das
Auge eine entzückende Fernsicht, nach rückwärts und hinüber gegen
Boikowitz, auf die nördlich und nordöstlich hinstreichenden Bergzüge
gewonnen. Ja selbst der schon auf dem linken Ufer des Waagflusses seß=
hafte Inowetz läßt sich durch die enge Hrosenkauer Thalspalte erblicken.
In unmittelbarer Nähe aber guckt aus dem Boden vielfach der bekannte
blaugraue Karpathensandstein hervor. In ihrem Maße beschränkt, aber
an Schönheit kaum minder reich, ist in dem höheren Theile des Hrosen=
kauer Thales, ehe man nämlich das Dorf dieses Namens erreicht, die
Aussicht auf die bunten, mit dem herrlichsten Grün bedeckten, und mit
zerstreuten Baum- und Waldpartien fröhlich geschmückten Berghalden, und

gerne sucht man hier in seiner Erinnerung, für den Zweck einer Verglei=
chung, nach irgend einem schönen Thale der smaragdnen Steiermark nach.
Die Poststation Hrosenkow, obgleich schon auf dem Osthange des
weißen Gebirges liegend, gehört doch noch zur Markgraffchaft Mähren,
und der militärische Vortheil ist demnach auf der Seite des erwähnten
Landes. Dieselbe Bewandtniß hat es mit den meisten Gebirgsübergän=
gen nach Ungarn auf dieser Seite, wie z. B. mit dem Passe Strany
unweit Neustadtl, mit dem Wlar=Passe nordwestlich von Trentschin,
mit dem Lissapasse, der nach Puchow führt, und selbst mit dem Jablunka-
passe oberhalb Sillein, — ein Zeichen, daß es die böhmischen Könige
einst, bei Festsetzung der Reichsgrenzen, den Ungarn an strategischer
Weisheit zuvorthaten. Schöne grüne Berge von 2 bis 3000 Fuß Höhe
umschließen das liebliche Thal von Hrosenkow abwärts, bis sie, nachdem
sie vorher noch bei Drietoma zu einem engen Defilé sich vereinigt, gleich
hinter der eben genannten Ortschaft rechts und links auseinander wei=
chen, und der Straße den Eintritt in das Waagthal gestatten, das uns
hier als eine offene, reichbevölkerte, blühende Landschaft empfängt. Es
ist eine lange, etwa eine halbe Meile breite Ebene, die uns jetzt aufnimmt
in ihren freundlichen, sagenreichen Kreis, aber eben dadurch erscheint
alles anders als wir es uns vorgestellt hatten. Die Berge herum, so
weit sie aus der Tiefe sichtbar, sind in Höhe und Gestalt viel zu zahm
und alltäglich, um die Phantasie nachhaltig anregen, und das Auge von
dem Einflusse des ebenen Landes befreien zu können, das sich, besonders
gegen Süden, in blaue reizende Fernen verliert. Kurz, es war die
Wirklichkeit ohne Zweifel lieblicher, aber auch weit weniger wild und
romantisch, als die vielen Sagen und Wundergeschichten, die in diesem
Thale ihren Schauplatz fanden, uns bisher glauben machen wollten.
Bei Kostolna tritt die Straße an das Ufer des Waagflusses, der jetzt
mit anständigem Gleichmuth dahin zog, obgleich manche unheilvolle
Mähr von den grausen Verwüstungen zu erzählen weiß, mit denen
seine unwirschen Launen zeitweise das Uferland heimsuchen. Und
eine halbe Stunde später standen wir bereits im Angesichte der Stadt
Trentschin, die sich malerisch um und auf den Fuß eines steil aus
dem Thale aufsteigenden Felsens hingelagert hat, von dessen Höhe
die mächtige Ruine des Trentschiner Schlosses wie eine verfallene,

und um ihre einstige Größe trauernde Königsburg weitherrschend niederschaut.

Der tiefe Eindruck, den diese steinerne Riesenurkunde der Geschichte
in uns hervorrief, ließ uns kaum die elende Vorstadt bemerken, die wir
durchfuhren, ehe wir die Mauern der eigentlichen Stadt erreichten. Zwei
gewaltige Thore durchbrechen auf der Südseite die doppelte Ringmauer,
die hier noch wohlerhalten ist, obgleich der Graben bereits theilweise
verbaut und durch allerlei Baum- und Gartenpflanzungen hie und da
unkenntlich gemacht wurde. Die Stadt selbst besteht aus einer einzigen
geraden, ziemlich breiten und schönen Straße von so geringer Länge,
daß Jedermann von dem einen Thore durch das gegenüberliegende
zweite hindurchblicken, und jenseits desselben einen guten Freund oder
Bekannten erkennen kann. Von jedem Hause des Städtchens aber ist
jedes andere Haus sichtbar, und wenn es einem unternehmenden Manne
einfiele, das hiesige Publikum mit einem Stiergefechte, Seiltänzerspekta-
kel oder etwas Aehnlichem amüsiren zu wollen, so könnten ohne Anstand
alle auf die Straße sehenden Fenster jedes beliebigen Hauses als eben
so viele treffliche Logen dienen. Aber eben dadurch erhält das Städtchen
einen traulichen, gewinnenden Anstrich, in den sich, durch das steilrecht
zu Häupten aufsteigende uralte Schloß mit seinem dräuenden Ernste
und dem Reichthume seiner geschichtlichen Erinnerungen, ein das Ganze
vergeistigender Bestandtheil mischt.

Es mochte ungefähr 3 Uhr Nachmittag gewesen sein, als wir den
Postwagen verließen und unsere Schritte dem Gasthofe „zum schwarzen Adler" zuwendeten. Hier erschien alsbald ein kleines, lebhaftes
Männchen, das sich uns als Wirth präsentirte, und mit vieler Artigkeit
den momentanen Mangel einer Unterkunft wie wir sie wünschten ent-
schuldigte, uns aber ein neben dem Thorwege befindliches Gemach
öffnete, das, ein Annex des Kaffeehauses, wahrscheinlich als Spielzim-
mer diente, und in das er die nöthigen Betten zu stellen versprach. Es
war ein dürftiges, von den Tabakdämpfen vieler Jahre und von allerlei trinkbaren Spirituosen durchparfümirtes Lokale, und offenbar zu
klein für drei Personen, wenn sie nicht eben auf alle Bequemlichkeit
verzichten wollten. Da trat uns ein fremder Herr in anständiger Kleidung, der unsere Unzufriedenheit wahrgenommen haben mochte, mit

freundlicher Offenheit an, und ſprach, zu den beiden geiſtlichen Herren ſich wendend, wie folgt: „Placeant Reverendissimi Domini meum hospitium occupare; ego alioquin longe facilius potere noctem in hac cubiculo exigere!" worauf allſogleich der ſeine Intereſſen wahrnehmende landlord mit den Worten einfiel: „ Vere bene Domine Spectabilis Otlik; ita optimum erit. Maximas gratias ago pro peculiari hac benevolentia. Dignentur ascendere!"

Wem wäre nicht bei dieſer Gelegenheit die Stelle in der bekannten Traveſtie der Aeneide eingefallen, nach welcher jener Mann, den Aeneas, als er ſich mit ſeinen Schiffen der italiſchen Küſte näherte, zur Rekognoszirung des unbekannten Landes ausgeſendet hatte, mit der Meldung zurückkam: man ſpreche da lateiniſch, und die Leute ſeien demnach entweder Lateiner oder Ungarn. Für diesmal aber waren es Ungarn von echtem Schlag, und nicht allein der Sprache, ſondern auch der Gaſtfreundſchaft wegen, die bei dieſem Volke, wie alle Welt weiß, eine Erbtugend iſt. Und erſt Abends erfuhren wir, daß Herr von Otlik das Zimmer, welches er uns in ſo freundlicher Weiſe abtrat, mit ſeiner Gemahlin inne hatte, ein Umſtand, der, wenn wir früher zu ſeiner Kenntniß gekommen wären, uns gewiß verhindert haben würde von ſeinem Anerbieten Gebrauch zu machen. Ich wünſche herzlich, es mögen dieſe Zeilen in ſeine Hände gerathen, damit er darin die wiederholte Verſicherung unſerer dankbaren Empfindungen finde.

Nach unverzüglicher Erledigung der hier zu Lande höchſt wichtigen Frage über die Möglichkeit und Art unſers Weiterkommens für den nächſten Tag, die unter Herrn von Otlik's Mitwirkung dadurch eine befriedigende Löſung fand, daß uns der Stuhlrichter, ein artiger junger Mann, einen Vorſpannswagen anwies, verfügten wir uns in das an dem ſüdlichen Ende des Städtchens liegende Piariſtenkollegium, deſſen Schätze an Büchern und Reliquien wir unter der Führung des Stubiendirektors, Pater Bernhard, mit aller Umſtändlichkeit in Augenſchein nahmen. Das Kloſter ſelbſt wurde um die Mitte des ſiebzehnten Jahrhunderts durch den Erzbiſchof von Gran, Georg Lippay, als Jeſuitenkollegium, in jenem eigenthümlichen und elevirten Style erbaut, durch den ſich in der Regel alle Bauwerke dieſes Ordens aus früheren Zeiten auszeichnen. Die Zimmer und Säle ſind durchweg hoch und luftig, die Fenster groß, die Thürstöcke und Treppen von Marmor, die innere Eintheilung des Hauses palastartig, und die Façade von Kirche und Kloster rein und kräftig. Das Innere der Kirche zeigt auch hier den von den Jesuiten vorgezogenen, die Sinne heiter ansprechenden, und mit dekorativen Zuthaten reichlich ausgestatteten Rundbogenstyl, und gleicht, die geringeren Dimensionen abgerechnet, so ziemlich der Universitätskirche in Wien, nur sind dort — in Trentschin nämlich — die Verhältnisse strenger, edler, und deßhalb der allgemeine Eindruck ernster und würdiger. Von den Jesuiten rührt denn auch der erwähnte Reliquienschatz und die Bibliothek her; ersterer enthält nicht allein einzelne Stücke von großem religiösen Werthe, sondern es sind auch die Fassungen hie und da, ihrer Arbeit und ihres Reichthums wegen, in hohem Grade sehenswürdig.

Noch während wir mit der Besichtigung des Klosters beschäftigt waren, hatte sich Herr Starek, Ehrendomherr zu Neutra und Stadtpfarrer von Trentschin, eingefunden, um uns für den Besuch der Stadtpfarrkirche und der Schloßruine als Führer zu dienen. Und in der That, nicht leicht hätten wir besseren Händen anvertraut werden können; denn dieser würdige Priester ist ein Mann, der auf der Höhe literarischer Bildung steht, und sich in seinem Vaterlande als Geschichtsforscher und Archäolog einen rühmlichen Namen erworben hat. Die Trentschiner Burgruine war es namentlich, die er sich, während seines bereits dreizehn Jahre andauernden Aufenthalts in dieser Stadt, zu einer wissenschaftlichen Domäne umgeschaffen, mit Liebe kultivirt, und deren wissenschaftliche Erträgnisse er in ein Heftchen niedergelegt hat, das den Titel „Wegweiser durch die Trentschiner Burgruine, und Umrisse der Geschichte der k. Freistadt und Burg Trentschin" führt. Es ist ein interessantes Werkchen für jeden Freund alter Zeiten, und die nachfolgende kurze Beschreibung dieses für die Geschichte Ungarns höchst wichtigen Punktes wird den eigenthümlichen Werth dieser Arbeit in ein klares Licht stellen.

Die Stadtpfarrkirche steht nicht in der Stadt selbst, sondern zwischen dieser und dem Schlosse auf einer hohen, nur für Kirche und Pfarrerwohnung den nöthigen Raum bietenden Terrasse, zu welcher aus dem Innern der Stadt eine bedeckte Treppe von 122 Stufen führt

Diese Terrasse war natürlicherweise in dem Befestigungskreise der Stadt eingeschlossen, und ist deshalb auf allen nach außen sehenden Seiten von hohen Eskarpen umgeben, wodurch die Kirche selbst eine isolirte, schloßartige, und dem Anblicke der Stadt aus der Ferne zu hoher Zierde gereichende Stellung gewann. Ihre Architektur ist nicht bedeutend; von dem alten gothischen Bau steht nur mehr das Presbyterium; das Schiff, der Thurm und die Façade aber sind Werke des sechzehnten Jahrhunderts, nachdem die Kirche bei der Belagerung durch den kaiserlichen General Katzianer im Jahre 1528 in Brand gerieth und ihre Decke einstürzte. Hier befindet sich die Grabstätte der gräflichen Familie von Illyésházy, und neben dem linken Seitenaltare steht in einer Wandnische die lebensgroße, in Alabaster ausgeführte Statue des im Jahre 1648 gestorbenen Grafen Kaspar Illyésházy, der, trotz aller ritterlichen Rüstung, mehr einem griesgrämigen Stubenhocker, als einem Helden und Ritter ähnlich sieht. Er war übrigens ein gelehrter Mann, schrieb Bücher über geistliche Dinge, und hing dem Fürsten Bethlen und dem abenteuernden Mannsfelder an, den er zu dessen nachmaligem Verdrusse ins Land rief. Einen höchst interessanten Schatz aber besitzt die Kirche in einer alten gothischen Monstranz und in zwei Kelchen aus derselben Zeit, beides Gaben des Königs Ludwig I. von Anjou, und angeblich von Kaiser Karl IV. herrührend, der sie, bei Gelegenheit des hier im Jahre 1362 unter persönlicher Zusammenkunft der beiden Monarchen unterhandelten Friedens, seinem großen Gegner zum Geschenke machte. Die Monstranz ist aus vergoldetem Silber in edelstem Style gebildet, und hat eine Höhe von 24 bis 28 Zoll; die Kelche aber sind kurz, oben breit und haben polygonale Füße.

Von der Pfarrkirche weg führt an der Felswand ein sanft ansteigender Weg in wenigen Minuten zu einem uralten Thurme, unter welchem sich jetzt das Haupteingangsthor des Schlosses befindet. Ein alter Pförtner, einst Hußar und Mitkämpfer in dem großen Völkerkriege gegen Frankreich, hält den Schlüssel dieses Thores in seiner Obhut, und verhindert so viel er kann die muthwillige Verunglimpfung dieser ehrwürdigen Ruine durch baulustige Vandalen der Stadt Trentschin. Das erwähnte Thor liegt ungefähr in der Mitte der westlichen Seite der Enceinte, aber kaum etwas mehr als halbwegs vom Thale zum

2

eigentlichen Hauptgebäude des Kastells. Hat man nun diesen Eingang hinter sich, und ist man, immer aufsteigend, an einem vorherrschend im romanischen Style erbauten, etwa 60 Fuß hohen Thurme vorübergegangen, so öffnet sich dem Blicke zur rechten Hand ein breiter, mit üppigem Graswuchs bedeckter, freier und fast ebener Raum, der allenthalben von starken Befestigungswerken und verfallenen Gebäuden umgeben ist, und den der felsige Berggipfel, auf welchem die eigentliche Burg ihren Platz gefunden, noch um etwa 100 Fuß überragt. Von diesem Platze aus läßt sich ungefähr die Form des weitläufigen Komplexes von Bauwerken aller Art übersehen, die die gewaltige Ruine vor uns zusammensetzen, obgleich manche Theile des oberen Schlosses hier noch gar nicht wahrgenommen werden können. Den Unregelmäßigkeiten des Terrains sich anschmiegend, bildet das Ganze eine Art Dreieck, dessen längste Seite westwärts gegen die Stadt, die kürzeste aber gegen Norden gerichtet ist, während sich die gegen Süden gewendete Spitze noch etwas nach dieser Richtung hin verlängert; und in dieser Spitze steht denn auf hohem Felsensockel, und dem Werke im Allgemeinen als starkes Reduit dienend, die Hauptmasse des Gebäudes, oder das eigentliche vielgliederige Schloß.

Unser Weg behielt von dem erwähnten Thurme weg ihre gegen Norden gewendete Richtung bei, und der nächste bemerkenswerthe Gegenstand, auf den wir stießen, war der, von einem thurmartigen Ueberbau beschützte, und in die erstaunliche Tiefe von 216 Fuß hinabreichende Brunnen. Er ist durchweg durch das feste Gestein des Gebirges gebrochen, und sein Wasserspiegel liegt, aller Wahrscheinlichkeit nach, mit dem Waagfluße in einem und demselben Niveau. Dieser wunderbare Bau heißt in dem Munde des Volkes „der Brunnen der Liebenden", und eine reizende Sage läßt ihn auf folgende Weise seine Entstehung finden. Stephan Zápolya, einst Herr dieser Burg und seiner Tapferkeit und Kühnheit wegen der Schrecken aller Feinde seines Landes, hatte einst auf einem Kriegszuge gegen die Osmanen ein wunderschönes Türkenmädchen Namens Fatime erbeutet, und sie bei seiner Rückkehr nach Trentschin seiner Gemahlin Hedwig, einer stolzen und harten Dame, zum Geschenke gemacht. Fatime blühte wie eine der Rosen ihrer warmen, sonnenfrohen Heimat; aber nicht ihre Anmuth und stille, stumme Trauer, wohl aber ihre Folgsamkeit und Sanftmuth, gewannen ihr allgemach die Neigung der strengen Gebieterin. Da erschien bald nach geschlossenem Frieden ein mit großem Gefolge reisender junger türkischer Kaufmann in Trentschin, verweilte daselbst mehrere Tage und erschien zuletzt vor Stephan Zápolya auf dem Schlosse mit der Bitte um Auslieferung Fatimens für jeden Preis, den man ihm nennen würde. Der stolze Burgherr, selbst im Besitze eines unermeßlichen Reichthums stehend, wies diesen Antrag mit dem Bescheide zurück, daß er über Fatimen, die ein Eigenthum seiner Gemahlin geworden, ohnehin nicht mehr verfügen könne. Vergebens wiederholte der junge Türke mit dem Anbot eines ungeheuren Lösegeldes seine Bitte; vergebens flehte er, auf den Knien liegend und in Worten der Rührung sich erschöpfend, um Befreiung seiner angelobten Braut; das harte Herz des Kriegers fand kein Mitleid für den Wehruf der Liebe. War es doch nur ein Türke, ein Feind seines Vaterlandes und des christlichen Glaubens, den zu peinigen er, nach dem Geiste jener rauhen Zeit, vielleicht noch für recht und rühmlich erachtet haben mochte. Der langen Unterhandlungen müde, stampfte er endlich unmuthig den Boden mit seinem Fuße und sprach heftig: „So wahr lockst Du Wasser aus diesem Felsen, als Du mit Deinen Bitten meinen Willen wendest!" — „Bleibst Du bei Deinem Worte, Herr?" frug rasch entgegen der junge Türke. — „Ja!" klang trotzig die Antwort, und damit entfernte sich der Burgherr von der Felsenterrasse, auf welcher diese Unterredung statt gefunden. Unverzüglich ging nun Ali, so hieß nämlich der junge Türke, mit seinen Leuten an das große Werk. Man kennt die damalige Geschicklichkeit der Osmanen im Minenkriege, und nur zu oft waren die christlichen Völker, während der vielen Kämpfe und Belagerungen jener Zeit, in der unangenehmen Lage, die Ueberlegenheit der Türken in dieser Art Kriegführung anzuerkennen. Mit wunderbarer Schnelligkeit wuchs die Tiefe des Schachtes; aber in dem Maße, in dem die Arbeit vorwärts schritt, vergrößerten sich auch ihre Schwierigkeiten, bis es endlich, nach drei langen Jahren, als die Kräfte der Arbeitenden bereits ihrer Erschöpfung nahe waren, der muthigen und unerschütterlichen Ausdauer eines liebenden Herzens gelang, der felsigen Tiefe den sprudelnden Wasserquell zu entlocken.

2 *

Und Zápolya war so gerecht, den Liebenden ihr schwer erkauftes Glück zu gönnen.

So die Sage; doch die eigentliche Historia, die nüchterne, blaustrümpfige Göttin, der eine dürre Logik lieber ist als alle Schätze der Poesie, und die ihren Appetit am liebsten mit alten staubigen Pergamenten stillt, zweifelt hartnäckig an der erwähnten Entstehungsweise des Brunnens; und da weder Ali der junge Türke, noch Fatime seine reizende Freundin stichhaltige Argumente darüber zu beschaffen im Stande sind, so tritt die Kritik, diese Halbschwester und Bundesgenossin der Geschichte, die an Härte fast jenem Stephan Zápolya selber gleicht, mit der trockenen Behauptung hervor: daß die vorhandenen Cisternen, bei der Vergrößerung und an Zahl steigenden Bevölkerung des Schlosses, namentlich in Kriegszeiten, dem Bedarfe nicht mehr genügt haben konnten, und daß man daher, etwa in der Zeit der Könige aus dem Hause Anjou, bedacht gewesen, dem allfälligen Wassermangel durch den Bau eines Brunnens zu begegnen.

Von hier weg erreicht man, über Trümmerwerk abkletternd und durch giftige Nesseln watend, einen runden, aus der Umfassung scharf vorspringenden niederen Thurm, der, mit Kanonenschußscharten versehen, die Westfront des Kastells enfilirt, und dem nach Form und Bauart unter allen Theilen der Veste das höchste Alter zuerkannt werden muß. Die ursprüngliche Gestalt dieses Gebäudes ist kaum mehr zu erkennen, indem es zu verschiedenen Zeiten behufs verschiedener Zwecke mannigfach verbaut und umstaltet wurde. So hat es z. B. unter Kaiser Joseph II. als Kerker gedient, in welchem einige Schuldgenossen der walachischen Häuptlinge Hora und Kloschka für ihre verbrecherischen Schwindeleien büßten; zuletzt aber ward es als Waffendepot und Arsenal des Trentschiner Komitats verwendet. Unterhalb dieses Thurmes hat nun Herr Kanonikus Starek auf einem etwas geglätteten Theile der Felswand (die nebenher gesagt aus einem sehr festen, rauchgrauen und von Kalkspathadern durchzogenen Kalksteine besteht) und wohin nur mit Mühe und unter Gefahren zu gelangen war, erst im vorigen Sommer, also lange nach Veröffentlichung des oben besprochenen Wegweisers, eine von dem Zahn der Zeit stark zernagte römische Inschrift entdeckt, durch welche die alte Meinung, daß die Burg Trentschin den

Römern ihre erste Entstehung verdanke, nicht mehr so rundweg in das Reich der Märchen verwiesen werden darf.

Bei diesem Punkte endet die lange Westfront des Kastells, an die sich nun, unter einem scharfen Winkel abbiegend, der zwischen 300 bis 360 Fuß lange nördliche Theil der Umfassung anschließt. Gleich der Westseite erhebt er sich am Rande eines schroffen Felsabsturzes, und enthielt eine Reihe niedriger, bloß ein Stockwerk hoher Gebäude, in welchen nebst einer kleinen Kapelle, eine Tretmühle und zahlreiche Wohnungen für die Dienerschaft untergebracht waren. Die östliche Ecke dieser Seite bezeichnet ein massiger runder Thurm, „der Hungerthurm" genannt, worin sich (zur Befriedigung romantischer Gemüther sei es erwähnt) das Burgverließ, und hoffentlich auch alles appertinente hoch= nothpeinliche Requisit, zur Erzielung rechtlicher Ueberzeugungen, vor= fand. Letzteres kann ohne Anstand angenommen werden, da es aus alten und neuen Geschichten sattsam bekannt ist, mit welch' ängstlicher Genauigkeit im schönen und freien Ungarlande die großen und kleinen Oligarchen Recht und Gerechtigkeit handhaben. Jenen um solcher Er= innerungen doppelt ehrwürdigen Thurm aber wollte vor wenigen De= zennien die erleuchtete Illyésházy'sche Güterverwaltung, in geziemen= der Ehrerbietung vor der Geschichte und dem dritthalbhundertjährigen Sitze der gräflichen Ahnen, jedoch mehr noch wegen des leichten Ge= winns etwelcher Ziegel für den Bau des neuen Schlosses in Dub= nitz, vermittelst Pulver in Trümmer legen; doch die Ladung fuhr dem Thurme, als wäre er ein riesiges Kanonenrohr, oben aus dem Leibe heraus, nahm wohl manches von seinen Eingeweiden mit, ließ aber seine Mauern aufrecht stehen. Diesen kraftvollen Widerstand mußte nun dafür anderes, minder standhaftes Schloßgemäuer entgelten, und so ward denn da und dort unbarmherzig niedergerissen, was sich für bequemen Transport eben am besten darbot, bis Schloß Dubnitza da unten im Thale fertig stand, und alte Ziegel nicht mehr für neue auf= gerechnet werden konnten. — An diesem trotzigen Festungserker nimmt nun die Ostseite der Veste ihren Anfang, die vorerst mit einer starken, längs eines dahinter liegenden tiefen Thaleinschnittes hinlaufenden Mauer anhebt, sich nachher bald an die Hauptmasse der Burg anschließt, und entlang letzterer in südlicher Richtung noch eine gute Strecke weit hinzieht. Ueber eine sanfte Felsenrampe ansteigend, betraten wir jetzt das Innere des eigentlichen Schlosses.

Der Eingang in dasselbe befindet sich auf der östlichen, also auf der der Stadt entgegengesetzten Seite, weßhalb man den schmalen felsigen Rücken, den es krönt, auf der vorhin erwähnten Esplanade in einem halben Kreise umgehen muß. Das Hauptthor ist eingestürzt, und der hochgehäufte Schutt macht den Zugang gegenwärtig etwas beschwerlich. Der erste wichtigere Bestandtheil, auf den man stößt, ist ein langes, zwei Stockwerke hohes und mit den Fenstern gegen Sonnenaufgang gekehrtes Gebäude, das, nach dem an der Façade angebrachten Wappen zu schließen, seine Entstehung der Kaiserin Barbara von Cilli verdankt, und wo sie, wahrscheinlich während ihrer Witwenzeit, eine kurze Weile lang residirte. Da ihr jedoch von Kaiser Sigismund, ihrem Gemahl, das Schloß Trentschin als Witwensitz niemals verschrieben worden war, so bleibt es ungewiß, wie sie dazu kam sich hier anzubauen. Vielleicht geschah dies für den Zweck ihrer Gefangenhaltung, zu der sie von dem Kaiser noch auf seinem Sterbebette, wegen politischer Umtriebe, verurtheilt worden war, obgleich unter den Orten, wo sie in Folge dieser Verfügung festgehalten wurde, der Burg Trentschin niemals Erwähnung geschieht. Das Cilley'sche Wappen kann jedoch von dem in Rede stehenden Gebäude nicht weggeläugnet werden, und eben dadurch wird es wahrscheinlich, daß sie dieses Schloß wirklich bewohnte, wenn es auch nur, wie aus der Geschichte ihrer nachmaligen Erlebnisse hervorgeht, auf kurze Zeit geschehen sein mochte. Und so pochte denn auch hier das unruhvolle, begehrliche Herz dieser edlen Dame, die in eigenthümlicher Vorsorge für die Zukunft sich vermaß, noch zu Lebzeiten ihres kaiserlichen Herrn und Gemahls über ihre Hand und über das Reich, die beide nicht ihr selbst gehörten, eigenwillig zu verfügen.

Mit dem Palaste der Königin Barbara steht in nördlicher Richtung der sehr alte, von Matthäus Csáak herrührende Theil in Verbindung, während sich westlich desselben, und von ihm durch einen kleinen Hofraum getrennt, der Hauptthurm und das von dem Könige Ludwig I. erbaute Gebäude erheben, an welches sich sofort, in südwärts gerichteter Ausbreitung, der von Zápolya stammende Schloßtheil anschließt. Das letztgenannte Glied ist von der Masse dieser machtvollen Ruine

durch einen tiefen Graben getrennt, und bildet demnach eine Art Vor=
werk, das nach drei Seiten hin von einer großen halbkreisförmigen
Bastion, deren Radius etwa 120 Fuß betragen mag, umschlossen wird,
und deren innerer Raum von einem palastartigen Bau, und einem star=
ken runden Thurme als Kavalier, erfüllt war. Leicht ist von hier aus
der Grund einzusehen, der die ehemaligen Besitzer der Feste, im Be=
wußtsein ihrer hochfliegenden Plane und in Voraussicht der blutigen
Kämpfe, die sie hervorrufen sollten, zur Erbauung dieses Werkes auf=
forderte. Das verhältnißmäßig geringe Gefäll des Bergabhangs machte
auf dieser Seite allein die gefahrbrohende Annäherung eines Feindes
möglich, dessen Angriff, bei der veränderten Natur der Trutzwaffen
und bei der Nähe dominirender Höhen, für die Burg in ihrer früheren
Gestalt nach kurzer Zeit verderblich geworden wäre; und deßhalb eben
ward sie auf dieser Seite durch ein weit vorspringendes Werk verstärkt,
das jedoch der Oertlichkeit wegen eine etwas tiefere Lage erhalten mußte.

Ohne Beihilfe eines Grund= und Aufrisses ist es natürlicherweise
sehr schwer, dem Leser eine auch nur halbwegs verständliche Darstel=
lung dieses Schlosses zu liefern, das eben sowohl durch den Umfang
und die Kühnheit seines Baues, als durch die großen Schicksale, die an
und in ihm sich erfüllten, einen gewaltigen und ergreifenden Eindruck hin=
terläßt. Den Hauptgenuß aber hatte uns unser freundlicher und gelehrter
Führer für den Schluß aufbewahrt, der in der Erkletterung des bereits
erwähnten, 105 Fuß hohen und in sechs Stockwerke abgetheilten
Hauptthurmes bestand. Von der Höhe desselben war nicht allein die
Ruine in allen ihren Theilen vollkommen zu übersehen, sondern auch
eine nach allen Seiten sich öffnende herrliche Fernsicht lenkte das Auge
von den Trümmern schicksalsschwerer Vergangenheit in das Reich einer
blühenden Gegenwart zurück. Die Sonne versank eben wie ein licht=
sprühender Feuerball hinter die hohe Javorina, und warf ihre rothen,
schon halbverglimmenden Funken über alle nahen und fernen Berge.
Von Norden her sah der große Manyin, der bei Bistritz steht, träume=
risch zu uns herüber und schien zu fragen, ob wir nicht Lust hätten ihn
recht bald aus nächster Nähe zu begrüßen. Das dunkle Waldgrün der
ostwärts aufsteigenden Reviere ward bleicher unter dem fließenden Gold
des Abendlichts, und wo hinter irgend einem Berge ein breiter Schat=

ten schlummerte, da sah es blau und dunkel aus, und die Rosen des
sinkenden Tages fanden darin ihren erwünschten Gegensatz. Zu unseren
Füßen aber lag der breite offene Strich des Waagthales, vor uns das
zierliche Städtchen, rings herum, und besonders nach abwärts, mehr
Dörfer, Weiler, Schlösser und Kirchen, als sich leicht zählen ließen, da-
zwischen die vielen, lichtblitzenden Arme der Waag, und weit unten, in
Duft gehüllt, die Thürme von Neustadtl und des nahebei liegenden
Narrenschlosses von Betzko. Wer von uns möchte wohl wünschen, den
Reichthum dieser Erscheinung in unserem Erinnern mit der Zeit ver-
mindert zu sehen!

Und nun bevor wir in diesen Zeilen von dem Schlosse Abschied
nehmen, sei es mir vergönnt das Buch der Zeiten flüchtig aufzurollen,
um meinen Lesern in wenigen kurzen Zügen die geschichtliche Bedeutung der Burg Trentschin zu zeichnen, „dieser ehrwürdigen Spindel,
an der sich Jahrhundert für Jahrhundert Ungarns Begebnisse gleichsam abwinden lassen." *)

Die oben erwähnte, durch den Herrn Kanonikus Starek an der
Felswand aufgefundene römische Inschrift läßt die von dem Geographen Ptolemäus genannte, und im Lande der Jazygen gelegene Stadt
Trisson mit dem heutigen Trentschin vielleicht denn doch als identisch
erscheinen. Ptolemäus lebte im zweiten Jahrhunderte der christlichen
Zeitrechnung, und die Jazygen waren ein sarmatisches Volk, das damals die Gegenden an der Waag bewohnte. Da aber zur Zeit des
Ptolemäus die Römer ihre Herrschaft noch nicht bis in diese Region
bleibend ausgedehnt hatten, dies aber nachher periodenweise geschah, so
ist es denkbar, daß jenes slavische Volk dem Orte wohl den Namen
gab, die Römer aber seine Befestigung vornahmen.

Nach der allgemeinen Einwanderung der Slaven und der Grün-
dung des großmährischen Reiches lag Trisson (slawisch Tritjin, die
Dreiburg) so ziemlich in der Mitte des ihm zugehörigen Ländergebiets,
und als es nachher dem Anbrange der Magyaren unterlag, war die
Waag auf einige Zeit die Grenze zwischen Böhmen und Ungarn und
Trentschin eine Grenzveste der letzteren.

---

*) Historisches Taschenbuch von Hormayr und Mednyanßky, 1820. pag. 262.

Unter König Stephan dem Heiligen, der seinem Lande eine Verfassung und die erste politische Eintheilung gab, ward Trentschin der
Sitz des Gespanschaftsgrafen, und daher der Mittelpunkt der Wehr-
verfassung des Komitats. Schon unter diesem Könige wird Trentschin
eine Stadt genannt, aber ihre Einwohner wohnten damals auf der
Höhe, um das Schloß herum, oder höchstens in einzelnen Behausungen
dicht unter dem Berge und im Vertheidigungsrayon der Veste. Daß
es schon zu jener Zeit der Stadt und dem Lande umher nicht an Menschen und mobilen Besitz fehlte, beweist die Erzählung des, unter
König Salomon durch-die Böhmen in den Jahren 1067 und 1072
unternommenen Einfälle in Trentschin, „wobei sie eine große Beute an
Menschen und Thieren machten, die sie mit sich nahmen." °)

Wie die dunklen Leute alle hießen, die im eilften und in der ersten
Hälfte des zwölften Jahrhunderts die Stelle eines Trentschiner Grafen
inne hatten, mag uns wenig kümmern. Die erste rüstigere Gestalt, der
wir nach dieser Zeit begegnen, ist die Peter Esäak's Grafen von
Trentschin, erblichen Besitzers von Freistadtl und nachherigen Palatins
unter König Ladislaus dem Kumanen. Sein Nachfolger in der Würde
eines Trentschiner Grafen war sein Sohn Matthäus Esäak, der schon
im Jahre 1278 in der Schlacht bei Laa jenes ungarische Hilfskorps
befehligte, mit dessen Unterstützung Kaiser Rudolf von Habsburg seinen stolzen und mannhaften Gegner besiegte, und damit den Grund
zur künftigen Größe seines Geschlechtes legte.

Dieser Matthäus Esäak, gewöhnlich auch Matthäus von Trentschin genannt, ist eine in der ungarischen Geschichte hochragende Hel-
dengestalt, ein Oligarch in des Wortes größter und zugleich schlimmster
Bedeutung, dessen umständliche und mit kritischer Strenge verfaßte Bio-
graphie noch nicht geschrieben ist. Seine Abstammung fällt mit der des
noch heute blühenden Geschlechtes der Grafen von Esäky zusammen,
und geht bis zu Elöd, einem der sieben Feldherren zurück, unter deren
Führung die Magyaren ihre gegenwärtigen Wohnsitze eroberten. Ein
Demeter von Esäak bekleidete unter Andreas II. die Würde eines Bans
von Kroatien, und erwarb sich im heiligen Lande, durch seine Kühnheit

---

°) Worte des Thurozius, siehe J. C. von Thiele: „Das Königreich Ungarn ꝛc.
1833."

bei dem Angriffe auf den Berg Tabor, den blutigen Sarazenenkopf im
Wappen, den das Geschlecht noch heut zu Tage führt. Als Matthäus
von Trentschin das Erbe seines Vaters antrat, war die goldene Bulle,
die den adeligen Unterthanen des Landes in gewissen Fällen das Recht
des Widerspruchs und der Widersetzlichkeit gegen ihren rechtmäßigen
König einräumte, längst schon in Kraft; noch mehr aber hatte das Kö-
nigthum in Ungarn unter den nachfolgenden gekrönten Schwächlingen
aus dem Stamme Arpads an moralischem Ansehen, und durch unkluge
Verschenkung der königlichen Schloßgüter an materieller Macht eingebüßt. Einzelne Familien waren dadurch, und auf allerlei anderen Wegen,
in den Besitz ungeheurer Reichthümer gelangt, mit deren Hilfe sie es
wagen durften, die kleineren Edelleute der Umgebung zu unterjochen,
sich untereinander zu befehden, Raubzüge in die Gebiete benachbarter
Staaten zu unternehmen, und dem königlichen Ansehen in Wort und
That zu trotzen. Nicht kann es deshalb Wunder nehmen, daß nach dem
Aussterben des Arpad'schen Mannsstammes einzelne mächtige Dynasten
mit ihren Parteien sich einen König nach Belieben wählten, sich neue
Privilegien und neuen Länderbesitz von ihm ertheilen ließen, ihn nach
Macht und Laune unterstützten, und so die Veranlassung zu einem
Thronstreit gaben, der mehr als zwei Dezennien lang das Reich in wilder, blutiger Gährung erhielt. Während also, nach Andreas III. Tod,
ein Theil der Magnaten Karl Robert von Anjou-Neapel zum Könige
von Ungarn wählte, hatte sich Matthäus von Trentschin für den König
Wenzel von Böhmen entschieden, dessen Sohn nach Ungarn geführt,
für ihn, im Verein mit dem mächtigen Grafen von Güssing, den größten Theil des Landes erobert, und seinen Schützling in Stuhlweißenburg
zum Könige gekrönt. Für sich selbst aber gewann er dadurch die Er-
nennung zum Palatin und die Schenkung des Trentschiner Komitats,
sammt aller persönlichen Güter des Königs und der Königin. Doch
nicht genug! Durch Befehdung und Vertreibung der Anhänger des
Gegenkönigs, deren Güter er ohne weiters zu den seinigen schlug, vergrößerte er in kurzer Zeit seinen Länderbesitz in der Art, daß er fast
über alles Land von Preßburg bis Käsmark, von Sillein bis an die
Eipel gebot.

Aber das unwürdige und unsittliche Benehmen des jungen Königs, und die schnöde Beseitigung der ungarischen Kroninsignien, dann der Schätze und des Archivs zu Gran, erbitterten das patriotische Herz des stolzen Oligarchen so sehr, daß er dem durch den Papst unterstützten König Karl die Hand zum Frieden bot, und im Bündniß mit ihm und dem Herzoge Rudolf von Oesterreich einen Rachezug nach Mähren unternahm, wofür ihn Karl Robert großmüthig mit Komorn und Wissegrad beschenkte. Mit diesem Vergleich war jedoch von Seite Csák's durchaus keine ihn bindende Anerkennung der königlichen Rechte in Karl Robert ausgesprochen, weshalb er es auch geschehen ließ, daß die Partei der Güssinger Grafen den Prinzen Otto von Niederbaiern, einen Enkel König Bela des Vierten, zum Könige wählte und krönen ließ. Kurz vorher war der ältere Wenzel von Böhmen gestorben, und sein Sohn, der ungarischen Königswürde müde, hatte dem Neugewählten gerne die jetzt mehr als je schwerlastende Krone ausgeliefert. Aber die feige Haltung König Otto's entfremdete ihm bald die Herzen seiner Anhänger; er floh aus dem Lande, und nun ward es dem staatsklugen päpstlichen Legaten Gentilis nicht eben schwer, die störrischen Magnaten nach und nach auf Karl Roberts Seite zu ziehen. Csák, Güssing und Apor leisteten diesem jetzt den Eid der Treue, wofür der Ersterwähnte zum Tavernikus ernannt und mit dem stolzen, bisher unerhörten Titel eines obersten Vormunds des Reiches beehrt wurde. Aber welchen Sinn hatte diese Ehre! der reißende Wolf ward zum Vormund des fast hilflosen Lammes bestellt.

Matthäus von Trentschin war gewiß nichts weniger als geneigt, eines leeren Titels wegen die unumschränkte Herrschaft über ein Ländergebiet niederzulegen, das an Größe sich mit manchem neueren Königreiche messen könnte. Und so tief hat sich im Bewußtsein des Volkes der Begriff seiner Herrschermacht eingeprägt, daß das Trentschiner Komitat noch heut zu Tage das „Matthäusland" genannt wird. Er ließ Münzen auf seinen Namen schlagen, bestellte ein eigenes System von Maß und Gewicht, besteuerte seine Unterthanen nach eigenem Ermessen, befestigte seine Städte und Schlösser wie es ihm gut dünkte, nahm fremde Söldner in seinen Dienst, richtete seine Hofhaltung ganz nach dem Muster der königlichen ein u. dgl. m. Es war daher fast natürlich, daß er die nächste Gelegenheit ergriff, um selbst den Schein der Unterwerfung

unter das Gebot des aufgedrungenen Königs zu beseitigen, und diese Ge=
legenheit bot das überkluge Benehmen des Legaten Gentilis dar, der in
der Versammlung auf dem Rakos bei Pesth die Oberherrlichkeit des
Papstes über das Königreich Ungarn unzeitig zur Sprache brachte.
Matthäus protestirte laut gegen diese Auffassung, berief allsogleich aus
eigener Macht einen allgemeinen Tag zur freien Wahl eines neuen,
unabhängigen Königs, und ward dafür in Acht und Bann gethan.
Doch wenig kümmerte dies den Mächtigen; in Eile rüstete er sein Heer
und fuhr verwüstend erst über Neutra, das er stürmend einnahm und
verbrannte, dann über die Güter der feindlich gegen ihn gesinnten Bi=
schöfe von Gran und Waitzen, und noch in demselben Jahre über des
Königs Anhänger in der Zips, deren Burgen er brach und deren Güter
er sich unterwarf. Erst zwei Jahre später gelang es dem anderwärts
beschäftigten Könige eine hinreichend starke Macht aufzubieten, mit der
es ihm gelang, das Heer der Rebellen in der blutigen Schlacht bei
Rozgony an der Tarcza vollständig zu besiegen und im folgenden Jahre
Komorn und Vissegrad zu belagern.

Diese Schläge erschütterten nur, aber brachen nicht die Macht des
kühnen Mannes. Denn wir sehen König Karl zwei Jahre nach dem
Siege bei Rozgony mit Herzog Friedrich von Oesterreich ein Bündniß
zur gemeinschaftlichen Bekriegung Csáak's abschließen, das wohl zu
einigen Vortheilen im freien Felde, aber nicht zur Unterwerfung des
allezeit schlagfertigen Gegners führte. Ja es mußte zwischen beiden
Theilen sogar zu einem förmlichen Friedensschlusse gekommen sein, weil
Matthäus, kurze Zeit nachher, aus unbekannten Gründen feindlich in
Mähren einfiel, und, als König Johann den Angriff kräftig abwies
und bis an die Waag vordrang, es wagen durfte, von König Karl Bei=
stand gegen die Böhmen zu verlangen. Da ihm nun die nachgesuchte
Hilfe verweigert wurde, schloß er eilig Frieden mit König Johann,
brach neuerdings rachedürstend und alles verheerend in die königlichen
Besitzungen ein, und eroberte erst Neutra, dann Tyrnau und Schintau
an der Waag mit stürmender Hand. Demungeachtet bot ihm zuletzt
der König, gegen Abtretung von Komorn und Vissegrad, die er bis=
her immer vergeblich belagert hatte, den Frieden an, den Matthäus so=
fort bis an sein Ende, das er (am 9. September 1319) in Folge einer

ekelhaften Hautkrankheit gefunden haben soll, nicht wieder brach. Er
starb kinderlos; sein einziger Sohn Michael, dem eine österreichische
Prinzessin zum Ehebündniß zugedacht gewesen, war lange vorher, bei
Gelegenheit eines verunglückten Handstreichs auf die von den Karlisten
vertheidigte Stadt Ofen, getödtet worden. Der Widerstand seiner Anhänger währte nach seinem Tode noch einige Jahre lang fort und
führte für Trentschin eine harte Belagerung herbei, wodurch die Stadt
verwüstet, aber erst im Jahre 1321 der k. Gewalt unterworfen wurde.

Die kurze Geschichte dieses außergewöhnlichen Mannes, den
Thurozius den Trentschiner Fürsten nennt, beweist mit ziemlicher
Klarheit, daß seine Stellung dem Könige gegenüber kaum mehr wie
die eines einfachen Unterthans oder eines gewöhnlichen Magnaten des
Reichs aufgefaßt werden darf. Seine Allianz mit Karl bei der ersten
Invasion Mährens, die Verlobung seines Sohnes mit einer Prinzessin
aus dem Hause Habsburg, sein Hilfegesuch an den König gelegenheitlich seiner Bedrängniß durch Johann von Böhmen, der Friedensschluß
dieses letzteren mit ihm, sein Rachegefühl gegen Karl wegen verwei-
gerten Beistandes, das nur durch Nichteinhaltung bestehender Vertrags-
punkte von Seiten des Königs natürlich zu erklären wäre, der endliche
Friedensvertrag zwischen beiden zu einer Zeit, wo Karl zu jeder Unternehmung gegen den mächtigen Dynasten freie Hand hatte, und überhaupt die nach jeder Richtung hin vollständig freie und willkürliche
Gestion Csáak's in allen inneren Angelegenheiten seines Landes —
berechtigt wohl zur Annahme, daß er sich, freilich auf dem Wege der
Rebellion, die Stellung eines autonomen Vasallen der Krone erkämpft
und zur rechtlichen Anerkennung gebracht hat. Sein Beispiel läßt überdies deutlich genug die schwankende Stellung der ungarischen Könige
erkennen, die, neben einer mächtigen, zahlreichen und mit ungebühr-
lichen Rechten ausgestatteten, von Ehrgeiz getriebenen und mit dem
Fluche der Parteisucht belegten Aristokratie, fast nur wie Gegenstände
konventioneller Duldung erschienen. „Es erheben sich" — so sagt ein
ungarischer Schriftsteller bezüglich einer nur um weniges späteren
Zeit, — „mächtige Individuen aus der Masse der Nation, großartige
Charaktere, welche eines Theils durch ihre Sucht nach Größe und Macht,
durch ihre Intriguen und Hinterlist, anderntheils durch patriotische

Aufopferung, zur Rettung des in Gefahr schwebenden Vaterlandes sich auszeichnen, und beinahe das ganze Feld der nationalen Geschichte einnehmen." *) Und wie nicht in einem Glase Wasser, wohl aber auf dem Meere große Stürme möglich sind, so fanden die Leidenschaften in diesem einst so gewaltigen Reiche ein weites Feld vor sich, und die Thaten der Mächtigen und ihre Wirkungen wuchsen um so leichter zu weitreichenden und erschütternden Dimensionen auf. Und dieser Umstand ist es zugleich, der die Geschichte der ungarischen Adelsgeschlechter so wichtig und anziehend machte.

Die Stadt Trentschin verdankt Matthäus Csaak die Erbauung ihrer Festungswerke, und die Burg eine ansehnliche Erweiterung. Auch Komorn wurde durch ihn zuerst befestigt. Sein ganzer Besitz aber fiel nach seinem Tode an die Krone heim, wodurch Komitat und Schloß wieder ihren verfassungsmäßigen zeitlichen Grafen und Kastellan erhielten, denen jedoch die Stadt als peculium regium nicht unterstand, und die einige Jahre schon nach ihrer Unterwerfung von König Karl Robert des Entrichtens der Mauthgebühren enthoben wurde, um ihre zerstörten Mauern leichter wieder aufbauen zu können. Die Ruhe, deren nun die Stadt durch längere Zeit sich erfreuen durfte, und ihre für den Handel mit Böhmen, Mähren und Schlesien nicht ungünstige Lage, heilte schnell die alten Wunden und machte sie bald zu einem blühenden Handelsplatze, dessen Flor sich später noch mehr hob, als ihm König Sigismund, der in eigenthümlicher Auffassung der europäischen Handelsverhältnisse, und mit der Absicht Venedig von seiner Handelshöhe und Macht herunterzustürzen, vermittelst Dekreten den Weltverkehr durch Ungarn leiten zu können vermeinte, das Stapelrecht verlieh.

Im Jahre 1362 füllte sich Trentschin und seine Umgebung mit Waffengetöse; denn hier sammelte und rüstete sich das Heer, mit welchem der ritterliche König Ludwig I. von Ungarn Kaiser Karl IV. feindlich überziehen wollte, der in öffentlicher Rede Elisabethen, die Mutter Ludwigs, schnöder Sitten bezichtigt hatte. Rudolf IV. der Stifter, Herzog von Oesterreich, stand im Bunde mit Ludwig, und hatte mit diesem schon damals einen Erbvertrag abgeschlossen, der für die

---

*) Michael Horváth „Geschichte der Ungarn." I. Seite 286 der deutschen Uebersetzung. Pest 1851.

künftigen Verhältnisse zwischen Oesterreich, Ungarn und Böhmen von höchster Wichtigkeit ward. Aber ehe es noch zum Kampfe kam, wurde zwischen den streitenden Parteien erst ein Waffenstillstand zu Trentschin in Anwesenheit des Königs, und dann zwei Jahre später der Friede zu Brünn geschlossen.

Glänzende Tage gingen für Trentschin zehn Jahre später auf, als König Ludwig daselbst seine zweite Tochter Maria mit dem jungen Markgrafen Sigismund von Böhmen feierlich verlobte. Ein Fürstenkongreß, der auch noch andere, namentlich deutsche Verhältnisse ordnen sollte, hatte hier Kaiser Karl IV. und seinen Sohn, den König Ludwig von Ungarn mit seiner Königin, seiner Mutter und seinen Töchtern, den Pfalzgrafen Rupert, Vetter und Abgesandten des Herzogs Stephan von Baiern, und außerdem noch eine große Zahl böhmischer, ungarischer, polnischer und deutscher Herren versammelt, um Theilnehmer und Zeugen der weltgeschichtlichen Festlichkeit zu sein. Und eben daselbst ward fünf Jahre später, in Anwesenheit der Kaiserin und des Königs Ludwig, die feierliche Vermählung der Verlobten vollzogen.

Während der schaudervollen Ereignisse und Parteikämpfe, welche nach Ludwigs Tod das Land durchtobten, finden wir Trentschin im gesicherten Besitze der jungen Königin Maria und ihres Gemahls. Als dieser König geworden, ernannte er den Polen Stibor im Jahre 1396 zum Grafen von Preßburg, Neutra und Trentschin, und beschenkte ihn mit großen Besitzungen in Ungarn und Mähren. Stibor war es, von dem die Sage erzählt, daß er nach der Niederlage bei Nikopolis in voller Rüstung die Donau überschwamm, nachher Neustadtl an der Waag, und unfern davon das märchenhafte Bolondóß oder Narrenschloß bei Beßko gründete. Er hielt mit unerschütterlicher Treue an seinem Herrn und König fest, schreckte dessen Feinde mit gewaltigem Arme, und zertrümmerte in der Schlacht bei Papóß die Macht des Kronprätendenten Ladislaus von Neapel. Sein Sohn, der jüngere Stibor, der Erbe seiner Reichthümer, seiner Treue und Tapferkeit, erwarb Wessely, Bisenz und Buchlau in Mähren, dann das Schloß Arva in Oberungarn, nebst dem größten Theile des dazu gehörigen Komitats; wie einst Matthäus Csaak, nannte auch er sich einen Herrn von der Waag. Mit seinem im Jahre 1434 erfolgten Tode erlosch in Ungarn dieser Heldenname wieder.

32

Um diese Zeit begannen die in Böhmen ausgebrochenen Religions-
unruhen den Kreis ihrer verabscheuungswürdigen Wirkungen bis nach-
Ungarn auszudehnen. Die Hußiten, von Rachsucht gegen Kaiser Sigismund und von gemeiner Raublust getrieben, fielen 1430 verwüstend
im Waagthale ein, verbrannten Sillein, eroberten Arva, zerstörten Likawa
und plünderten Käsmark. Viele Menschen und Güter wurden damals
durch die Wälle Trentschins gerettet, in deren Nähe Simon Rozgon
das Jahr darauf den frechen Räuberschaaren eine blutige Niederlage
beibrachte, was sie jedoch nicht hinderte, später noch einige Male, wiewohl
mit nicht glücklicherem Erfolge, in der Nähe Trentschins wieder zu erscheinen.

Wie lange und zu welcher Zeit die Königin Barbara nach Sigismunds Tode auf Trentschin weilte, ist unbekannt, obgleich von ihr, wie
oben bereits erwähnt wurde, ein wichtiger Bestandtheil des Schlosses
herrührt. Welcher Liebe aber die hohe Frau von Seite der Ungarn sich
erfreute, geht aus dem 5. Artikel der von König Wladislaus I. zu
Krakau unterzeichneten Wahlkapitulation hervor, laut welchem derselbe
sich verpflichtete, der Königin Barbara den Aufenthalt im Lande nicht
zu gestatten. *) Als nachher Kaiser Albrecht II. von Oesterreich auf den
Thron gelangte, verschrieb er seiner Gemahlin Elisabeth, einer Tochter
Kaiser Sigismunds, das Schloß Trentschin nebst sechs anderen Schlössern als Witwengut, in Folge dessen der, von Elisabeth zur Vertheidigung der Rechte ihres nachgebornen Sohnes in's Land gerufene
böhmische Feldhauptmann Giskra von Brandeis die Burg und Stadt
Trentschin ohne Anstand besetzen konnte; beide blieben sofort, bis zu
seiner Kapitulation mit König Mathias Corvinus im Jahre 1462, ungestört in seinem Gewahrsam.

König Mathias I, der von ehrgeizigen Plänen und von Erobe-
rungsgelüsten mehr, als von den Rücksichten auf die Wohlfahrt seines
Reiches bewegt, im Jahre 1468 den Krieg mit seinem Schwäher
König Podjebrad von Böhmen begann, weilte von dieser Zeit an oft
in Trentschin, auf welchen festen Punkt er theilweise seine offensiven
Operationen basirte.

*) Horváth I. 288 der deutschen Uebersetzung.

Aber das eben so ungerechte als unpolitische und durch den Makel der Undankbarkeit befleckte Unternehmen kostete Mathias einen großen Theil der Liebe seines Volkes, und zerrüttete die Finanzen seines Landes derart, daß er zuletzt zum Verkaufe und zur Verpfändung der Krondomänen in Masse seine Zuflucht nehmen mußte. So kam es, daß er im Jahre 1475 die Burg und Herrschaft Trentschin sammt allen k. Zöllen und Mautheinnahmen für 15,000 Goldgulden an Stephan Zápolya verpfändete, und ihm den Titel eines Erbgrafen von Trentschin verlieh. Früher schon hatte er dem Bruder desselben, dem damaligen Großschatzmeister Emerich Zápolya, gegen Erlag von 16,000 Dukaten das Zipserhaus mit allen dazu gehörigen Ortschaften und Schlössern zum Geschenke gemacht, und ihn zur Würde eines Grafen von der Zips erhoben. Diese Erwerbungen, die sich später nach dem kinderlosen Tode Emerichs in seinem Bruder Stephan Zápolya vereinigten, bildeten die Grundlage der lawinenartig anschwellenden Macht dieses Hauses, das, einem Feuermeteor gleich, schnell und schimmernd sich erhob, um für das Land nachher eine so verhängnißvolle Bedeutung zu gewinnen.

Beide Brüder waren von den Corviniern aus niederem Stande aufgelesen und auf Plätze gestellt worden, die sie durch ihre außergewöhnlichen Fähigkeiten einzunehmen allerdings berufen schienen. Emerich Zápolya ward von Johann Hunyady, dem großen Feldherrn und Gubernator Ungarns, emporgehoben und zuletzt sogar seiner Freundschaft werth geachtet, von König Mathias aber nach und nach zum Großschatzmeister, Ban von Kroatien, Statthalter von Schlesien und zum Palatin ernannt. Sein jüngerer Bruder Stephan, einst Haidukenkapitän eines Komitats und von dem Könige zum Waffendienste berufen, erwarb früh schon hohen Kriegsruhm, stritt siegreich in Mähren, Polen und Oesterreich, stieg in Folge dessen wie im Fluge die Stufen der Ehre und Macht hinan, ward von seinem dankbaren Könige mit der Prinzessin Hedwig, Tochter des regierenden Herzogs Primislaus von Teschen, verheiratet, und nach der Einnahme Wiens mit dem hohen Posten eines Gouverneurs von Oesterreich betraut. So überhäufte Mathias beide Brüder mit Reichthum und Ehren, in der Hoffnung, sie dadurch für seinen einzigen Sohn Johann zu gewinnen, dem, bei der Illega-

3

lität seiner Geburt, nur ein starker und mächtiger Anhang die Nachfolge im Reiche sichern konnte. Aber er hatte umsonst gehofft. Emerich
Zápolya starb früher als Mathias, und Stephan hob in feiler Selbstsucht, um den Preis neuer Schenkungen den schläfrigen Wladislav von Böhmen auf den ungarischen Thron. Dabei behielt er das
in seine Verwahrung gegebene reiche silberne Tafelgeschirr seines Wohl-
thäters für sich selbst, und prunkte nachher mit einem Schatze, der, durch
das corvinische Wappen jedermann kenntlich, die Unredlichkeit des Besitzes bezeugte. So vergalt Zápolya an dem Sohne die unerschöpfliche
Gnade des königlichen Vaters. Aber auch der neue König bewies sich
dankbar und ernannte Stephan Zápolya zum Palatin des Reiches, was
ihm jedoch dieser dadurch lohnte, daß er sich vermaß, ihn, verschiedener
Regierungsmaßregeln wegen, öffentlich zu verwarnen und mit der
reichstäglichen Untersuchung zu bedrohen. Doch damals stand er bereits
im Besitze von 72 festen Schlössern und Herrschaften, und verfügte
über eine materielle Macht, neben welcher die des Königs nur ein bleicher Schatten war.

Nachdem Trentschin in seine Hände gekommen, erschien für
Burg und Stadt die Zeit des höchsten Glanzes. Das Schloß ward
nicht nur beträchtlich erweitert, sondern auch mit fast märchenhafter
Pracht für die Hofhaltung des überstolzen Oligarchen eingerichtet.
Weite Gärten mit Springquellen, Kaskaden, Grotten und jedem anderen hortologischen Luxus versehen, breiteten sich um die Feste aus,
deren innere Räume an Glanz und Reichthum, an Tapeten, Vergol-
dungen, kunstvollem Schnitzwerk und kostbaren Geräthen jeder Art
die königlichen Paläste von Ofen und Wissegrad weitaus überstrahlten,
während in den Vorzimmern und im Schloßhofe die Vasallen, Lehens-
leute, Diener und Knechte oft in hellen Schaaren ab und zu liefen.
Stephan Zápolya starb 1499 und hinterließ, nebst seiner Witwe,
zwei Söhne und eine Tochter, von denen der jüngere Sohn Georg in
dem „Verderben bei Mohács" auf dem Felde der Ehre blieb, sein Bruder Johann König von Ungarn und Großfürst von Siebenbürgen, und
seine Schwester Barbara Königin von Polen wurde. Dies die Nach-
kommenschaft des jemaligen Bettelstudenten aus Turopolja in Kroatien
und nachmaligen Haidukenhäuptlings eines Komitats.

Die Heirat zwischen Barbara Zápolya und dem Könige Sigmund von Polen war von König Wladislav II., in dankbarer Erinnerung der Dienste, die der Vater der jungen Gräfin ihm einst geleistet, eingeleitet worden. Und als dann die Braut, deren Heiratsgut
an Reichthum jenes mancher Königstochter übertraf, von einer glän-
zenden Gesandtschaft in Trentschin übernommen und fortgeführt wurde,
gab ihr ihre Mutter Hedwig, ihr Onkel Herzog Kasimir von Teschen
und ihr Bruder Johann mit nicht weniger als 800 Rittern und Reisi-
gen das Geleit. Bei ihrer Vermählung in Krakau aber beglückwünsch-
ten die junge und schöne Königin nicht allein die Gesandten Wladislavs II.,
sondern auch, in demüthigender Nöthigung, die Stellvertreter einer
großen Zahl mächtiger und über das steigende Gestirn der Zápolya
bittergrollender ungarischer Bischöfe und Magnaten. Dies geschah im
Jahre 1512. Kaum weniger pomphaft ward neun Jahre später die
Uebertragung der zu Trentschin verstorbenen Gräfin Hedwig Zápolya
in die Familiengruft zu Leutschau vollzogen. Ihr Sohn Georg führte
den Trauerzug, der, nebst dem wandelnden Katafalke, aus 15 Wägen
weinender Frauen und einer zahlreichen Reiterschaar bestand, — alles,
damit dem zahm gewordenen Ehrgeiz im Sarge die letzte, und dem Hoch-
muth der Zurückgebliebenen eine neue Ehre werde. In Leutschau aber
genügten nicht weniger als ein Bischof mit 400 Geistlichen zur Bestattung der fürstlichen Leiche.

Damit war jedoch der Ruhmdurst dieses hochstrebenden Geschlechtes noch lange nicht gesättigt. Johann Zápolya durfte es wagen, um
die Hand der Prinzessin Anna, König Wladislav's Tochter, zu werben,
wofür ihm, dem 24jährigen jungen Manne, als Entschädigung für
den abschlägigen Bescheid, die vielgesuchte hohe Würde eines Woiwoden von Siebenbürgen zu Theil ward. Später wiederholte er, im Wett-
kampf mit Ferdinand von Oesterreich, seinem glücklicheren Gegner, die
stolze Werbung. Rasch erklomm sein glühender Ehrgeiz alle Stufen
öffentlicher Ehren; alles fordernd und wenig bietend, war er unruhig
und trotzig als Vasall, unglücklich und übereilt als Feldherr, schlau,
kühn und selbstsüchtig in seiner amtlichen Stellung. Als Ludwig bei
Mohács gefallen war, hatte er den Muth, um die Hand der Königin
und Witwe Maria anzuhalten, denn nun schien ihm die Zeit gekom-

3 *

men, wo er den Griff nach der Königskrone Ungarns wagen durfte. Da Maria jetzt, obgleich zu spät, den wahnwitzigen Ehrgeiz des mächtigen Mannes erkennt und die Mittel dagegen ergreift, beruft dieser eigenmächtig einen Reichstag nach Stuhlweißenburg, und läßt sich daselbst von seinem Anhange zum Könige von Ungarn erwählen und krönen. Aber Niklas Salm, der Feldherr Ferdinands, schlägt ihn erst bei Tokay, dann bei Szinnye aus dem Felde, und zwingt ihn zur Flucht nach Polen, von wo aus er zu seiner Hilfe die auf den Zwiespalt ihrer Feinde allezeit lauernde Macht der Türken in's Land ruft. Und nun begann eine traurige Zeit für Ungarn: nicht bloß weil das Land durch das Schwert der tapferen Osmanen aus tausend Wunden blutete, sondern weil bei seinen Söhnen alle Tugend und Vaterlandsliebe erloschen, und nur schnöde Selbstsucht und blinde Parteiwuth an ihre Stelle getreten zu sein schien. Soliman kam, und wie zum Hohne auf das Unglück und die Erniedrigung seines Vaterlandes, huldigt König Johann auf dem Unglücksfelde bei Mohács dem Türken händeküssend als seinem Beschützer und Herrn; ja er entblödete sich nicht, selbst die Krone des heiligen Stephan, dieses geweihte, hochehrwürdige Palladium der Nation, aus türkischen Händen zu empfangen. Mit Hilfe seiner neuen Freunde behauptete sich Johann Zápolya kümmerlich in den oberen Gegenden Ungarns, bis er im Jahre 1540 das Zeitliche segnete, nachdem ihm kurz vorher von seiner Gemahlin Isabella, einer Königstochter aus Polen, ein Sohn, Johann Sigismund, geboren worden war, der später als Fürst einige Komitate Nordungarns beherrschte und im Jahre 1571 sein wüstes, thatenleeres Dasein endigte. Mit ihm erlosch das Haus Zápolya so schnell wieder, als es erschienen war.

Der lange Kampf der beiden Könige Ferdinand von Oesterreich und Johann Zápolya hatte für Trentschin viel Unglück im Gefolge. Nachdem jener zum Könige von Ungarn gekrönt, und die nöthige Streitkraft zur Durchführung seiner Rechte versammelt war, rückte 1528 der kaiserliche General Graf Katzianer vor Stadt und Veste, und begann die Belagerung der letzteren von der südöstlichen Seite. Aber auch hier waren die Schwierigkeiten nicht gering; nur mit großer Mühe konnte das schwere Geschütz auf den Berg gehoben und in die Laufgräben eingeführt werden. Nachdem dies geschehen, donnerte es dreißig

Tage lang gegen die Mauern der Burg, bis endlich eine glühende Kugel das Schloß in Brand setzte, worauf die Besatzung, unter der Bedingung freien Abzugs, kapitulirte. Aber auch die Stadt ward durch diese Belagerung hart mitgenommen, und konnte sich nachher nie wieder zu ihrem alten Wohlstand erheben.

Das Schloß blieb nun bis 1535 in königlichem Besitz, worauf es, sammt den dazu gehörigen Territorialgütern, um den Preis von 40,000 Stück Dukaten an denselben Alexius Thurzo überging, den König Ferdinand I. schon im Jahre 1531 mit dem Zipserschlosse und dem umliegenden Dominium, nebst dem Titel eines Erbgrafen von der Zips, beschenkt hatte. Aber der mit der Königin Isabella im Jahre 1542 abgeschlossene Vertrag, vermög welchem ihr die ehemaligen Ländereien der Familie Zápolya restituirt werden sollten, erheischte von Seiten der k. Hofkammer die Wiedereinlösung der Burg und Herrschaft Trentschin, worauf beide, da mittlerweile die wankelmüthige Isabella die in demselben Vertrage stipulirte Uebergabe Siebenbürgens an den König nicht vollzog, im Jahre 1564 für 65,000 Goldgulden an Margaretha Szécs, die Witwe des Grafen Niklas Salm, übertragen wurden, von welcher sie Graf Emerich Forgács Anno 1582 käuflich an sich brachte. Dieser, ein Gemahl der Prinzessin Sidonie von Sachsen-Lauenburg, einer Verwandten Kaiser Karl V., sorgte für die glänzende Wiederherstellung des Schlosses. Als jedoch seine Gemahlin gestorben war, verkaufte er es wieder an Graf Stephan Illyésházy, den der König im Jahre 1600 förmlich damit belehnte.

Dieser seltene Mann, der durch seine Heirat mit Katharina der Witwe Krussith, und nach dem kinderlosen Tode ihrer Tochter Helene, vermählten Freiin von Dietrichstein, bereits im Besitze von Likava und der übrigen Krussith'schen Güter, so wie auch der Erbgrafenwürde des Liptauer Komitats stand, beginnt die Reihe der Erbherren auf Trentschin aus der Familie Illyésházy, die sich mit dem gefürsteten Geschlechte der Eszterházy einer und derselben Abkunft rühmte, und erst in unseren Tagen (1838) erloschen ist. Graf Stephan Illyésházy, des Einverständnisses mit dem Rebellen Botskaj angeklagt, entfloh aus Wien nach Polen, und ward in kurzer Zeit von Botskaj in seine Güter wieder eingesetzt, als dieser sich in seinem Kriegszuge gegen den

38

Kaifer der Stadt und Burg Trentschin bemächtigt hatte. Dennoch erwirbt sich Illyésházy von neuem das Vertrauen seines rechtmäßigen Herrn, bleibt dabei der erste Rath des Rebellenchefs, dient beiden zugleich und nützt beiden, und vermittelt zuletzt den Frieden zwischen ihnen. Die Palatinswürde lohnt bald nachher die Verdienste des kühnen, überlegenen Mannes, und neuerworbener Länderbesitz sichert fortan den Glanz seines Hauses. Er starb 1608.

Während der Unruhen, die nun folgten, kam Trentschin lange Zeit leidlich durch. In Folge des Nikolsburger Friedens zwischen Ferdinand II. und Gabriel Bethlen (1622) wurde die Krone des h. Stephan drei Monate lang in der Stadt Trentschin, wohin sie von Altsohl gebracht worden war, aufbewahrt. In den Wirren mit Tököly blieb sie unbehelligt, nicht so aber in dem Aufstande Franz II. Rákóczy, der die Feste fünf Jahre lang vergeblich belagerte, die untere Stadt mit Sturm nahm, und endlich, durch General Heister bei dem nahen Dorfe Hamri aufs Haupt geschlagen, das Weite suchte, um fortan weder die gute Stadt Trentschin noch irgend einen anderen Theil des Landes mehr mit seiner Gegenwart zu belästigen.

In den revolutionären Zuckungen der jüngsten Zeit hat Trentschin durch treue Anhänglichkeit an den rechtmäßigen Landesherrn sein politisches Gewissen rein erhalten.

Im Jahre 1835 überging die Burg Trentschin, die seit längerer Zeit schon verlassen und dem Verfall übergeben worden war, mit vielen andern Illyésházy'schen Gütern in das Eigenthum des Freiherrn von Sina. Seither wird an dieser ehrwürdigen Ruine, heimliche Diebstähle von Baumaterial abgerechnet, zwar nichts mehr absichtlich zerstört, aber auch nichts gethan, um dem rasch nagenden Zahne der Zeit irgendwie zu wehren. Es wäre hier gewiß so gut und mehr als anderswo am Platze, wenn der konservirende Eifer der Kommission zur Erhaltung der alten Baudenkmale einige Thätigkeit entwickelte, um bei der Ruine von Trentschin auf dankbare Weise in dem Sinne ihrer Aufgabe zu wirken.

Nach so viel des Kletterns über „Trümmer der Vergangenheit" und steile Treppen, und nach so vielen salbungsreichen historischen Erwägungen, die wir an Ort und Stelle freilich mit viel weniger Zusammenhang und ermüdender Weitschweifigkeit anstellten, als dies leider so eben geschah, waren wir nachgerade etwas müde geworden. Dies mußte unser gütiger Führer — ich zweifle ob der Leser sich noch zu erinnern weiß, daß es Hr. Kanonikus Starek gewesen — vermuthet haben, denn er lenkte nun unsere Schritte so gerade als möglich hinab in seine Wohnung, wo wir neuerdings die Erfahrung machen sollten, daß Ungarn nebst schönen Ruinen und reichen geschichtlichen Erinnerungen gastfreundliche Menschen und vortrefflichen Wein besitzt. Es war ein alter, dunkelrother Erlauer, voll einschmeichelnder Eigenschaften, den wir hier mehr als nur verkosteten, und der unseren Kräften mit wunderbarer Schnelligkeit wieder auf die Beine half. Ja es läßt sich behaupten, daß durch den Verkehr mit diesem insinuanten Liquidum fast ein kleines Plus an Kräften entstand, welches jedoch Abends auf unserem Zimmer, in Gesellschaft der Herren von Starek und Otlik und unter dem Einflusse duftigen Thees, in muntere Reden und harmlose Scherze wieder umgesetzt wurde.

2. Von Trentschin bis in die Arva.

Abreise von Trentschin. Ruine der Abtei Skalka. Ilava. Der Löwenstein (Oroszláin-kö). Pruszki. Puchow. Das Waagthal. Waag-Bistritz. Ruine von Peträcz. Predmir. Das Thal von Szuliow. Groß-Bilsche. Hritschow. Sillein. Schloß Budetin. Teplicze. Varin. Wratna-Thal. Eyerhova. Der kleine Krivan. Das Innere der Haushaltungen zu Eyerhova. Allgemeines über die Slaven. Slaven und Germanen.

Als wir nun des anderen Morgens unsere Reise fortsetzen wollten, war unser Vorspannswagen, den ich, bevor wir zur Messe gingen, in der Nähe des Wirthshauses bereits auf uns warten sah, nicht wieder aufzufinden, u. z. aus dem einfachen Grunde, weil ein Oberarzt des in der Nähe stationirten Uhlanenregiments mit demselben sich entfernt hatte. Die Keckheit dieses Militär-Aeskulaps war nahe daran uns zu sündigem Zorne zu reizen, als noch zur rechten Zeit ein zweiter Vorspannswagen erschien, der eigentlich jenem zugedacht gewesen, und uns unverzüglich weiter förderte.

Auch diesmal hatte der Himmel — vielleicht zur Sonntagsfeier — sein reinstes azurblaues Staatskleid umgeworfen, und zu weiterem Schmucke den lichtsprühenden Sonnensolitär und Welt-Kohinur an seine breite Bruſt geheftet. Darüber gingen Morgenbuft und Thau in Glanz auf, und die walbigen Berge beiberſeits, ſo gut wie das breite grüne Tiefland unten, lagen vor uns in ſtiller, wonniger Verflärung. Unter ſolchen Umſtänden kümmerte uns ſelbſt das elende Wägelchen, in dem wir ſaßen, und das kaßenartige Quabrupebenpaar, das uns langſam weiter zog, ſehr wenig. War ich boch oft genug von Fiakern, Kabs und Hoffaroſſen bedient worden, die weit brüben in der europäiſchen Welt, b. h. weſtlich des Marchfluſſes, gewöhnliche Dinge ſind, nie aber bis zur Stunde hatte mich je ein Trentſchiner Vorſpannswagen burch das ſchöne Matthäusland gezogen. Die Reuheit der Sache und der mit unterlaufenden Erfahrungen war ſchon an ſich etwas werth, und wog vor der Hand die Leiden des eigenthümlichen Marterthums auf, dem wir von jeßt an verfallen blieben. Es war eben ein Leiterwagen der primitivſten Art, in dem wir ſaßen; und wenn er weder an den Seiten noch rückwärts eine Lehne, und oben kein Dach hatte, ſo floß bies na-türlicherweiſe aus ſeiner eben angebeuteten Qualifikation; auch konnte es ihm von uns nicht verübelt werden, baß er bei jebem Steine, an den er ſtieß, in zorniger Aufwallung ſich erhob und uns hinauswerfen wollte auf die Straße, auf der wir weder in Folge einer Pflicht, noch eines ernſten Geſchäftes, etwas zu ſuchen hatten. Daß er aber in ſeinen Breitendimenſionen ſo mangelhaft war, um, wenn das Stroh, aus welchem man die Siße erbaut hatte, zuſammenſank, zweien von uns das Sißen nebeneinander zu verwehren, weshalb auch wechſelweiſe einer ober der andere ſich erheben und ſtehend, wie ein griechiſcher Heros vor Troja, burchs Land fahren mußte; — baß er ferner zum ſicheren Ein-ſchluß ſeines Inhalts alles nöthigen Flechtwerks ermangelte, und nicht anbers ausſah, als wie ein Käfig, deſſen oberer Theil entfernt worben, und wir beshalb unſere Effekten, wenn wir ſie nicht verlieren wollten, mit Stricken unter einander und mit dem Käfig ſelbſt zuſammenbinden mußten — das waren Dinge, über die uns bamals der goldene Morgen, das liebliche Thal und die noch friſche Reiſeluſt hinüberſeßte. Als jeboch dieſer Jammer Tage lang ohne Unterbrechung anhielt; als uns die Sonne quälte und der Regen durchnäßte; als uns Wagen geliefert wurben, in benen wir einzelweiſe, wie eine vier Mann hohe Rotte, hintereinander ſißen mußten; als es zuweilen an dem zur Bereitung der Siße erforder-

lichen Stroh fehlte, und darüber das Schütteln und Prellen des Vehikels
so arg ward, daß wir in allen Gliedern die Gicht zu spüren vermeinten;
und als endlich zum Ueberfluß die morschen Leine rissen, und wir
einige Stücke unserer Siebensachen nur im Monde wiederzufinden hof=
fen durften — da verlor sich die Poesie dieser interessanten Lokomotions=
weise gänzlich; mit Sehnsucht dachten wir an die alltäglichen, prosai=
schen Karossen und Kabs westlich des Marchflusses zurück, und die Phrase:
„es lebe die Civilisation!" ward unter uns nach und nach ein immer
mehr beliebtes Motto.

„But yet I run before my horse to market!"

Drum wieder zurück vor das Nordthor Trentschins, wo sich unse=
rem Blicke, in geringer Entfernung, die jenseits, d. h. auf dem rechten
Ufer der Waag, am steilen waldigen Uferrande hängende Ruine der
Abtei Skalka darbietet. Umweit davon befindet sich eine dazu gehörige,
gleichfalls verfallene Kirche, die sich theilweise, zwei Stockwerke hoch, in
das Innere des Berges ausdehnt, und von dem Herrn Kanonikus Starek
in etwas restaurirt und zum h. Dienste wieder hergerichtet wurde. Hier
lebte einst der heilige Benedikt als Einsiedler; die Abtei aber wurde um
die Mitte des dreizehnten Jahrhunderts, unter der Regierung Bela IV.,
durch den Bischof Johann von Neutra gestiftet und dotirt. Gegenüber
mündet bei dem nahen Dorfe Tepla das von der östlichen Seite kom=
mende Teplitzthal, in welchem, eine Stunde von der Straße und andert=
halb Stunden von Trentschin entfernt, die berühmten Trentschiner
Bäder liegen. Auch sie sind jetzt ein Eigenthum des Freiherrn von Sina.

Die Ortschaft Illava, die wir in dritthalb Stunden erreichten, wird
aus einem Grunde ein Flecken geheißen, den das Privilegium, das sie
dazu ernannte, zu verantworten hat. Die lange Zeit, welche die löbliche
Ortsbehörde zum Auftreiben eines neuen Vorspannwagens benöthigte,
gab uns genügende Gelegenheit, die Merkwürdigkeiten von Illava zu
studiren. Diese bestehen aus einem schönen und großen Schlosse, das
der bisherige Besitzer, Graf Königsegg, in jüngster Zeit für 200,000
Gulden an die Regierung verkauft hat, die das herrliche Gebäude zu
einer Senkgrube für den Bodensatz der Gesellschaft, d. i. zu einem
Zuchthause einrichten wird. Die Hauptfront des Schlosses sieht gegen
die Waag, ist nach dieser Seite hin zwei, gegen den Hofraum aber nur

ein Stockwerf hoch, und gewährt aus seinen Fenstern eine ungemein
freundliche Aussicht auf das tiefer liegende reinliche Thal, auf den schönen Fluß mit seinen Auen, auf das Städtchen Prußfa gegenüber und
auf den hohen weißzackigen Felskamm des Löwensteins. wo auf steiler
Bergzinne, dem freien Auge kaum wahrnehmbar, die Ruinen des gleich-
namigen Schlosses horsten. Der Löwenstein, ungarisch Oroszlánykö,
war einst der Sitz der Freiherren von Jakusich, eines angesehenen, mit
starkmüthigen Männern gesegneten Geschlechtes, dessen selbstständiger Sinn
schon deutlich genug aus der Lage seines Schlosses zu erkennen, das,
hoch über den Wohnungen der Menschen schwebend, am liebsten von
Adlern und wandernden Wolken besucht sein mochte — die beste Wohnung für Astronomen, Blaubärte und Menschenhasser. Einer seiner
Ritter, Namens Andreas Jakusich, ward von dem großen Palatin Georg
Thurzó für würdig erachtet, der Gemahl seiner ältesten Tochter Judith
zu werden. — Im Schloßhofe zu Illava steht eine stattliche Kirche, in
der sich die Grabmähler der vormaligen Besitzer von Illava, der Freiherren Ostrosich von Gyletinz, befinden, deren Name zuletzt in der Wesselényi-
schen Verschwörung verstrickt und durch sie gebrandmarkt, um den Ausgang des siebzehnten Jahrhunderts zu Ende ging.

Die nächste größere Ortschaft, die wir von Illava aus erreichten,
ist Bellusch, in dessen Nähe ein kurzer, von dem Fatschkoberge sich ablö-
sender Gebirgsast dicht an die Waag herantritt, und eine Ablenkung
der Straße verursacht, die sich sofort erst in ein niedliches einsames
Thal vertieft, dann von der Höhe jenes Rückens eine hübsche Fernsicht
gewährt, und etwa nach einer Stunde kurz vor Bistriz wieder in das
Waagthal herabsteigt. Von Bellusch aus ist linker Hand der Flecken
Puchow sichtbar, der in der Geschichte der ungarischen Industrie einst
einen merkwürdigen Platz einnahm. Als nämlich die Schlacht auf dem
weißen Berge bei Prag geschlagen war, nahm Georg Rakozy eine
Schaar protestantischer Flüchtlinge aus Böhmen bereitwillig in Puchow
auf, und unterstützte ihren Gewerbfleiß derart, daß die Puchower Tücher
bald mit den feinsten belgischen und holländischen Fabrikaten dieser Gattung wetteifern konnten. Seither sind aus jenen kunstfertigen Böhmen
landesübliche Slovaken geworden, deren preiswürdigstes Manufakt
höchstens aus grobem Hallinatuch besteht, das kaum jemand Anderer

verwenden kann, als ein genügsamer und dickhäutiger Sohn dieser Gegenden.

Das Waagthal ist von Trentschin bis Bellusch ein etwa eine halbe Meile breites, von mäßig hohen, meist bewaldeten Bergreihen umschlossenes freundliches Land. Es ist allenthalben dicht bevölkert, wohl angebaut, und mit einer Zahl aus der Ferne stattlich blickender Flecken geschmückt. Die Dörfer sind durchwegs geschlossen, und einzeln stehende Gehöfte nirgends zu bemerken. Die Häuser des Landvolks erscheinen in ihrer Bauart von den mährischen wenig verschieden, nur sind sie hier viel ärmlicher, fast ohne Ausnahme von Holz, und mit geringem Sinne für gefällige Formen erbaut. Die Balken, aus denen die Schränkwände bestehen, sind oft gar nicht, häufiger nur unvollkommen ins Geviert gezimmert, und die Wände selbst auf der Außenseite nur hie und da mit Mörtel angeworfen und getüncht. Die Stellung der Häuser ist in der Regel mit dem Giebel nach vorne, und ihre Gassenseiten haben nie mehr als zwei Fenster, diese aber sind klein und noch überdies häufig mit vielen und unregelmäßigen hölzernen Scheibenfassungen seltsam durchzogen und vergittert. Die Dächer bestehen aus Stroh und die Schornsteine fehlen gänzlich; es ist letzteres offenbar eine Berufung an den Scharfsinn des Rauches, der sich seinen Weg ins Freie selber suchen muß, und auf solche Art seine rußigen Spuren überall, selbst an den Fenstern der Wohnstuben zurückläßt. Die Häuser stehen dicht nebeneinander und oft auch, ohne Straße rückwärts, hintereinander, wodurch die, auch hier überall offenen Hofräume mehr langen und schmalen Hohlwegen, als wirklichen Höfen gleichen. Von einem Wirthschaftsinventar war, außer den Leiterwägen von der oben beschriebenen Art, nur selten etwas mehr als nichts wahrzunehmen.

Diese Aermlichkeit und Mangelhaftigkeit aller Apparate des Lebens nahm mit der Entfernung von Trentschin sichtlich zu, und erreichte, so weit der eigene Augenschein es uns lehren konnte, im Wratnathale jenseits Sillein den relativ höchsten Grad. Aber das Volk ist hier arm, und seine Arbeitsscheu, im Verein mit der tiefen Stufe der Kultur, auf der es steht, läßt es die Unzulänglichkeit des ihm zugemessenen Bodens nur um so härter empfinden. Größere industrielle Unternehmungen, die sich hier, bloß mit Rücksicht auf die niedrigen Arbeitslöhne, gewiß ren-

tiren würden, scheuen die Entlegenheit dieser Gegenden von den
Hauptwegen des Verkehrs, und sind schon deshalb nicht vorhanden.
Der Ackerbau aber kann allein unmöglich die an Zahl überhand
genommene Bevölkerung ernähren; und deshalb folgt der Slave
dieser Gegend um so lieber der seinem Stamme von Natur eigenen
Wanderlust, damit er in der Fremde durch kärglichen Erwerb die
Bedürfnisse seines einfachen, genügsamen Lebens decke. Auf daß aber
hierin nicht einer den andern störe und benachtheilige, so haben sich die
verschiedenen Bezirke des ärmeren Landes in den Betrieb bestimmter
Industriezweige getheilt, denen sie unverbrüchlich treu bleiben. So stam=
men z. B. alle Hausirer mit Glaswaaren aus dem Umkreise von Illava,
alle Drahtbinder aus der Gegend von Rowne, und die Leinwandhänd=
ler aus Rosenberg und anderen Theilen des Liptauer Komitats —
gewiß eigenthümliche Beispiele von Associationen. Viele Hände beschäf=
tigt ferner der im oberen Waagthal, besonders von Budetin und von
der Arva aus, schwunghaft betriebene Holzhandel, die Flößerei an den
Ufergegenden der Waag, die Verfertigung roher hölzerner Gefäße in
den kälteren, und das Dörren von Zwetschen und Birnen in den wär=
meren Regionen des Komitats. Im Gebirge endlich, namentlich im Kis=
sutza= und Wratnathale, in der Arva und in den Liptauer Alpen, wird
Viehzucht und eine Art von Sennwirthschaft betrieben, welch' letztere
in den Händen bestimmter Hirtenfamilien liegt, die, unter Vorbehalt
eines gewissen Antheils am Erträgniß, die ihnen anvertrauten Heerden
hüten und die Erzeugung von Butter und Käse besorgen. Aber alle
genannten Erwerbsmittel reichen oft nicht aus, um in schlechten Jahren
dieses arme Volk vor dem Hunger und dessen schrecklichen Begleiter,
dem Hungertyphus, zu schützen. In dem letzten Winter ist dieser Fall
bei einigen Gemeinden nächst Friesow und Sillein eingetreten; man
nannte uns die betroffenen Ortschaften mit dem traurigen Beisatze, daß
wieder sie es waren, die vor wenigen Wochen von der Cholera am
härtesten mitgenommen wurden.

Der Sonntag, der die Leute Vormittags zur Kirche und Nachmit=
tags ins Freie rief, gab uns Gelegenheit sie etwas näher zu beobachten.
Eine tiefinnige Religiosität zeichnet das slavische Volk vor anderen aus,
und allenthalben sahen wir, zur Zeit des vormittägigen Gottesdienstes,

die Kirchen von den Schaaren der Andächtigen umlagert, oder die Straßen von den zur Kirche Eilenden oder von derselben Heimkehrenden bedeckt. Des Nachmittags aber waren die Dorfschenken von dem männlichen Theile der Bevölkerung nicht minder fleißig besucht, wobei es merkwürdig war anzusehen, wie dicht die guten Leute, ohne eben hiezu durch Engheit des Raumes genöthigt zu sein, beisammen saßen. Auf einer Bank z. B. die etwa für sechs Menschen halbwegs bequeme Sitze bot, fanden hier deren zehn oder mehr, fest auf einander gepackt, die erforderlichen Plätze. Die Lust des verbalen Verkehrs überwog das Bedürfniß persönlicher Bequemlichkeit. Das übliche Getränk ist Branntwein, der leider in allzu reichlichem Maße genossen wird und seine nachtheiligen Wirkungen allenthalben in den bleichen Gesichtern des Männervolks erkennen läßt. Der Genuß desselben wird nicht nur den Knaben ohne Bedenken gestattet, sondern er wird auch Kindern, als ein probates Spezifikum gegen allerlei Uebel, eingeflößt. Das Volk ist gutmüthig und sehr höflich; jedermann grüßt mit Ehrerbietung den Bessergekleideten, und die militärische Uniform ist ihnen, als Kleid des Kaisers, vor Allem ein Gegenstand der Hochachtung. Ungerufen und ohne Nebenabsicht bietet jeder, wo er helfen zu können meint, seine Dienste an, was wir häufig bei dem Umladen unserer Effekten von einem Wagen auf den anderen wahrnehmen konnten. Die Volkstracht ist hier von jener im angrenzenden Mähren schon ziemlich verschieden. Die Männer tragen enge weiße Tuchhosen nach ungarischer Art, an den Füßen die bekannten Opanken, um den Oberleib kurze, blaue, an den Knopflöchern roth ausgenähte und verschnürte Spenser ohne Aermel, um die Mitte des Leibes einen breiten ledernen Gürtel, auf dem Kopfe den breitkrämpigen runden Hut mit runder Kappe und langes, herabhängendes Haar. Bei den von der Messe heimkehrenden jungen Leuten war auf den Hüten ein eigenthümlicher, drollig aussehender Schmuck angebracht, der aus einem 8 bis 10 Zoll hohen, mächtigen Blumenstrauße bestand, auf der vorderen Seite des umlaufenden Hutbandes scheitelrecht aufgesteckt war, und stolz und straff wie ein Husarenpannasch emporragte. Die Frauen trugen weiße oder blaue, nicht allzu lange Röcke von Linnen, und Schürzen meist von entgegengesetzter Farbe, dichtanliegende dunkle Leibchen mit einer farbigen Binde um die Mitte, enge kleine Häubchen auf dem

Kopfe, und darüber ein langes, weißes, bis über die halbe Gestalt nie-
derfallendes Tuch. Die Mädchen aber gingen baarhaupt, hatten das
Haar in eine lange, rückwärts frei herabhängende Flechten geordnet, und
trugen breite hochrothe Binden um die Mitte des Leibes.

Bistriß, das so wie Bellusch der gräflichen Familie Szapáry angehört, ist ein ziemlich großer, etwas langweilig blickender Markt in
einer Gegend voll malerischen Reizes. Auf der westlichen Seite erhebt
sich jenseits der Waag eine unten jäh abstürzende, oben dicht bewal-
dete lange Bergwand, und ihr gegenüber thürmt sich der hohe Manpin
auf, ein felsbewehrter, tüchtiger Bergscheitel, dessen Gipfelgestalt, wie
wir wissen, selbst den Geschichtsforschern auf dem Trentschiner Schlosse
auffallen muß. Gegen Süden ist die Aussicht durch ein niederes Vor-
land geschlossen, von dessen Höhe ein zierliches Kirchlein niederschaut,
indeß gegen Norden das hellgrüne Thal offen steht, mit hundert anmuthigen Dingen in der Nähe, mit dunkelblauen, duftigen Bergen in
der Ferne nnd tausend lockenden Geheimnissen dahinter. — Wir aßen
hier zu Mittag und besahen uns vorher die Kirche, welche Fényes, der
bekannte Apologetenhäuptling dieses Landes, eine gothische nennt. Dieser Ausdruck ist offenbar eine Hyperbel, wenn man ihn, in Kraft des
Vorhandenseins einiger spitzzulaufender Gewölbrippen, nicht für legi-
tim erklären will. Nebenher gesagt, stelle ich, durch vielfältige Erfahrungen ermächtigt, den Lehrsatz auf: wer reisen soll und etwas Phantasie besitzt, der nehme die Topographen erst nach seiner Heimkehr zur
Hand, weil er sonst über Täuschungen viel zu seufzen haben wird.
Derlei Autoren sind nicht die wenigst schlauen Leute. Da sie wissen,
daß das Interesse, mit dem sich die Menschen irgend einer Sache zu-
wenden, von den verschiedenartigsten Ursachen herrührt, unter denen in
unserem Falle lokale Eitelkeit, Patriotismus und Unerfahrenheit nur
die allernächsten sind, so hoffen sie nicht mit Unrecht, es werde ihr alles
überflutender Lobredestrom doch da und dort eine Schleuße offen finden, durch die er sich in gläubige Seelen ergießt und Genugthuung er-
weckt. Darüber werden dann sehr viele Exemplare des Werkes abgesetzt. — Doch nun wieder zurück in die Kirche von Waag = Bistriß,
in der sich etwelche sehenswerthe Dinge wirklich befinden, von denen
Fényes keine Erwähnung macht. Dies sind erstens zwei Denkmale des

hier in der zweiten Hälfte des sechzehnten Jahrhunderts verstorbenen Ritters Raphael Podmányin, von denen eines aus der, in schwarzem Gestein ausgeführten, und in die linke Seitenwand der Kirche eingelassenen Porträtstatue des Ritters, und das andere aus einem großen, in karrarischem Marmor verdienstlich gearbeiteten, Basrelief besteht, das bei dem Seitenaltare nebenan die Stelle des Antependiums vertritt; dann zweitens drei Figuren aus rothem Marmor, die an einer anderen Stelle der Kirche ebenfalls in die Wand eingefügt wurden. Zwei davon sind hermenartige, trefflich gearbeitete Gestalten, etwa 24 Zoll hoch, von denen nur nicht zu begreifen ist, aus welchem Grunde sie ihren Platz in der Kirche gefunden. Beide Werke sind alt, doch um Vieles älter noch ist die zwischen ihnen stehende Darstellung des Apostels Petrus; sie zeigt die Vorderfüße aneinander geschlossen und nach abwärts gewendet, und daher ihre Oberfläche in unverkürzter Länge.

Von dem Geschlechte der Podmányin, jetzt Podmanitzky, dem einst Bistritz gehörte, wird viel Märchenhaftes erzählt *), wie z. B. daß ein Blasius Podmányin schon unter Mathias Corvin Herr von Bistritz gewesen; daß seine Söhne Raphael und Johann, die in Gütergemeinschaft lebten, sich im oberen Waagthal ein weites Gebiet zusammenraubten, dem sie den Namen der Silleiner Gespanschaft gaben; daß sie unter Wladislaus II. geächtet wurden, sich jedoch kein graues Haar darüber wachsen ließen; daß sie in Budetin das Schloß der Herrn von Szúnyogh plünderten; daß sie ferner durch ein hochromantisches Räubergeschichtchen mit der schönen Tochter eines schlesischen Ritters ihr Schloß Bistritz einbüßten, und, einen Wink der Vorsehung darin erkennend, Anno 1545 dem Könige Ferdinand I. freiwillig sich unterwarfen. Alle diese Dinge sind ohne Zweifel angenehm zu lesen, nur fehlt ihnen in störendem Grade die Signatur der Wahrheit. Denn als wir über diesen wichtigen Gegenstand in glaubwürdigen Schriften Nachfrage hielten, ergab sich uns Folgendes: Johann Podmányin war wohl ein highwayman vollendeter Art, aber er vollbrachte rühmliche Thaten nach seiner Weise nicht im oberen, sondern im unteren Waagthale, von Jsambokret aus, und selbst Alerius Thurzó, der damalige

---

*) Siehe Historisches Taschenbuch von Hormayr und Mednyanski, 1821 pag. 244.

Kronrichter, konnte des Buschkleppers nicht Herr werden *); zweitens scheint sein Bruder Raphael an derlei Unternehmungen wenig Geschmack gefunden, und deßhalb mit ihm auch nicht in Gütergemeinschaft gelebt zu haben; denn wir sehen jenen erst im Jahre 1550 durch König Ferdinand wegen besonderer Verdienste mit Bistritz und Streesno belehnt werden, und seinen Bruder Johann, der sich mittlerweile entsündigt haben mochte, testamentarisch in die Nachfolge auf diesen Gütern einsetzen **), was übrigens auch die Sage von der improvisirten Silleiner Gespanschaft Lügen straft; und drittens endlich war Moises Sjunnyogh, der damalige Herr auf Budetin, ein Schwager dieses Brüderpaars. Doch ich fürchte mich hier in einen Windmühlenkampf eingelassen zu haben, von dem ich unverzüglich abstehen, mich aber vorher bezüglich der Möglichkeit oberwähnten romantischen Abenteuers gerne zu einer bedingungsweisen Konzession an die Freunde solcher Begebnisse herbeilassen will.

Viel Spaß machte uns bei Tisch das zuthunliche Wesen der Kellnerin, die nur slovakisch sprach und durchaus nicht glauben wollte, daß Herr Kanonikus H..... und ich dieses Idioms nicht mächtig seien. Da hier zu Lande jedermann slovakisch spricht, und die meisten dieser guten Leute kaum eine Ahnung davon haben mögen, daß anderwärts eine andere Sprache herrsche, ein Geistlicher aber zunächst berufen ist redend mit dem Menschen zu verkehren, so ließ es sich die Kellnerin nicht nehmen: es sei der Nichtgebrauch ihrer Sprache eitle Affektation und Verstellung. Und deßhalb auch redete sie uns, ungeachtet aller Proteste, fortwährend im kräftigsten slovakisch zu, verstärkte die Macht ihrer profusen Worte mit dem lebhaftesten Geberdenspiel, und meinte erst dann ganz verstanden zu werden, wenn sie mit ihrer Hand, Arme oder Schultern des Angeredeten so oft als möglich berührte. Ich erwähne dieses an sich unbedeutenden Gegenstandes deswegen, weil er typisch ist hier zu Lande bei Personen der bezeichneten Gattung.

Eine halbe Stunde jenseits Bistritz liegt dicht am rechten Flußufer die Ruine der alten Burg Petrócz oder Pobhragy, und unter der-

---

*) Engel: Geschichte des Königreichs Ungarn IV. pag. 65.
**) Lehotzky: Stemmatographia nobil. famil. Hungariae.

selben ein der Familie Balassa angehöriges Schloß neueren Ursprungs. Das Thal, das bei Bistritz einige Breite wiedergewonnen, verengt sich hier abermals und nöthigt die Straße, die bisher immer auf dem Berg= fuße hingezogen, zu einer raschen Wendung mit der Richtung gegen die Waag, wodurch sich dem Auge die Möglichkeit darbietet, die Ruine auf der Höhe, das neue Schloß mit seinen buschigen Gartenanlagen, den unter den Strahlen der Nachmittagssonne hellaufblitzenden Strom, das grüne, lachende Tiefland im Vordergrunde und den etwas höher liegenden Markt dahinter, kurz die ganze schöne Naturdekoration fast mit einem Blicke zu umspannen. Das reizendste Objekt derselben aber ist die erwähnte Ruine, ein ansehnliches, phantastisch in die Luft aufstarrendes Gebäude, auf die Spitze eines steilen Felskegels gestellt, hoch, fest und unnahbar, einst zu einem Raubnest vortrefflich geeignet, als im Thale unten der schlesisch=ungarische Handel seine Schätze auf und niederbewegte.

Bald erweitert sich das Thal wieder, und die Straße, die eine Weile lang hoch auf der brüchigen Berglehne gehangen, läßt sich allge= mach auf die Ebene des Thalgrundes herab. Der Markt Predmir ge= hört zur Herrschaft Bistritz. Hier öffnet sich, gegen die rechte Seite hin, das Thal von Szulyow, und läßt aus seinem Hintergrunde ein wildzerrissenes, in tausend Zacken, Riffe und Nadeln ausgezahntes Felsgebirge hervorschauen. Den vorliegenden Schilderungen zu Folge sollen sich dort, selbst aus dem ebenen Boden des Thales, mäch= tige Felsblöcke emporheben, die oft die wildesten, bizarrsten Formen zei= gen, und hiedurch sowohl, als auch ihrer Massenhaftigkeit und chaoti= schen Lagerung wegen, einen überraschenden Anblick gewähren. Sogar von der Ferne betrachtet, ist dieses weißgrau herschauende Felsenla= byrinth nicht ohne Großartigkeit, und der Eindruck, den es macht, wird noch durch die Ruine eines alten Schlosses erhöht, das wie ein Adler= horst auf einem hohen, unsäglich stachligen Felsgipfel liegt. Weder der wildeste Trotz und das erschüttertste Gewissen, noch die größte öffent= liche Unsicherheit konnte die Wahl dieses Platzes für eine Burg recht= fertigen; aber von ihrem Söller genoß das Auge der vollkommenen Uebersicht über die steinerne Wildniß umher, und so mag denn vielleicht die Lust an dieser die Gründung des Schlosses an so unbequemer Stelle

4

veranlaßt haben. Sein Name war einst Szulyow, wie der des Thales, und eine schauerliche Mähr lebt über seine Zerstörung in dem Munde des Volkes. Als nämlich einst der Ritter von Lietava die kinderlose Witwe des letzten Dynasten auf Szulyow, nachdem sie ihn an Sohnesstatt angenommen hatte, aber für seine Habgier zu lange lebte, mit arglistigem Frevelmuth einkerkern und in ihrem Grame vergehen ließ, da warfen zürnende Rachegeister verheerendes Feuer in die Räume der Burg, und jagten den Undankbaren von dem Schauplatze seiner Schandthat hinweg.

Bald hinter Predmir erblickt man auf dem rechten Waagufer, in reicher freundlicher Umgebung, den Flecken Groß-Bitsche mit dem großen stattlichen Schlosse nahebei, das, von dem großen Palatin Georg Thurzó im Jahre 1603 erbaut und mit fürstlicher Pracht ausgestattet, längere Zeit der Lieblingsaufenthalt seines Gründers war. Es ging nachher, durch die selbstsüchtige Energie des als Staatsmann noch viel bedeutenderen Palatins Nikolaus Eszterházy, in das Eigenthum seines Sohnes Stephan über, dessen Nachkommen es jetzt noch besitzen, und von denen es in jüngster Zeit an die Regierung vermiethet wurde, deren Zwecken es in der Eigenschaft eines Provinzial-Detentionshauses dient.

An Bitsche knüpfen sich demnach lebhaft die Erinnerungen an das glänzende Geschlecht der Thurzó, das in Ungarn nicht volle dritthalb hundert Jahre geblüht, in dieser Zeit zwei Palatine und eine große Zahl Bischöfe, Helden und Staatsmänner dem Lande geliefert, unermeßliche Reichthümer erworben und die Würde von Erbgrafen in der Zips und Arva besessen hat. Sein Name ist zwar längst schon verklungen, aber nicht sein Gedächtniß, und dieses mögen die nachfolgenden Zeilen mit wenigen Strichen wieder etwas aufzufrischen versuchen.

Die Thurzó sind ursprünglich ein polnisches, im eilften oder zwölften Jahrhunderte nach Oesterreich ausgewandertes Geschlecht. Hier nannten sie sich Thurs und hatten in der Umgebung von Baden, in den Schlössern von Rauhenstein und Rauheneck, eine neue Heimat gefunden. Im dreizehnten Jahrhunderte breiteten sie sich bereits in mehreren Linien über das Land aus, so daß es Thurse von Rauhenstein, Rauheneck, Dürrenstein, Simberg und Lichtenfels gab, deren Besitzungen selbst bis nach Mähren hineinreichten, wo sie in der Nähe von Krem-

sier die Herrschaft Graveneck inne hatten. In Ungarn erschienen sie zu=
erst gegen Ende des vierzehnten Säkulums; unbekannt aber ist es,
was sie zur Auswanderung dahin veranlaßt haben mochte. Vier Brü=
der, Johann, Martin, Georg und Bartholomäus Thurz, waren es,
die sich im Jahre 1396 in der Zips niederließen und daselbst das Dorf
Bethlenfalva erwarben, nach welchem sich die Familie hinfort bis zu
ihrem Erlöschen Thurzó von Bethlenfalva schrieb. Martin und Georg
fochten noch in demselben Jahre tapfer bei Nikopolis mit, und ersterer
stieg nachher bis zur Würde eines Gespanschaftsgrafen der Zips empor;
ja er versah später sogar die Stelle eines Gesandten in Krakau. So
war schon der erste Eintritt dieses Geschlechts in Ungarn von Glanz
und hohem Erfolge begleitet. Georg pflanzte es fort, und von seinen
vier Söhnen ward Sigismund Bischof von Neutra, Großwardein und
Siebenbürgen, und Georg II. ungarischer Gesandter am Hofe Kaiser
Friedrich III. Unter den Söhnen des Letzteren geschah die Theilung des
Hauses in zwei Zweige, so daß Johann II. der Stammvater der Zipser=,
Theophil aber der Ahnherr der später erst so genannten Trentschiner
Linie wurde. Beide Brüder aber traten, etwa um das Jahr 1470 her=
um, mit dem Hause Fugger zu Augsburg in Verbindung, und pachte=
ten von der Krone die ober=ungarischen Bergwerke, ernteten reichen
Gewinn, und legten damit den Grund zu dem nachherigen gewaltigen
Reichthume ihrer Familie. Johann II. gewann nebstbei auch hohe
Ehrengüter: er ward Obergespan des Zipser Komitats und k. Kam=
mergraf in Kremnitz. Er hatte vier Söhne, unter denen der jüngste,
Georg III., ein großer Metallurg und wahrer Goldmacher wurde; ihm
gelang es nämlich, nach Ueberwindung unsäglicher Hindernisse und Ge=
fahren, und nach dem bedeutendsten Aufwand von Geld, Witz und
Mühen, den Venetianern die verbesserte, und von ihnen als tiefstes
Geheimniß verwahrte Methode der Scheidung der Metalle abzulauschen
und in seine Heimat zu verpflanzen. Rascher hob sich jetzt auf golde=
nen Schwingen der Glanz seines Hauses, während seine Brüder, auf
dem Wege persönlicher Verdienste, zu den höchsten Würden in Kirche
und Staat emporstiegen. Johann III. ward Bischof von Breslau, und
Stanislaus I. Bischof von Olmütz; Alexius aber, der älteste unter
ihnen, schwang sich zum obersten Landesrichter, und nach dem Tode des

4 *

Palatins Andreas Báthor (1536) sogar zum königlichen Locumtenens in Ungarn auf. Früher schon (1531) hatte ihn König Ferdinand, für seine treuen und ausgezeichneten Dienste, mit dem Zipserhaus und der umliegenden Gegend, dann mit den Herrschaften Baimóß, Gönz und Telkebánya beschenkt, und ihm den Titel eines Erbgrafen von der Zips verliehen. Wie wir anderwärts bereits erfahren, erwarb er pfandweise auch das Trentschiner Schloß, mußte es aber wenige Jahre nachher, aus dem dort erwähnten Grunde, wieder an die k. Kammer zurückstellen, was auch bezüglich des Zipserhauses geschehen sollte, jedoch deßhalb unterblieb, weil mittlerweile Isabella die eingegangenen Verpflichtungen nicht gelöst hatte. In seinem Testamente konnte Alexius bereits über einen Territorialbesitz verfügen, der manches unserer heutigen deutschen Herzogthümer an Größe überbot. Sein Erbe war sein Neffe Johann IV., der Sohn Theophils, der seinen Sitz zuerst in das Waagthal verlegt zu haben scheint.

Von den Nachkommen jenes Georg, dessen wir oben als glücklichen Bergmanns Erwähnung gethan, that sich sein Enkel Alexius II. als tapferer Krieger, und sein Urenkel Stanislaus III. als Palatin des Reiches besonders hervor. Dieser wird irgendwo ein Zipser Edelmann genannt, der ebenfalls in Gesellschaft mit dem Hause Fugger das Neusohler Kupferwerk in Pacht genommen hatte, und das gewonnene Metall nach Krakau führen ließ, um dort das mitgeführte Gold daraus abzuscheiden. *) Im Jahre 1622 zum Palatin ernannt, genoß Stanislaus Thurzó der eigenthümlichen Ehre, den Fürsten Gabriel Bethlen, dem er auf dem Landtage Uebles nachgeredet, nach seinem Kopfe lüstern zu sehen, und sich von ihm in Schintau tüchtig belagern zu lassen, worüber er dann dem siebenbürger Heißsporn so kategorisch zusprach, und die von ihm herrührenden Verwüstungen des Vaterlandes so beweglich kritisirte, daß er sich zuletzt zu einem für den Kaiser nicht ungünstigen Vergleich herbeiließ. **) Jener aber behielt seinen Kopf, dessen er sich jedoch nur bis Anno 1625, seinem Todesjahre, erfreuen konnte. Von seinen drei Söhnen lebte Michael

---

*) Engel, Geschichte Ungarns. III. 85.
**) Horváth II. 188 der deutschen Uebersetzung.

am längsten; er starb 1636, und seine Leiche ward mit dem gestürzten Schilde seines mächtigen Geschlechtes in die Gruft gesenkt.

Glänzender noch als die Zipser Linie hatte sich mittlerweile der Trentschiner Zweig des Hauses Thurzó erhoben. Jener Johann IV., welcher den Zipser Grafen und Judex curiae Alexius I. beerbt hatte, hinterließ zwei Söhne, von denen der jüngere, Namens Franz, Bischof von Neutra wurde. Dieser, von der Liebe zur schönen Barbara Kostka von Sedletz, der einzigen Tochter des Herrn von Arva, verführt, resignirte auf sein Bisthum, trat zur evangelischen Lehre über, heiratete, und ward dadurch im Jahre 1558 Herr von Arva, Strecsno und Lietava. Der Uebertritt von einem Glaubensbekenntnisse zum anderen war überhaupt eine schwache Seite der Thurzónen, und hat sich in beiden Linien, und zuweilen bei denselben Personen mehr als einmal zugetragen. Diesem Franz Thurzó legt übrigens die Volkssage jenen oben flüchtig erwähnten Akt grausamen Undanks gegen die Witwe Lahar auf Szulyow zur Last, durch welchen er nach dem baldigen kinderlosen Tode seiner ersten Gemahlin auch jene Burg sammt den dazu gehörigen Ländereien erworben haben soll. Zur zweiten Ehe schritt er mit Katharina Zriny, Tochter des Helden von Szigeth, aus welcher Verbindung Georg Thurzó, der nachmalige Palatin, hervorging.

Von dem Grafen Emerich Forgács, seinem Stiefvater, erzogen, und an dem Hofe des Erzherzogs Ernst zu Graz in jede echte Rittersitte eingeweiht, ward Georg Thurzó nachher sehr bald ein Liebling seines kaiserlichen Herrn, wie nicht minder seines Volkes. Seine Tapferkeit gewann ihm in den blutigen Gefechten bei Párkány, Stuhlweißenburg, Pest und an anderen Orten, den Lorber des Kriegsruhms, während ihm seine hohen geistigen Fähigkeiten, die er in den Unterhandlungen mit Botskaj, zu ZsitvaTorok, Tirnau und mit den rebellischen österreichischen Protestanten, dann bei der Uebernahme der Botskaj'schen Besitzungen und in den Kämpfen des Reichstages an den Tag legte, das Vertrauen seines Königs und den Dank des Vaterlandes eintrugen. Deshalb geschah es, daß ihm, noch in jungen Jahren, die wichtige Stelle eines Kommandanten (Capitaneus) von Neuhäusel, nachher das Oberstmundschenkenamt, die Würde eines Erbgrafen von Arva, mit der auf erblichen Besitz lautenden Donation über alle von

seinem Vater mit Barbara Kostka erworbenen Güter, die Herrschaft
Tokaj, und 1609 endlich die Palatinswürde zu Theil ward. Ueberall
wirkte er in versöhnlichem Geiste, mit der Kraft eines großen, ruhigen
Charakters, und mit dem Muthe einer tiefen, von dem reinsten Bewußtsein unterstützten Einsicht. In seinen redlichen Bemühungen für
die Reglung der Kirchenverhältnisse seiner protestantischen Glaubens-
genossen durchkreuzt, und von dem König mit seinen friedlichen Rath-
schlägen bezüglich Siebenbürgens abgewiesen, zog er sich nach Bitsche
zurück, wo er, wenige Tage vor seinem Tode, noch durch eine Deputation des Kaisers geehrt wurde, die die Rückkehr des schwer entbehrli-
chen Mannes zu den Geschäften des Reiches vermitteln sollte. Er starb
1616. *) Sein Reichthum und seine großartige Gastfreundlichkeit
spricht sich am deutlichsten in dem Berichte über die auf dem Schlosse
Arva gefeierte Hochzeit seiner siebenten und jüngsten Tochter Anna
mit dem Grafen Johann Szunyogh aus, zu welcher er mittelst Pala-
tinal-Rundschreibens den gesammten Adel des Königreichs einlud.
„Die Hochzeit" — so lautete der Schluß dieses Schreibens — „dauert
ein Jahr; wer kommt ist gerne gesehen!" **)

Sein einziger Sohn Emerich Thurzó studirte zu Wittenberg und
ward daselbst, kaum 18 Jahre alt, zum Rector magnificus der Universität erhoben. Nach seiner Rückkehr nahm er bald im Rathe des
Fürsten Bethlen Gabor den ersten Platz ein, und unterhandelte für
ihn mit dem Kaiser zu Nikolsburg über den Frieden. Er starb noch
während der Unterhandlungen im 21. Jahre seines Lebens, nachdem
er vorher noch in den Schooß der katholischen Kirche zurückgekehrt
war, und seine einzige Tochter Elisabeth mit Stephan, dem Sohne des
Fürsten Nikolaus Eszterházy, verlobt hatte, welche Verbindung haupt-

---

*) Im Jahre 1605 ward Bitsche durch einen von Botskaj's Parteigängern,
den Haidukenhauptmann Bellosich oder Bielistez, niedergebrannt, Stephan
Illyesházy aber, von Botskaj eben wieder in seine Güter eingesetzt, ließ
jenen Mordbrenner ergreifen, erschießen und seinen Kopf auf das Trentschiner Stadtthor stecken, — ein neuer Beweis von der Kühnheit dieses
Mannes. Georg Thurzó ließ nachher Bitsche so glänzend wieder aufbauen,
als es vordem gewesen.

**) Majlath Geschichte Ungarns, III. 485.

sächlich den gegenwärtigen Reichthum dieses Hauses begründete. Mit Emerich Thurzó erlosch, fünfzehn Jahre früher als die Zipser Linie, der Trentschiner Zweig seines Geschlechts.

Hinter Hriesow treten auf beiden Seiten die Berge näher an das Flußufer heran, und verengen das Thal streckenweise fast nur auf die Breite des Strombettes. Aber noch vor dem Austritt aus dieser Enge macht die Waag jenes scharf abgebogene Knie, durch das sich ihr bisher westwärts gerichteter Lauf plötzlich nach Süden wendet, welcher Richtung sie fortan bis zu ihrer Mündung in die Donau treu bleibt. Als wir jenes Defilé durchzogen, sanken eben die Schatten des Abends auf die Erde nieder, und am Himmelsgewölbe tauchte ein Lämpchen nach dem anderen aus dem grünblauen Azur auf, und schien sich in seinem Glanze über die Abwesenheit des Mondes zu freuen. An der Straße und neben dem Flusse stand hie und da ein erleuchtetes Bretterhaus des Flößervolks, und die zitternde Flamme darin warf ihr ungewisses Licht heraus auf Feld und Fluß. Auf der Berghalde jenseits loderten die Nachtfeuer der Hirten, und ihre klagenden, in langen Molltönen ausklingenden Lieder drangen, unbewußt von dem tiefen Weh vergangener Zeiten redend, in die Stille der Nacht hinaus. Dann kam wieder ein Dorf, mit seinen fremdartigen rauchgeschwärzten Hütten, mit seinen unerleuchteten Fenstern, die nicht die stillen Freuden einer traulichen Häuslichkeit dahinter vermuthen ließen, und mit dem Anstrich von Oede und Melancholie in seinen Straßen. An der Isillinabrücke endlich, dicht vor den Thoren von Sillein, standen neben der Straße auf dem Wiesengrunde drei bis vier beladene Wägen, deren Besitzer es vorgezogen hatten hier im Freien zu übernachten. Die Pferde weideten nebenher unbehelligt fremdes Gras ab, indeß ihre Herren bei einem mächtig aufprasselnden Feuer saßen, plaudernd ihre Pfeifen rauchten, und uns Vorüberfahrenden ihre lauten Grüße zuriefen. Alle diese Einzelnheiten flossen zuletzt zu einem Bilde totaler Fremdartigkeit zusammen, deren Reiz derjenige begreifen wird, der aus den gewohnten Zuständen des mittleren und westlichen Europas heraus zum ersten Male, oder neuerdings nach längerer Zwischenzeit, in Verhältnisse sich versetzt sah, die er, ihrer vollkommenen Neuheit wegen, eben so gut einem anderen Welttheile hätte zumessen können.

Bald nachher raſſelte unſer Wagen durch die Straßen von Sillein, ließ uns einen großen, viereckigen, von Laubengängen umſchloſ-
ſenen Platz ſehen, und hielt in einer Ecke des letzteren bei dem Gaſt-
hauſe an, welches uns, ſeinem ſtattlichen Ausſehen nach, ein treffliches
Nachtquartier bieten zu können ſchien. Daß uns im Thorwege, ungeachtet des im Hauſe laut wiederhallenden Gepolters von Wagen und
Pferden, keine ſterbliche Seele in gewohnter Weiſe gaſtlich entgegen-
kam, während doch die Thüre des Gaſtzimmers nebenan angelweit
offen ſtand, war wohl geeignet uns zu befremden, konnte uns jedoch
unmöglich den eigentlichen Grund dieſer Erfahrung lehren. Erſt ſpäter, als nach längerem Herumfragen ein etwa dreizehnjähriges Mädchen aus dem oberen Stockwerke mit einem Lichte herbeikam und uns
über die Treppe in die verlangten Zimmer führte, und noch mehr als
wir hörten, wie man zu ebener Erde nur deutſch mit jüdiſchem Akzente,
und in der bel étage kaum anders als ſlaviſch ſprach, da ward uns
erſt nach und nach der merkwürdige Umſtand klar, daß die Schenke
unten und der Gaſthof oben von Tiſch und Bett getrennt, und daß
jene an einen Juden, dieſer aber an einen Chriſten ſlovakiſcher Ab-
ſtammung verpachtet worden war. Nun, wer weder ein Hebräer iſt
noch ein Slovak, ſondern eine ganz neutrale, vorurtheilsfreie Perſon,
der wird leicht behaupten können: keines dieſer beiden Inſtitute befinde ſich in einem preiswürdigen Zuſtande. Die Schenke unten troff
von mehr Schmutz und Unflath als anzuſehen erträglich war, und der
Gaſthof oben mochte ſich weder für heuer noch für das nächſte Jahr
eines ſo überraſchend zahlreichen Beſuches von Fremden, wie wir drei
ihn ausmachten, verſehen haben. Die ganze aktuelle Dienerſchaft dieſes Hotels beſtand aus dem erwähnten Mamſellchen und einem anderen,
ſehr barfüßigen und ſtruwelpeterhaften Fräulein aus der Küche, die
alsbald viele Thätigkeit entwickelte, um die unadjuſtierten und nur
mit offenem Stroh gefüllten Betten einigermaßen in ein menſchliches
Lager umzuwandeln. Daß ſie darüber keine Zeit zur Beſorgung
unſeres Nachtmahls fand, iſt erklärlich, doch hatte ſie die Güte,
die Köchin aus der Fremde herbeizuholen, damit ſie heißes Waſſer
bereite und die übrigen Theebedürfniſſe herbeiſchaffe. Dies alles war
jedoch keine Kleinigkeit: der Herd lag kalt da wie eine Leiche; der

Bäckerladen war um halb neun Uhr Abends unerbittlich verrie-
gelt, und im Hause selbst weder Weißbrot noch Milch und Butter
vorräthig. Wir waren nahe daran zu fürchten, es fehle in der
Küche an einem Topfe zum Kochen des Wassers. Dennoch muß
zugestanden werden, daß die Köchin, deren Selbstbewußtsein bezüglich
der Theebereitung hohe Achtung verdiente, weil sie meine hazardirten
Instruktionen mit sardonischem Lächeln entgegennahm, alles Mögliche
that, um ihrer Aufgabe nach Gebühr quitt zu werden. Aber was kann
der Mensch, und sei er auch eine Köchin, gegen die Gewalt widriger
Verhältnisse! Als der Thee kam, roch er nach dem verjährten Fett eines
verabscheuungswürdigen Topfes, die Butter war sauer und ranzig zugleich, und das Brot ungar und ekelhaft. Es half nichts, daß wir unsere sinkende Laune an dem Anblick des eigenthümlichen Theeservices,
der aus einem schartigen Suppentopfe und aus drei, in Form und
Größe ganz verschiedenen Gläsern bestand, wieder aufzurichten versuchten. Wir mußten Thee und Butter unberührt lassen, und denjenigen Theil unsers Appetits, den der Ekel noch nicht zerstört hatte, auf
die Gewährungen einer besseren Zukunft vertrösten. Die Nacht endlich
vollendete den Jammer; der Mond schien mir lange Zeit ins Bett und
konnte in seiner Zudringlichkeit durch kein Mittel behindert werden;
die lockeren Thüren klapperten unter dem wehenden Luftzug; im Zimmer nebenan schrie zeitweise das vier Wochen alte Kind der Wirthin,
und mein Lager selbst, auf dessen Alleinbesitz ich zu zählen das Recht
hatte, weil ich allein dafür zahlte, mußte ich mit ungebetenen Gästen
theilen, mit wahren Blutsaugern und Mignon-Vampyren, deren Zahl
nur der Allwissende kannte, und die höchst ungentlemanlike die Pflichten der Gastfreundschaft durch tückische Angriffe auf mein körperliches
Dasein verhöhnten.

Doch wie hienieden alles, selbst das Uebelste, ein Ende hat, so
war dies auch mit der Nacht in Sillein der Fall. Und da diesmal der
Post die Vorspannsleistung aufgebürdet wurde, so genossen wir des
Vergnügens, die ehemalige k. Freistadt Sillein in einer unverwerflichen
viersitzigen Kalesche verlassen zu können, bei welcher angenehmen Gelegenheit uns erst das rechte Licht über die Beschaffenheit bemeldeter
Stadt aufging. Sie ist kaum größer als Trentschin, wird durch den

erwähnten großen Platz, mit seiner stattlichen, einst im Besitze der Jesuiten gestandenen, Kirche würdig geschmückt, kann sich alter Ringmauern und Thore rühmen, und erfreut sich einer heiteren, sonnigen Lage. Im Laufe der Zeiten hat sie dies und jenes erlebt, wovon unterschiedliche Landestopographien weitläufigen Bericht erstatten.

Die Gegend um Sillein ist weit offener, als es die Nähe des Hauptrückens des Karpathen erwarten ließ. Dies ist besonders gegen Süden der Fall, wo sich das breite Zsillinkathal öffnet, und hier, an seinem Ausgange, ein ausgedehntes Stück flachen Landes vor sich liegen läßt. Auf den drei übrigen Seiten ragen, in größerer oder geringerer Entfernung, massige, waldbedeckte Berge auf, die sich im Osten zu steilen und felsigen Höhenzügen zusammendrängen. Noch war es sehr früh als wir Sillein verließen, und die Sonne röthete nur erst lebhaft das leichte Wolkengehänge, mit dem sich der Himmel über Nacht dekorirt hatte. Da und dort stiegen Dörfer, Kirchen und andere Einzelnheiten des Thalgrundes aus dem bläulichen Morgenduft heraus, und in der Nähe, aber jenseits der Waag, schimmerten zwischen Bäumen die Mauern von Budetin herüber, das einst dem, jetzt ausgestorbenen, Geschlechte der Grafen und Freiherren von Szunyogh gehörig, in dem reichen Sagenkreise dieses Landes durch die sogenannte „Mauerblende" eine schauerliche Berühmtheit gewann. In dem noch stehenden Thurme des alten Schlosses soll Graf Kaspar Szunyogh, ein Held voll Kraft, Härte und Rauheit, der besser Türkenschädel spalten als pikante Liebesaffairen würdigen konnte, sein ungehorsames Töchterlein lebendig haben einmauern lassen, weil es gegen ein von ihm projektirtes Ehebündniß Widerspruch einlegte, und von seiner Neigung zu einem jungen Forgács nicht abließ. Dieser aber überfiel Budetin in nächtlicher Weile, zog seine Geliebte hinter der Mauerblende hervor, entfloh mit ihr, und hatte das Unglück auf eben jenem Wege, den wir am Abende vorher ahnungslos im Sternenschein durchfuhren, seinem Nebenbuhler zu begegnen, und durch dessen Hand im ritterlichen Kampfe Braut und Leben einzubüßen. Letztbesagter Barbar soll ein Jakusich vom Löwenstein gewesen sein und ein Selbstsüchtling obendrein, weil er das gefundene Kleinod als Finderlohn ansah, es vor erneuerter Einmauerung rettete, und durch Priestershand in den Ring seines eigenen Lebens für immer einsetzen ließ.

Budetin ist jetzt Eigenthum der Grafen Csáky, denen das neue Schloß und die schönen Gartenanlagen, die es einschließen, ihre Entstehung verdanken.

Wenige Minuten außerhalb Sillein übersetzten wir die Waag auf einer Ueberfuhr, und erreichten bald darauf das Dorf Teplicza mit einem schönen Schlosse, in dessen Kapelle die irdische Hülle Sophiens von Bosnyák, der ersten Gemahlin des Palatins Franz Wesselényi de Habad, ruht. Der Leib der durch ihre Frömmigkeit, Tugend und Wohlthätig= keit jetzt noch im Volke als heilig verehrten Frau hat bis heut zu Tage, also mehr als zwei Jahrhunderte lang, der Verwesung widerstanden. Sie war die Tochter des in den Türkenkriegen berühmt gewordenen Thomas Bosnyák, Hauptmanns in Fülek, und die Sage erzählt, wie das inbrünstige Gebet der Frommen zur Mutter der Gnaden ihren in seiner ehelichen Treue wankenden Gatten sich selbst, dem Kreise der Seinen und den Pflichten der Ehre wiedergewann. Aber der Mann war des Engels doch nicht werth. Als sie 1644 gestorben war, erwarb er sich bei der Belagerung der Veste Murány, auf eben so kühne als romanhafte Weise, den Besitz der schönen Amazone Maria Széch, Wittwe Stephan Bethlens, die, der Revolutionspartei angehörig, jene Feste in eigener Person vertheidigte, und die Schlüssel derselben mit ihrer Hand in seine Macht gab. Sie war es eben, deren Schönheit und Geist ihn noch bei Lebzeiten Sophiens gefesselt hatte. Der dankbare Kaiser verlieh ihm den erblichen Besitz sammt dem Grafentitel von Murány, und hob ihn in der Folge bis zum Reichspalatin empor. Aber auf dem neuen Ehebunde lastete noch der Fluch der früheren Sünde und der gebrochenen Pflicht. Maria Széch war jener stillen, sittlichen Würde bar, die der höchste Schmuck des Weibes ist, und ohne die es mit ihrer Natur und Bestimmung in Zwiespalt gerathen muß. An aufregende politische Verwicklungen gewöhnt, genügte ihrer stolzen Seele der enge Kreis der Häuslichkeit nicht; sie wollte nur gebieten und herrschen, ward hart und grausam gegen die Ihrigen, und ruhte nicht bis sie ihren Gatten zur Theilnahme an jener Verschwörung hin= riß, die seine Mitschuldigen auf dem Blutgerüste büßten, indeß er selbst noch früher, im tödtlichen Gefühle des Undanks gegen seinen kaiserlichen Herrn, am gebrochenen Herzen starb. Drüben, wo die Waag den Fel= sendamm des Gebirges durchbrochen, leuchteten jetzt, unter den Strahlen der Morgenſonne, auf hoher Klippe dicht über dem Abgrund ſchwebend, die grauen Trümmer von Streßno herüber, einſt die Burg Franz Weſſelényi's und die düſtere Heimat Sophiens, wo ſie verlaſſen weinte und für das Glück ihres Gatten betete und ſtarb. Gegenüber, für uns jedoch unſichtbar, liegt die Feſte Ovár, die Strecëno ſo nahe, daß im Volke einſt das Sprichwort ging: „in dem einen Schloſſe ſind ſie zornig, in dem andern ſehen ſie es wohl, aber ſie fragen nicht darnach." — Beide Burgen wurden in den Rákotzy'ſchen Unruhen gebrochen.

Bei dem Flecken Varin, der, ſeiner freiſtehenden Häuſer und ſeiner Baumloſigkeit wegen, ein abſonderliches Ausſehen beſitzt, und deſſen Einwohner ſich zum Theil von Forellen ernähren, verläßt die Straße das Thal der Waag und biegt links in der Richtung gegen die Arva, in das Wratnathal ein. Wir hätten von Sillein weg eben ſo wohl den Weg durch das Thurotzer Komitat, über Szutſchan und Turany, wählen können; man hatte uns aber die Straße über Alſó-Kubin als ohne Vergleich beſſer und die Möglichkeit eines raſcheren Fortkommens gewährend dargeſtellt und zur Benützung angerathen, was übrigens auch ganz mit unſeren Wünſchen zuſammentraf, da uns die Arva vom Hörenſagen als ein romantiſches und wildſchönes Hochland bekannt war, und höheren Genuß verſprach. — Das Wratnathal gewinnt nun bald oberhalb Varin den Charakter der Voralpen. Die Straße erhebt ſich raſch, doch nach raſcher das Gebirge; der Ackerbau weicht entſchieden vor der Wieſenwirthſchaft und dem Flachsbau zurück; auf den ſteilen Grashalden werden immer häufiger weidende, glockenlaute Viehheerden ſichtbar; die Berghänge, die ſich hie und da mit prächtigen Felſenborſten ſchmücken, blicken immer rauher, und ſchneiden ſich im Thale meiſt ſchon in ſpitzen Winkeln; die menſchlichen Wohnungen werden allgemach ſeltener, und etwas von dem melancholiſchen, aber reizenden Ernſte des höheren Gebirges legt ſich gedankenvoll über die Landſchaft. Doch fehlt es immer nicht an Weilern und kleinen Dörfern, und Iverhova iſt eines unter den letzteren, das wir fünfthalb Stunden nach unſerem Aufbruche von Sillein, alſo etwa um halb zehn Uhr Morgens, erreichten.

Mit Wehmuth nahmen wir Abſchied von der trefflichen Kaleſche, die uns bis hieher gebracht hatte, und ließen unſere Effekten in das Wirthshaus ſchaffen, das, von einem Juden unterhalten, in der Pflege von

Schmutz, üblen Gerüchen und ekelhaften Fliegenheeren seines Gleichen sucht. Das Dorf sah auch nicht darnach aus, als ob es geeignet gewesen wäre, uns einen, wenn auch nur halbwegs befriedigenden Ersatz für unsere gute Silleiner Karosse bieten zu können; wir rechneten auch nicht darauf und hätten uns begnügt, über die Schnelligkeit der Beistellung die Qualität des Fuhrwerks übersehen zu dürfen; — so tief war nach den Erfahrungen der vergangenen Tage das Niveau unserer Forderungen und Wünsche bereits gesunken. Der Dorfrichter (slovakisch Richtár) war schnell zur Hand, und machte sich eilig und als ob er schon seit Jahren mit keinem dringenderen Geschäfte betraut gewesen wäre, auf den Weg, um den geforderten Vorspannswagen herbeizuschaffen; später erschien auch der Kleinrichter, und that desgleichen; aber während uns sers dreistündigen Aufenthalts in Tyerhova sahen unsere Augen keinen von beiden wieder. Die Pferde waren allesammt in Ruralgeschäften abwesend und konnten nicht erscheinen. Was war unter solchen Umständen besseres zu thun, als sich in Geduld fassen und auf Erlösung hoffen! Doch blieben wir mittlerweile nicht müßig; das herrliche Wetter rief uns in's Freie hinaus, und ein naher Bergfuß, den wir erstiegen, gab uns durch den Anblick des kleinen Krivan, der aus einer gegen Süden sich öffnenden Schlucht stolz und ehrwürdig hervorsah, für eine halbe Stunde die anziehendste Beschäftigung. Diese Schlucht ist unten mit dunklem Wald und schweren Felsbrocken angefüllt, indeß ihre oberen Theile, besonders im Hintergrunde des Thals, in eine schöne, prächtig grüne Alpenfreiung sich ausbreiten, aus welcher der genannte Gipfel bis zur Meereshöhe von 5100 W. F. emporsteigt. Das Wort Krivan heißt auf deutsch „der Gekrümmte," welche Bezeichnung sich bei dem in Rede stehenden Berge ohne Zweifel in der Ansicht von einer anderen Seite rechtfertigt; von Tyerhova aus betrachtet stellt er sich als ein pyramidaler, und seiner sanften diesseitigen Abdachung wegen weit zurückweichender Gipfel dar.

Auf dem Rückwege sprachen wir in einigen Bauernhäusern zu, um über ihre Einrichtung und ihr Aussehen im Innern, und über die Lebensweise ihrer Bewohner einige Notizen zu gewinnen. Was wir nun bei dieser Gelegenheit sahen und erfuhren, war nichts weniger als erfreulich, und zeigte einestheils nicht nur die unverkennbare Homoge-

nität in der Art zu sein und zu leben zwischen den Slovaken hier zu
Lande und jenen im Süden unserer Monarchie, den ich, in Folge viel-
jährigen Aufenthalts daselbst genauer kennen zu lernen Gelegenheit
hatte, sondern anderntheils auch den tiefen Kulturgrad, der unter den
Slovaken Nordungarns im Allgemeinen leider der herrschende ist, —
eine Wahrnehmung, die durch unsere vorangegangenen Beobachtungen
ebenso wenig als durch die nachgefolgten eine Beeinträchtigung erfuhr.

In Tyerhova schien freilich die Armuth größer als an anderen
Orten, aber sie erklärt und rechtfertigt den unbeschreiblichen Schmutz nicht,
der hier allenthalben um und in den Wohnungen auf ekelerregende
Weise seinen Sitz aufgeschlagen hatte. Vor den Hausthüren, und um
sie sogar zumeist, lag haufenweise allerlei und selbst der widerlichste
Unrath, und hie und da konnte der Zugang über den durch das Aus-
gießen des Spühlichts erzeugten flüßigen Koth nur durch breite, in Zwi-
schenräumen niedergelegte Steine vermittelt werden. Die Hausthüren
sind durchwegs an der breiten Seite der Häuser angebracht, und ihr
Verschluß wird bei Tage mit einem hölzernen Riegel, zur Nachtzeit
aber, wenn er anders für nöthig erachtet werden sollte, mittelst eines
Vorhängeschlosses bewerkstelligt; — nirgends sah man an den Thüren
ein eigentliches Schloß gewöhnlicher Art. Das erste Gemach, in das
der Eintretende gelangt, ist ein Raum, dessen nähere Bezeichnung etwas
schwer hält; denn er ist weder Vorzimmer, noch Küche, noch Kammer,
sondern ein unsauberes Lokale mit einigem Küchengeräthe, etwas Holz,
einer Feuerstelle ohne Herd in einer Ecke, und dem Heizloch des großen
Ofens im Wohnzimmer. Von hier führt eine Thüre auf der einen Seite
in die Vorrathskammer, und auf der anderen eine in die eigentliche
Wohnstube der Familie, die stets gegen die Gasse, oder aber ins Freie
sieht, wenn das Haus nicht an der Gasse steht. Dieser Raum hat etwa
18 bis 24 Fuß im Geviert, und wird durch drei bis vier kleine Fenster
erleuchtet, von denen zwei der Giebelfront des Hauses angehören. Ist
schon der eigenthümliche Geruch, der hier vorwaltet, widerwärtig, so
ist dies noch mehr mit der Hitze der Fall, die ein nothwendiges Erbalat
des Ofens bildet, der in einer Ecke des Zimmers steht, den vierten bis
fünften Theil desselben einnimmt, und als Heizapparat und Herd zugleich dienen muß. Er ist deshalb an seiner vorderen Seite mit einer

kaminartigen Vorrichtung versehen, wodurch die Bereitung des Feuers
von innen und das Kochen möglich gemacht wird. Für den Abzug des
Rauches erhebt sich über dem Herde ein freistehender Schornstein
aus Mauerwerk, der jedoch nur bis über die Decke der Stube reicht,
weßhalb derjenige Theil des Rauches, der nicht in der Stube selbst
verbleibt, sich unter dem Dache ausbreiten und seinen Abzug in das
Freie durch die vorhandenen Lücken wählen kann. Welchen schädlichen
Einfluß auf die Gesundheit dieser Leute aber das Kochen in den Wohnstuben, durch die Entwicklung und Verbreitung ungesunder Gase,
durch Feuchtigkeit und Unreinlichkeit, ausüben muß, bedarf wohl keiner
näheren Auseinandersetzung. Hinter dem Kamin ist die Oberfläche des
Ofens breit und flach, und wird als warme Liegerstatt benützt; wir
selbst fanden in einem der von uns besuchten Häuser einen lungensüch-
tigen Mann auf diesem Platze liegend, dessen Wärme ihm bei dem
Fieber, das ihn quälte, sehr wohlgethan haben mochte. Der Zustand
der Wohnstuben zeigt im Uebrigen eine unbeschreibliche Unordnung,
Dürftigkeit und Unreinlichkeit. Der Boden besteht entweder aus ge-
stampfter Erde oder er ist gedielt; wo letzteres der Fall, da fanden wir
die Dielen von Schmutz so dunkel wie die Erde selbst, stellenweise durch-
gefault und von tiefen Löchern verunstaltet. Die Bettstellen waren von
der ärmlichsten und primitivsten Art, und nur mit etwas moderigem
Stroh und einigen schmutzigen Lumpen halb angefüllt. An den Wänden und um den Ofen zogen sich hölzerne Bänke herum, und auf diesem
stand irgendwo im labilen Gleichgewicht ein niederer, mit grellen
Lackfarben angestrichener Kasten; an den übrigen Orten ließ sich auch
nicht einmal ein solches Behältniß sehen. Ein an der Wand hängender
einfacher Schrank zeigte einiges Eßgeschirr aus Thon oder Holz, und
einige buntbemalte hölzerne Löffel; bei dem Herrn Richter aber überraschte uns eine altmodische Wanduhr, und im Wandschranke eine aus
drei bis vier Gebetbüchern bestehende Bibliothek. Die Wände waren
allenthalben vom Rauche mehr oder weniger braun gefärbt und
entbehrten jedes Schmuckes, durch einen Spiegel, durch einfache Schil-
dereien u. dgl. Dinge mehr, wie sie eben anderwärts in jedem Bauern-
hause angetroffen werden. Und nach all dem wird die Erklärung nicht
befremden, daß ich nie in meinem Leben unfreundlichere, schmutzigere

und unwohnlichere Behausungen gesehen wie diese; Zigeunerhütten etwa
ausgenommen. Selbst die Wohnungen der Rumänen im Banate habe
ich, wenn sie auch oft noch ärmlicher und beschränkter sind, doch nie so un-
sauber und verwahrlost gefunden, wie jene der Slowaken zu Tyerhova.

Diese Unbehäbigkeit der häuslichen Existenz, und dieser Schmutz
vor und hinter den Thüren, ist indeß noch immer nicht so auffallend
und befremdlich, als die oben bereits vorübergehend erwähnte äußerliche
Unabgeschlossenheit aller einzelnen Haushaltungen. Auch hier stehen die
Häuser von allen Seiten frei und zugänglich da, und keine Mauer,
Planke oder Umzäunung schließt den Einzelbesitz deutlich ein, und son-
dert ihn von dem des angrenzenden Nachbars ab. Welchen kalten, öden
und unfreundlichen Anstrich die Dorfschaften hiedurch gewinnen, wird
denjenigen kaum erklärlich sein, die die obige Wahrnehmung mit eigenen Augen zu machen noch keine Gelegenheit fanden. Aber diese
Eigenthümlichkeit beschränkt sich nicht etwa bloß auf Mähren und den
nördlichen Theil Ungarns, sie ist allenthalben unter den Slaven anzutreffen, hier so gut wie unter den Südwenden, unter den Czechen so
gut wie unter den Serben, in Kroatien so gut wie in allen slavischen
Theilen des russischen Reiches.*) Hie und da hat die vorgeschrittene
Kultur und das Beispiel nebenwohnender Volksstämme anderer Zunge,
und zum Theil auch, wie in der k. k. österreichischen Militärgrenze,
die obrigkeitliche Nöthigung, diese den Slaven spezifisch angehörige,
zeltartige Freistellung der Wohnhäuser mehr oder weniger verändert;
dennoch aber blickt überall, wo dies geschehen, der Mangel eines inner-
lichen Antriebes dazu mit voller Klarheit durch.

Diese echtslavische Spezialität ist nun meines Wissens nirgends
noch mit demjenigen Akzente, den sie verdient, hervorgehoben und erklärt worden. Ich aber bin der Meinung, daß sie ein bemerkenswer-
ther Ausdruck der innersten Wesenheit des slavischen Volkes ist, und
deßhalb ein Argument zur Erklärung dieser Wesenheit liefert. Eine
kurze Besprechung hierüber mag mir an diesem Orte wohl gestattet sein.

---

*) Harthausen, August Freiherr von, „Studien über die inneren Zustände,
das Volksleben und insbesondere die ländlichen Einrichtungen Rußlands."
Siehe I. Seite 19, 94, 162, 254, u. a. a. O.

Aus der allgemeinen Beschaffenheit der slavischen Haushaltungen läßt sich zuvörderst mit aller Sicherheit die Folgerung abziehen,
daß der Slave das Bedürfniß einer vollkommen abgeschlossenen, und
jeder unberufenen Annäherung unzugänglichen, Häuslichkeit nur wenig
kennt. Bei ihm herrscht der Geist der Gesellschaftlichkeit vor, der in
Rußland, wo das Slaventhum unzweifelhaft in seiner eigensten und
urwüchsigsten Gestalt dasteht, sogar in eine Art von Kommunismus
übergegangen ist, und in der russischen Gemeindeverfassung seinen be-
rechtigten, gesetzmäßigen Ausdruck gefunden hat. Dort liegt mehr in
der Gemeinde als in dem engen Kreise der Häuslichkeit das eigentliche
Leben des Volkes; ist doch jener, der Gemeinde nämlich, selbst der
Hauptbestandtheil des Besitzes, der Grund und Boden, in der Art
untergeordnet, daß sie, vorbehaltlich des Anspruchs eines jeden berech-
tigten Gemeindemitgliedes auf einen Grundantheil, frei mit ihm verfügen kann. Die Gemeinde allein ist Herrin des Grundes, und die einzelnen Familien sind nur im Nutzgenuß der ihnen zugewiesenen Par-
zellen, die nöthigenfalls von der Gemeinde zurückgefordert und gegen
andere abgetauscht werden dürfen. — Noch schlagender spricht sich
dort die geringe Beachtung des häuslichen Herdes durch die merkwürdige Polizeivorschrift aus: „Jeder kann und soll seinen nächsten Nachbar polizeilich überwachen und wird von ihm überwacht." *) — Ist
unter den westlichen Slaven das Grundeigenthum nicht mehr wie
in Rußland, an die Gemeinden gebunden, sondern nach gewöhnlicher Weise in fester Hand, so hat bei diesen der tiefwurzelnde Hang
zur Geselligkeit fast nirgends die sporadische Ansiedlung in einzelnen
auf der Scholle erbauten Gehöften zugelassen. So sehen wir, selbst in
den gebirgigen Theilen Oberungarns, im Trentschiner, Arvaer, Liptauer, Zipser und Sohler Komitat, und in den Alpenlandstrichen von
Oberkärnten, Steiermark und Krain, die slavischen Bevölkerungen
überall in geschlossenen Ortschaften vereinigt. Hieraus nun entspringt
die dem Slaven eigenthümliche Gleichgiltigkeit gegen die Scholle, die
ihn ernährt, seine Gewohnheit mit Vielen zu verkehren, seine Wanderlust, seine Fähigkeit sich in Allem zurecht zu finden, seine Leichtig-

*) Harthausen, Studien :c. 1. 17.

5

keit sich da oder dort eine neue Heimat zu gründen, und andere so-
ziale Vorzüge, die ihn im Allgemeinen vor dem Germanen auszeichnen, der häufiger mit sich allein, mehr an seinen Gedanken und Ge-
fühlen arbeitet, und diese dafür zu größerer Tiefe und Innerlichkeit
bringt. Es ist bekannt, daß die Bevölkerung Wiens zum fünften Theile
aus slavischen Elementen besteht. Darum auch kennt der Slave die
Krankheit des Heimwehs nicht. Da die Häuslichkeit, in der er aufge-
wachsen, keinen so engverbundenen, konzentrirten Inhalt besitzt, so ist
sie auch selten im Stande, seinem Herzen jene schwärmerische Pietät
einzuflößen, die alle seine Gefühle zu beherrschen, und ihn, nach Umständen, einer verzehrenden Sehnsucht preiszugeben vermöchte. Der
Slave liebt sein Heimatshaus und seine Angehörigen, wer möchte das
bestreiten; aber er hängt nicht minder seinem Dorfe, dem weiteren
Kreise seiner Bekannten, seiner Sprache und seinem Volke an; dadurch
aber wird seine Anhänglichkeit an die Heimat gleichsam mit Raum
verdünnt, ihre Intensität geschwächt, und er selbst moralisch freizügi-
ger gemacht.

Wie verschieden von diesem Wesen ist der Sinn des germanischen Mannes! Wo dieser sich anbaut, da umschließt er zuvörderst deutlich sein Heimwesen; er will seinen Besitz mit physischer Klarheit überschauen, ihn in seiner äußeren Wahrnehmung individualisirt sehen, und
sich frei, unbehelligt und unbeaufsichtigt an seinem Herde fühlen. Wenn
bei dem Slaven das Prinzip der Sozialität vorherrscht, so ist es bei
dem Germanen das Prinzip des Individualismus, das die Auffassung
seiner Beziehungen zur Gesellschaft bedingt. „Mein Haus ist meine
Burg!" so lautet der wörtliche Ausdruck seines Strebens nach Isoli-
rung — ein Ausdruck, der ohne Zweifel schon in dem Augenblicke entstand, als die Germanen, von dem Zustande des Nomadenlebens ab-
lassend, sich die ersten Häuser bauten, und ihre ursprüngliche Ungebun-
denheit mit der Beschränkung des seßhaften Daseins vertauschten. Die
Quelle aber, aus der jene Rechtsformel entsprang, war der tiefinner-
liche Freiheitsdrang dieses Volkes, das hohe Gefühl von der Würde
und dem Rechte des freien Mannes, wodurch allein es fähig wurde,
die in den Schlamm des verrotteten Römerthums versunkenen gesellschaftlichen Verhältnisse des Welttheils von Grund aus umzugestalten

und aufzufrischen. Als nun das bisher fast unbeschränkte Maß äußerer
Freiheit durch die Wahl fester Wohnsitze, und die immer mehr sich
verwickelnden und kreuzenden Interessen des Staatslebens, eine nothwendige und heilsame Beschränkung erfuhr, da wollte der freie Mann,
im Bewußtsein seiner sittlichen Selbständigkeit, an seinem Herde
wenigstens unbeirrt bleiben, wo nur seine eigensten und zugleich theuersten Interessen walteten, und den er von vorneherein außer den Bereich
der exekutiven Gesellschaftsgewalt gestellt wissen wollte. Und deshalb bemühte er sich sein Hauswesen deutlich abzusondern, die Grenzen desselben jedem Anderen klar zu machen, und sich auf solche Art vor aller
von außen kommenden Störung und Beaufsichtigung sicher zu stellen.
Aus demselben Grunde verzichtete er lieber auf die Annehmlichkeit des
gesellschaftlichen Zusammenlebens in geschlossenen Dörfern, und zog
es vor, allein zu sein mit den Seinigen, als sich in seiner häuslichen
Freiheit beschränkt zu sehen. So entstand der, bei allen Völkern ger-
manischer Abstammung vom Anfang her übliche Anbau der Bauernhöfe auf ihrer Scholle, wodurch erklärlicherweise die Gemeinde, dieser
zweite Ring in der sozialen Verkettung der Menschen, erst in zweiter,
mehr untergeordneter Linie Beachtung gewinnen konnte. In weiterer
Folge entsprang hieraus aber auch die Schwierigkeit der Staatenbil-
dung unter den Germanen, die oft Jahrhunderte langer Arbeit bedurften, um einen festgegliederten staatlichen Organismus aus sich her-
auszubilden.

Doch übte diese Sinnesart noch eine andere natürliche Wirkung
aus, die, wenn schon in ihren nächsten, sichtbaren Folgen bedeutend,
in ihren entfernteren Konsequenzen für die geistige, sittliche und staat-
liche Entwicklung der germanischen Völker von der höchsten Wichtigkeit wurde. Und diese Wirkung besteht in der Einpflanzung jenes tieferen Gefühls für Haus und Herd und für Alles was damit in naher
Verbindung steht. Die Häuslichkeit mußte jetzt in den Augen des germanischen Mannes, bei seinem Hange nach Selbstbestimmung, unendlich im Werthe steigen; denn nebst Weib und Kindern, umschloß sie
jetzt allein den Platz, wo er Herr war und Gebieter, wo er thun
konnte was ihm gefiel, und wohin keine obrigkeitliche Aufsicht drang.
Drum ward ihm auch der eigene Herd sein Alles und sein liebster

5 *

Aufenthalt, und nur der Krieg, wo Jeder für sich selber steht, und wo die Kampflust und die Gefahr Alle gleich macht, hatte in seiner Neigung einen noch höheren Platz. Aber jene Machtfülle im eigenen Hause, anstatt zu wilden Mißbräuchen zu führen, ließ, bei den sittlichen Anlagen dieses Volkes, eine Summe von Tugenden entstehen, die nach und nach zu wichtigen Faktoren seines kulturgeschichtlichen Fortschrittes wurden. Es entstand die Liebe zur Ordnung und Reinlichkeit, die Gewohnheit der Eintracht, der Beschäftigung, des Fleißes und der Sparsamkeit, der Vortheil der Wohlhabenheit, der höheren Civilisation und Religiosität. Das Volk war und blieb fähig, die theilweise schädlichen Wirkungen der vorschreitenden Kultur, ohne wesentliche Beeinträchtigung seiner sittlichen Zustände, zu ertragen. Frühzeitig erhob sich endlich in freien Städten ein kraftvoll aufblühender Mittelstand, jenes wichtige Element in der deutschen Geschichte, das für die Schwächung der Oligarchie, für die Erstarkung des Königthums, für das Gedeihen von Industrie und Handel, und für die Pflege von Kunst und Wissenschaft so große Verdienste sich erwarb.

Bei den Slaven hingegen hat der Volksgeist eine ganz andere Richtung eingeschlagen. Der Slave besitzt im Allgemeinen eine so unverwüstliche Heiterkeit und Beweglichkeit, und einen so lebhaften Drang zum gesellschaftlichen Verkehr, zum Gespräch, Scherz, Gesang und Tanz, daß ihm das Leben in abgesonderten Gehöften wie eine Verbannung erscheinen müßte. Dieser Geselligkeitstrieb ist ein charakteristisches Merkmal des slavischen Wesens, und die Quelle mancher achtungswerthen Eigenschaft desselben. Er ist es, der den Slaven dienstfertig, gutmüthig, mittheilsam, höflich, geschmeidig und redselig macht. Der Slave besitzt weder das schroffe Selbstgenügen des Briten, noch den einsylbigen Gleichmuth des Holländers, und eben so wenig die ernste, kontemplative Bedachtsamkeit des Deutschen; er verträgt das Schweigen nicht wohl, spricht gut und fließend, geräth nicht leicht in Verlegenheit, ist klug in seinem Benehmen, weiß Jeden bald nach seiner Art zu fassen, und versteht es trefflich seinen Vortheil wahrzunehmen. Daß diese Eigenschaften dort, wo ihre natürlichen Wirkungen sich frei entfalten konnten, zu einem starken Gemeindeverbande, und in weiterer Folge zu einem kräftigen, einheitlichen Staate führen mußten, bestä-

tigt sich durch das Beispiel Rußlands. Aber dennoch ruht das slavi=
sche Wesen, nicht so wie bei den Germanen, auf dem festen Boden in=
nerer Freiheit und Selbständigkeit. Der Slave besitzt in weit gerin=
gerem Maße das Bedürfniß jener Spontaneität für seine Handlun=
gen, und jene Empfindlichkeit für das persönliche Recht, die der Grund=
ton des germanischen Geistes ist. Dies der wesentliche Unterschied zwi=
schen hüben und drüben. Und eben deshalb ordnet sich der Slave lie=
ber dem Zwange der Gesellschaft, der Gemeinde unter, die in ihm den
natürlichen Hang zur Sozialität befriedigt, als daß er am eigenen
Herde sich als eigener Herr fühle. Er ist daher viel außer dem Hause,
bei seinen Nachbarn, in der Schenke, auf den Straßen, in der Fremde.
Da ihn der monotone Kreis der Häuslichkeit nicht anlockt, so widmet
er ihm auch nur geringe Sorgfalt, und wenig strebt er darnach, ihn
durch Reinlichkeit, Ordnung und Ausschmückung zu einem freundlichen
und behaglichen Aufenthalte umzuwandeln. Die auffallende Gleichheit
aller Haushaltungen in äußerer Form und innerer Anordnung ist
nicht minder ein Zeichen der Unfreiheit seines Geistes. Wenn der Slave
dient, so ist er treu und ergeben, und das Gebot seines Herrn ist ihm
heilig; er krittelt nicht daran, und sucht nicht nach Gründen, um seinen
eigenen Gehorsam zu rechtfertigen. Aber er erniedrigt sich auch leicht
zum Schmeicheln, und thut auch Manches gerne für den Schein. *)
Niemand endlich schreitet leichter zum Bettel als der Slave, und in
Rußland gibt es sogar wohlhabende Dörfer, die ganz vom Bettel
leben, und wozu jede Familie, gleichviel ob reich ob arm, ihr be=
stimmtes, nach gesetzlicher Anordnung kostümirtes Bettlerkontingent
abstellt. **) Dort wird auch vom Volke nicht etwa seine Unterwer=
fung unter das jeder Humanität Hohn sprechende Joch der Leibei=
genschaft, wohl aber der Verlust des Rechtes der Freizügigkeit bitter
beklagt.

Aus dieser moralischen Disposition des slavischen Volkes fließt

---

*) Es kann hier natürlicherweise nur von dem Volke im engeren Sinne die
Rede sein. Die höheren Stände sind ja in allen, von dem Kreise der euro=
päischen Kultur umschlossenen, Ländern bis auf geringe Unterschiede ein=
ander gleich.

**) Historisch=politische Blätter. XXXIII. Seite 773.

noch ein anderes hochwichtiges Element seiner gesellschaftlichen Verhältnisse, d. i. sein Familienwesen, durch welches sich das Slaventhum abermals auf eine bestimmte Weise vom Germanenthum unterscheidet. Das hervorragendste Merkmal der Familienordnung aber
muß in der sozialen und rechtlichen Stellung der Frau, im Hause
und ihrem Manne gegenüber, gesucht werden. Wenn nun schon bei
den alten Germanen die Ehe als eine Verbindung gedacht wurde, die
mit dem ganzen Rechte überhaupt als identifizirt, als eine communi-
catio divini et humani juris, und die Frau als Genossin des Mannes
in Freud und Leid, in Krieg und Frieden erschien; *) — wenn spätere Gesetzgebungen diese Genossenschaft der beiden Ehegatten im
höchsten Sinne auffaßten, indem sie sagten: „Mann und Weib, die
recht und redlichen zu der Eh kommen seynd, da ist nit Zweiung an,
wann es ist nicht denn eyn Leib;" **) — wenn bei den Gothen der
untreue Mann eben so gestraft wurde, wie das untreue Weib; und
nach einem nordischen Rechte der Ehefrau gestattet war, ihren auf frischer That der Untreue ertappten Gatten zu tödten; ***) — wenn bei
den Longobarden festgesetzt wurde, daß der Mann, der seine Frau ohne
Grund schlecht behandelt, seine Mundschaft über sie, und nach Umständen selbst sein Vermögen verliert; ****) — wenn ferner bezüglich
der sachlichen Rechte der Mann wohl der gesetzliche Vormund und
Verwalter des Vermögens seiner Frau war, und diese ohne seine
Einwilligung nicht viel Freiheit besaß, jenem aber dennoch niemals
eine unbedingte Verfügung über das Vermögen der Frau zustand;
und ein niederdeutsches Landrecht geradezu ausspricht, daß das Gut
des Mannes für die Mitgift der Frau zu Pfand stehe; †) — wenn
der Sachsenspiegel mit den Worten: „Man unde wif ne hebbet nein
getweiget Gut to irme live" — Mann und Weib haben kein getheiltes
Gut zu ihrem Leben — die Gütergemeinschaft statuirte, und dadurch

---

*) Allgemeine deutsche Real-Encyklopädie, Artikel: Familienwesen; und
   Weinhold „die deutschen Frauen im Mittelalter," pag. 295.
**) Schwabenspiegel.
***) Weinhold pag. 294.
****) Ibidem pag. 295.
†) Ibidem pag. 298.

Vermögensbestimmungen nur unter gegenseitiger Einwilligung beider
Ehegatten geschehen durften; — wenn ferner aus dieser Auffassung
das Sukzessionsrecht der Frauen entsprang, und später die Achtung, die
man ihnen trug, unter Hinzutritt eines religiösen Elements, sich im Rit-
terthum zu einer Art von Kultus voll Innigkeit und Idealität veredelte; — wenn also all das Gesagte den Beweis herstellt, daß bei
den Völkern des germanischen Stammes die Frau niemals — etwa
die Zeit der ältesten indianischen Roheit ausgenommen — als Sache
und bloßes Werkzeug des Mannes angesehen und entwürdigt wurde: —
so ist bei den Slaven das Verhältniß zwischen Mann und Weib selbst
bis in die Gegenwart völlig anders geblieben. Ich spreche hier selbstverständlich wieder nur von der Masse dieses Volkes, in der sich die ursprünglichen Ansichten über die Stellung des anderen Geschlechtes
mehr oder weniger erhalten haben. In der russischen Gemeinde wird
die Witwe, mag sie wie viel Kinder immer besitzen, bei der Ausmitt-
lung der Taiglo's nie gezählt, und mit dem Tode ihres Mannes fällt
sein Grundantheil unbedingt an die Kommune zurück. Dort so gut
wie unter den Polen, Slovaken und Südslaven bringt es nur selten
eine Frau dahin, ihrem Gatten das vertrauliche Du bieten zu dürfen.
Ihre Stellung im Hause ist überhaupt mehr eine dienstbare und unter-
würfige; in demüthiger Haltung und mit über der Brust gekreuzten
Armen erwartet sie, bei den Südslaven, die Befehle ihres Mannes;
sie wäscht ihm die Füße, bedient ihn bei Tisch, und harrt oft geduldig
vor der Thüre, bis er sie zu neuen Dienstleistungen herbeiruft. *)
Großer Auszeichnung von Seite ihres Gatten darf jene sich rühmen,
der es verstattet ist, bei der Mahlzeit den untersten Platz am Tische einzunehmen. Gehen Mann und Frau zu Markt, so schreitet diese nicht
neben, sondern hinter jenem einher, und geschieht es, daß sich der
Weg eines Mannes mit dem eines Weibes kreuzt, so pflegt dieses mit
ihren Schritten vor dem Kreuzungspunkte so lange inne zu halten,
bis jener vorübergegangen; thäte sie es nicht, so würde sich der Mann
hoch beleidigt fühlen und annehmen, das Weib wolle den Vorrang
über ihn behaupten. Bei den Morlaken endlich erwähnt der Mann

---

*) Otto von Pirch: „Reise in Serbien." I. pag. 240; II. pag. 37.

gegen einen Fremden oder Höheren seiner Frau nur dann erst, nach=
dem er vorher „oprostite!" gesagt, welches Wort am besten mit
salva venia zu übersetzen ist, gleichwie er ihr auch nicht erlaubt mit
ihm in einem Bette zu schlafen. Es wäre leicht, noch eine Menge ähn=
licher Zeugnisse beizuschaffen, die da den Beweis liefern, daß bei den
Slaven die Frau als dem Manne in allen Stücken untergeordnet, als
ein Wesen geringerer Art, und fast mehr in orientalischem als christ=
lichem Sinne aufgefaßt wird. °)

Es dürfte kaum eine Sache von Schwierigkeit sein, den höchst
nachtheiligen Einfluß jener herabgewürdigten Stellung des Weibes
auf das Familienwesen zu beweisen; mit diesem Beweise aber muß
nicht minder die schädliche Einwirkung derselben auf einen großen
Theil der gesellschaftlichen und staatlichen Verhältnisse klar werden.
Denn die Familie ist die Grundlage des staatlichen Baues; die Qua=
der in dem Gebäude, das fest und sicher steht, so lange seine Quatern
noch nicht mürbe geworden. „Die Familienordnung ist ein wichtiger
Maßstab, mit dem sich die Civilisation der Zeiten und Völker bemes=
sen läßt." °°)

Wer kann darüber streiten, daß von der Art und Weise des Fa=
milienlebens zum größten Theile die sittliche Entwicklung des Kindes
abhängt? Ist dieses Leben einträchtig und rein, fromm und recht, und
wirken nicht fremde von außen kommende Einflüsse verderblich auf
das Herz des Kindes ein, so wird es in den meisten Fällen unbewußt
der Erbe aller Tugenden des elterlichen Herdes sein. Die zarte Men=
schenpflanze, zuerst noch unzugänglich für das Licht der Lehre und der
Ueberzeugung, empfängt den ersten sittlichen Nahrungsstoff aus dem
Beispiele, das es im väterlichen Hause in jedem Augenblicke vor sich

---

°) Andrew Archimbald Paton „Servia etc." „Through all the interior of
Servia, the female is reckoned an inferior being, and fit only to be
the plaything of youth and the nurse of old age. This peculiarity of
manners has not sprung from the four centuries of Turkish occupa-
tion, but seems to have been inherent in old Slaavic manners, etc."
pag. 265. Siehe auch pag. 103 desselben Werkes.

°°) Allgemeine deutsche Real-Encyklopädie. Art.: Familienordnung.

sieht; — dieses Beispiel ist die säende Hand, aus der die Keime von Religion und Tugend, von Recht und Pflicht, von Liebe und Treue, von Fleiß und Ordnung, von Mäßigung und Eintracht, oder von dem allen das Gegentheil, auf den fruchtbaren Boden seiner Seele fallen. Der spätere Unterricht treibt diese Keime zu freien Blüthen empor, und das Leben reift die Früchte, die gut oder böse, je nachdem die Keime gut oder böse waren. Wo aber bleibt die segenbringende Wirkung dieses Beispiels, oder wenigstens ein großer Theil derselben, wo im elterlichen Hause, durch die mißachtete Stellung der Frau und Mutter, der weibliche Einfluß geschwächt, die innere, höhere Harmonie des häuslichen Lebens nie erreicht, der heimische Herd durch das übermäßige Vorwalten des männlichen Gebots vergewaltigt, die sittigende Huld der Grazien verscheucht, und, bei der ungleichen Machtstellung beider Eltern, das natürliche Gefühl der Liebe und Zärtlichkeit für beide verwirrt werden muß! Wie kann das Kind da, wo seine Mutter nur die erste Magd des Hauses ist, und ihrem Manne gegenüber fast recht- und schutzlos dasteht, den sittlich wahren Begriff von der Hoheit des Mannes neben der Würde der Frau, von der edleren Liebe, die nur durch Achtung möglich, von der Mäßigung der Herrschaft neben dem Rechte des Schwächeren, und von dem Freiheitsgefühle des Schwächeren neben der Macht des Stärkeren gewinnen! Wer sieht nicht ein, wie durch die Art und Weise des Familienlebens eines Volkes nicht allein seine sittlichen Eigenschaften, und Farbe und Inhalt seiner Gefühlskreise bestimmt, sondern hiedurch auch, in erster Instanz, die Stellung aller Einzelnen zur Gesellschaft im Allgemeinen induktiv hervorgerufen wird! Dies alles aber hängt wieder mit der Stellung des Weibes im Volke auf das innigste zusammen. Hören wir hierüber die Worte eines sehr hoch geachteten Rechtsphilosophen: „Der Mann, der in seinem Hause willkürlich gebietet, wird auch im Staate entweder ungemessene Herrschaft oder ungebundene Freiheit billigen. Gesetzmäßige Freiheit kann nur da gedeihen, wo das Verhältniß zwischen beiden Geschlechtern, auf gegenseitige Liebe und Achtung gegründet, nur in so ferne ungleich ist, als ein jeder Theil nur auf seine Weise die Wohlfahrt des anderen Theils befördern kann. Denn nur unter dieser Bedingung kann der Charakter des Mannes zu jener Mäßi-

74

gung gelangen, ohne welche wahre Volksfreiheit nirgends bestehen kann." *)

Diese Sätze erklären, wie ich glaube, deutlich genug die inneren Unterscheidungsmerkmale zwischen dem slavischen und germanischen Geiste, und dadurch auch viele äußerlich sich kundgebenden Verschiedenheiten beider Racen. Auf das schwache individuale Freiheitsgefühl der Slaven, auf den Mangel sittlichen Stolzes und Rechtsbewußtseins in ihnen, kann zuletzt der ganze Unterschied zurückgeführt werden. Zu solchen Schlüssen berechtigt der gegenwärtige Zustand dieses Volkes. Noch sehen wir heut zu Tage fast die Hälfte des Slaventhums unter dem Drucke der Leibeigenschaft schmachten, und letztere nahezu als eine Bedingung der materiellen Wohlfart des leibeigenen Volkes wirksam; °°) denn so wenig weiß der gemeine Mann in Rußland sich selbst eine feste Norm gedeihlichen Handelns zu entwerfen, und ihr zu folgen. Die andere Hälfte des Slaventhums aber sehen wir zum großen Theile in tiefer Unkultur versunken; und fast will es scheinen, als ob es der Fähigkeit ermangelte, sich aus dem eigenen Wesen heraus zu besseren, humaneren Zuständen empor zu arbeiten Wir sehen ferner, und dies ist eine wichtige politische Thatsache, unter den Slaven nirgends, bei den Czechen etwa ausgenommen, einen kräftigen Mittelstand erstehen, der, als drittes Glied in der „ Triplizität der sozialen Gesundheit" einen Damm gegen jede ungebührlich ausschreitende Gewalt von unten oder oben, zu bilden vermag. Hat aber die Zukunft einst auf dem Wege der vorschreitenden Bildung und Humanität die Slaven den großen Kulturvölkern Westeuropas gleich gemacht, und bewahren sie bis dahin ihren Gemeingeist, und die große Opferfreudigkeit für die allgemeine Sache, wodurch sie sich jetzt so rühmlich auszeichnen, dann ist für sie die Zeit ihrer Macht und ihres Glanzes gekommen. Und nicht allein durch ihre Zahl furchtbar, beherrschen sie auch noch ein unermeßliches Gebiet, das auf Jahrtausende hinaus eine immer steigende und gesunde Entwicklung der nationalen Kräfte gestattet, während der Westen unseres Welttheils bereits an Uebervölkerung, und an innerer Fäulniß

---

*) E. Sal. Zachariä, „Vierzig Bücher vom Staate," I. pag 399.

°°) Historisch-politische Blätter. Band XXXIII. Seite 784.

aller Verhältnisse zu siechen beginnt. Was hat auch den Germanen im engsten Sinne, den Deutschen nämlich, ihr lebendiges und unruhiges Freiheitsgefühl in staatlicher Beziehung genützt? Es hat bis heut zu Tage nicht einmal noch zu einem kräftigen nationalen Bewußtsein geführt, und zu allen Zeiten eine Zersplitterung und politische Zerfahrenheit hervorgerufen, die eines großen, edlen und gebildeten Volkes vollkommen unwürdig ist. Dazu hat sich in neuerer Zeit der Revolutionsschwindel, und die eben so unsinnige, als für die Leidenschaften der ärmeren Klassen verführerische Lehre des Kommunismus und Sozialismus gesellt, die im Geheimen an den Grundfesten der gesellschaftlichen Ordnung rüttelt. Aber auch diejenigen Elemente des sittlichen Lebens dieses Volkes, durch die es bisher als das moralisch kräftigste Glied der europäischen Völkerfamilie gegolten hat, sind von langsamer Auflösung bedroht. Die Kumulation des Vermögens in wenigen Händen und das Fabrikswesen mit seinem Produkte, dem Proletariat, die Uebervölkerung und die daraus hervorgehende Schwierigkeit des Erwerbs, der unnatürliche Zusammenfluß großer Menschenmassen in den Städten, der Luxus, die überhand nehmende Genußsucht und die immer mehr sich ausbreitende Irreligiosität arbeiten fortwährend an der Auflockerung des bisher im Ganzen noch rein erhaltenen und geschlossenen Familienwesens, und bahnen damit am wirksamsten den sittlichen Verfall der Gesellschaft an. Und wer mag alle die anderen verderblichen Einflüsse nennen, die dieses Werk der Zerstörung befördern helfen! Die Leichtigkeit des öffentlichen Verkehrs ist zugleich auch das Maß der Geschwindigkeit geworden, mit der sich irrige Ansichten, gefährliche Ideen und schlechte Sitten in der Welt ausbreiten und Gemeingut werden. Und was auf allen diesen und auf anderen Wegen Verderbliches geboren worden — eine schnöde, aus den Kloaken des Eigennutzes und der Sophistik entsprungene Literatur preist es an, und dozirt seine Berechtigung; u. s. f.

Von diesen sozialen Krebsgeschwüren sind die Slaven im Ganzen noch frei geblieben, und die dem slavischen Geiste inhärirende tiefe Achtung vor der Autorität, vor Gesetz und Herkommen, wird sie hoffentlich noch lange gegen die Aufnahme jener gefährlichen Krankheitsstoffe der westeuropäischen Kultur in Schutz behalten. Im Uebrigen sind zwischen den verschiedenen Stämmen des Slavenvolkes nicht unbeträchtliche Verschiedenheiten anzuerkennen. Ein großer Theil der Westslaven erscheint durch den Einfluß der germanischen Kultur, deren Wirkungen sie seit ihrem Entstehen unablässig ausgesetzt waren, wesentlich verändert und vorgeschritten. So namentlich die Czechen, die frühzeitig eine hohe Bildung erreichten, und einen freien, von westlichem Geiste durchdrungenen, und darnach regierten Staat bildeten. Diesen stehen am nächsten die slavischen Bewohner Mährens, Schlesiens und der Lausitz, dann die Wenden an der Drau und Save. Auch in den Serben und in den Montenegrinern endlich scheint ein tüchtigerer Kern vorhanden, von dem jedoch erst die Zukunft lehren kann, ob er unter dem Einflusse der Civilisation sich erhalten und veredeln, oder aber von ihr zersetzt und verdorben werden wird. Für die Wahrscheinlichkeit eines Fortschrittes auf der Bahn der Gesittung, Humanität und einer vernünftigen staatlichen Ordnung spricht, namentlich bei den Serben, der Umstand, daß die türkische Herrschaft, ungeachtet ihrer beinahe vier Jahrhunderte umfassenden, und mit allen Greueln der Willkür und Unterdrückung erfüllten Dauer, das Nationalgefühl dieses Stammes nie völlig brechen, und manche Anlage zum Besseren nicht ertödten konnte.

3. Von Tyerhova bis Käsmark.

Rovna-hora. Zazriva-Thal. Das Arvathal. Weiks-Wes. Alsó-Kubin. Schloß Arva. Ruine von Likawa. Rosenberg. St. Miklós. Hradek. Hibbia. Vateez. Der Hochwald. Cserba. Die Fipen. Hutschivna. Poprad oder Deutschendorf. Groß Lomnitz und Hunzdorf. Käsmark. Schloßruine zu Käsmark. Die Pfarrkirche daselbst. Fahrt nach Schmecks.

Dreiviertel Stunden nach unserem Aufbruche von Tyerhova erreichten wir die Rovna-hora, d. i. den etwa 3000 Fuß hohen Sattel, über den die Grenze zwischen dem Trentschiner und Arvaer Komitat wegläuft. Die Straße ersteigt ihn in geschickt geführten Windungen, bietet jedoch auf der Höhe keine besonders erwähnenswerthe Aussicht dar. Die Thäler hüben und drüben liegen zwar offen da, und nah' und fern ragt wohl auch mancher luftige Berggipfel über die nächsten Höhenzüge empor, aber bei der gebirgigen Natur des Landes ist für eine umfassendere Fernsicht die Elevation der Rovna-hora doch zu gering. Das herrschende Gestein ist hier ein weißer, ziemlich fester Kalk, der häufig zu Tag austritt und die Vegetation merklich drückt. Wir stiegen nun in das Zazrivathal hinab, eine mehr oder weniger enge, zwei Stunden lange Schlucht, voll Bachesrauschen und Einsamkeit, voll bunter Wälder, rauher Felsriffe und anderer Dinge mehr, die an ein stilles, reizendes Alpenthal erinnern. Es ist durchweg in eine ungeheure Flötz-kalkmasse eingerissen, deren Schichten, unter einem Winkel von 40 bis 50 Graden mit dem Horizont, nördlich gehoben sind. Bei dem Dorfe Parnitza tritt endlich die Straße in das eigentliche Thal der Arva heraus, das sich dem Auge als ein breites, von hohen Bergen umschlossenes Becken darstellt, und durch den Ausdruck einer stillen, etwas kalten Würde fesselt. Es sind dafür auch keine Zwerge, die da ihre Felsenstirnen in die Luft aufstrecken, als wären sie die gottbestellten Wächter und Sorgenträger der lebendigen Welt zu ihren Füßen. Da stand in der Richtung, aus der wir gekommen, der schöne, pyramidale Stocha und hinter ihm der kleine Krivan, rechts gegen die Sonne zu der nahe, steil in die Arva abstürzende Sip, und etwas weiter einige Felszinken des Fatragebirges; vor uns trotzte der mächtige Choc, und linker Hand zog sich der lange grüne Rücken der Magura in die Ferne; anderer mehr subalterner, doch immer nicht ganz unbedeutender Berg-spitzen gar nicht zu gedenken. Nur gegen Norden, wo jeder, der Nähe des Hauptrückens wegen, die höchsten und gehäuftesten Berge vermuthet hätte, da lag das Thal scheinbar offen, und nur ganz niedrige, in einander geschobene Bergfüße begrenzten die Aussicht nach dieser Richtung. Unter allen von hier aus sichtbaren Erhebungen des Landes macht jedoch der Choc den meisten Eindruck, und wer nicht die Uebung besitzt, die Höhe der Berge aus gewissen Umständen zu beurtheilen, oder wer auf die tiefe mittlere Temperatur dieser Gegend Rücksicht zu nehmen vergißt, der wird den Choc gewiß für höher halten, als er es verdient; seine Seehöhe beläuft sich nämlich nicht ganz auf 5000 W. Fuß. Für jeden aber, der an die langen, zusammenhängenden Rückenbildungen des Gebirges in den Alpen sich gewöhnt hat, werden hier die vielen, ziemlich hohen und freistehenden Gipfel von eigenthümlicher Wirkung sein. In scheinbarer Unordnung sind sie auf der allgemeinen Erhebung

des Bodens aufgesetzt, schließen sich nirgends zu kompakten Bergkäm-
men zusammen, und verleihen so dem Bilde des Gebirges den Anschein
der Dekomposition und Verwirrung und das Gepräge der Unruhe.
Bloß die vorhin erwähnte Arvaer Magura macht in dieser Beziehung
eine, wiewohl wenig auffallende, Ausnahme. Der unermeßliche Wald-
reichthum, der allenthalben über den Abhängen des Gebirges ausgebreitet
liegt, und der für dieses arme Land, durch Verschiffung des Holzes in die
tieferen Gegenden, eine Hauptquelle des Erwerbs bildet, fällt auch hier
angenehm ins Auge. Der Thalgrund, den die grünen Wässer der Arva
über die zeitweise ein leichtes holzbeladenes Floß hinweggleitet, freundlich durchziehen, ist ziemlich gut bebaut; aber so kalt ist das Klima
dieser bergigen Landschaft, daß von Cerealien kaum etwas anderes als
Hafer gedeiht, der, zu Brot verbacken, die Hauptspeise des Volkes ausmacht. Noch standen jetzt, in der ersten Hälfte des Septembermondes,
ungemähte Haferfelder an der Straße. Nach der bekannten Temperatur
anderer Punkte in den Karpathen schätze ich den mittleren jährlichen
Thermometerstand in der Arva nicht höher als höchstens auf 5·5°C.,[*]
was ungefähr der mittleren Jahreswärme von Christiania in Norwegen
und von Stockholm in Schweden gleichkommt, wobei freilich, der
nördlicheren und relativ tieferen Lage wegen, an diesen beiden Punkten
die jährlichen Temperaturextreme in Thermometergraden weiter auseinander liegen müssen, als in der Arva, weshalb wohl dort, nicht aber
hier, der Roggen zur Reife gelangen kann. Die Ursachen dieser tiefen
Temperatur hier zu Lande sind: erstens die Meereshöhe des Thalbeckens
der Arva: Parnißa liegt 1343, Kubin 1326, Arva-Várallya 1546,
Trsteuna 1819 und Jablonka 2117 W. F. über dem Meere; zweitens
der erkältende Einfluß hoher Berge; drittens die tiefe Senkung des
Hauptrückens der Karpathen auf der nördlichen Seite, wodurch die kalten und trockenen Nord- und Nordostwinde freien Zugang finden; und
viertens endlich die Höhe und Masse des südlich liegenden Gebirges, das
die warmen Südwinde theils ablenkt, theils abkühlt. — Und so ist es
eben auch kein Wunder, daß die Natur dieses Land mit ihren Gaben

---

[*] Siehe die im Verlaufe dieser Erzählung mitgetheilten Daten über das Klima
von Käsmark.

so kärglich bedenkt; ist doch die Wärme der Quell des Lebens und der Fruchtbarkeit, die Kälte aber ihr Tod. Bezeichnend ist in dieser Beziehung die versuchte Ableitung der Wortes Arva aus dem Ungarischen. Als nämlich die Ungarn auf ihrem Zuge gegen Süden zuerst diese Landschaft betraten, und ihrer steinigen, unfruchtbaren und kalten Beschaffenheit gewahr wurden, da riefen sie: „Árva ez!" zu deutsch: „Das ist eine Waise!" der Natur, und zogen weiter der Sonne zu. Die Slaven jedoch, die schon vier Jahrhunderte vor dem Einbruche der Magyaren in ihrem Besitze waren, nennen sie Orava, d. i. pflügbares Land.

Aber ungeachtet aller Armuth des Bodens sehen dennoch die Dörfer freundlicher und die Bewohner wohlhabender aus, als drüben im Waagthale bei Hriscow, Sillein und Barin. Die Häuser, die hier noch mehr wie anderwärts in ihrer Bauart einen bestimmten Typus festhalten, zeigen eine gewisse Zierlichkeit, die im Vergleiche mit jenseits angenehm in's Auge fällt. Sie sind zwar auch hier durchwegs von Holz; aber das Fachwerk ist nett gezimmert, die Fenster sind mit farbigen Rahmen umzogen, die Dächer mit Schindeln gedeckt, und ihre Giebel oft mit geschmackvollen, in Holz geschnitzten Dekorationen geschmückt. Weit seltener als im oberen Theile des Trentschiner Komitats begegneten wir hier dem offenkundigen Zeugnisse der Dürftigkeit in der Gestalt des Bettels. So machte denn Parnitza, das erste Dorf der Arva, das wir betraten, einen angenehmen Eindruck. Welka Wes (ungarisch Nagyfalu), das nun folgte, ist ein großer Markt, mit einem seltsamen, auf offenen Bogenhallen stehenden Gemeindehause.

Bei Kubin schließt sich gegen Norden das Thal; der Wald rückt am linken Arvaufer auf die Thalsohle herab, und alles gewinnt einen heimlichen, traulichen Charakter. Eine schöne Brücke läßt die Straße auf das linke Ufer hinüber, und bald ist nun auch der Markt erreicht, der, als Sitz der Komitatsbehörden und eines Gerichtes zweiter Instanz, und durch einige städtisch-blickende Gebäude, auf höhere Geltung Anspruch macht, obwohl er in Wahrheit das Aussehen einer sehr langweiligen, mit sich selber unzufriedenen Ortschaft besitzt. Wer sollte da den Zweifel wagen dürfen, daß in einem so abgelegenen Erdwinkel die Menschen nicht nahe an einander rückten, um sich in ihren, jedem Sterblichen angebornen, gesellschaftlichen Bedürfnissen gegenseitig zu ergänzen und nach Thunlichkeit zu befriedigen? Und doch ist es nicht der Fall. Als ich im Komitatshause nach dem Stuhlrichter forschte, dabei irrig in das Amtslokale des Landesgerichtes eintrat, und einen der anwesenden Beamten um den möglichen Aufenthaltsort des, wie sich jetzt ergab, weder im Bureau noch bei sich zu Hause befindlichen Stuhlrichters befragte, erhielt ich die merkwürdige Antwort: „Es thut mir leid, Ihnen hierüber keine Auskunft geben zu können; wir stehen mit den Herren von der politischen Behörde in keiner außerdienstlichen Verbindung!" Ist das nicht seltsam! Was kann diese Leute in der Halbwildniß von Kubin berechtigen, sich gegenseitig zu meiden und nach Dikasterien abzusondern? — ist ihr Wohnort nicht ein elender Flecken, von dessen Bevölkerung eilf Theile Bauern sind und der zwölfte nicht viel besser als solche? Ist da nicht jeder Gebildete eine lebendige, nach Sicht zahlbare Anweisung auf jeden anderen? — Und wenn sie sich auf diese Weise das Leben selber sauer machen, so klagen sie darüber am Ende gewiß alles eher als ihren Willensmangel und ihre Selbstsucht an.

> „Schlage nur mit der Wünschelruth'
> An die Felsen der Herzen an;
> Ein Schatz in jedem Busen ruht,
> Den ein Verständiger heben kann." (Rückert.)

Der gerechte Schreck über jene Worte des Herrn Landesgerichts-beamten fand in mir erst während des Diners einige Beruhigung, das, obschon an sich schlecht genug, durch die Selbstapologie eines anwesenden, eingebornen Gerichtsbeamten minderer Kategorie überflüssig gewürzt wurde. Dieser seltene Mann sprach von seinen Leistungen im Interesse des Staatswohles ungefähr so wie ein Retter des Vaterlandes, weshalb ihn ein Kenner der neuesten österreichischen Geschichte leicht auch für einen Bewohner von Agram, Semlin, Titel u. dgl. hätte halten können, in welchen Gegenden nicht leicht irgend ein Mann kein Vaterlandserretter ist, und auf einen selbständigen Paragraphen in der Weltgeschichte gutwillig Verzicht leistet. Hätten wir den Worten des Kubiner Patrioten geglaubt, so würde es für uns schwer gewesen sein einzusehen, zu welchem Ende in dieser Landschaft noch ein anderer Richter außer ihm thätig sei und mit theurem Gelde bezahlt

werbe. Ein anderer hübscher junger Mann sprach immerfort nur un=
garisch mit slavischem Akzent, wahrscheinlich um dadurch seine Theil=
nahme an dem großen Nationalschmerze der Magyaren auszudrücken;
aber auch sonst gab er sich als malkontenten Sohn hiesiger Gegend zu
erkennen, indem er gelegenheitlich die auf das Zerreißen der Herzen ab=
zielende Bemerkung machte, daß man jetzt in Ungarn sogar auch für
Unterlassungen bestraft werden könne, welcher Tadel seiner tiefen Ge=
setzeskenntniß, und hätte er sie auch aus Kossuth's Lehren oder aus dem
Tripartitum geholt, alle Ehre machte. Daß wir es an einer kräftigen, wenn=
gleich kurzen Erwiederung nicht fehlen ließen, versteht sich von selbst.

Wahrhaft leid that es uns, daß wir das Schloß Arva nicht be=
suchen konnten, das von Kubin in anderthalb Stunden zu erreichen ist,
und die Mühe einer Fahrt dahin wohl gelohnt hätte. Vielleicht nicht
so ausgedehnt, und für die Geschichte des Landes von geringerem Be=
lange, soll das Schloß Arva die Burg Trentschin an Kühnheit der An=
lage, an militärischer Festigkeit und malerischem Reiz noch übertreffen.
Eine der Hauptverbindungen mit Polen beherrschend, war Arva zu
allen Zeiten, bis zur Erwerbung Galliziens herab, ein Punkt von gro=
ßer Wichtigkeit. Aber auch in den unseligen Bürgerkriegen unter Bots=
kaj, Tököly und dem letzten Rákóczy trat es zu den Ereignissen in nahe
Beziehungen, und ward in Folge derselben zweimal belagert. Wie und
wann es an die Familie Thurzó kam, ist oben bereits erzählt worden;
Barbara Kostka's Vater aber war ein polnischer Kondottiere, den Jo=
hann Zápolya zum Hauptmann des Schlosses einsetzte und mit der
Vertheidigung desselben beauftragte. In der Schloßkirche befinden sich
die Grabmäler des Palatins Thurzó und seines Sohnes Emerich, dann
Stephan Tököly's, der des Palatins Enkel war. Durch ein ausnahms=
weises, in der k. Donation Kaiser Rudolfs II. vom Jahre 1606 aus=
gesprochenes Recht vererbt die Herrschaft Arva, unter Festsetzung ihrer
Untheilbarkeit, nach dem Aussterben des Thurzónischen Mannsstam=
mes auf die weiblichen Nachkommen, für welche sie noch jetzt durch
eine in dem Flecken Arva=Várallya eingesetzte Güterdirektion in con=
creto verwaltet wird.

Nichts kann anmuthiger sein als das zwischen Kubin und Rosen=
berg liegende Bergland, das die überall vortreffliche Straße mit sichtli=

chem Behagen durchzieht. Denn bald steigt sie auf einen sanftgewölbten
Bergrücken hinauf, und genießt von da der Aussicht in reizende unbe=
kannte Fernen, bald eilt sie wieder in ein geschlossenes, heimliches Thal
hinab, und läßt den Wanderer ungewiß, wie er aus den scheinbar durch=
einander fahrenden und sich verwickelnden Bergreihen einen Ausweg
finden werde. Und hat dieser Wanderer, was wir zur Ehre seines Ge=
schmacks annehmen wollen, seine Freude an recht trotzigen, wildaufffah=
renden Felsgestalten, so hindert ihn nichts sich linker Hand den hohen
Chocs zu betrachten; zieht er aber die sanfteren Schauer der Waldein=
samkeit vor, oder die heitere Idylle des Hirtenlebens, oder freut es ihn,
das häusliche Gebahren des hier hausenden, genügsamen Völkleins in
der Nähe zu besehen, so findet er auf dieser Strecke bestens seine
Rechnung. Und selbst der ernste Grübler über vergangene Zeiten, mit sei=
ner Runzelstirne und seinem Zeigefinger an der Nase, wird hier nicht
leer ausgehen. Er wird die Ruinen des Schlosses Likava erblicken und
sich dabei erinnern, daß es einst die Grafenburg des Liptauer Komitats
gewesen, daß Matthäus Csáak allda gebot, und die Hußiten nachher
ihm arg mitspielten; daß Jahre lang der eiserne Giskra seine Hand
darüber hielt, und daß Mathias Corvin zuweilen darin residirte, um in
den nahen Bergen der frischen Waidmannslust zu pflegen; daß später
der Kroate Krusfith als Herr und Graf darauf gesessen, und diese
Würden durch seine Witwe an Stephan Illyésházy übergingen; daß
Stephan Tököly, von seinem, vielleicht doch nicht allzu reinen, Gewissen
aufgeschreckt, aus Käsmark hieher flüchtete und auch hier starb, u. s. f.
— Kurz, es ist ein nettes Stückchen Land, das der empfängliche Wan=
dersmann hinter sich zu lassen nur deßhalb nicht bedauern wird, weil
ihm die herrliche Lage des Marktes Rosenberg an der Waag gewiß
noch größere Freude macht, als alles, was er seit Kubin mit jedem
Schritt erreicht und mit jedem folgenden wieder verlassen hat.

Mittelst einer schönen hölzernen Brücke, an welcher die Russen
im Jahre 1849 eine kleine Schlappe davontrugen, als sie den von den
Insurgenten vertheidigten Markt in unüberlegter Eile angriffen, setzt
die Straße auf das linke Waagufer über, auf welchem die von etwa
2500 Menschen bevölkerte Ortschaft liegt. Mit dem etwas erhöht ste=
henden Piaristenkloster, das sich von der Ferne wie ein stattliches Schloß

präsentirt, gewinnt der Markt ein viel bedeutsameres Ansehen, als eine nähere Besichtigung zu rechtfertigen vermag. Die Einwohner sind sehr arm, nähren sich durch Flößerei, Salzverfrachtung, Leinwandhandel und Ackerbau, und leben in ihren kleinen Häusern so dicht beisammen, daß auf ein Zimmer oft zwei bis drei Familien kommen. Eben herrschte hier die Cholera in bedenklichem Grade, und da die Leute, ihrer Armuth wegen, die Kosten der ärztlichen Behandlung scheuen, so geschah es, daß Viele von der Krankheit hinweggerafft wurden, ehe der Arzt von ihrer Erkrankung auch nur eine Silbe erfahren konnte. Die herrschende Unmäßigkeit des Volkes im Genusse des Branntweins unterstützt, wie natürlich, jene böse Krankheit in ihren Verwüstungen. Aber auch noch ein anderes, u. z. ein moralisches Uebel, soll hier eine ungewöhnliche Ausbreitung gefunden haben, und das ist das Leben der jungen Leute im Konkubinat. Aus religiösen und moralischen Gründen im höchsten Grade verwerflich, ist diese unausrottbar gewordene Unsitte eine Quelle sozialer Uebelstände, die nirgends deutlicher als hier zu Tage treten. Der Mann, durch keine Pflicht an das Weib gebunden, das sich ihm zugesellt, und an die Kinder, die aus solchen Verbindungen entspringen, trennt sich, wenn er der nöthigen Ehrlichkeit ermangelt, um so leichter von ihnen, folgt mit weniger Bedenken einem lockenden Rufe in die Ferne, der ihm für seine Person eine gesicherte Lebensstellung verheißt, oder er wechselt in seiner Laune und Neigung, und gibt so diejenigen, die er bisher die Seinigen nannte, einem entwürdigten, der Noth und dem Elende verfallenen Dasein preis. Als hauptsächlicher Grund dieser Erscheinung ward uns das Rekrutirungsgesetz genannt, das den jungen Männern gewisser Altersklassen bekanntlich das Heiraten verbietet. — An den unseligen Wirren der letztvergangenen Jahre hat sich die Bevölkerung Rosenbergs lebhafter betheiligt, als mit ihrer Unterthanenpflicht und mit ihrem Vortheile vereinbar war. Die Gemeinde hat nämlich auf eigene Kosten nicht weniger als ein kompletes Honvédbataillon aufgebracht und der Rebellenregierung zur Verfügung gestellt, sich dadurch aber derart in Schulden gestürzt, daß die Gemeindewaldungen, deren ordentliches Erträgniß auf 60,000 Gulden jährlich geschätzt werden kann, unter Sequester gesetzt werden mußten.

Rosenberg, an der Kreuzung zweier Hauptstraßen des nördlichen

6 *

Ungarns gelegen, ist ein wichtiger militärischer Punkt, und dürfte eine
· Befestigung recht wohl verdienen. — Als wir gegen St. Miklós weiter fuhren, hatte sich der Himmel zum ersten Male seit unserer Abreise
von Wien — der kurze Regenschauer in Ungarisch-Hradisch kann nicht
gerechnet werden — mit dunklen, dräuenden Wolkenmassen bedeckt, die
im Vereine mit dem einbrechenden Abende nach einiger Zeit alles Land
in den Trauermantel tiefer Finsterniß einhüllten. Zuletzt verloren unsere Augen allen Grund das Vorhandensein von Luft und Erde anzunehmen, und wenn der Wagen nicht gerasselt und das Pferdepaar nicht
laut getrabt hätte, wir würden ohne Mühe uns in dem dunklen Raume
zwischen Uranus und Neptun schwebend haben denken können. Nur
wenn wir durch ein Dorf fuhren, huschte zuweilen die Gestalt eines
Hauses an uns vorüber, als wäre sie der Geist einer verstorbenen, und
wegen ihres mörderischen Schmutzes bei Lebzeit zur ewigen Ruhelosigkeit verurtheilten slovakischen Wohnung. Das alles stellte unsere
Unterhaltung auf einen sehr mäßigen Grad, der auf halbem Wege zur
Nachtstation noch mäßiger ward, als erst ein gelinder und dann ein
ganz tüchtiger Regen uns wacker durchwässerte. Unter solchen Umständen hielten wir eine halbe Stunde vor Mitternacht unseren traurigen
Einzug in St. Miklós, dem Hauptorte des Liptauer Komitats.

Wie durften wir zweifeln, daß St. Miklós ein sehr lebendiger
Ort sei, als wir in der Lage waren, das Vorhandensein eines, zu so
später Stunde noch hell erleuchteten, Kaffeehauses konstatiren zu können! Gebildete Leute gehen spät schlafen, und da viele darunter das
Kaffeehaus besuchen, so ist ein solches, wenn es spät Abends noch erleuchtet ist, ein untrügliches Zeichen der Bildung. Ist aber die Bildung
groß in St. Miklós, so muß das Gasthaus gut sein; und daher kam es,
daß uns die Lichter im Kaffeehause Freude machten. Nachdem wir den
großen viereckigen Platz, mit seiner schönen katholischen Kirche in der
Mitte, durchfahren hatten, bogen wir in eine lange Straße ein, an
deren Ende das Kameralgasthaus, das Ziel unserer heutigen Wünsche,
liegt. Durch unterschiedliche Wassertümpeln, durch das offenstehende
Hausthor, und durch den Hof zogen wir ohne Zeitverlust in eine offene
Remise ein, deren Dunkel selbst die berüchtigte ägyptische Finsterniß
noch um einige Nuancen der Schwärze übertraf. Ein tiefstimmiger Cer-

berus fuhr uns alsbald grollend an, und zürnte heftig über die unbe-
rufene Störung seiner nächtlichen Ruhe. Nichtsdestoweniger legte jetzt
der Kutscher die Zügel in meine Hände und machte sich an das Unternehmen, für uns Einlaß in den finstern Gasthof zu gewinnen. Lange
klopfte er vergeblich bald an diesem bald an jenem Fenster, bis sich endlich eines öffnete, und eine Stimme erst den Kutscher und dann mittelbar uns mit der Nachricht überraschte: der Gasthof sei eben in allge-
meiner Reparatur begriffen, und könne eigentlich für jetzt als gar keiner betrachtet werden. Die tragische Gewalt dieses schönen Abends stieg
unverkennbar, und das Verhängniß kam bei uns in den Verdacht der
Annäherung. Der Kutscher saß nun wieder auf, fuhr aus der Remise
heraus, an einen Pfeiler an, und auf einen lautlos daliegenden Sand-
haufen empor, und schüttete uns dadurch beinahe in eine Pfütze des
Hofraumes hinein. Nun gings an's Suchen eines anderen Hotels, was
blos deshalb eine etwas schwere Sache war, weil St. Miklós eben nur
im Besitze des einen war, das wir so eben verlassen hatten. Der Rosse-
lenker aber fand Rath, er fuhr wieder in den Markt zurück, und auf
ein beliebiges Wirthshaus los, vor dem er stehen blieb, und aus welchem nach einigem Klopfen eine unhold blickende Maid mit einem Lichte
hervortrat, um unsere Wünsche entgegen zu nehmen. Als sie selbe vernommen, warf sie ohne eine Antwort die Thüre vor unserer Nase zu,
um sie nach einigen Minuten mit der Erklärung wieder zu öffnen:
daß nur ein einziges Gastzimmer im Hause vorhanden, und dieses von
zwei Fremden schon in Besitz genommen sei. Dem könne nicht so sein,
ward ihr entgegnet; das Gebäude sei für ein solches Zimmer allein zu
groß, und sie möge sich bei dem Wirthe eines Besseren erkundigen.
Und wieder schloß sie die Thüre auf gleiche Weise wie zuvor, und wieder
kam sie in Bälde zum Vorschein, mit der seltsamen Antwort: der
Wirth habe gesagt, es sei gewiß nur ein einziges Gastzimmer, und
daher für uns unmöglich ein zweites da.

Obgleich nun nicht einzusehen war, aus welchem Grunde die besagte unhold blickende Maid auf unsere Requisitionen, wenn sie wirklich nicht befriedigt werden konnten, jedesmal nachfragen ging, so war
dennoch, wollten wir nicht Sturm laufen auf dieses ungastliche Haus,
nichts anderes zu thun, als anderswo nachzufragen. Und wieder fand

der Roſſelenker Rath. Ich muthmaße, die eigene Erfahrung ſei es geweſen, die ihn, den Slovaken, gelehrt hatte, daß gleich nebenan an der
Ecke eine Schnapskneipe lag, in der vielleicht unſeren Röthen abgehol-
fen werden konnte. Die Thurmuhr der großen Kirche brummte mittlerweile die Geiſterſtunde; aber anſtatt daß Geiſter uns heimſuchten,
ſprachen jetzt wir bei ihnen ein — bei Weingeiſtern nämlich, die jedoch
hierorts, im offenbaren Nachtheile gegen ihres Gleichen in alten Burgen und Königsſchlöſſern, ein ſehr ärmliches Quartier beſaßen. Nach
kurzem Pochen ward uns aufgethan, worauf wir, zwar mit gebroche-
nem Muthe, aber gehoben durch das Bewußtſein der Schuldloſigkeit,
ein großes niederes Gemach betraten, das ſtark nach den erwähnten
Geiſtern duftete, und unter dem ſpröden Schimmer einer dünnen Kerze
ſehr grau, ſehr unwohnlich und faſt abſchreckend ausſah. Alsbald aber
ließ ſich aus einem der Betten eine klare, angenehme, etwas fett klin-
gende weibliche Stimme in deutſch geſprochener Entſchuldigung ver-
nehmen, daß es ihr, d. h. der Beſitzerin der Stimme und Schenke, herzlich leid thue, uns ſo nicht aufnehmen zu können wie ſie gerne wünſchte;
ihre Wohnung beſtehe bloß aus dieſem einzigen Zimmer, aber ſie werde
es an der nöthigen Sorge nicht fehlen laſſen, uns für dieſe Nacht mit
erträglichen Betten zu verſehen. Dieſe einfachen Worte klangen ſo
freundlich, daß alles unverſehens eine gemüthliche Stimmung gewann.
Freilich herrſchte überall wenig Ordnung und Reinlichkeit; auf dem
langen, derben Tiſche in der Mitte des Zimmers lagen Frauenkleider,
Strümpfe, Trinkgeſchirre, Brotkrumen, Tiſchgeräthe u. dgl. in bunter
Verwirrung durcheinander. Auf dem Boden waren Betten für die
Mägde hergerichtet, die nach unſerem Eintreten alſogleich aufſprangen,
ſich ankleideten und ihre Bettgeräthe mit ſich forttrugen. Auf einem
kleinen Tiſche am Fenſter lagerte eine Schaar einfacher Blumentöpfe
mit ärmlichem Inhalt, und neben dem Ofen ſtand das Lager der Frau
Wirthin, mit jenen ihrer vier Kinder zur Seite. Während nun eine der
Mägde erſt etwas Ordnung auf dem Tiſche machte, und dann die
Betten für uns zurichtete, gingen die beiden anderen an die Bereitung
des Thees. Die Frau Wirthin leitete alle dieſe Vorkehrungen aus dem
Bette heraus mit ihrer Stimme, und ihr freundlicher Wille übertrug
ſich gleichmäßig auf jede ihrer Mägde. Drum war auch die Pfanne

rein, in der das Wasser gekocht wurde, und daher der Thee gut; nicht minder trefflich waren Milch und Butter, und das frische, flaumige Brot schmeckte köstlich. Die Gemüthlichkeit der Situation nahm sichtlich zu, und fast waren wir des abweislichen Bescheides im Kameralgasthof und in der Judenwirthschaft nebenan, froh. Und als die Begierde des Tranks und der Speise gestillt war, nahmen die beiden geistlichen Herren das durch angerückte Stühle erweiterte, am Fenster stehende Bett des abwesenden Hausherrn, ich aber ein, in einer winzigkleinen offenen Kammer zubereitetes Lager in Besitz. Aber nicht die exzentrischen Erlebnisse dieses Abends, und das unverantwortliche Gebahren der kleinen privilegirten Nachtpeiniger, verringerte die Zeit des Schlafens, sondern es trat jetzt noch ein anderes Hinderniß ein, das zu seltsam war, als daß ich es hier nicht erwähnen sollte. Gleich nach dem Auslöschen der Lichter eröffnete nämlich eine Gesellschaft von zehn bis fünfzehn Heimchen ihr lautes, melancholisches Konzert. Obgleich sich nun in den Einzelleistungen dieser Tonkünstler, sowohl mit Rücksicht auf die Stimmlagen, als auf die Länge der Töne und Pausen, ein deutlicher Unterschied erkennen ließ, so war's doch kein rechtes Konzert, und wenn ich dies behaupte, so geschieht es in Folge langer und sorgfältiger Beobachtung. Es waren unverkennbar lauter Autodidakten, ohne Schule, Takt und Modulation, die immer nur Forte spielten, obgleich das Piano und Pianissimo weit eher am Platz gewesen wäre. Auch fühle ich mich genöthigt, über einen dieser Musici in meinem Kämmerlein meinen Tadel unumwunden auszusprechen; denn bin ich auch ungewiß, ob er ein allzu alter Sänger war, oder ein viel zu junger ohne hinreichende Vorbildung, oder ob er endlich an Katarrh und Heiserkeit litt, so steht doch so viel fest, daß er mehr mühselig kreischte, als wirklich sang.

Des anderen Morgens war zwar im Zimmer die herrschende Unordnung nicht geringer, eher größer, aber es blickte unter dem hellen, sonnigen Tageslichte — zu einem solchen hatte sich das Unwetter des gestrigen Abends umgewandelt — und unter dem Schalten der trefflichen Wirthin doch alles viel heiterer. Jetzt erst zeigten sich einige alte gute Kupferstiche an den Wänden, und das Bild des Kaisers in einem schmucken Rahmen an dem Ehrenplatze, oberhalb einer altehrwürdi-

gen Stockuhr von evidenter, chronischer Verläßlichkeit. Vor allem aber
verdient die Frau Wirthin, daß man von ihr mit Achtung spreche. Sie
ist groß, stark, von etwas runden Formen, und etwa vierzig Jahre alt;
aber dennoch ist bei ihr vom sear and yellow leaf noch lange keine
Rede, denn die Rosen der Gesundheit und des Seelenfriedens blühen
unbeirrt auf ihren frischen Wangen. Ihr Kopf kann wahrhaft schön
genannt werden, aber seine Schönheit ist, betrachtet man ihn näher,
doch noch sein geringstes Verdienst. Man muß den tiefen Ernst der
Redlichkeit, der aus ihren großen, ruhigen Augen blickt, und den Ausdruck von Güte, Liebe und Sanftmuth in ihren Zügen gesehen
haben, um zu begreifen, daß wir diesem einfachen Weibe unsere Theilnahme und Achtung nicht versagen konnten. Wäre für uns, nach allem
was wir seit gestern gesehen und erfahren hatten, noch eine weitere
Rechtfertigung dieser Empfindungen erforderlich gewesen, so hätte sie
sich uns während des Frühstücks dargeboten; es trat nämlich ein Mann
in die Stube, trank ein Gläschen Schnaps, und begehrte dann ein
zweites, ward jedoch von der Wirthin mit dem Bemerken abgewiesen,
daß er ein zweites Glas nicht wohl vertragen könne; sie wisse das wohl
und würde es für eine Sünde halten es ihm darzureichen. Wir bedurften nun keiner weiteren Erklärung über die Aermlichkeit dieses Hauses.
Und als es zuletzt zum Zahlen kam, betrug unsere Rechnung: für den
Thee von gestern, für das Nachtquartier und das heutige Frühstück,
alles für drei Personen berechnet, etwas über Einen Gulden. — Der
Mann dieser wackeren Frau heißt Nebula, sie selbst aber ist eine Deutsche aus Eperies oder Bartfeld.

St. Miklós, zur Unterscheidung auch Liptó-St. Miklós (slovakisch
Swiati Mikulasch) genannt, hat 1700 Einwohner, worunter 800 Juden.
Der viereckige Platz, auf welchem die stattliche katholische Kirche und das
hübsche Komitatshaus stehen, ist groß und ansehnlich. Der Markt ist
ein Eigenthum der gräflichen Familie Pongrácz, die von ihm ihren
Beinamen entlehnte. Die Pongrácz sind ursprünglich Böhmen, und
seit König Andreas II. in Liptau ansäßig und reich begütert; die Erwerbung von St. Miklós aber fällt in's Jahr 1424. Der merkwür-
digste Sprößling dieses Hauses, und einer derjenigen, die am meisten
zu seinem Ruhme und Emporblühen thätig gewesen, ist unstreitig Pankraz

Pongrácz, der um die Mitte des fünfzehnten Jahrhunderts lebte, und zu Giskra von Brandeis hielt. Er war ein Raubritter in großem Style, und hauste nach seiner Art nicht bloß in Liptau, sondern erstreckte seine Raubzüge auch über das übrige Ungarn, über Polen und Oesterreich. Als dann die ungarischen Stände 1444 mit Giskra des Friedens wegen unterhandelten, erschien auch Pongrácz unberufen als kontrahirende Macht auf dem Reichstage zu Ofen, ward aber hier ergriffen, und seiner Keckheit und früheren Landfriedensstörung wegen zur Kerkerhaft ver= urtheilt, aus der ihn jedoch Johann Hunyady bald wieder entließ, und ihn sogar, mit Michael Országh; zum Distriktskapitän in Oberungarn einsetzte. Wenig beirrte ihn auf diesem Platze die Autorität des Guber= nators; er nahm vielmehr im Bunde mit Giskra seine frühere Lebens= weise wieder auf, bemächtigte sich der Burgen Ovár, Strecsno und Berencs in Neutra, fiel in Oesterreich ein, eroberte auch hier mehrere Schlösser, bis er von Ulrich Cilli geschlagen und wieder vertrieben ward, und blieb zuletzt bei der Anno 1462 durch König Mathias Corvin zu Stande gebrachten Versöhnung der Parteien, im erblichen Besitze von Ovár und Strecsno. Ja noch in demselben Jahre ernannte ihn der König, der ohne Zweifel seine Tapferkeit und Kriegserfahrung schätzte, zum Woiwoden von Siebenbürgen.

Was wir gestern nicht gekonnt, das ließ uns heute das freundliche Wetter beinahe vollkommen genießen: das schöne, herrliche Land nämlich, mit seinen unzähligen Ortschaften, dem raschen Wechsel der Bilder im Thale und den stolzen Bergen zu beiden Seiten. Nur der volle ungetrübte Anblick des Gebirges war uns entzogen, denn die Höhen rauchten gewaltig und schickten schwere Dunstmassen über das Land hinweg. — Der schönste Punkt in dieser Gegend ist Hradek, wo die Waag zuerst aus den oberen Schluchten in's freiere Land heraustritt, und von diesem mit allem ver= fügbaren Schmucke von Bäumen, lachenden Wiesengründen, Dörfern u. dgl. in reizvoller Zusammenstellung empfangen wird. Und auch ein altes Schloß, Liptó Ujvár, kommt ihr da rechter Hand zu Gesicht. — Hradek ist ein Markt und der Hauptsitz einer großen kaiserlichen Forst= wirthschaft, deren Pflege ein Urwald von nicht weniger als sechsthalb Quadratmeilen, sammt Sägemühlen, großen Holzlegstätten, Triftung und Flößerei untersteht. Wie wir lesen, werden hier jährlich nicht weniger als 300,000 Bretter erzeugt. Die für alle diese Zwecke erforder= lichen ärarischen Gebäude, einst unter Kaiser Josef II. durch den Direktor Wießner von Morgenstern erbaut, blicken stattlich auf die Straße herüber.

In der Nähe von Hradek, und ebenfalls dicht an der Straße, liegt ein schönes, großes, jetzt Sr. k. Hoheit dem Erzherzog Albrecht angehöriges Eisenwerk, das sowohl durch sich selbst, als durch seine Umgebung zu den Zierden dieser Gegend gehört. Bald darauf übersetzt die Straße den Hibbißabach, verläßt nun das Thal der Waag, und er= hebt sich sachte, immer an dem felsigen Ufer jenes Baches hinziehend, auf ein wellenförmiges Hochland empor, das sich dicht an dem Fuße des Gebirges ausbreitet und bis zum Hochwalde hinter Vasecz an Höhe zunimmt. Der Markt Hibbia (deutsch Geib), den wir jetzt erreichen, ist eben nur ein großes Dorf, worin nichts anderes merkwürdig, als die biblischen Namen seiner Straßen; da gibt es z. B. eine Jericho=, eine Emaus=, eine Samaria=, eine Bethlehemsstraße u. dgl. m. Wer denkt dabei nicht an die Puritaner, zu welchen übrigens auch einiges Material vorhanden, da die Bewohner des Marktes bereits zum größ= ten Theile dem protestantischen Bekenntnisse angehören.

Die wachsende Seehöhe der Gegend machte sich uns schon dadurch bemerkbar, daß man hier mit der Einheimsung der Ernte jetzt erst anfing. Auch ist der allgemeine Eindruck des Landes fühlbar ernster; die Frucht= bäume in den Feldern und Dörfern sind selten, die Vegetation ist ärmer geworden, und der gewaltige Bergstock zu unserer Linken schaut uns aus fast unmittelbarer Nähe mit finsterem Ernste an. Ungeachtet des Nebels, der die Spitzen des Gebirges verhüllt, unterschieden wir deutlich den großen Krivan mit der tiefen Kammscharte links, von welcher an, nach östlicher Richtung fortziehend, die eigentliche Tatra, das höchste und rauheste Gebirge dieses Landes, seinen Anfang nimmt. — Das nächste Dorf Vichodna liegt bereits 2319, und Vasecz (sprich Wascheß) 2521 Fuß über dem Meere, und hier erreicht die Straße abermals die Waag, wenngleich nur jenen Theil, den man die „weiße Waag" nennt; er ist an dieser Stelle nur ein armseliges Flüßchen, von kaum meilenlangem Alter, und nicht einmal noch einer Brücke würdig.

In dem jüdischen Wirthshause zu Vasecz aßen wir zu Mittag,

und mußten für zwei Brathühner, die zum Ueberfluß nach ranzigem
Gänsefett (das dogmatisch untadelhafteste Fett nach jüdischen Begriffen rochen), zwei Gulden C. M. zahlen. Mit der Suppe, einigen noch
ranziger schmeckenden und verbrannten Pfannkuchen und etwas Wein,
belief sich unsere Rechnung auf 3 fl. und etliche Kreuzer. Wie stieg da
unsere Achtung noch höher vor der guten Frau Nebula in St. Miklós!
Die Juden sind im Allgemeinen ein gewissenloses Volk, das nur die
Furcht, das Gesetz oder allenfalls noch die Scham, in gewissen Schranken hält.

Gleich hinter Vasecz erhebt sich die Straße mit sehr geringer Stei-
gung auf den sogenannten Hochwald empor, worunter zur Zeit durchaus
kein waldiges, sondern ein mehr kahles, meist als Weideland benütztes
und nur mit etwas Gestrüpp und einigen Hafer- und Buchweizenäckern
versehenes Plateau zu verstehen ist. Es ist deßhalb merkwürdig, weil
hier die Straße die europäische Hauptwasserscheide kreuzt, die, etwa eine
halbe Meile nördlich, den Kamm des Centralgebirges verläßt, zwischen
Vasecz und Csorba einer südliche Richtung folgt, bald aber wieder nach
Osten sich wendet, um zwischen der Popper einerseits und den Quellen
des Hernad und der Tarcza anderseits, die Grenze zwischen Ungarn
und Gallizien wieder zu gewinnen. Der Hochwald selbst ist die Fortsetzung eines an der Wissokahora von der Centralkette sich ablösenden
und südwärts streichenden Gebirgszweiges, der jedoch sehr bald steil ab-
stürzt, und sich zu einem breiten, sanftgewölbten Rücken erniedrigt, dessen
höchste Stelle dort, wo ihn die Straße übersetzt, die Seehöhe von 2689
W. F. besitzt, was mit dem Niveau von Vasecz verglichen, einen Hö-
henunterschied von nicht mehr als 168 Fuß gibt. Hat man nun die
höchste Stelle des Rückens erreicht, so steht man an der Grenze des
Quellengebiets der Donau und der Weichsel, zweier Ströme, die sich
in entgegengesetzte Meere ausmünden. Faßt man aber auf diesem Punkte
die hohe, gewaltige Masse des Tatragebirges, vor dessen entwickelter
Front man hier steht, etwas näher in's Auge, und sieht man sich's an,
wie dies Gebirge als ein mauerähnlicher, geschlossener Kamm sich meilenweit nach Osten und Westen unverändert fortsetzt, und dabei von
der europäischen Hauptwasserscheide, mit allen ihren Abstechern gegen
Süden, nicht die minbeste Notiz nimmt, so wird es hier auffallend klar,

welche geringe geologische Bedeutung die Flüsse besitzen, und wie wenig die Rücksicht auf ihre Vertheilung und ihren Lauf zur Aufstellung eines orographischen Systems werth ist. — Noch niedriger ist übrigens der, gleichfalls die Hauptwasserscheide Europa's kreuzende Vorypaß in der Arva, und der Uebergang über dieselbe zwischen der Stadt Poprad und Ganócz; ersterer liegt 1954 und letzterer gar nur 1860 W. F. ü. d. M.

Das nächste Dorf, Csorba oder Strba, liegt schon auf der östlichen Seite des Hochwaldes und ist die letzte Ortschaft des Liptauer Komitats, das wir nun, bevor wir es völlig verlassen, mit einem kurzen Ueberblicke bedenken wollen.

Die Liptau wird durch jenes große, etwa 11 bis 12 Meilen lange und 3 bis 4 Meilen breite Thalbecken gebildet, welches nördlich von den Liptauer Alpen und einem Theile des Tatragebirges, und südlich von jenem hohen Gebirgsrücken umschlossen wird, der sich in östwestlicher Richtung vom Königsberge (Kralowa-hora) bis zum Fatragebirge erstreckt; der Hochwald grenzt dieses Becken auf der östlichen, und die Schlucht bei Kralovan auf der westlichen Seite ab. Es ist demnach ein mit physikalischer Bestimmtheit abgeschlossener Landstrich. Die Mitte dieses breiten und schönen, meist bergigen Gebietes ist flach, wird die Liptauer Ebene genannt, und erscheint von Natur aus in zwei deutlich unterschiedene ungleiche Hälften getheilt. Die westliche, etwas größere Abtheilung reicht von Rosenberg bis Hradek herauf, liegt etwas tiefer, hat ein weniger rauhes Klima, ist fruchtbarer und sehr dicht bevölkert, und kann theilweise eine Ebene im eigentlichen Sinne des Wortes genannt werden; indeß die andere östlich gelegene Hälfte von Hradek bis zum Hochwalde entschiedener ansteigt, um einige hundert Fuß höher liegt, eine wellenförmige von Querthälern durchzogene Bodengestaltung zeigt, und daher mehr den Charakter einer Hochebene besitzt. Das Klima ist hier wie dort rauh und kalt; doch gedeiht in der unteren Ebene noch der Roggen, in der oberen nur mehr Hafer und Gerste; Flachs und Kartoffeln werden in beiden Theilen mit Vorliebe gebaut. Die Abhänge des Gebirges sind, so weit die Blicke reichen, von unermeßlichen Waldungen bedeckt, deren übrigens unzureichende Kultur eine wichtige Erwerbsquelle der Einwohner ausmacht. Auf den grünen Hochstrecken und Grashalden der Liptauer Alpen wird die Viehzucht mit Vorliebe getrieben

und jener gute Schafkäse bereitet, der einen gesuchten Ausfuhrartikel
bildet. Der stark betriebene Flachsbau liefert das Mittel zur Linnenwe=
berei, und das gewonnene Produkt wird theils im Lande durch Zwischen=
händler aufgekauft und weitergeschafft, theils durch die bekannten Hau=
sirer in der Fremde abgesetzt. Wer kennt nicht jene meist großen, kräf=
tigen Männer, mit den Ledergürteln von erstaunlicher Breite, und den
schweren Holzkästen auf den Rücken, unter deren Last sie gebeugt und
mühsam einherschreiten und ihre Linnenstoffe feilbieten? Diese Leute sind
durchweg Liptauer, und so groß und rüstig wie sie, sind fast alle ihre
Brüder in der Heimat. Weit minder kräftig sind die Frauen, und ihre
Tracht hat, mit Ausnahme der rothen Strümpfe, wenig Auffal=
lendes in Schnitt und Farbe. Eine besondere Eigenthümlichkeit der hie=
sigen Slovaken ist die Gewohnheit, nie ohne die Art das Haus zu verlassen.
Sie wird gewöhnlich am Arme getragen, nöthigenfalls als Waffe ge=
braucht, und selbst beim Tanze, in Momenten lebhafterer Erregung,
über dem Kopfe geschwungen. Leider ist auch hier die Neigung zum
Genusse gebrannter Wässer herrschend, so zwar, daß wir schon des frühen
Morgens betrunkenen Leuten begegneten, und daß unser Kutscher von
Vasecz weg, ein kaum fünfzehnjähriger, blaß aussehender Bursche,
von nichts anderem als von Branntwein schwärmte, und uns einige
Male mit seinen Betteleien um Bezahlung eines Fläschchens Schnaps
belästigte.

Von Csorba geht es nun abwärts, erst durch eine enge, felsige
Schlucht, dann durch ein stilles, freundliches Wiesenthal, nach Lucsivna,
dem ersten Dorfe des Zipser Komitats. Es ist ein Eigenthum der Fa=
milie Szakmáry, die hier ein hübsches Schloß besitzt. Ein paar Zugochsen,
die im Dorfe, vor ihren Wagen gespannt, daherzogen, erregten durch
die ungeheure Länge ihrer Hörner unsere Aufmerksamkeit; wir ließen
den Wagen stille halten, und maßen an einem dieser beiden Exemplare
die Entfernung der Hörnerspitzen mit 52½ W. Zollen. — Lucsivna
liegt bereits am Anfange der großen Zipser Ebene, deren Länge, 7 bis
8 Meilen weit, fast bis zu der Stelle reicht, wo sich die Popper durch
das Gebirge ihren Durchgang nach Gallizien erzwungen. In beinahe
gerader Richtung läuft nun die Straße auf die Stadt Poprad los,
und läßt rechts und links eine Zahl kleiner Städte und Dörfer erblicken,

die jedoch die Entfernung und der, von dem Düster einer trüben At=
mosphäre unterstützte sinkende Abend allgemach verschlang. Mit dunklem,
erschrecklichem Ernste schaute der nahe, hochgethürmte Gebirgskoloß zu
uns herüber, und schien im höchsten Grade mißvergnügt über die schwar=
zen Wolkenlasten, die ein frischer Nordwind ihm über die Schultern
warf, und die er von da weg in gewaltigen, bleifärbigen Massen in
südlicher Richtung dahinjagte. Und wenige Augenblicke nachdem wir in
Poprad von einem netten Zimmer für die Nacht Besitz genommen
hatten, ging ein tüchtiger Regenguß prasselnd auf die Erde nieder, und
rechtfertigte auf diese Weise die ahnungsvolle, schwarz umwölkte Miß=
laune des Gebirges.

Auch hier in Poprad, in der gesundesten Lage von der Welt,
und dicht am Fuße des höchsten Theiles der Karpathen, war seit eini=
gen Tagen die Cholera mit großer Heftigkeit aufgetreten, und schreckte
die armen Leute entsetzlich. Der Vorspannskommissär, seines Zeichens
ein Lederer, ein alter Mann mit weißen Haaren, schien aufs Höchste
niedergeschlagen. Am Tage unserer Ankunft hatte man 7 Menschen zu
Grabe getragen, und 4 andere lagen zur Bestattung am nächsten Tage
in Bereitschaft; die Bevölkerung des Städtchens kann sich jedoch kaum
auf 1000 Seelen belaufen. Ich hatte gut reden von Muth und Stand=
haftigkeit, als die besten Schutzmittel gegen die Krankheit. Der alte
Mann erwiederte traurig: „Ach, lieber Herr! wie wollen Sie, daß wir
muthig und standhaft seien, wenn wir fast stündlich sehen, wie Leute,
deren Gesundheit unverwüstlich schien, in wenigen Stunden auf die
Bahre gestreckt werden!" — Poprad oder Deutschendorf zählt zu den
ehemals privilegirten sechzehn Zipserstädten, ist durchaus von Deutschen
bewohnt, und trägt in der Bauart seiner Häuser, und in seinem netten,
behäbigen Aussehen überhaupt, das Gepräge eines von dem slavischen
völlig verschiedenen Volkselements. Auf dem Platze, oder vielmehr mit=
ten in der breiten Hauptstraße, steht die katholische und die protestan=
tische Kirche, letztere ein neues, ziemlich unkirchlich blickendes Gebäude,
erstere ein interessanter, altromanischer Bau, dessen freistehender Glocken=
thurm mit seinen Zinnen, Konsolen, Bogenfriesen und gekuppelten
Rundbogenfenstern überraschend und angenehm in's Auge fällt. Dieses
Verhältniß ist in den meisten, wenn nicht in allen Zipserstädten und

Ortschaften das gleiche. Die Katholiken sind, als Bekenner der ursprüng=
lichen Konfession, billigerweise im Besitze der alten Kirchen geblieben,
während die Protestanten neue bauten. Ein großer Theil jener alten
Gotteshäuser stammt aber uns vorgothischer Zeit, und hat getrennt
stehende Glockenthürme, die, weil sie meist aus Quadern erbaut wurden
und keine bedeutende Höhe hatten, der Zerstörung zu widerstehen und
ihre, der romanischen Bauweise huldigende Form und Ausschmückung
zu bewahren vermochten, während die Kirchen, zu denen sie gehören, im
Laufe der Zeiten entweder umgebaut oder renovirt und modernisirt wur=
den. Diese Glockenthürme haben die Gestalt vierseitiger Prismen und
sind etwa 60 bis 80 Fuß hoch; die schönsten, die wir in diesem Theile
der Zips sahen, sind jene von Poprad, Georgenberg und Käsmark.

Als wir des Morgens weiter fuhren, „goß unendlicher Regen
herab," aber unendlich nur in der Menge, nicht in der Dauer; denn noch
denselben Vormittag verkroch sich das Unwetter und lauerte auf den
kommenden Tag. Georgenberg und Matzdorf sind zwei freundliche kleine
Städtchen, und Lomnitz und Hunzdorf zwei große, reiche Dörfer. Letzt=
genannte Ortschaft hat ihren Namen ersichtlicherweise von niemand an=
derem erhalten als von den Hunnen, denen die Römer hier im Jahre
441, unter den Feldherren Macrinus und Tetricus, zu ihrem eigenen
Schaden eine große Schlacht geliefert haben sollen. Den Beweis über
die Wahrheit dieses Berichtes scheinen die Felder der Umgebung zu
liefern, aus denen bisweilen beim Umackern römische und hunnische
Waffen, Münzen und andere Alterthümer zum Vorschein kommen. Auf
dem Kirchthurme zu Hunzdorf wird noch überdies eine aus Blech ge=
formte Henne, die gegen Lomnitz sieht, und auf dem Thurme zu Lomnitz
ein gleichartiger Hahn, der gegen Hunzdorf blickt, gezeigt, was von
Freunden romantischer und räthselhafter Begebenheiten auf ein zärtli=
ches Verhältniß zwischen einem Edelherrn in Lomnitz und einer Edelfrau
in Hunzdorf (oder auch umgekehrt, worüber sich eine schöne Kontro=
verse führen ließe) gedeutet wird. Ist dem also, so sind Hahn und Henne
als Symbole für zwei liebende Herzen, von großer ästhetischer Wirkung,
und der Hahn mehr noch als die Henne. Von dem fraglichen Liebes=
verhältniß war nun nichts Geschichtliches auszumitteln, wohl aber fand
sich, daß ein Nachkomme jenes Mutter, der mit Gertruden von Meran,

Gemahlin des nachherigen Königs Andreas II., aus Tirol nach Ungarn
gekommen, 1209 Komitatsgraf der Zips geworden, und als Ahnherr
der Familie Berzeviczy betrachtet wird — daß also ein Nachfolger
dieses Nutter den Namen „Magister Kokosch" (Hahn) führte, in dem
Thronstreit zwischen Wenzel von Böhmen und Karl Robert von Anjou
eine Rolle spielte, und Herr von Lomnitz war, das noch heut zu Tage
auf ungarisch Kakas-Lomnitz oder Hahnen-Lomnitz heißt. Hiedurch
bleibt aber freilich die Henne in Hunzdorf unerklärt.

Als wir um 10 Uhr Vormittag in Käsmark anlangten und im Gasthause „zur Krone" abstiegen, floß eben der letzte Regen dieses Tages herab,
was indeß unseren touristischen Eifer so wenig abkühlte, daß wir uns
dem ungeachtet zur Besichtigung des Städtchens auf den Weg machten.
Der Platz, in dessen Mitte das Rathhaus und die Hauptwache stehen,
ist groß und ansehnlich, die Hauptstraße ist gut gebaut, durchaus ge-
pflastert, ziemlich belebt und mit manchen artigen Kaufmannsläden ausgestattet. Kurz, Käsmark macht einen wirklich städtischen Eindruck und
sieht reinlich und wohlhabend aus. Die durchaus deutsche, auf beiläufig
6000 Seelen sich belaufende Bevölkerung ist fleißig und betriebsam,
und hat sich durch den Handel mit ungarischen Weinen nach Polen,
und durch den jährlichen Export von 2 bis 300,000 Ellen Leinwand
einheimischen Produktes nach Pesth und Debreczin reichfließende Quellen
des Wohlstandes eröffnet. Der Leinwandhandel ist überhaupt ein ural-
tes Lieblingsgeschäft der Deutschen in Oberungarn, und war vordem
die Quelle mancher Streitigkeiten und Fehden zwischen ihnen. Käsmark
und Leutschau sind die beiden Hauptstädte des Zipserländchens, und die
Centren seines volksthümlichen, sozialen Lebens; ihnen muß daher hauptsächlich das Verdienst zuerkannt werden, in den siebenhundert Jahren
seit der Abtrennung dieses Völkleins von seinem großen deutschen Mut-
terstamme, trotz dem feindseligen Andringen widriger Verhältnisse,
deutsche Sprache, Kultur, Gesinnung und Sitte aufrecht erhalten zu
haben. — Eine kleine Artigkeit gegen den Stadthauptmann Herrn von
Dullovich, den wir wegen Beistellung des Vorspannswagens nach
Schmecks besuchten, verschaffte uns bei der Besichtigung der Stadt-
merkwürdigkeiten seine eben so angenehme, als lehrreiche Begleitung.
Wir lenkten unsere Schritte zuerst dem Tököly'schen Schlosse zu,

das am nördlichen Ausgange der Stadt und mit ihr in einer Ebene liegt. Die eigenthümliche Entstehungsweise dieses Schlosses, seine Lage innerhalb der ehemaligen starken Befestigungs-Enceinte der Stadt, und der Umstand, daß Käsmark schon seit Ludwig I. Zeiten eine reiche, kräftige, und fast von allen nachfolgenden Königen mit Vorliebe privilegirte k. Freistadt war, machten es ihm unmöglich, sich in eine eigentliche Feste und Zwingburg umzustalten, obgleich seine Herren es nicht unterließen, der Stadt zeitweise das Recht der Macht und des Schwertes fühlen zu lassen, wozu namentlich ein und der andere Tököly sich geneigt zeigte. Die Burg blickt selbst noch in ihren Trümmern groß und stattlich; noch steht fast ungebrochen die äußere Wand des Gebäudes und wird durch eine ungemein zierliche Zinnenbekrönung geschmückt, die allenfalls mit dem ausgespannten Reisen einer Marquisenkrone nach heraldischer Konvention, einige Aehnlichkeit besitzt. Die Architektur des Schlosses zeigt überhaupt ein jüngeres Gepräge, und das vereinigte Tököly'sche und Thurzónische Wappen über dem Hauptthore bezeichnet den Ausgang des sechzehnten, oder den Anfang des siebzehnten Jahrhunderts als die Zeit der Wiedererbauung oder totalen Umstaltung des alten Schlosses. Der Grundriß des Gebäudes, das übrigens keine ungewöhnliche Größe hat, bildet ein unregelmäßiges Fünfeck, von welchem drei Seiten der Stadt zugekehrt sind. Das Innere liegt im Verfall, mit Ausnahme des Kellers, der als Magazin, und der östlichen Schloßfront, die als Gemeindespital benützt wird. Bis vor etwa dreißig Jahren war auch noch die Schloßkapelle wohl erhalten; seither ist aber auch diese den Wirkungen der Zeit überlassen, die das Werk der Zerstörung mit überraschender Eile betreibt. Sie ist im luxuriösen Renaissance-Styl erbaut, und ihr Altar war ein zwar überladenes, zur Zeit seines Glanzes aber gewiß ein effektvolles Kunstwerk. Sechs Thürme zierten einst die Außenseite der Burg, und noch stehen deren fünf aufrecht; der größte und festeste jedoch wurde, weil sich das nördliche Stadtthor an ihn lehnte, vor drei Jahren abgebrochen; zur Zeit nämlich, als man die alten städtischen Ringmauern zu Boden warf, und die Orte wo sie standen in Krautgärten verwandelte. Wer erkennt nicht darin den Geist der Gegenwart, die den klingenden Nutzen, Kohlköpfe und Runkelrüben, höher schätzt als alle Poesie und geschichtliche Erinnerung! Neben dem Schlosse sahen wir auch die

7

Stallungen, wo die gräflichen Rosse aus schwarzmarmornen Krippen ihren Hafer fraßen.

Der Ort, auf dem jetzt diese Ruine steht, hat eine alte Geschichte. Schon im Jahre 1190 soll auf derselben Stelle ein Nonnenkloster erbaut worden sein, das später in die Hände der Tempelherren gerieth, die das stille, friedliche Klösterchen in den rauschenden Wohnsitz kriegerischer Männer verwandelten. Als dieser Orden (im Jahre 1307) aufgelöst wurde, kamen Schloß und Güter in königliche Hand, und unter Uladislaus I. scheint hier eine Weile lang auf königlichen Befehl der Zipsergraf residirt zu haben, dem jedoch durch Giskra, der sich der Stadt bemächtigte, sehr bald ein Ende gemacht wurde. Nachher erscheinen die Zápolya als Herren des Schlosses, und Johann, der Pseudokönig, schenkte es seinem Freunde Hieronymus Laszki, dem Woiwoden von Syradin und Haupturheber der verhängnißvollen Herbeirufung der Türken, die sich bei der Hilfe, die sie ihrem Schützling angedeihen ließen, den Löwenantheil des Gewinns zueigneten. Laszki trat später bekanntlich in den Dienst des Kaisers über, und war in dessen Interesse mit demselben Eifer und derselben Geschicklichkeit thätig, die er früher seinem Freunde gegenüber bewiesen. Von den Kaiserlichen genommen, hatte nun das Käsmarker Schloß verschiedene Herren, unter denen auch ein General Ruber, der es für 13,000 fl. an Sebastian Tököly verkaufte. Dieser Mann war ein Plebejer, dessen Familie aus der Insel Csepel stammte und den Ort Tekef in Slavonien besaß; er selbst bekleidete die Stelle eines „Questor equorum inter Rascianos," die ihm wahrscheinlich das zum Kaufe von Käsmark erforderliche Geld eintrug. Die k. Donation hierüber stammt vom Jahre 1579, sein Adel aber erst von 1580, woraus denn hervorgeht: daß die Tököly damals, als ihr Ehrgeiz seine Flügel am mächtigsten spreitete, in die Klasse der Parvenus gehörten. Sebastians Sohn, Stephan I., erwarb die Würde eines Beisitzers der königlichen Tafel und den Freiherrnstand, und ehelichte Katharina Thurzó, die sechste Tochter des Palatins Georg. Er war es ohne Zweifel, der das Schloß in Käsmark zu jenem Glanze emporhob, von dem die Nachrichten aus jener Zeit so viel erzählen, und der jetzt noch aus seinen Trümmern blickt. Stephan II. sein Sohn erscheint bereits unter dem Titel eines Grafen von Käsmark, und stand bei seinem Könige so hoch

in Ehren, daß er von diesem im Jahre 1655, mit Wesselényi, Stephan
Csáky und Franz Rédey, dem Landtage zur Verleihung der Palatinswürde in Vorschlag gebracht wurde; er ward zugleich einer der reichsten
Herren Oberungarns genannt, dessen Einkünfte die große, für die damalige Zeit sogar außerordentlich hohe, Summe von 300,000 Gulden
erreichten. Bei der Wesselényi'schen Verschwörung der Theilnahme ver-
dächtigt, wovon er jedoch später freigesprochen wurde, flüchtete er nach
Arva und starb zu Likava, nachdem er früher seinen Sohn Emerich
nach Polen gerettet hatte. General Spork hielt mittlerweile Käsmark
und sein Schloß mit kaiserlichen Truppen besetzt. Die Thaten und wechselnden Schicksale Emerich Tököly's sind zu bekannt, als daß sie hier
einer näheren Auseinandersetzung bedürften. Man weiß, daß er von
Siebenbürgen aus alles Mögliche zur Insurgirung Ungarns gegen
seinen rechtmäßigen Herrn und König that; daß er seit 1678, als er
von den Rebellen zu ihrem Haupte ernannt worden war, erst mit fran-
zösischer Hilfe, und dann ohne dieselbe, den Krieg nach Ungarn spielte,
1680 Käsmark wieder besetzte, 1682 sich selbst zum Fürsten und Gou-
verneur des Landes ernannte, und das Jahr darauf durch die Niederlage seiner türkischen Freunde vor Wien, seinen Glücksstern erbleichen
sah. Aber das Unglück machte den Kurutzenkönig, so hieß man ihn damals spottweise, nicht klüger; von Schultz bei Eperies überfallen und
total geschlagen, ward er von den Türken eingesperrt, wieder entlassen
und zuletzt nach Bythinien verwiesen, wo er im Verein mit seiner hoch-
herzigen Gemahlin Helena Zrinyi Zeit hatte, seine eben so verbrecheri-
sche als unglückliche politische Thätigkeit zu bereuen. — Zum Schlosse
gehörte in jenen Zeiten auch das in der Mitte des Hauptplatzes liegende,
jetzt als Rathhaus verwendete Gebäude, das man damals das Herrenhaus nannte, und als Kaserne des 300 Mann starken Korps der gräflichen Fußsoldaten diente. Es ist einleuchtend, wie sehr dieser starke, im
Centrum der Stadt befindliche militärische Posten, besonders in Zeiten
der Spannung, die Freiheit des städtischen Verkehrs beeinträchtigen
konnte. Deßhalb ergriff die Stadt die dargebotene günstige Gelegenheit,
und brachte im Jahre 1702 Schloß und Herrenhaus käuflich an sich,
mit der Absicht ersteres zu zerstören, um sich auf diese Weise für die
Zukunft jeden unberufenen Machthaber innerhalb ihrer Mauern fern

7 *

zu halten. Der Absicht folgte unverzüglich das Werk. „Die vormalige Pracht und Herrlichkeit dieses Schlosses brauchte eine sehr weitläufige Beschreibung, weil es an Zierde in Ungarn keines seines Gleichen hatte; aber dieser, wegen voriger Drangsalen, auch wegen des Tököly'schen Namens verhaßte, Ort ist mit Willen der Stadt meistens verwüstet worden, da denn die kostbaren Oeffen, Fenster, Steine, Getäffelwerk, kupferne Rinnen nebst den schönen Pflastern= und Thürsteinen, Portalen, Treppen und dgl. verkauffet, und nebst anderen Schräncken, Leuchtern und Mobilien distrahiret worden, damit auch das Gedächtniß des dem Ungarlande fatalen Tököly'schen Namens ausgerottet würde." [*]

Die Pfarrkirche ist ein ansehnliches, dreischiffiges, gothisches Bauwerk des fünfzehnten Jahrhunderts, mit zwar sehr einfachen Fenstern und schwacher innerer Ausschmückung, aber sehr schönen, kunstvoll construirten Gewölben, deren Gurten in neuester Zeit, nach Uebertünchung der Mauerfüllungen, grasgrün angestrichen wurden, was einen unglaublich abgeschmackten Effekt hervorbringt. Neben dem Hochaltar steht rechter Hand ein altes, zierliches Sakramenthäuschen; die früheren gothischen Altäre aber wurden von den Protestanten, die während der revolutionären Wirren einige Male im Besitze der Kirche waren (die Gruft der protestantischen Tököly befindet sich darin), sammt und sonders beseitigt, und durch höchst unbedeutende, kümmerlich aussehende Werke neueren Styls ersetzt. Es liegt im Geiste des Protestantismus, alles Alte, Ueberkommene gering zu achten, und das Neue, Selbstgemachte an dessen Stelle zu setzen. In einem Magazine neben der Kirche sind noch die Holzskulpturen jener alten Altäre aufbewahrt; es sind schlichte Werke in deutscher Weise, oft voll tiefen Ausdrucks, voll Innigkeit und Würde. Im Innern der Kirche liegen Hieronymus Lasßki und der berühmte kaiserliche General Lazar Schwendi begraben. — Ein halbstündiger Besuch bei dem Stadtpfarrer, Herrn Mihalik, verschaffte uns die Bekanntschaft dieses eben so freundlichen, als intelligenten und gebildeten Priesters.

Nicht uninteressant sind die wechselnden Schicksale dieses Gotteshauses. Sein Bau fällt zwischen die Jahre 1444 und 1486, und ward derselbe durch Emerich Zápolya, der in dieser Zeit Herr des Zipser

---

[*] Zedlers Universal-Lexikon, Band 15. pag. 319.

und Käsmarker-Schlosses und der ganzen umliegenden Gegend war, thätig unterstützt. Anno 1533 geschah der Abfall der, von ihrem Pfarrer Georgius von Leutschau verführten, Gemeinde zur protestantischen Lehre, wodurch denn auch die Kirche dem häretischen Dienste zufiel, bis sie erst wieder im Jahre 1673, also hundert und vierzig Jahre später, in Folge Regierungsbeschlusses den Katholiken zurückgestellt, und dem, fünfzehn Jahre früher hier eingeführten Orden der Paulaner übergeben wurde; das jetzige Pfarrhaus war ihr Konvent. In der Verschwörung des jüngeren Franz Rákóczy wurden 1705 die Katholiken abermals vertrieben, und die Kirche wieder den Protestanten überliefert, die zum Danke dafür alle städtischen Güter verkauften, und den Erlös zur Unterstützung des Aufstandes verwendeten. Doch nicht lange dauerte diesmal der Sieg der ungerechten Sache; General Heister erschien 1709 vor Käsmark, beschoß die Stadt, zwang sie zur Kapitulation, und machte die 1200 Mann starke Besatzung kriegsgefangen. Dieß geschah am 2. Dezember und schon am Tage darauf ward in der Kirche wieder der erste katholische Gottesdienst gehalten. —

Nun war's Ein Uhr und daher Essenszeit in dem Gasthause zur „Krone." Das Dinner war gut und mit neuen Bekanntschaften, die sich bei Tische machen ließen, angenehm gewürzt. Der Fremde ist in Ungarn so gut wie in Deutschland ein Gegenstand absonderlichen Interesses, dem man sich gerne nähert, und welchem gegenüber man sich freier gibt und leichter öffnet. Mittlerweile aber hatte Herr von Dullovich, der würdige Stadthauptmann, für einen trefflichen Wagen, mit noch trefflicheren Pferden bestens gesorgt, so daß wir um ½ 3 Uhr Nachmittags auf die angenehmste Art unsere Reise nach dem Badeörtchen Schmecks fortsetzen konnten.

Zu diesem Ende mußten wir wieder nach Hunzdorf und Lomnitz zurückkehren, bis sich erst hinter der letztgenannten Ortschaft unser Weg von der Hauptstraße nach der rechten Seite hin abbog. Und jetzt kam es, daß der noch immer wehende Nordwind die Wolkenhülle, welche uns das Gebirge seit St. Miklós unablässig verborgen hielt, von dannen jagte, und uns den von dem Schöpfer aufgeworfenen, granit'nen Riesendamm, den die Menschen Tatra nennen, mit allen seinen zahllosen, phantastischen Hörnern, Zinnen und Scharten aufdeckte. Einige tausend Fuß von dem Kamme herab, sah alles weiß, steinig und öde aus, so daß man den Fels für Kalk hätte nehmen können, indeß sich unterhalb ein dunkelgrüner Gürtel herrlichen Waldes über die ganze Länge des Gebirges hinzog, und die Wirkung eines die Fahlheit der Höhe erhebenden Schlagschattens hervorbrachte. Wir hatten uns das Gebirge höher und massiger gedacht, aber nicht so wild. Einer Mauer ähnlich, die sich aus ebenem Grunde erhebt, lag es vor uns, und seine höchsten Gipfel, die Lomnitzer-, Eisthaler- und Gerlsdorferspitze, standen scheinbar dicht am vorderen Rande des gewaltigen Bildes. Keine langsam herabsteigenden Bergfüße, und keine grünen Querthäler dazwischen, rückten den Hauptkamm in die Ferne, und übten, mit dem Verbergen des Einen, und dem Zeigen des Anderen, jenes reizende Spiel, das die Phantasie in fortwährender Thätigkeit hält. In seiner starren Uebersichtlichkeit und großartigen Wildheit, reizte es den Blick mehr als es ihn erfreute und befriedigte: und so viel ließ sich schon jetzt heraussühlen, daß es diesen Bergen an dem freundlichen, und die Schroffheit der Gegensätze versöhnenden Schmucke der Alpenregion gebreche. Dafür aber ward es uns klar, daß wir es hier mit einem scharfen, durchaus geschlossenen Hochgebirgskamme, und nicht mit isolirten Gipfeln, wie in der Arva, zu thun hatten; auch war mir der Umstand interessant, daß ich hier zum ersten Male in die Lage gerieth, ein höheres, aus Granit zusammengesetztes Gebirge in unmittelbarer Nähe sehen und untersuchen zu können; der schmale Granitgürtel oberhalb Brixen, und die niederen Granitberge in Oesterreich und Böhmen, verdienen in dieser Beziehung kaum einer Erwähnung.

Nachdem wir, über die sanften Terrainwellen des linken Popperufers hinziehend, das Dorf Mühlenbach passirt hatten, bog unser Weg rechts ab, trat dann bald in einen Nadelwald ein, und führte nun in einer schnurgeraden Linie auf Schmecks zu, dessen Hauptgebäude und Kursaal alle Ankommenden wohl mehr als eine halbe Stunde lang scharf im Auge behält, wozu ihn seine Lage in der Verlängerung des erwähnten Waldweges vollkommen befähigt. Endlich langten wir an, frugen im Wirthschaftshause nach, wurden von einer Dienerin höher hinauf in das sogenannte Neugebäude geführt und in ein anständiges Zimmerchen einquartiert.

4. Aufenthalt in Schmecks.

Allgemeines über Schmecks. Gesellschaft daselbst. Erkursion zum Räuberkrine. Besteigung der Somnitzer Spitze. Kohlbach oder Kahlbach. Zweite Erkursion zum Räuberstein. Partie in das Felkathal.

Wie herrlich ist die Lage des langen weißen Hauses, das uns nun einige Tage lang ein heiteres, gemüthliches Asyl gewähren sollte! Dicht vor seiner Front hatte man, einige Stufen tiefer, ein kleines Parterre eingerichtet, das aus zwei großen ovalen Blumenbeeten, einem Wasserbecken mit sprudelndem Rohrbrunn dazwischen, und aus hinreichenden Kieswegen zum Promeniren, bestand. Von dieser kleinen Anlage angefangen fiel ein freier, sammtener Wiesengrund, auf beiden Seiten von hohen Waldbäumen eingeschlossen, sanft nach vorne ab, und war beiläufig 200 Schritte vor dem Neugebäude, von einer Kapelle und drei kleinen Häusern unterbrochen, die aber schon so tief standen, daß sie den Blick aus den Fenstern des oberen Gebäudes nicht im mindesten daran hinderten, erst über den prachtvollen Wald in der Nähe, und dann über die grüne, prangende Ebene des Zipserländchens, bis zu den fernen Bergketten des Gömörer und Sohler Komitats hinwegzuschweifen. Mit Freude genossen wir der fesselnden Aussicht, und eilten sodann ins Freie hinaus, um noch vor Abend des lockenden Waldgrüns und des Einblicks in die Lage und Beschaffenheit des schmucken Bergdörfleins froh zu werden. Ein aufs Geradewohl gewählter, gutgepflegter Weg führte uns nach einigen Minuten zu den zwei oberen Sauerquellen, die wir in dem Thalgrunde nebenan, auf einem geebneten, mit Grassitzen und Bänken versehenen Platze fanden. Sie waren zylindrisch in den Boden eingetieft, entbehrten jeder Bedachung, und waren mit konischen, an Schnüren befestigten Trinkgläsern versehen, mit deren Hilfe wir beide Quellen verkosteten. Sie hatten einen schwach sauern, angenehmen Geschmack, und eine unter ihnen roch unbedeutend nach Schwefelwasserstoff. Von da weg schlugen wir den Weg längs des linken Thalhangs gegen den Kursaal ein, trafen in der Nähe auf einen kleinen Steinbruch im Gneißfels, und erstiegen im raschen Anlauf den nahen, wenige hundert Fuß höheren Rücken des Bierbrunnberges, der von Bäumen mehr entblößt, uns die Aussicht auf das Gebirge, auf die nahe Lomnitzer- und Käsmarkerspitze eröffnete, um die jetzt neuerdings die aufgescheuchten Wolken, wie schwebende, bald anschwellende, bald wieder zerrinnende Phantome, ihre launenhaften Spiele trieben. Die Lomnitzerspitze, von der wir auf diesem Punkte gewiß keine halbe Meile entfernt standen, präsentirte sich uns jetzt als ein dünnes, grimmig wildes Horn mit etwas stumpfem Gipfel, über dessen entsetzlich schroffe Abfälle von hier aus freilich kein möglicher Pfad abzusehen war. Die Lomnitzerspitze, wenngleich als die Königin des Gebirges gerühmt, macht indeß noch immer nicht den imponirenden Eindruck des Watzmanns bei Salzburg oder der Waldrastspitze bei Innsbruck, denen sie an Höhe nahe steht, von ihnen aber an Massenhaftigkeit und Adel der Gestalt übertroffen wird. Neben uns, und gerade ober Schmecks, lag breit und kräftig die ihrer Höhe wegen nicht zu verachtende Schlagendorferspitze wolkenfrei in der kühlen Luft.

Des nächsten Tages regnete es vom Morgen bis zum Abend unablässig in Strömen. Standen wir doch jetzt auf dem Sockel der „großen Wettersäule Osteuropas" [*]) und empfingen ihre Wirkungen aus erster Hand. Dies vereitelte wie natürlich jede Unternehmung, und nichts anderes ließ sich thun, als auf besseres Wetter warten, und die Langeweile mit Geduld ertragen. Zum Unglück fand sich unter den Schmeckser Badegästen auch nicht ein Schachspieler vor, was unverantwortlich ist und zur Frage berechtigt, wie ein im majorennen Alter stehender Mann es wagen dürfe irgend ein Bad zu besuchen, ehe er sich noch in die nothwendigen gesellschaftlichen Fähigkeiten, als da sind: heitere Laune, Humor, Schach- und Whistspielen, politisches Kannegießern und angenehmes Wesen überhaupt, gehörig eingearbeitet hat. Diese touristische Pause will ich nun, zum Vortheile des geneigten Lesers, dazu benützen, das eigenthümliche Badeörtchen Schmecks etwas näher zu skizziren.

Zuerst etwas vom Namen desselben. In dieser Beziehung kann ich meines Orts erwähnen, daß mir über die Derivation desselben keine

---

[*]) Ausspruch des Geographen Karl Ritter. Siehe Albr. v. Sydow: Bemerkungen über die Beskiden und Centralkarpathen. Seite 176.

verläßliche Kunde zugekommen. Ist diese Auskunft einerseits nicht erheblich, so läßt sie andererseits der Phantasie des Lesers freien Raum, was ihm besonders dann angenehm sein wird, wenn er erfährt, daß ein tüchtiger, knorriger Felsriff, der auf der Schlagendorferspitze, gerade oberhalb Schmeds, in die Luft vorspringt, die „Königsnase" heißt. — Seine Lage hat das Badedörfchen zwischen den Ausgängen des Kohlbach= und des Felkathales gefunden, doch steht es jenem weit näher als diesem. Es liegt daher auf dem Fuße der mehrerwähnten Schlagendorferspitze, die die letzte beträchtliche Erhebung des, zwischen jenen beiden Thälern vom Hauptkamme herabstreichenden kurzen Bergzweiges darstellt. Dieser Gebirgsfuß hat eine Breite von etwa anderthalb bis zwei Wegstunden, nimmt eine halbe Stunde oberhalb Schmeds, wo das Gebirge sich plötzlich mit großer Steilheit erhebt, seinen Anfang, und ist seinerseits von einigen seichten Depressionen durchschnitten, in denen der Wasserertrag der Quellen dem Popperflusse zueilt. Die Häuser von Schmeds gruppiren sich nun um eines dieser Thälchen, und sind dabei auf allen Seiten von einem hochstämmigen Nadelwalde umgeben, der, mit zierlichen Lerchbäumen häufig untermischt, und von vielen, vortrefflich geführten und eben so vortrefflich gepflegten Fußwegen durchzogen, einem großen Parke gleicht, der den herrlichsten Naturgenuß ohne die mindeste Mühe erreichen läßt. Für heimliche, schattige Ruheplätzchen, für lohnende Aussichtspunkte, für kleine Wildnisse, für Kaskaden, schwindelnde Brücken über geringe Tiefen, und andere Parkwitze ähnlicher Art, ist nicht minder hinreichend gesorgt. Das Oertchen an sich ist ganz und gar Eigenthum eines Herrn Reiner aus Georgenberg, der die Quelle mit einer guten Strecke Waldes von der Gemeinde Matzdorf käuflich an sich brachte, und dem das ganze Etablissement seine, den Gebrauch der Heilquelle vermittelnde, Gründung verdankt. Es besteht aus acht oder neun Wohngebäuden, die zum Theile aus Stein, zum größeren Theile aber aus Holz erbaut und zur Aufnahme von Gästen nach Landesart eingerichtet sind. Ein kleines hölzernes Kapellchen, in welchem zur Badezeit der Pfarrer von Mühlenbach wöchentlich einmal die heilige Messe liest, befriedigt so viel als möglich die religiösen Bedürfnisse der katholischen Gäste in Schmeds.

Das Hauptgebäude und Centrum des Schmeckser Badelebens ist der Kursaal. Er besteht aus einem ziemlich großen, fast eben so breiten als langen Gemach, das, in seiner weißen Tünche und mit seinem braunen Holzplafond, nicht eben sehr einladend blickt. Ein Kamin sorgt für die Erwärmung dieses Raumes an ungewöhnlich kühlen Spätsommertagen. Nach vorne mündet der Kursaal auf eine breite, gedeckte Terrasse, auf der das Auge einer hübschen Fernsicht genießt, und nach rückwärts grenzt er unmittelbar an das lange, holzgetäfelte Speisezimmer, in welchem regelmäßig um Ein Uhr, nach vorhergegangenem dreimaligen Läuten, dem jedoch die vorhandenen Damen üblicherweise niemals die gebührende Aufmerksamkeit zollen — gut, kräftig und wohlfeil gespeist wird. Hinter dem Speisesaale, und von ihm nur durch einen Gang getrennt, befindet sich die Wohnung und Menage des Herrn Reiner, der, Eigenthümer von Schmecks und Restaurant zugleich, in einfacher, wahrhafter Aufmerksamkeit und Dienstbeflissenheit für seine Gäste, und in uninteressirter und freundlicher Thätigkeit, ohne Anstand als Muster aufgestellt werden kann. Er ist auch kein Gastwirth gewöhnlicher Bildung. Seine naturhistorischen Kenntnisse, und namentlich seine Leistungen zur Erforschung der Fauna in den Karpathen, haben ihm den Titel eines Mitgliedes der ungarischen gelehrten Gesellschaft eingetragen, welcher Ehre er sich dadurch würdig machte, daß er dem naturhistorischen Museum in Pest eine Sammlung von etlichen Hunderten ausgestopfter Thiere, die er selbst mühsam im Gebirge sammelte und nachher präparirte, aus freiem Antriebe zum Geschenke machte, ungeachtet ihm gleichzeitig für diese Sammlung, von zwei jungen Magnaten des Landes, der Preis von 4000 fl. angeboten wurde. Nicht minder tüchtig, als Vorsteherin des so ausgedehnten Haushaltes, und nicht minder gut, freundlich und dienstbereit gegen ihre Gäste, ist Herrn Reiners Gattin — eine biedere, deutsche Hausfrau in jedem Sinne. Leider hat der Himmel die Ehe der beiden guten Leute mit keinem Kinde gesegnet, und so wird denn die Frucht ihrer redlichen Bemühungen einst einem lachenden Erben in den Schooß fallen.

Das Neugebäude, in welchem wir unsere Wohnung aufschlugen, liegt auf der anderen Seite des kleinen Thals, auf einem flachen Berg-

rücken, etwa 100 Fuß höher als der Kursaal, und kann von diesem aus
in 6 bis 8 Minuten ohne Anstrengung erreicht werden. Das Haus hat,
wenn ich nicht irre, zwölf Fenster und eben so viele Zimmer in seinem
oberen Stockwerke. Das Ameublement ist einfach. Fensterrahmen, Tische,
Stühle und Bettstellen sind von weichem, unangestrichenem Holze;
Schränke zur Aufbewahrung von Wäsche und Kleidungsstücken fehlen
gänzlich und sind durch Holzrechen ersetzt. Eine eigenthümliche Sitte
aber, die wir überall in dem von uns durchreisten Theile Oberungarns
fänden, wird bezüglich der Wasch-Requisiten befolgt; sie besteht darin,
ein jedes Zimmer, ohne Rücksicht auf die Zahl seiner Bewohner, mit
einem einzigen Waschbecken und einer einzigen Flasche Wasser zu be-
theilen, welches Einheitssystem auch hinsichtlich anderer Utensilien befolgt wird, und dadurch Uebelstände herbeiführt, die näher zu bezeichnen unter die überflüssigen Dinge gehört. Auf unser Ansuchen ward
zwar von dieser Sitte unverzüglich abgegangen, aber das Bestehen derselben wirft ein Streiflicht auf die Bedürfnisse und die Genügsamkeit
der hiesigen Landeskinder. Ein wichtigerer Uebelstand des Neugebäudes
liegt aber darin, daß mit einbrechendem Abende alles Bedienungsperso-
nale sich aus dem Hause entfernt, und den Fremden, der ohne eigene
Dienerschaft hergereist, während der Nacht von jeder oft vielleicht drin-
gend nothwendigen Hilfeleistung und Bedienung entblößt zurückläßt.
Ich bin der Meinung, es wäre nicht schwierig, irgendwo ein Kämmer-
chen herzustellen, in welchem ein dienendes Individuum, zum mindesten
während der Nacht, sein Standlager aufschlüge.

Den hygäischen Zwecken dienen in Schmecks vier Quellen, von
denen zwei etwa 300 bis 400 Schritte oberhalb des Kursalons liegen; von ihnen ist oben vorübergehend bereits Erwähnung geschehen.
Die dritte und Hauptquelle befindet sich unter der Terrasse des Kur-
saals, und die vierte einige Schritte davon im Freien. Nach einer qua-
litativen Analyse bestehen die festen Bestandtheile der Quellen aus kohlensaurem Eisenoxydul, aus kohlensaurem und salzsaurem Natron, und
die flüchtigen aus freier Kohlensäure, und, bei einer der zwei oberen
Quellen, aus einer geringen Menge Schwefelwasserstoff. Die Quelle ist
demnach ein Säuerling, aber von schwacher Art, und kann zu jeder
Tageszeit und in jeder beliebigen Menge — eine allzu große etwa aus-

genommen — ohne Nachtheil getrunken werden. Ihre Wirkung ist eine schwach auflösende und für die Harnwege heilsame. Die geringe Abhängigkeit ihrer Temperatur von jener der Atmosphäre charakterisirt sie als Therme, deren mittlerer Wärmestand für die Tage unserer Anwesenheit in Schmecks mit 7° C. angenommen werden kann. *) Neben dem Kursaal befindet sich auch eine Anstalt für den Gebrauch von Wannenbädern.

Die Quelle in Schmecks hat ihrer gedeihlichen Wirkungen wegen weit und breit schon viele Anerkennung gefunden, und die Zahl der Kurgäste steigt von Jahr zu Jahr; so daß Herr Reiner vielleicht in kurzer Zeit sich veranlaßt sehen wird, dem wachsenden Andrange der Fremden durch den Bau eines neuen Hauses zu genügen. Ein Hinderniß ist die hohe Lage des Oertchens (3014 W. F. Seehöhe), die der früh eintretenden Kälte wegen die Badesaison eine kurze Frist setzt. Die untenstehende Anmerkung enthält eine Vergleichung der mittleren Tagestemperatur zwischen Schmecks und Käsmark für die unseres Aufenthaltes in Schmecks, wobei der tiefe Temperaturstand in Käsmark die Beachtung des Lesers in Anspruch zu nehmen geeignet ist. **) —

---

*) Temperatur der unter der Terrasse liegenden Sauerquelle, und der süßen Quelle im Badehause:

Datum.	Sauerquelle.	Süße Quelle.
6. September	7·1°C.	6·9°C.
7. „	6·9 „	6·0 „
8. „	6·9 „	6·5 „
9. „	6·8 „	6·2 „
10. „	7·0 „	6·4 „
Mittel	6·94°C.	6·52°C.

**) Seehöhe von Schmecks 3014', von Käsmark 1983'. Unterschied 1031 W. F.

Datum	Mittlere Lufttemperatur	
	in Schmecks	in Käsmark
6. September	10·92°C.	12·00°C.
7. „	4·66 „	8·25 „
8. „	4·38 „	8·50 „
9. „	6·42 „	10·21 „
10. „	6·08 „	10·71 „
5tägiges Mittel	6·49°C.,	10·12°C.

Unterschied für Schmecks = — 3·63°C.

Anderntheils aber ist die frische reine Bergluft und der Harzgeruch des umliegenden Waldes kein unbedeutendes akzessorisches Mittel für die Heilung manches Uebels leichterer Art. Diese Vorzüge von Schmecks, im Verein mit der reichen und großartigen Natur umher, locken indeß auch andere Leute, die eben keiner Kur bedürfen, dahin, und lassen das kleine Bergdörflein mit seinem frischen, frohen Wald- und Bergleben den Reicheren der Umgebung als das geeignetste Plätzchen zu einem vergnüglichen Sommeraufenthalte erscheinen.

Die vorgerückte Jahreszeit hatte bereits den größten Theil der Badegäste von dannen gescheucht, doch gab es ihrer noch etwas über ein Dutzend, zu denen wir später theilweise in einige Beziehung traten. Da fand sich zuvörderst ein Graf K. aus Lemberg, ein kleines, ältliches Männchen, das einst als Oberst in der Napoleon'schen Kaisergarde diente und deßhalb noch manche, durch feinere Sitte und Weltbildung veredelte Soldatenmanier an sich trug. Er sprach französisch und deutsch mit prononcirter polnischer Betonung, spielte gerne Whist, gab uns eines Abends, in höchst amüsanter Weise, einige artige Kartenkunststückchen zum Besten, und trippelte mit unglaublicher Geschwindigkeit vom Kursaal ins Neugebäude oder von da in den Kursaal zurück. Er hatte auch seine Frau bei sich, was jedoch der Gesellschaft wenig Gewinn brachte, da sie eine Art Nonnenleben führte und sich unter Leuten niemals sehen ließ. — Dann kam ein Herr von Sch...., Privatier

---

Die mittlere Jahrestemperatur betrug im Jahre:
1853 für Wien 8·85°C., für Käsmark 5·71°C.
1854 „ „ 10·16 „ „ „ 5·73 „
2jähriges Mittel, für Wien 9·50°C., für Käsmark 5·72°C.
Das 80jährige Mittel für Wien beträgt indeß 10·06°C., daher der Unterschied für Käsmark = —4·34°C.
Eben so belief sich das Temperaturmittel des Septembermonats
1853 für Wien auf 15·21, für Käsmark 12·02
1854 „ „ „ 14·70 „ „ 9·82
2jähriges Mittel, für Wien 14·95, für Käsmark 10·92°C.,
woraus denn hervorgeht, daß der September dieses Jahr eine sehr ungünstige Witterung hatte, indem das Mittel aus den oben benannten fünf Tagen der ersten Monatshälfte schon um 0·8°C. tiefer steht, als das durchschnittliche Mittel des ganzen Monats.

aus Igló oder Neudorf in der Zips, ein biederer, gelassener, etwas
starkleibiger Mann, der nicht viele Worte machte und in seinem Gesichte den Stempel der Ehrenhaftigkeit trug; seine junge, schöne Frau
aber war die eigentliche Zierde der Gesellschaft — eine schlanke, blühende Gestalt, mit offenen Zügen, kindlichen Augen und unbefangenem,
anmuthig = natürlichem Benehmen. Als Magyarin von Geburt spricht
sie das Deutsche zwar flüssig und ohne störende Fehler, aber mit einem
Anfluge des ihren Landsleuten eigenthümlichen Akzents. Anfänglich
etwas kalt und zurückhaltend, ward sie nachher, als wir es niemals an
der ihr als Dame gebührenden Achtung fehlen ließen, in ihrer Haltung
frei und natürlich, und da auch ihr Gemahl sich uns näherte, so kam
sie, gewiß ohne Absicht, in kurzer Zeit dahin, nahezu der Mittelpunkt
unserer gesellschaftlichen Bewegung zu sein. So gut als wir diesem
Ehepaar ein freundliches Andenken bewahren, so gut wird auch dasselbe uns — so hoffen wir — nicht in das todte Meer des Vergessens
senken. — Folgt ferner ein Herr Ludwig D.... aus Pest, der als ungarischer Trauerspieldichter bereits einen Namen sich gegründet haben
soll. Nebst zwei anderen Dramen, auf deren Titel ich mich nicht mehr
entsinne, ist eines, Namens „Johann Gutenberg" das Produkt seiner
Muse. Diesmal war er damit beschäftigt, an ein großes historisches
Trauerspiel aus der ungarischen Geschichte, dessen Inhalt er mir gelegenheitlich einer Morgenpromenade auseinandersetzte, die letzte Feile
anzulegen. Es heißt „Ladislaus IV." und umfaßt den letzten Lebensab-
schnitt dieses zwar hochbegabten, aber in den Schlamm entwürdigen-
der Lüste versunkenen Königs. Herr von D.... selbst ist ein artiger,
freundlicher, anspruchsloser Mann, etwa 35 Jahre alt, schwunghaft in
seinen Ideen, natürlich in seiner Sprache, und von jener Lebhaftigkeit
und Elastizität in seinen Bewegungen, die seine Landsleute auszuzeich-
nen pflegt. — Auch eine ziemlich zahlreiche Sippschaft aus dem Reiche
Israel fand sich vor, u. z. ein Herr W.... aus Hunsdorf, mit Frau,
zwei netten Töchtern, Schwiegersohn u. dgl. — durchaus noble Leute,
mit hübschen Toiletten, feinen Redensarten und gesegnetem Säckel.
Zuletzt will ich noch eines Arztes aus Igló, und eines jungen Bergbe-
amten sammt Schurzfell und gepufften Aermeln erwähnen. — So
klein übrigens auch diese Gesellschaft war, so fehlte es ihr doch nicht

an einer gewissen Chronik mit pikanten Einzelheiten, wie sie vielleicht vorgekommen sein mochten, von der Mißgunst und Schadenfreude der Menschen aber wie gewöhnlich vergrößert, und als ganz zweifellos, gerne erzählt und umhergetragen wurden.

Der zweite Morgen ließ sich so trüb und regnerisch an, als es der vorige Tag gewesen, doch gab es später auch einige regenfreie Intervalle, die ich mit unserem Dichter zu einer kleinen Promenade nach der „Aussicht" benützte. Nachher kam neues, doppelt übellauniges Unwetter. Dies hielt jedoch die beiden Pfarrer von Mühlenbach und Groß-Schlagendorf nicht ab nach Schmecks zu kommen, um meinen geistlichen Reisegenossen ihren Besuch abzustatten, mit uns zu diniren, und des Nachmittags in unserer Gesellschaft, der sich auch das Sch....sche Ehepaar anschloß, eine Partie nach dem sogenannten Räubersteine zu unternehmen. Der Regen hatte nämlich aufgehört, die Temperatur der Luft war beträchtlich gefallen, und auf den höheren Theilen des Gebirges zeigte sich, als nun auch die Wolken von dannen flogen, frisch gefallener Schnee; ein sicheres Zeichen der gesunkenen Spannung der Dünste, und daher ein Vorbote besseren Wetters. Der Räuberstein besteht aus einigen, in zwei Partien zusammengetragenen, durchaus scharfkantigen Gneißblöcken von sehr ansehnlicher Größe, unter welchen einst, als die Gegend weniger bewohnt, und dieser Ort selbst noch nicht wie jetzt abgeholzt war, Räuber gehaust haben sollen. Sie liegen auf dem östlichen Abhange des Bierbrunnberges, vielleicht einige hundert Fuß höher als Schmecks, und gewähren eine ziemlich umfassende Uebersicht der Zipser Ebene in der Richtung gegen Käsmark. Nahe dem Ausgange des von der Eisthaler- und Lomnizerspitze herabkommenden Kohlbachthales gelegen, gestattete dieser Punkt einen anziehenden Einblick in die Wildnisse desselben, mit ihren unzähligen, wie gothische Thürme aufstrebenden, und in wilder Verwirrung übereinander gehäuften Hörnern, den hängenden Schroffen darunter und den grauen, langgestreckten Schutthalden dazwischen. Es war ein Bild von nicht geringer Wirkung. An der Thalmündung ließ sich ein Stück des großen Kohlbachfalles sehen, dessen Geräusch der Wind zeitweise bis zu uns herübertrug; er scheint ein mäßiges Naturwunder zu sein, obgleich sein Ruf in der Gegend sehr hoch steht. Der Einschnitt endlich, mit welchem sich das Kohlbachthal durch den platten Fuß des Gebirges in die Ebene hinaus fortsetzt, und der hier unmittelbar vor unseren Blicken lag, ist ein höchst unebenes, mit Felstrümmern von jeder Größe, in der Breite von reichlich 3000 Fuß, nicht sowohl überdecktes, als ganz und gar aus ihnen zusammengesetztes, und von Pflanzen nur kümmerlich über= zogenes Land, durch welches sich der Bach ein tiefes Rinnsal gegraben. Obgleich minder verwüstet und mit einer reicheren Vegetation bedeckt, reicht es bis zum Räuberstein und noch höher hinauf, und kann daher unmöglich durch das von den Bergen abstürzende Gewässer zusammen= geschwemmt worden sein. Der Annahme eines Bergsturzes steht die nach Meilen zu messende Längenerstreckung dieses Bergfußes, der neben der ganzen Front des Gebirges sich hinzieht, seine nahezu gleiche Breite, und sein, bei gleicher Entfernung vom Gebirge, nicht sehr wechselndes Niveau, im Wege. Und so bliebe denn zur Erklärung seines Entstehens nur mehr die Hypothese einer vormaligen Gletscherwirkung übrig, die durch spätere Wahrnehmungen über die Zusammensetzung dieses Berg= fußes an anderen Stellen, und über das Vorhandensein von Gletscher= schlifflächen, in höherem Grade noch gerechtfertigt würde.

Noch muß ich erwähnen, daß Abbé P..... weder an dieser, noch an einer der folgenden Erkursionen in die Umgebungen von Schmecks Theil nehmen konnte. Das jüdische Diner in Vasecz hatte es ihm ange= than. Gleich am ersten Abende unseres Schmecker Aufenthaltes befie= len ihn Ekel und Krämpfe im Unterleibe, die indeß nach dem Gebrauche von Bastler'schen Tropfen alsbald aufhörten, dafür aber eine allge= meine Indisposition zurückließen, die den Patienten zum Hüten des Zimmers und zu strenger Diät nöthigten. Ich bin überzeugt, daß die gesunde Luft in Schmecks allein ihn vor einem wirklichen Cholera=An= falle bewahrte.

Des folgenden Morgens, es war der des 8. Septembers, hatte sich endlich das Wetter so weit aufgeheitert, und die Luft so beträchtlich abgekühlt, daß wir uns für diesen Tag, der der Besteigung der Lom= nitzerspitze gewidmet wurde, eines dauernd günstigen Zustandes der Atmosphäre versichert halten konnten. Schon Tags vorher hatte Herr Reiner für zwei verläßliche Führer, und die treffliche Wirthin für die Zusammenstellung eines genügenden Viktualienvorraths bestens gesorgt.

Die Führer weckten uns um 5 Uhr, worauf Herr Kanonikus
H.... des Festtages wegen die Messe las, von uns beiden nachher das
Frühstück eingenommen, und etwas nach ½7 Uhr Morgens der Ausflug
angetreten wurde.

Die Luft war rein und frisch, und das Thermometer gab ihre
Temperatur um 6 Uhr Früh mit — 1°,6C. an, weshalb auch ein
ziemlich dicker Reif auf dem Grase lag, dessen Krystalle unter dem Sonnenlichte, das ihm freilich ein schnelles Ende bereitete, gleich unzähligen
winzig kleinen Diamanten funkelten. Der Weg erhebt sich, von den zwei oberen Sauerquellen angefangen, in nordöstlicher Richtung auf den waldigen
Rücken des Bierbrunnberges, den wir jetzt mit raschen Schritten über-
wanderten. Den Boden deckte allenthalben, bis nahe an die Grenze der
Baumregion hinauf, das niedere Strauchwerk der Heidel- und der Prei-
selbeere (Vaccinium myrtillus und V. Vitis Idaea) in dichter, wenig un-
terbrochener Masse. Hat man den jenseitigen, gegen das Kohlbachthal
schauenden Abhang des Berges erreicht, so senkt sich der gutgehaltene
Weg mit einigen Zickzack in das genannte Thal hinab, und bald erreicht man auch den Kohlbach selbst, der wild und lärmend über größere
und kleinere Granittrümmer hinwegschäumt. Nun geht es eine Weile
lang über ebenen, zum Theil sumpfigen Grasboden; dann kommt wieder Wald, aber er ist dünn, und seine Bäume sind, auf ihrer gegen
Norden gewendeten Seite, durch die aus dem oberen Thale hervorbre-
chenden Stürme meist arg zugerichtet und der Aeste ledig. Nun währt
es auch nicht mehr lange, bis man eine Brücke über den Kohlbach betritt, ober welcher sich der sogenannte „kleine Kohlbachfall" befindet,
der sein Renommé dem merkwürdigen Ereignisse verdankt, daß hier der
Bach in zwei Absätzen etwa 30 Fuß tief herabstürzt, und nebenbei
ein wenig Lärm macht. Wollte man in Tirol, im Pinzgau und in
Kärnthen dasselbe System befolgen, und jeden 30' hohen Wasserfall
zu einer Berühmtheit machen und mit einem eigenen Namen belegen —
es käme da der menschliche Verstand bald an sein Ende, und selbst die
Gebrüder Grimm würden an einer solchen Aufgabe zu Schanden. Das
Kohlbachthal ist übrigens an dieser Stelle schon beträchtlich enge, mit
Trümmermassen bedeckt, und von wildem, unwirthlichem Aussehen. Zur
Linken des nordwärts gewendeten Blickes stürzt die Schlagendorfer-

8

spitze mit steilen, fast senkrechten Wänden zu Thal; rechter Hand steigen, kaum weniger schroff, die bunten Granitmauern des Lomnitzerkamms empor, und in der Mitte ziehen die unsäglich zerscharteten Zinken und Nadeln des, beide Kohlbachthäler trennenden Mittelgraths, mit ihrer Entfernung an Höhe und Kühnheit immer wachsend, dem Zentralkamme zu. Mit Rücksicht für diejenigen, die die Lomnitzerspitze ersteigen, oder auch nur das kleine Kochbachthal besuchen wollen, ist es ein großer Nachtheil, daß sich der Weg vom Vierbrunnberge so tief zu Thal senkt, indem dadurch ein großer Theil der gewonnenen Höhe verloren geht, und durch neues Berganteigen wieder eingebracht werden muß. Bei der vorhin erwähnten Brücke ist man dem Vereinigungspunkte des großen und kleinen Kohlbachthales bereits vorübergegangen, weßhalb sich der Steig jetzt auf den waldigen Fuß des hier endigenden Mittelgraths erheben, und bald darauf wieder zu dem Bette des kleinen Kohlbaches herablassen muß, den er vermittelst einer leichten Brücke übersetzt. Das große Kohlbachthal bleibt sofort linker Hand, als eine öde, traurige, trümmererfüllte Wildniß liegen. Hier, wenn ich nicht irre, oder vielleicht auch schon früher, kommt dem Wanderer ein anderes, vielgerühmtes Wasserkunststück der Karpathen zu Gesicht, das den hochtrabenden Namen „Riesenfall" trägt, und dazu dient, das „kleine" Kohlbächlein über eine senkrechte Felswand, mit einem Ruck, 60 bis 80 Fuß tief hinabfallen zu lassen; eine Sache, die ganz geeignet ist, alle gewohnten Vorstellungen über das Kraftvermögen der Riesen zu Grunde zu richten. Von der kleinen Kohlbachbrücke angefangen, wird die Neigung der Thalsohle eine Weile lang etwas stärker, und der Weg steigt jetzt dieselbe Thalstufe hinan, die den Bach zu dem eben erwähnten Wasserfalle nöthigt. Dieses kleine Hinderniß ist nun ebenfalls der Ehre eines eigenen Namens theilhaftig geworden; es wird nämlich „Treppe" genannt, und ist in der That so unbedeutend, daß wir auf dem Rückwege, als wir unseren Führern voraneilten, es ganz und gar übersahen. Noch immer ist hier der Baumwuchs kräftig und der Boden von dem dichtesten Heidelbeergesträuppe überwuchert. Hat man die Höhe der Treppe erreicht, so liegt dem Auge die hohle Gasse des kleinen Kohlbachthales offen, eine tiefernste, schauerliche Steinwüstenei; ein altersgrauer, vom Zahn der Zeit zernagter und verschründeter Felsspalt, voll rauher, abschreckender Größe.

Für ernſte Wand'rer ließ die Urwelt liegen
In dieſem Thal verſteinert ihre Träume. (Lenau.)

Nach einer kleinen Weile wird der Weg wieder etwas ebener; doch
iſt er, der zerſtreut oder theilweiſe auch in chaotiſcher Unordnung übereinander liegenden Felsbrocken wegen, noch immer holprich genug.
Nach und nach werden auch die Bäume ſeltener, und die letzten Exemplare, zwei ehrwürdige, vom Schimmel des Alters überzogene Fichten,
ſahen wir, etwa eine Viertelſtunde abwärts des Feuerſteins, am rechten
Ufer des Baches. Nach Wahlenberg liegt in den Karpathen die obere
Grenze der Baumregion 4200 Fuß über dem Meere, und nur in einzelnen Fällen vermag ſie ſich bis zur Höhe von 4700 F. zu erheben. *)
Schon dieſer Umſtand allein iſt im Stande, die rauhe Natur der Karpathen ins Licht zu ſtellen. Im Salzburgiſchen liegt dieſelbe Grenze
5800 bis 5900, in den öſtlichen Centralalpen (Tirol) 6200 bis 6300
und im Berner Oberlande 6000 P. F. über dem Meere. **) — Das
Thal iſt hier auf beiden Seiten von ſehr ſteilen, faſt ſenkrechten Felswänden eingeſchloſſen, und nur auf der linken Thalhälfte zieht ſich ein
langes, an das Gebirge gelehntes, mit Krummholz und ſpärlichem
Graswuchs überdecktes Schuttprisma hin, und reicht bis zum Bache
herab. Auf der andern Seite aber ſteigen, vom Thalgrunde angefangen,
die ſteilen und zerriſſenen Felsgebilde des Mittelgraths ohne Vermittlung bis zu den Gipfeln empor, die in den kühnſten und bizarrſten Formen gegen den Himmel aufſtarren; und nur in den tiefern Einſchnitten
und Sinuoſitäten dieſer aller Vegetation ledigen Granitwand hängen
hie und da ein- bis zweitauſend Fuß hohe Schuttkegel ins Thal herab,
und verſtärken nur noch mehr den melancholiſchen Eindruck, den dieſe
wilde Schlucht hervorruft. — Nach anderthalb Stunden ſeit unſerem
Aufbruche von Schmecks langten wir bei dem ſogenannten Feuerſteine
an, der nichts anderes iſt als ein ungeheurer, neben dem Bache liegender Granitblock, auf einer Seite etwas zugeſchärft, und unter ſich einen
hohlen Raum bildend, in welchem, wenn nöthig, 6 bis 8 Menſchen
einen leiblichen Unterſtand gegen losgebrochenes Unwetter finden.

*) Sydow, Beskiden und Centralkarpathen, Seite 192.
**) Siehe die Tabelle, Seite 498, in den „Unterſuchungen über die öſtlichen Al-
pen ꝛc." der Brüder Schlagintweit.

8 *

Ich halte es für unnütz, bei der Nähe von Schmecks, an diesem vor Kälte, Wind und Nässe doch nur dürftig geschützten Orte zu übernachten, wie dies Manche thun, die, ihrer Kräfte nicht sicher, die Ersteigung der Lomnitzerspitze beabsichtigen. Ein anderthalbstündiger Marsch, von Schmecks bis hieher, wird keinen auch nur halbwegs geübten Bergsteiger wirklich ermüden können; ist dies aber bei Diesem oder Jenem eingetreten, und ist er früh Morgens von Schmecks aufgebrochen, so gönne er sich bei dem Feuersteine eine anderthalb- bis zweistündige Ruhe, um seine Kräfte wieder zu sammeln, da er nicht fürchten darf mit der noch übrigen Zeit zu kurz zu kommen. In solchem Falle aber ist es am besten, er lasse von seiner Absicht gänzlich ab, denn alle Mühsal bis zum Feuersteine ist nicht der hundertste Theil derjenigen, die ihn von hier an bis zum Gewinn des Gipfels erwartet. Unter dem Feuersteine ward das in Schmecks eingenommene Frühstück, nach Bergwandererart, mit bartgesottenen Eiern, Liptauer Käse, kaltem Fleische und gutem Hegyallya-Wein fördersam ergänzt. Noch war die Luft frisch: das Thermometer gab ihre Wärme um 8¼ Uhr Morgens mit + 2.° 8, die des Baches nebenan mit + 4.° 4, und die einer schönen Quelle einige hundert Schritte oberhalb des Feuersteins mit + 4.° 2 C. an. — Nach halbstündigem Aufenthalte ward aufgebrochen, erst etwa 1000 Schritte im ebenen Thalgrunde aufwärts gegangen, und dann rechtsab die Richtung gegen die Höhe genommen, wobei ein mäßig steiler, mit Krummholz und Steinschutt bedeckter Abhang betreten wurde. Hier trafen wir auch bald auf den am vorigen Tage gefallenen Schnee, der, im raschen Wegschmelzen begriffen, die Pfade naß und glatt machte, und bis auf die Höhe des Lomnitzerkamms, wo ihn die Sonne bereits gänzlich weggeschmolzen hatte, ein Hinderniß unserer Bewegung war. Nach etwa einer halben Stunde geraden Ansteigens bog der Weg gegen die rechte Seite ab, und führte bald darauf zur sogenannten „Probe", d. i. zu einem sehr steilen, mit glatten und wenig gangbaren Gneißtafeln bedeckten Felsspalt, der, obwohl von nur geringer Länge, einige Schwierigkeiten bot, namentlich in Beziehung auf die, durch die Vorangehenden unwillkürlich aus dem Gleichgewicht gebrachten und ins Rollen gerathenden Steine, wodurch, bei Mangel an Vorsicht, die Rückwärtsgehenden leicht beschädigt werden konnten. Früher schon hatten sich auf dem Ge-

birge Nebel gezeigt, die nach und nach an Menge, Umfang und Dichtigkeit zunahmen, meist aus der Tiefe heraufzogen, uns einholten, über
uns wegbuschten, und zeitweise an den höheren Theilen des Gebirges
hängen blieben. Diese Wahrnehmung betrübte uns einigermaßen; doch
hofften wir, es werde die Sonne, wenn sie gegen Mittag an Kraft
gewonnen haben wird, diese Dunstmassen zur Auflösung bringen. Wir
überlegten damals nicht, daß eben diese Wärme der eigentliche Grund
der Nebelbildung war, wie dies aus den weiter unten zu erklärenden
Zuständen der Atmosphäre deutlich hervorgehen wird. Jetzt geschah es,
daß wir nach einer neuen Wendung den, hoch über einer Wolke schwebenden, schrecklich gescharteten, und wie eine ungeheure Säge blickenden
Lomnitzerkamm vor uns sahen. War er etwa ein vergessenes Werkzeug
der Titanen, mit dem sie einst, ehe Ordnung ward in der Welt, dieses
Gebirge so jämmerlich zersägten und verwüsteten? Bei der geringen
Entfernung des Kamms von unserem damaligen Standpunkte, bei seiner Höhe, und bei dem Umstande, als ihm der Nebel unterhalb gleichsam den Boden unter den Füßen wegzog, schien er bereit, sich im nächsten
Augenblicke auf unsere Köpfe herabzustürzen. Wenn wir nun auch nicht
wirklich an die Möglichkeit eines so außerordentlichen Ereignisses glaubten,
so verursachte uns doch die etwas schwindliche Perspektive des Lomnitzerkamms, von dem uns bekannt war, daß wir ihn auf unserem Wege ersteigen mußten, einiges Mißbehagen. — Um ¼ nach 9 Uhr standen
wir bereits auf der „Kanzel," die aus einigen seltsam vorspringenden,
phantastisch hingestellten Granitsäulen besteht, von welchen weg man
frei in den Abgrund unter sich, und in viele Schrecknisse des Kohlbach-
thals nach Vogelart hineinblicken kann. Nebenan zog sich jetzt eine tief
in die Bergwand einschneidende Kluft, die Lomnitzer-Kammschlucht
genannt, von der Höhe ins Thal; wir selbst standen auf ihrer rechten
Seite, während der vorbeschriebene Sägekamm mit nackten, unsäglich
schroff abfallenden Felswänden sie auf ihrer linken Seite begleitete.
Nach weiterem, dreiviertelstündigem Klettern in den verworrensten Windungen, über tiefe Wasserrünste, über lockere Schutthalden, und theilweise über mageren Grasboden, erreichten wir endlich den Lomnitzerkamm, u. z. an einer Stelle, die der Richtung der Lomnitzerschlucht ent-
sprach, einen tiefen Einschnitt in den Berggrath bildete, und den eigent-

lichen Lomnitzerkamm, der sie um mindestens 1500 Fuß überragte, zur
rechten Hand liegen ließ. Von diesem Punkte aus, auf welchem wir
uns eine 15 Minuten lange Rast gönnten, hätten wir uns eines Blickes
in das Steinbachthal erfreuen können; aber dergleichen war jetzt unmöglich, denn die Tiefen lagen alle unter der Hülle einer grauen Nebelmasse verborgen, die wohl hin und wieder rückte, sich jedoch niemals
derart verschob, um uns den Boden des Thals sehen zu lassen. Eine
eigenthümliche Konduite beobachteten um diese Zeit unsere beiden Führer, die bezüglich ihrer Verdauungsorgane einen entsetzlichen horror
vacui an den Tag legten, wodurch sie also bedingungsweise mit der
Natur im Allgemeinen verglichen werden konnten. Denn obgleich sie
nicht allein in Schmecks, sondern auch beim Feuersteine, tüchtig gefrüh-
stückt hatten, so fühlten sie jetzt, also kaum anderthalb Stunden später,
neuerdings den bewußten horror, und trachteten sonach angelegentlichst,
das frisch entstandene vacuum mit Brot, Käse und Schnaps wieder
auszufüllen. Da sie hierin dem Beispiele der Natur folgten, so konnten
sie billigerweise nicht getadelt werden.

Ich fand nirgends, weder die Höhe des Feuersteins noch des Lomnitzerkammsattels angegeben. Erstere schätze ich nach der Nähe der
Baumgrenze und nach der durch die Temperatur der erwähnten Quelle
sich aussprechenden Bodenwärme auf 4300 bis 4400 — letztere aber,
die des Lomnitzerkammsattels nämlich, auf 6000 bis 6200 Fuß. [*]
Von hier aus wendete sich jetzt unser Weg gegen die linke Seite der
Lomnitzerspitze zu, die nun ganz in der Nähe, wohl noch etwa 2000
Fuß und darüber hoch, sich wild und trotzig in die tiefblaue Luft aufthürmte. Die Rauheit dieses Gipfels war so arg, daß er von hier aus
angesehen, ein riesiges Agglomerat von losen, mit möglichster Steilheit
kegelförmig aufgeschichteten Granitblöcken schien, die, in ihrer beispiello-
sen Zerrissenheit und weißgrauen Nacktheit, einen nahezu unheimlichen
Eindruck hervorbrachten. Ein eigenes Gefühl bemächtigt sich des Berg-

---

[*] Karl Reyemhol, in einem Werkchen unter dem Titel: „Vierzehn Tage in den
Central-Karpathen rc." gibt Seite 48 die Höhe des Kamms mit 5000 Fuß
an, was offenbar zu wenig ist, da in diesem Niveau, und noch weit höher,
die Legföhre gut fortkommt; auf dem Lomnitzerkammsattel aber war von Krummholz nirgends etwas wahrzunehmen.

wanderers bei dem Anblicke einer hohen und unnahbar scheinenden
Spitze, die er erklimmen soll; die Gefahren, von denen er las oder reden
hörte, regen seine Phantasie an; er denkt nach, ob ihm das Unternehmen der Ersteigung gelingen werde, und ein frommer Gedanke zieht
vielleicht erhebend durch seine Seele. Es war ¼ über 10 Uhr als wir
den Sattel verließen. Nach kurzer Zeit erreichten wir ein kleines Bächlein, das für die Höhe, auf der wir es fanden, und für die fast absolute
Vegetationslosigkeit der oberen Theile des Gebirges, alle Anerkennung
verdient. Es hatte sich einen tiefen Kunst durch das Gestein gefressen,
in welchem wir, etwas unterhalb unsers Weges, einen Fleck alten,
körnigen Schnees sahen, der ungefähr die Ausdehnung von zwei bis
drei mäßig großen Zimmern hatte, und wahrscheinlich einer jener
Gletscher war, die der Tatra den Ruf eines Eis- und Schneegebirges
zu Wege brachten. Weiter oben sahen wir in engen, von der Sonne
abgekehrten Schluchten noch einige Schneeansammlungen dieser Art.
In der Nähe jenes Bächleins hörte selbst der bisher ziemlich karge
Graswuchs auf, und unsere Füße betraten fortan nur mehr den nackten,
kaum hie und da von dünnen Flechten überzogenen Fels. Jeden, der
das fröhliche Grün der Alpen gesehen, jene üppigen, zusammenhängenden Grasmatten, die oft bis zur Höhe von 7000 Fuß hinauf eine
förmliche Wiesenkultur gestatten, und bis zu 8000 und 9000 Fuß den
Heerden ein reichliches Futter gewähren, den wird die Grasarmuth und
Sterilität der Karpathen überraschen. Und doch ist es ein Urgestein mit
reichem Feldspathgehalt, aus dem dies Gebirge besteht. Selbst den Kalkalpen im Norden Tirols, im Salzburgischen, in Oesterreich und Steiermark, mit ihren schroffen Klippen und scharfen Kämmen, muß in Beziehung auf Vegetation der Vorrang vor der Tatra eingeräumt werden.
Wahlenberg erwähnt, daß hier über 6500 Fuß hinauf alles kahl und
leer sei, und daß man im Tatragebirge an das dürre Antlitz der lappi-
schen Berge erinnert werde. Unverständlich aber sind die Worte Sydow's,
mit denen er, in seiner bereits mehrmals angeführten Schrift, den
Ausspruch des berühmten schwedischen Naturforschers zu widerlegen
sucht. Mag in den Thälern an einzelnen Stellen, wo etwas mehr Damm-
erde sich angesammelt, ein lebhafterer Pflanzenwuchs sich zeigen oder
nicht, so viel steht dennoch fest, daß das Tatragebirge, von 6000 Fuß

aufwärts im Allgemeinen ein höchst vegetationsarmes, nur von kahlem
Gestein beherrschtes Gebiet aufweist, und daß auch abwärts dieser Linie, auf den Abhängen bis zur Waldregion, der Pflanzenwuchs ärmlich ist, und das Gras meist nur in isolirten Büscheln, und kaum
irgendwo als dichte geschlossene Alpenmatte von einiger Größe angetroffen wird. Die Ursachen dieser Pflanzenarmuth des Tatragebirges
aber sind, nebst dessen beziehungsweise ungünstigen klimatischen Verhältnissen und der langsamen Verwitterung seines meist sehr festen
Granits, hauptsächlich die großen Abfallswinkel seiner Abhänge, die
überall eine bedeutendere Ansammlung der Verwitterungsprodukte des
Gesteins, und dadurch mittelbar eine kräftigere Entwicklung des Pflan-
zenwuchses verhindern.

Die Gesteinsart, aus welcher die Lomnitzerspitze besteht, kann nicht
unbedingt für Granit erklärt werden. Haben auch kleinere Handstücke
und selbst kleinere Blöcke allemal ein streng granitisches Gefüge, so ist
doch die Bergmasse im Ganzen deutlich geschichtet, und der Parallelis-
mus der Schichtflächen unverkennbar. Dies tritt besonders da klar zu
Tage, wo der Fels einen auf die Schichtung senkrechten Abbruch bildet.
Diese Schichten, deren Dicke oft zwei bis drei Fuß und darüber beträgt,
sind dagegen nirgends durch eine vermehrte Anhäufung eines oder des
anderen Bestandtheils des Granits von einander getrennt, sondern es
wird die Schichtung einzig und allein durch feine Kontinuitätsstörungen
in der Masse hervorgebracht, die auf die innere Textur der Felsart keinen Einfluß nehmen, dem Ganzen aber ein blätteriges Ansehen geben.
Ich möchte die Felsart Gneißgranit nennen. Die Schichtung streicht
beiläufig von Ost nach West und erscheint auf der nördlichen Seite,
d. h. gegen die Spitze zu, gehoben, was denn zur Folge hatte, daß der
größte Theil der unzähligen Klippen und Nadeln, sowohl hier als auf
dem Lomnitzerkamm, gegen Norden hin geneigt erscheinen, und manche
unter ihnen oft weit überhängen und die abenteuerlichsten Gestalten
zeigen; bald sind es Sägezähne, bald schiefe Zacken und Zinnen, bald
hängende Thürme und dgl. Diese Schichtung des Granits ist aber auch
der Hauptgrund der, beziehungsweise zur ungeheuren Schroffheit, nicht
allzu schwierigen Ersteigung der Lomnitzerspitze. Durch die Abschälung
der oberen Schichtentheile geht fast allenthalben ein Schichtenkopf zu

Tage, wodurch sich die Abhänge zu einem verworrenen Stufenwerk ge-
stalteten, das, seiner Festigkeit wegen, das Emporklimmen weder sehr
ermüdend noch gefährlich macht. Mühsam bleibt es indeß in allen Fällen,
besonders für den Ungeübten; und wer seinen Kopf nicht vollkommen
schwindelfrei weiß, der könnte hier an manchen Stellen allerdings in
kritische Lagen gerathen. Auch ist es wahr, daß man oft genug mit den
Händen zugreifen muß, um sich über manche hohe Stufe hinüberzuhelfen,
und daß sich zuweilen für den Tritt nur eine schmale Felsenkante darbietet; aber eine wesentliche Gefahr geht daraus für den muthigen und
kräftigen Bergsteiger doch nirgends hervor. Denn wo dem Fuße für
einen Augenblick auch die nöthige Stütze fehlt, da finden die Hände
hinreichende Gelegenheit, die erforderliche Sicherheit wieder herzustellen.
Wahrhaft lächerlich ist deßhalb all dasjenige, was Karl Reyemhol, ein
kühner Mann aus preußisch Schlesien, über die schrecklichen Obstakeln
und Gefahren der Besteigung des Lomnitzergipfels weitläufig von sich
gibt. Zuvörderst stellt er die bescheidene Meinung auf, daß nur wenige
außer ihm die Spitze erstiegen haben können; denn viel, so lauten seine
Worte, höre man rechts und links von dem Besteigen der Lomnitzerspitze schwatzen, forsche man aber etwas näher nach, so werde man finden, daß nur selten Einer das Wagstück wirklich unternommen hat. Auf
dem Wege zum Gipfel aber schlägt das Herz hörbar in der Brust;
heimlich und laut spricht man sich und den Kameraden Muth zu, und
der angstvolle Zweifel an ein Herunterkommen bei lebendigem Leibe
soll unwillkürlich werden. Auch schlauer Mienen sogar muß sich jetzt
der Führer befleißen, um die Courage der Reisenden förderlichst zu sti-
muliren, und frägt ihn Einer um das Ende der grausen Noth, so bleibt
er die Antwort schuldig. Dabei ist aber immer alle Aufmerksamkeit
darauf gerichtet, daß man den eigenen rechten Fuß genau auf die Stelle
setze, auf die der Führer den seinigen setzte, und eine gleiche Vorsicht wird
auch bezüglich des linken Fußes beobachtet; u. s. f. — Ist uns bei solchen Worten nicht der Wunsch verzeihlich, es möchte Herr Karl Reyemhol im vorigen Jahre die Partie auf den Großglockner in unserer
Gesellschaft mitgemacht haben? Die erwähnte Schilderung trug übrigens die Schuld daran, daß uns, vor der That, die Besteigung der
Lomnitzerspitze weit mehr imponirte, als die Höhe derselben, die in den

Centralalpen der Schweiz und Tirols nur wenig beachtet würde, und die nachherige Erfahrung zu rechtfertigen vermochte.

Längere Zeit hindurch hielt sich unser Weg auf der östlichen Seite des von der Spitze zum Lomnitzerkammsattel herabstreichenden Felsrückens, bis wir ihn, etwa eine halbe Stunde vor dem Gewinn des Gipfels, überschritten, und nun auf dem, dem Kohlbachthale zugekehrten Abhange weiter kletterten. Am steilsten ist unstreitig das letzte Stückchen des Weges, d. h. die letzten hundert oder zweihundert Fuße zur Spitze hinauf, und hier befindet sich eine Stelle, die kaum um ein Merkliches steiler ist als manche andere Strecke, und „Matirka's Umkehr" heißt. Der Name rührt daher, daß Herr Matirka, der würdige Pfarrer von Groß-Schlagendorf, derselbe, in dessen Gesellschaft wir Tags vorher die Promenade zum Räubersteine unternahmen, bei Gelegenheit einer vor wenigen Jahren ausgeführten Besteigung der Lomnitzerspitze, hier vom Schwindel ergriffen wurde und zurückbleiben mußte. Durch die Führer wird diese Bezeichnung ohne Zweifel fortgepflanzt werden, und erreicht sie die Nachwelt, so wird Herrn Matirka's Name diesfalls aus ähnlichem Grunde Berühmtheit erlangen, aus welchem der Name manches Generals nur deshalb in der Geschichte fortlebt, weil er da oder dort eine Schlacht verloren.

Noch fehlten einige Minuten auf halb zwölf Uhr, als wir den Gipfel des Berges betraten. Es waren daher nicht volle drei Stunden seit unserem Aufbruche von dem Feuersteine, und kaum ¼ Stunden seit jenem vom Lomnitzerkammsattel verstrichen. Die Führer hatten die Artigkeit uns zu versichern, daß noch nie ein Fremder unter denen, die sie bisher geführt, den Gipfel in so kurzer Zeit erreichte. Die Höhe der Lomnitzerspitze ist verschieden angegeben worden. Bei der im Jahre 1842 ausgeführten Katastralvermessung Galliziens, wurde sie mit 8530½ W. F. berechnet. Die Anmerkung unten enthält die übrigen aus barometrischen Messungen hervorgegangenen Bestimmungen. °) — Leider aber bot uns dieser hohe

---

*) Siehe Sydow's Beskiden und Centrallarpathen, Seite 383.

7470 P. F. nach Beudant,		8200 F.	
7942 „ „ „ Wahlenberg,		8316 „	nach Andern.
8133 „ „ „ Oeseld,		9180 „	
8100 „ „ „ Townson,			

Punkt jetzt nicht jene umfassende und herrliche Fernsicht, die er unter anderen, günstigeren Umständen zu bieten vermag. Weder von dem reichen,
blühenden Tieflande der Zips, noch von der unermeßlichen polnischen Ebene
war diesmal irgend etwas sichtbar. Obgleich der höhere Theil des Gebirges im hellsten Sonnenlichte stand, so war dafür die Tiefe, u. z. die naben
Thäler so gut wie die entfernteren Ebenen, von einer dichten, vollkommen
zusammenhängenden, überall scheinbar gleich hohen, und auch in ihrer
Farbe nur sehr unbedeutende Verschiedenheiten aufweisenden Nebelschichte
bedeckt, die auch keinen Augenblick lang auseinander rückte, um uns irgend
ein Objekt des tieferen Landes erblicken zu lassen. Nur der die Zipser
Ebene südlich abgrenzende hohe Bergkamm, welchem der Königsberg
angehört, und auf der nördlichen Seite irgend ein hoher Punkt der Arvaer Karpathen, etwa die Babagura, waren diejenigen entfernteren Gegenstände, die aus der allgemeinen Nebelhülle mit klaren und sicheren
Umrissen heraustraten. Dafür aber bot diese einförmige, stockende
Dunstdecke eine Täuschung, deren Reiz vielleicht dem Genusse des reinsten
Wetters nahe kam. Sie gab nämlich allem tieferen Lande, hüben wie
drüben, das Ansehen, als sei es von einer ungeheuren, weißleuchtenden
See bedeckt, aus deren Mitte das Tatragebirge als eine wilde, felsige
Insel emporragte. Besonders gegen Süden hatte dieses Meer, dessen
Wogen unter dem wehenden Nordost langsam dahintrieben, einen durch
nichts gestörten Zusammenhang, und hier war denn auch die Illusion
so vollkommen, wie sie nicht besser zu wünschen gewesen wäre. Es würde
zu weit führen, den Grund dieser schönen, wenn auch nicht seltenen,
Erscheinung auseinander zu setzen. Dem Meteorologen aber werden folgende Daten genügen: Auf der Spitze blies der Wind heftig und kalt
aus Nordost, und die Temperatur stand daselbst auf — 1° 6 C.,
während in Schmecks windstilles Wetter herrschte, und das Thermometer um 2 Uhr Nachmittags 12° R. — 15° C. zeigte. Die mittlere
Höhe dieser Wolkenbank mochte ungefähr, nach den fünf Seen im kleinen
Kohlbachthal beurtheilt, von denen sich zeitweise einer oder der andere
erblicken ließ, 6200 bis 6500 Fuß betragen haben.

Was sich aber ungeachtet des Nebels in der Tiefe in hinreichendem
Grade übersehen ließ, das war der Bergstock selbst, mit dem größten
Theile seiner Spitzen, einem guten Stücke seines Hauptkamms, mit

mehreren Seitenkämmen, und den Thalbepreſſionen dazwiſchen. Die Lomnitzerſpitze nimmt in dieſem Gebirge durchaus keine ſo weitaus dominirende Stellung ein, um eine vollſtändige Ueberſicht aller Theile gewähren zu können. Liegt ſie doch nicht ſelbſt im Centralkamme, ſondern etwas ſüdwärts deſſelben, wodurch ihr von einigen hochragenden Spitzen, der ganze nördliche, gegen Gallizien gewendete Abfall des Gebirges bis weit ins Land hinein verdeckt wird. Doch war dasjenige, was unſer Auge von hier aus umſpannen konnte, durchaus nicht wenig, und ſchloß im Allgemeinen faſt die ganze, vierthalb Meilen betragende Längenentwicklung des Tatraſyſtems in ſich ein. Nicht minder hieße es der Wahrheit ihr Recht entziehen, wenn wir den pittoresken Effekt dieſes Felſenlabyrinths nicht in hohem Grade großartig nennen wollten. Wie fuhren ſie da durcheinander dieſe nackten, ſchneidigen Kämme, mit ihren unſäglich wilden Umrißlinien, und den tiefen, ſpaltartigen, trümmererfüllten Thälern dazwiſchen, aus denen hie und da ein grünblaues Meerauge, d. h. ein kleiner See, hervorblickte! Und dieſe grauen Felſenſcheitel, die ſich den Stolz des Gebirges nennen, wie ernſt und düſter ſtrecken ſie nicht ihre Häupter zum Himmel auf, und wie grimmig iſt nicht ihr Antlitz, als ſännen ſie auf Selbſtmord durch einen Sturz in die nahen Abgründe! Da ſteht rechter Hand, wenn wir uns mit dem Geſichte gegen Norden wenden, erſt der Durlsberg, dann etwas näher der weiße Seethurm, der rothe Seethurm, und gerade vor uns der ſchreckliche, nie erſtiegene Karfunkelthurm, von dem im Volk die Sage geht, daß einſt des „alten Teifels Sohn vom Schloß" aus Liebe zu einem wunderſchönen Hirtenmädchen ihn dennoch erklomm, — denn was kann die Liebe nicht — und von ſeiner Spitze den, durch eine Fee dortſelbſt befeſtigten, unſchätzbaren Karfunkel mit ſeinem Piſtol herabſchoß, darob aber in den See hinabſtürzte, wo er in dem Zauberkreiſe der Feen alsbald ſein Erdendaſein und Hirtenmädchen vergaß. — Nebenan, doch ſchon etwas weſtlich, ſteht die Eisthalerſpitze oder der ſchwarze Seethurm, der König unter allen dieſen Thürmen, ein nadelartig zugeſpitzter Gipfel, an deſſen ſüdlichem Fuß aus einigen Firnflecken im Geklüft, das kleine Kohlbachthal entſpringt. Dann folgen, noch immer im Hauptkamm oder ihm ſehr nahe ſtehend, der Kaſtenberg, der ins große Kohlbachthal hineinſieht, die Wiſſoka, und als Schlußſtein der ſtolzen Bergbaute, das ſchöne Krummhorn des großen Krivan.

Am Südrande des Gebirges kommen sofort der Esabi, die Mengs-
dorfer- und Gerlsdorferspitze, letztere kaum niedriger als die Höhe auf
der wir stehen, die Schlagendorferspitze, dann in südlicher Richtung neben uns die Käsmarkerspitze, als der höchste unter den vielen
Zacken den Lomnitzerkammes, und zuletzt etwas östlich desselben, auf der
andern Seite des Steinbachthales, der grüne Seethurm. *)

Anderntheils aber konnte sich uns nirgends mehr als hier der
Charakter dieses eigenthümlichen Gebirges offenbaren: jene allgemeine
grause Zerissenheit, Zertrümmerung und Nacktheit, die ihm den Anschein gaben, als ob alle zerstörenden Kräfte der Urwelt Jahrtausende
lang sich abgemüht hätten, um es aufs Aergste zu verwüsten. Deshalb
aber auch nirgends eine breite, in sanfteren Linien sich erhebende Masse;
deshalb alles Unruhe in dem Bilde, und gegensatzlose, unvermittelte
Wildheit. Nirgends durfte das Auge auf dem heiteren Frieden einer
unter dem Sonnenlichte grünleuchtenden Alpenmatte haften; nirgends
sich an der silbernen Pracht eines schimmernden Eis- oder Schneefel-
des erfreuen. Die Alpenwirthschaft ist in diesem Theile des Gebirges,
zum mindesten auf der ungarischen Seite, völlig unbekannt. Da gibt
es keine Sennhütten und keine lustigen Sennerinnen; kein Gesang er-
tönt auf den rauhen Berghalden; kein gellender Alpenruf und kein
schallendes Heerdengeläut verkündet hier jenes poetische Bergleben, das
die Alpen so reizend macht und deshalb zur Winterszeit in den Träumen des Aelplers lebt. Hier scheint die Natur alt und krank, und erschöpft von den zerstörenden Gluten einer leidenschaftlich durchlebten
Jugend. Und so mag denn die Summe aller dieser Eigenthümlichkeiten dem Tatragebirge eine gewisse rauhe Großartigkeit verleihen, aber

---

*) Die Höhen aller dieser Berge sind wie folgt gemessen oder geschätzt worden:

Durlsberg	5586 Fuß	Mengsdorfer Spitze	7800 Fuß
Weißer Seethurm	6700 „	Batsdorfer „	7800 „
Rother Seethurm	7200 „	Gerlsdorfer „	8000 „
Karfunkelthurm	7200 „	Schlagendorfer „	7200 „
Eisthalerspitze	8146 „	Käsmarker „	7974 „
Kastenberg	7200 „	Esabi	7800 „
Wissoka-hora	7800 „	Grüner Seethurm	7700 „
Gr. Krivan	7668 „		

schön und anziehend konnte es dadurch nicht werden. Seit ich die Tatra gesehen, sind mir die Alpen noch viel lieber geworden.

Die Oberfläche des Gipfels ist so beschränkt und schmal, daß höchstens zwölf Personen nothdürftig und ohne Gefahr darauf stehen könnten. Einen ansehnlichen Theil dieses Raumes nimmt die Triangulirungspyramide ein. Dieses einfache, von Holz erbaute, und an den Felsgrund befestigte Gerüst, das bisher jahrelang den Stürmen auf dieser Höhe so wacker widerstand, bot jetzt einen sonderbaren, äußerst merkwürdigen und, wie ich glaube, nicht ganz leicht erklärbaren Anblick dar. Sie war nämlich auf der nördlichen Seite aller einzelnen Bestandtheile mit weißen, horizontal gestellten, dicht aneinander gerückten Eisnadeln besetzt, welche an den oberen Theilen der Pyramide eine Länge von 4 bis 5, und an den unteren von 1½ bis 2 Zoll hatten. Die Dicke dieser Nadeln stand dort, wo sie am Holze aufsaßen, und wo allein eine Berührung derselben unter sich statt hatte, im Verhältnisse zu ihren Längen, und wechselte von ¾ bis zu ¼ Zoll; doch war ihr Querdurchschnitt nur an den bemerkten Stellen kreisförmig; gegen die Spitze aber liefen sie ohne Ausnahme lamellenförmig zu, wurden da oft auch etwas breiter, und hatten, ebenso ausnahmslos, ihre scharfen Seiten nach oben und unten gekehrt. Sie glichen daher einigermaßen gewissen stumpfen Tischmessern mit runden Heften. Alle südlich exponirten Flächen des Gerüstes waren von jedem atmosphärischen Niederschlage vollkommen frei, auf den östlichen und westlichen aber lag eine dünne Reifschichte.

Der heftige und schneidig kalte Wind, der über das Gebirg fegte, litt indeß kein langes Verweilen auf dem Gipfel, und nöthigte uns, einige Fuß tiefer auf dem südlichen Abhange ein dem Luftstriche weniger zugängliches Plätzchen aufzusuchen, wo wir unser Mittagmahl einnehmen konnten. Nachdem dies geschehen und alles Mögliche gesehen und beobachtet war, traten wir um ½1 Uhr Nachmittags unseren Rückweg an, den wir, selbst über die schwierigeren Partien des rauhen Steiges, ohne Anstand fortsetzten. Da war, wir müssen dies leider abermals Herrn Karl Meyemhol aus preußisch Schlesien zu Gehör reden, weder von einer frequenten Hilfe seitens eines nicht leicht nennbaren „praktischen" Körpertheiles, noch von zerrissenen Beinkleidern und

Handschuhen die Rede, und ich erinnere mich bloß eines einzigen Falles, wo ich mit meinem Körper etwas hart an eine Felsenkante streifte. Auch bedurften wir nicht dreier, sondern einer einzigen Stunde, um den Lomnitzerkammsattel wieder zu erreichen, wo unser aszetisches Führerpaar, ungeachtet der so eben abgehaltenen Mahlzeit auf der Spitze, neuerdings von dem bewußten horror befallen wurde. Ich glaube es ist überflüssig zu bemerken, daß das Medikament, welches diese Anfälle besänftigte, aus unserer Reiseapotheke stammte, die von der erfahrenen Wirthin in Schmecks zu diesem Ende bestens bestellt worden war. Um 3 Uhr, genau dritthalb Stunden seit unserem Aufbruche von der Spitze, saßen wir wieder unter dem Feuersteine im kleinen Kohlbachthale und gönnten uns eine halbstündige Rast, die unsere Führer zu abermaligen Kauübungen und reichlichen Schnapslibationen benützten. Ich maß indeß die Temperatur des Baches und der Quelle, und fand beide zu 4°,6 C. *) — Mit raschen Schritten gings sofort dem Bade Schmecks zu, so daß die beiden Führer, die ob des Druckes ihrer internen Belastung feuchten, weit hinter uns zurückblieben, und wir, unter den vielen das Waldrevier des Bierbrunnberges durchkreuzenden Wegen, den rechten errathen mußten, was uns auch glücklicherweise gelang. Unsere Uhren zeigten 10 Minuten vor 5 Uhr Nachmittags, als wir das Neugebäude, und damit unsere Wohnung wieder erreichten. Erst eine starke halbe Stunde später langten die beiden Führer an, und hatten mittlerweile, zu meinem Bedauern, das von mir mit vieler Mühe abgebrochene Handstück jenes sehr festen, röthlichen Granits verloren, der den höchsten Theil der Lomnitzerspitze zusammensetzt.

Wie freuten wir uns, wieder in gewöhnlichem Kleide und ohne die schweren Bergschuhe unter Menschen erscheinen zu können! Ich war ungeachtet des raschen Ganges nicht sehr ermüdet; wie denn diese Tour überhaupt, wenn auch nicht unter die kleinen, doch auch nicht unter die großen und sehr beschwerlichen gehört.

Zum Schlusse bezüglich des Kohlbachs noch eine kurze Notiz. Dieses Thal wird bald Kahlbach- und bald Kohlbachthal genannt. Die

_____

*) Die Temperatur des Baches war daher' seit Morgens halb 9 Uhr um 0°,2, und die der Quelle um 0°,4 C gestiegen.

Gelehrten, die gewöhnlich alles anders nennen, als es wirklich heißt, schreiben Kahlbach, während man an Ort und Stelle durchweg Kohlbach sagt. Aus diesem Grunde habe ich meines Orts mich an die letzterwähnte Bezeichnung gehalten. Nun ist aber ein Diplom vorhanden, laut welchem König Bela IV. im Jahre 1258 den Ansiedlern unter der Zipserburg, weil es den Bürgern nützlich zu sein befunden worden (ein allerdings sehr plausibler Grund), die Länderei „Kaltbach" im Gebirge schenkt, und ihre bisherigen Besitzer durch andere Ländereien entschädigt. Daraus geht denn hervor, daß man weder Kohlbach noch Kahlbach, sondern Kaltbach zu sagen hätte.

Der heiterste Himmel lachte dem nächsten Morgen und dem ganzen übrigen Tage, und ließ uns fast bedauern, daß wir die Partie auf die Lomnitzerspitze nicht um 24 Stunden später unternommen. Doch das war nun nicht mehr zu ändern, und so ließen wir uns denn über diesen relativen Verlust kein graues Haar wachsen.

> What cannot be repaired,
> That shall not be regretted.

Der Spruch ist zwar nicht sehr gemüthvoll, aber praktisch, und hielt Stich für diesmal. — Erst ward, des Sonntags wegen, die heilige Messe besucht, und dann eine Weile lang im Freien flaniert, was sich jedoch in Bälde, Angesichts der offensiven Haltung rauher Lüfte, als völlig unkomfortable erwies. Mehr war unter solchen Umständen die Allianz mit dem Kamin im Kursalon vorzuziehen, dessen Kundgebungen wärmster Freundschaft wir mit geziemender Anerkennung entgegennahmen. Für den Nachmittag war eine Kavalkade nach dem Felkathale vorgeschlagen worden, aber das Diner und der schwarze Kaffee nahmen zu viel der schönen Zeit hinweg, weshalb jenes Projekt für diesmal unausgeführt blieb; dafür aber eine Promenade nach dem Räubersteine unternommen wurde. Die Gesellschaft bestand aus unserem Kanonikus, aus Frau von Sch....., aus meiner Person und aus Herrn Reiner, der so gefällig war die Rolle des Wegweisers zu übernehmen. Der Spaziergang war zwar nur die Wiederholung eines früheren, aber das helle Wetter, und die reine, wundervolle Aussicht in die Zipser Ebene hinab, machten ihn uns dennoch neu, und stimmten alles heiter und vergnügt. Auf dem Räubersteine angelangt, ward von mir die Besteigung einer nahen kahlen Kuppe vorgeschlagen, die mir ganz geeignet schien, unseren sichtbaren Horizont nach der westlichen Seite hin erweitern zu können. In einem Viertelstündchen war die Höhe erklommen, und der Gewinn augenscheinlich. Alles Land von Teplitz zur Rechten bis Lublau, und all das bunte, reizende Hügelwerk südlich der Popper, lag, mit allen seinen zierlichen Städtchen und freundlichen Dörfern, offen vor unseren Blicken. Wir sahen von hier aus mit freiem Auge nicht weniger als 11 Städte und 32 Dörfer. Es war eine Fernsicht so schön und reich, wie sie ohne innige Freude gewiß nicht hätte genossen werden können.

Eben so reizend war der Heimweg, wobei wir oberhalb Schmecks eines wenn auch räumlich beschränkten, dafür aber intensiv um so schöneren, höchst malerischen Anblickes des Königsberges uns erfreuen durften. Auf dem hohen Kamme dieses Berges lagen jetzt niedrige, leichte Haufenwolken, die von der untergehenden Sonne tief rosenroth gefärbt, in ihrer scheinbaren Unbeweglichkeit ganz und gar entfernten, im Abendglühen begriffenen, eisbedeckten Bergdomen glichen, vor deren hellem energischen Schimmer das vordere, tiefliegende Land bereits in die ruhigen, kalten, fast schwermüthigen Farbentöne der abendlichen Schatten versank. Ein zierlicher, baumreicher Vordergrund vollendete die pittoreske Anmuth dieses reizenden Bildes.

Der nächste und letzte Tag unsers Aufenthalts in Schmecks brachte die, schon für den vorigen Nachmittag beantragt gewesene, Exkursion in das Felkathal, an der, außer dem Kanonikus und mir, noch Herr und Frau von Sch.. .., ein Maler Namens Canty aus Schlesien, und des Letzteren Freund und Begleiter, Herr Jurkovitsch, Beamter zu Käsmark, Theil nahmen. Diese beiden Herren kannten wir bereits von dem Diner in Käsmark her. Um 7 Uhr Morgens sollte von Schmecks aufgebrochen werden; aber es dauerte beträchtlich länger bis sich die Gesellschaft zusammenfand, und billigerweise zuletzt erschien Frau von Sch...., der indeß als Dame ein kleiner Zeitverstoß nicht hoch angerechnet werden durfte. Es waren vier Pferde bestellt worden, die, als sie sich präsentirten, außerordentlich wenig Figur machten, struppicht und ungewaschen drein sahen und der Kavalkade nicht eben viel Glanz und Lebhaftigkeit zu verleihen versprachen. Um 8 Uhr ward endlich aufgebrochen. Ich hatte einen dickhalsigen, starkknochigen, häßlichen

9

Schweißfuchs unter mir, dem eine unbestimmte Zahl Kletten in den
Mähnen saß; H . . . . . saß auf einem mißgestalteten Pony, Herr von
Sch . . . . . bekam einen dicken, ungeschlachten Schimmel, und nur der
Lichtbraun, auf dem die junge, schöne Frau saß, konnte sich etwas ge-
fälligerer Formen rühmen. Aber die Figur war am Ende bei diesen
Pferden doch nur Nebensache; es waren Saumthiere, die über den rauhen Bergsteig mit wunderbarer Sicherheit hinschritten, und dann am besten
gingen wenn man sie mit den gewöhnlichen Hilfen so wenig als möglich hofmeisterte. — Gleich der Beginn des Unternehmens ließ sich ein
wenig kritisch-an; denn Frau von Sch . . . . ., des Reitens ungewohnt,
griff ihrem Zelter etwas zu stark in die Zügel, worauf derselbe zu schreien
und mit den Hinterfüßen auszuschlagen begann. Seine Reiterin blieb
jedoch fest im Sattel, und eine kleine Belehrung reichte hin, es in ge-
ordneten Gang zu bringen. — Das Felkathal kommt westlich von
Schmecks aus dem Gebirge herab, weßhalb unser Weg, vom Neugebäude weg, seine Richtung gegen Westen nahm. Dicke Nebel hatten
sich früher schon auf der Schlagendorferspitze angesammelt, doch schienen
sie uns, da die Sonne noch immer heiter drein sah, von keiner üblen
Vorbedeutung. Und so giugs, unter allerlei Aeußerungen der Fröhlichkeit, lustig vorwärts in den Wald hinein, der, dicht und verworren,
den breiten Bergfuß bedeckt. Aber schon nach einer halben Stunde
fing es zu nieseln an, und noch eine halbe Stunde später brach ein
förmlicher Regen los, der bald etwas schwächer bald wieder stärker
wurde, und neben unsere heutige Absicht ein bedeutendes Fragezeichen
hinstellen zu wollen schien. — Das elegante weiße Kleid der schönen
Frau litt sichtlich; mein eigener grauer Paletot ward noch viel grauer;
H . . . .'s leiser Melodienschatz verstummte, und des Maler's Zeichen-
requisiten hatten fast einen besseren Schutz vonnöthen, als ihnen die
Mappe gewähren konnte. Da wurden Stimmen laut, die zur Umkehr
mahnten, wogegen andere wieder zum Ausharren aufforderten, weil,
wie sie meinten, auf eine baldige Besserung des Unwetters zu hoffen
sei. Da machte Johannes Breuer, der leitende Genius der Gesellschaft,
derselbe, der uns auch den Weg zur Lomnitzerspitze gezeigt hatte, den
Vorschlag, den Schutz eines tüchtigen, breitästigen Baumes aufzusuchen,
um da mit mehr Ruhe eine entschiedene Wendung des Wetters abwarten

zu können. Der Antrag wurde angenommen. An der Lisiere des Waldes fand sich eine hochstämmige Fichte, und neben ihr ein Haufen trockenen Reisigs, das zur Niederlassung einlud. Bald war für die junge Frau, deren Fuß die Kälte des Steigbügels bereits schmerzlich empfand, ein leidlicher Sitz hergerichtet, und gleichzeitig loderte nebenan das zusammengetragene dürre Unterholz in mächtigen Flammen auf. Des Malers großer Sonnenschirm mußte als Schutzmittel gegen den hin und her wehenden Rauch herhalten, und der mitgeführte Wein bekam die Aufgabe, unser Blut in eine der herrschenden Kälte mehr angemessene Temperatur zu versetzen. Wir anderen nahmen rund um den Baum Platz, und ließen es an allerlei Scherzen, Gesängen, Witzen und anderem aufmunternden Schnickschnack nicht fehlen. Der Regen hatte gut prasseln, der Wind gut rauschen — sie überwältigten die muthwillige Laune dieses lustigen Nomadenvölkleins nicht. Johannes ging indeß immer ab und zu, und brachte bald neues Feuermaterial, bald ganze Gebüsche von Himbeer- und Heidelbeersträuchern herbei, deren Vertheilung viele Großmuthsübungen und Galanterien weckte, und manchen Spaß hervor rief. Dann und wann hörte wohl auch der Regen auf, und die Sonne ließ sich zur Sünde der Heuchelei verleiten, indem sie uns Momente lang ein freundliches Antlitz zeigte, das jedoch von der schwarzen Wolkenmasse auf dem nahen Gebirge oft sehr bald nachdrücklichst verläugnet wurde.

Nachdem wir nun auf diese Art etwa anderthalb Stunden lang im improvisirten Bivouak gestanden hatten, und das Wetter zuletzt eine Neigung zum Besseren an den Tag legte, ward nach vorhergegangener Entscheidung durch das Loos die Fahrt in das Felkathal von neuem angetreten. Fast that es mir leid um die romantische Lagerszene, mit ihrer frischen Waldlust, mit ihrer Abstraktion von allem Firlefanz der großen Welt, und dem sprungweisen geistigen Näherrücken von Personen, die einige Tage vorher nicht einmal eine Ahnung von einander hatten. Uebrigens war die Fortsetzung des einmal begonnenen Unternehmens ganz nach meinem Sinne. Vorerst gings noch eine nicht bedeutende, abgestockte Höhe hinan, deren jenseitiger Abhang schon dem Felkathal angehörte, und von wo sich bereits ein gutes Stück der unteren Thalstrecke übersehen ließ. Wie im kleinen Kohlbachthale, war hier der Thal-

9 *

grund erst mit Wald und dann mit dem Gestrüpp der Legföhre bedeckt, das aus rauhem Trümmerboden aufrankte, und den armen Pferden durch die Ueberkleidung des oft unbeschreiblich unebenen Weges nicht wenig Ungemach bereitete. In diesem Gestrüpp fanden wir die wilden Johannisbeeren, deren Früchte eben in ihrer Reife standen und sehr sauer schmeckten. Wie im kleinen Kohlbachthale, so hingen auch hier von allen Seiten wilde Schroffen ins Thal herein, und drüber starrten dann dieselben weißgrauen, vegetationsleeren Felszähne und Spitzthürme in räthselhaftem Durcheinander empor. Die höheren Theile des Thals waren jedoch unsichtbar, denn dort lagerte ein schweres, finsteres Gewölk, das von einem heftigen Nordwind getrieben in Sturmeseile näher zog, und einen grauen, mißfärbigen Streif, der bis zur Tiefe herabhing, hinter sich herschleppte. Endlich ward's dunkel ober uns, und gleich darauf stürzte ein dichter Schneeschauer mit unbarmherziger Heftigkeit auf uns herab. Jetzt fuhr auch der Wind mit verdoppelter Kraft einher, pfiff durch die dicken Nadeln des niederen Krummholzes, schlug treibende Wogen durch das Gestöber, und warf uns die spitzigen kleinen Eisnadeln, aus denen der Schnee bestand, mit solcher Heftigkeit in das Gesicht, daß uns die Haut prickelte und sogar schmerzte. Und dennoch sprach jetzt niemand von Rückkehr. Mir that es wahrhaft leid um die junge Frau, die an solche Wetterunbilden nicht gewöhnt, heftige Kälte an den Füßen empfand, und, in ihrem dünnen Tuchmantel eingehüllt, als ein Bild stiller Resignation auf ihrem Pferde saß. Sie klagte nicht, war immer heiteren Muthes, und litt es auch nicht, daß man ihretwegen von Heimkehr sprach; und dennoch verkündete die starke Röthe ihrer Wangen den besorglichen Eindruck, den der kalte Wind und der treibende Schnee bereits hervorgebracht hatte. Nach einer halben Stunde verzog sich wieder das Unwetter etwas, die Sonne trat sogar hervor, aber Wind und Kälte hielten an, bis wir, oberhalb des kleinen Sees, eine etwa 500 Fuß hohe, ziemlich steile Felswand erreichten, die den Thalgrund plötzlich um die bezeichnete Höhe emporhebt und den Felkabach schäumend und rauschend in ein tieferes Bett herabführt. Dieser hohe Felsbang bot gegen den rauh daherfahrenden Nordwind eine Art Hafen, dessen wohlthätige Wirkung wir alsbald dadurch erhöhten, daß wir uns hinter einem großen freiliegenden Granitblock lagerten, aus den Sätteln und Pferdedecken bequeme Sitze bereiteten, und ein kurzes, frugales, aber trefflich mundendes Dejeuner einnahmen. Zu unseren Füßen schimmerte jetzt eines von den vielen Meeraugen des Gebirges, der Felkasee, oder auch der blaue See genannt, eine kleine, etwa 4 bis 500 Schritt lange und 100 bis 120 Schritt breite Anstauung des Felkabaches, deren Seehöhe von Wahlenberg mit 4997' berechnet worden ist. Dieser See hat seine Entstehung offenbar einem, das Thal bogenförmig durchziehenden, mit der Kehle nach auf= wärts gewendeten Schuttwall zu verdanken, der aus locker agglomerir= ten, durchaus scharfkäntigen, und auch petrographisch mannigfaltigen Trümmern besteht, aus denen unser Maler ein schönes Stück dichten Glimmerschiefers auflas, das etwas Feldspath und viele Granaten ein= schloß, und dessen Glimmer von dunkelbrauner Farbe war. Nicht min= der sind die benachbarten Felswände an vielen Stellen deutlich abge= schliffen und sehr eben, doch allenthalben mit einer dichten Algendecke überzogen, die eine Streifung der glatten Oberfläche zu erkennen verhin= derte. Diese Schliffflächen befinden sich an Stellen, die 150 bis 200 Fuß über der Thalsohle liegen, und wo sie durch Wasserwirkung offen= bar nicht hervorgebracht werden konnten. Wem genügen diese Zeichen nicht zur Annahme einer vorweltlichen Gletscherthätigkeit!

Während ich nun kurze Zeit abwesend war, um die bemerkten Felsschliffe etwas näher zu untersuchen, hatte der Führer Johannes ein mächtiges Feuer angefacht, das besonders unseren etwas hart mit= genommenen Füßen sehr wohl that. Das düstere, dräuende Gewölk auf den Bergen verbannte jeden Gedanken an eine Fortsetzung unserer Par= tie über die höhere Thalterrasse, und auf den polnischen Grat, der von hier aus in zwei Stunden zu erreichen gewesen wäre. Wir mußten uns deßhalb mit dem bisher Erreichten begnügen, und nach einem einstün= digen Aufenthalte am See den Rückweg nach Schmecks antreten, was jetzt der Kälte wegen, selbst von dem berittenen Theile der Gesellschaft, durchweg zu Fuß geschah. Von der Höhe, oberhalb unseres früheren Bivouaks, genossen wir jetzt zum letzten Male der schönen Aussicht über die herrliche Ebene der Zips, auf die das helle Gestirn des Tages seinen eben etwas kalten, aber dafür um so reineren und durchsichtigeren Nimbus legte. Um ¼ 3 Uhr saßen wir bereits wieder am Mittagstische zu Schmecks, wo wir der Ansicht waren, daß nur ein tüchtiges Zugreifen die möglichen Nachwehen dieser kalten, und für die zarteren und etwas kränklichen Mitglieder der Gesellschaft vielleicht gewagten, Tour verhindern könne.

Der Nachmittag verging unter Geschwätz im Kursalon und der Lektüre neu angekommener Zeitungen; und den Schluß des Tages endlich machte ein gemüthliches Beisammensein am Theetisch im Kreise der Sch....'schen Familie, die, in ihrer gewinnenden Natürlichkeit und Anspruchslosigkeit, wohl kaum die Störung ahnen mochte, die die Nähe des Abschieds in die Heiterkeit dieses Abends warf. Wer schließt sich nicht gerne an gute, freundliche Menschen an, und ist betrübt, von ihnen auf immer scheiden zu müssen? So läßt der Schwimmer, der an's Ufer tritt, die Welle hinter sich, die ihn eine Weile lang freundlich getragen; er blickt ihr nach, und niemand kann ihm sagen, ob und wie er sie wiederfinden wird.

V. Rückreise nach Wien über Neusohl und Schemnitz.

Gr. Schlagendorf. Die Zips und die Zipser. Vernarth. Erlgorth. Der Königsberg. Die Rosnlaken. Das obere Granthal. Polomka. Abbé P....'s Erkrankung. Fritz. Coth-Lipcse. Neusohl. Syllacs. Altsohl. Putsch. Pilk. Schemnitz. Windschacht. Gran-Vana. Ankunst in Wien.

Durch die Erfahrungen auf unserer Herreise belehrt, hatte ich zwei Tage bevor wir Schmecks verließen an den Herrn Stuhlrichter in Poprad brieflich das höfliche Ansuchen gestellt, er möge für uns in allen Stationen auf der Straße gegen Neusohl bis zur ersten Nachtruhe den erforderlichen Vorspannswagen in Bereitschaft setzen lassen. Dieser Bitte ward bereitwillig und in pünktlicher Weise entsprochen, so daß wir diesen Tag mit ungewohnter Schnelligkeit vorwärts kamen.

Nachdem erst die ungemein billige Rechnung im Gasthause berichtigt worden war, nahmen wir freundlichen Abschied von Herr Reiner und seiner Frau, und zuletzt von Herrn von Sch....., der die besondere Aufmerksamkeit hatte, uns am Wagen nochmals zu begrüßen, und fuhren sofort um 7 Uhr Früh von Schmecks ab.

Der Tag hatte jetzt die Ironie, sich zur Feier unserer Abreise in sein strahlendstes Gewand zu hüllen. Die Luft war klar und mild, im

Grase funkelte der Thau, und im Gebirge konnte man jeden kleinsten Felsenzahn mit voller Deutlichkeit unterscheiden. Dieser Spott verwundete jedoch unser Gefühl nicht merklich; im Gegentheil, wir belobten ihn, denn er leuchtete uns in das liebliche Land hinein, das wir jetzt fast zu eilig durchzogen. Bald war Groß-Schlagendorf erreicht, wo wir eine Weile lang anhielten, um Herrn Matirka, den würdigen Pfarrer daselbst, zum Abschiede noch einmal zu begrüßen. Eben aber hatte ihn eine seelsorgliche Funktion auf kurze Zeit aus seiner Wohnung abgerufen, wodurch sich mir die Gelegenheit darbot, einige der nächsten Bauernhäuser in näheren Augenschein zu nehmen. Da sah nun alles freilich ganz anders aus, als bei den guten Slovaken in Tyerhova, Hibbia und Vasecz. In den Zimmern herrschte Ordnung und Reinlichkeit, und stellenweise selbst ein anständiger Komfort. Die Fenster waren mit Vorhängen und Blumentöpfen geschmückt; in der Mitte des Zimmers stand ein politirter Tisch, Stühle, Bänke und Kästen waren von hartem Holze; an den Wänden hingen Schränke mit blankem Zinngeschirr und steinernen Krügen; die Betten, mit einer Unzahl schwellender Kissen bedeckt, ragten in unerreichbare Höhen auf, und irgendwo fand sich sogar ein alter kleiner Flügel vor, dessen Klang dem vereinigten Gesumme vieler Hummeln glich, und auf dem mir ein Knäbchen von 10 bis 11 Jahren das Kaiserlied und den Rabeckymarsch mit ziemlicher Fingerfertigkeit zum Besten gab. Die Küche dieses Hauses und die Branntweinbrennerei waren, als feuergefährliche Stellen, von Stein gebaut und überwölbt. Kurz, aus Allem blickte deutsche Ordnung, deutsche Behäbigkeit und deutscher Sinn hindurch. — Groß-Schlagendorf war einst, d. h. vor der Verpfändung eines Theils der Zips an Polen, eine von den vierundzwanzig Zipserstädten; da es jedoch nicht zu dem verpfändeten Distrikte gehörte, so konnte es von König Mathias Corvinus, nebst acht anderen Zipserstädten, an Emerich Zápolya verkauft werden, wodurch es seine städtischen Rechte einbüßte und ein Dorf wurde. Unter den nicht verpfändeten Städten des Zipser-Ländchens konnten bloß Käsmark und Leutschau als k. Freistädte ihre städtischen Privilegien behaupten, obwohl auch diese in den Zeiten der Bürgerkriege durch einzelne Machthaber vorübergehend unterdrückt wurden.

Nach herzlicher Verabschiedung von dem würdigen Pfarrherrn

ward die Reise ohne Aufenthalt fortgesetzt. Hinter Poprad überschritten
wir, diesmal ohne es zu merken, die europäische Hauptwasserscheide zum
zweiten Male, und traten nun in das Flußgebiet des Hernad über, der
hier ein noch ganz unbedeutendes Flüßchen ist und in einem offenen,
sammtglatten, fruchtbaren Thale dahinzieht. Von Grenitz ging's dann
wieder in's Gebirge hinein, und gegen Vernarth aufwärts, durch ein
grünes, liebliches Thal voll Waldesfrische und Einsamkeit. Grenitz ist
auf dieser Seite die letzte dem Zipser-Komitate angehörige Ortschaft,
und deshalb wird es mir jetzt, ehe wir die Zips hinter uns lassen, noch
vergönnt sein, etwas Allgemeines über dieses, in so vielen Beziehungen
sehr eigenthümliche Ländchen zu erzählen.

Die Zipsergespannschaft, oder gemeinhin die Zips genannt, besteht der Hauptsache nach aus den Thalgebieten der Popper und des
Hernad, und reicht demnach vom Hochwald bis unterhalb Lublau,
und von dem Kamme des Tatragebirges bis unterhalb Göllnitz, wo
die, den Hernad rechts vom Zajo und links von der Tarcza trennenden
Höhenzüge sich am Hernad selbst als Seiten einer und derselben Thalenge zusammenschließen. Ein kleiner Theil des Komitats liegt jenseits
der Karpathen, und ist durch die Bialka und den weißen Dunajec von
Gallizien geschieden. Das Klima ist kalt und rauh, besonders im Gebirge oder in der Nähe desselben, und interessant erscheint in dieser Beziehung der beträchtliche Unterschied in den Temperaturverhältnissen
zwischen Käsmark und dem kaum zwei Meilen davon entfernten Leutschau.
Denn, wenn sich uns dort, aus zweijährigen Beobachtungen, der mittlere Jahresstand der Temperatur mit 5°, 72 C. ergibt, so steigt hier
dieser Stand für dieselben beiden Jahre auf 7°, 43 C. Was kann
deutlicher die abkühlende Wirkung des Hochgebirges zeigen, als
dieser einfache Zahlenvergleich! Das ebenere Land ist nicht unfrucht-
bar, aber die Berge herrschen vor, und sind weit und breit mit
mächtigen Waldungen bedeckt. Hafer und Gerste gedeihen gut, minder
der Roggen, am besten der Flachs. Seen und Flüsse beherbergen
köstliche Fische, unter denen der Lachs, der aus der Ostsee, durch die
Weichsel, den Dunajec und die Popper hindurch, seine sommerlichen
Erkursionen bis zur Stadt Deutschendorf ausdehnt. In den Wäldern
haust Edelwild in Menge, und im Hochgebirge findet sich die Gemse

und der Auerhahn, das Birkhuhn, Schneehuhn, das Murmelthier und
der Bär.

Das Volk, das die Zips bewohnt, ist indeß wohl nur zum dritten
Theile deutscher Abstammung, und dieser Theil mag sich auf etwas
über 60,000 Seelen belaufen. Es ist ein ruhiges, betriebsames, nüch=
ternes und ausdauerndes Völklein, das hier im fremden Lande, mitten
zwischen scheelsüchtige, geistesmatte Slaven eingelagert, und von stolzen,
weit über allem Rechte sich dünkenden, Magyaren beherrscht, eine deut=
sche Insel bildet, mehr als sieben Jahrhunderte lang Sprache,
Recht und Sitte der Väter festzuhalten, frühzeitig eine nach germani=
scher Weise geordnete Munizipalverfassung in diese Völkerwildniß ein=
zupflanzen, und ungeachtet aller Hindernisse die natürliche Berechtigung
des bürgerlichen Elements, dem selbstsüchtigen Uebergreifen der Oligar=
chie gegenüber, geltend zn machen verstand.

Wie sie hieher kamen diese deutschen Männer, darüber kann jetzt
wohl kein Zweifel mehr obwalten, obgleich manche, mit klaren ge=
schichtlichen Zeugnissen nicht zufrieden, und bloß um der Erklärung
des Namens Zips wegen, die absurde und durch nichts gerechtfertigte
Hypothese aufstellten, es stamme dieses Volk von den Gepiden ab, die
zur Zeit Alboins in Slavonien saßen, und von den Longobarden ge=
schlagen und vernichtet wurden. Uns aber kümmert der Name wenig,
mehr das Volk selbst, dessen größter Theil, wie alle Welt weiß, durch
die Bemühungen der, um die Kultur ihres Landes hochverdienten, Kö=
nigin Helene, im Jahre 1143 einwanderte. Um Gewerbfleiß, Handel
europäische Kultur und höheren Wohlstand im Lande zu verbreiten,
ward von der klugen Fürstin und ihrem Sohne König Geyfa II. die
Herbeiziehung der Fremden in Masse veranlaßt, und ihre Ansiedlung
in der Zips, in Siebenbürgen, in den Bergdistrikten und fast in allen
Städten des Landes bewirkt. Neuen Zuwachs erhielten diese Kolonisten
hundert Jahre später, als König Bela IV. den großen Menschenverlust,
den das Reich durch den verheerenden Einbruch der Tartaren erlitten
hatte, zu ersetzen, und das Land wieder zu bevölkern suchte. Von dieser
Zeit an begannen jene Krystallisationen der, unter dem Namen der
hospites angesiedelten, und meist dem königlichen Schutze direkt unter=
stehenden, Fremden zu geschlossenen städtischen Gemeinden mit gewissen

Rechten, die ihnen von den Königen mit Vorliebe verliehen wurden, weil sie damals, der Natur der Sache nach, eine wichtige Stütze der landesherrlichen Macht gegen den unruhigen Geist des Adels wurden. So ward zuerst Varasdin in Kroatien ein privilegirter Ort, dann in ziemlich rascher Folge: Stuhlweißenburg, Preßburg, Kremnitz, Ofen, Leutschau, Neusohl, Altsohl, Käsmark, Schemnitz u. A. m.

Uebrigens war es begreiflich, daß die Einwanderer, bei dem scharfausgeprägten aristokratischen Charakter der ungarischen Verfassung, gleich von vorneherein gewisse Forderungen stellten, die, wo sie gewährt wurden, ihnen eine Art kommunaler Autonomie sicherten. So wurden denn auch den Deutschen in der Zips, als sie aus Sachsen, Franken, Thüringen, vom Ober- und Niederrhein, aus Lothringen und Flandern herbeiströmten, die Belassung ihrer Sprache, ihres heimischen Rechtes und eine eigene Gerichtsbarkeit garantirt. Der erste, von Andreas II. aus dem Jahre 1224 herrührende, Freiheitsbrief setzt diese Verhältnisse urkundlich fest, doch bestimmte er noch immer die Unterwerfung der Ansiedler unter das Forum des Gespanschaftsgrafen, der seinen Sitz in dem Zipserhause bei Kirchdorf hatte. Dennoch erscheinen schon wenige Jahre später einzelne Zipsergemeinden, so namentlich Tornau und Käsmark, mit allerlei städtischen Rechten, unter welchen auch die freie Richterwahl und die selbständige Entscheidung in Civilsachen, ausgestattet. Leutschau endlich ward unter König Bela IV. von den herbeigerufenen Fremden, im Jahre 1245 von der Stelle weg zu einer freien königlichen Stadt erbaut. Von allgemeinerem Belange aber ist die Handveste König Stephan V. vom Jahre 1271, wodurch, unter Festsetzung des terragium's, d. i. des städtischen Geldtributs an die Krone, und unter der Verpflichtung der Abstellung von 50 Bewaffneten zum Heere, die Gesammtheit (universitas) der 24 Zipserstädte von der Gerichtsbarkeit des Komitatsgrafen entbunden, und ihr in der Person eines selbst zu wählenden Provinzialgrafen ein eigener, nahezu selbständiger Richter bestellt wird, der seinen Sitz zu Leutschau (der civitas provinciae capitalis) haben sollte. *) Dieselbe Ur-

---

*) Diese 24 Zipserstädte waren folgende: Käsmark, Donneremark, Wallendorf, Neudorf, Leibitz, Rißdorf, Eisdorf, Matzdorf, Felka, Michelsdorf,

kunde verleiht der Gesammtheit auch noch die freie Pfarrerwahl, und die Befugniß der freien Holzung, Jagd und Fischerei und des freien Bergbaues.

Mit diesen Privilegien war die städtische Ordnung nicht allein vollendet, sondern sie wuchs sogar zu einem eigenthümlichen, höheren Gliede in dem Organismus des Staates empor. Aehnliches geschah auch an anderen Orten, und so befestigte sich immer mehr das Ansehen und die gesetzliche Bedeutung des Mittelstandes. Die wohlthätigen Folgen dieser Institutionen blieben nicht lange aus. Die Städte wuchsen rasch an Größe, Industrie, Handelsthätigkeit und Reichthum. Durch Zunftgesetze geregelt, hob sich die Produktion bald zu hoher Blüthe empor, und der schwunghaft betriebene Handel sicherte ihr einen lohnenden Absatz. In der Zips war es vor allem die Leinweberei und Tuchfabrikation, die den Gewerbsfleiß von Alters her beschäftigte und das Land bereicherte; Käsmark und Leutschau aber wurden blühende Handelsplätze u. z. nicht allein für den Vertrieb der einheimischen Erzeugnisse, sondern auch für den Transit zwischen Süd und Nord. Aber da ihr Flor nur unter friedlichen und rechtlichen Verhältnissen gedeihen konnte, so waren sie die natürlichen Bundesgenossen der königlichen Macht, was die Zipser-Sachsen thatsächlich in dem Kriege Karls I. Robert gegen den mächtigen Matthäus Csäak von Trentschin bewiesen. Denn ungeachtet jener stolze, eigenwillige Mann seine Streitkräfte in ihrem Lande sammelte, hielten sie dennoch treu zu ihrem Könige; ihr Fähnlein war unter den Vorkämpfern in der Schlacht bei Rozgony, und seiner Tapferkeit wird der glückliche Ausgang jenes Treffens für die Sache des Königs zugemessen.

Der dankbare Monarch ließ es nicht an schneller und ehrender Anerkennung so großer Treue und Anhänglichkeit fehlen. In seinem, schon im Jahre 1312 den Zipser-Sachsen ausgefertigten, höchst merkwürdigen Freiheitsbriefe, der, als er verloren gegangen, Anno 1328 in deutscher Sprache erneuert wurde, spricht er sie, mit Ausnahme der Leistung eines mäßigen Terragiums, von allen übrigen Lasten frei,

---

Mühlenbach, Deutschendorf, Durlsdorf, Bela, Menhardsdorf, Georgenberg, Gr.-Schlagendorf, Kabsdorf, Oderin, Kirchdorf, Sperndorf, St. Kirn, Eulenbach und Leutschau.

entbindet sie in allen Rechtsfällen von jedem anderen Gerichte, als dem
ihres eigenen Grafen, verbürgt ihnen den Gebrauch ihres alten, her-
kömmlichen Rechtes, und spricht sie selbst von jeder Heerfahrt frei, den
Fall eines feindlichen Angriffes auf ihre eigenen Grenzen ausgenommen, wo dann sie mit ihrer ganzen Kraft für pflichtig erklärt wurden.

„Und sie sollen," so spricht die Urkunde, „in Gnad und königlicher Gewalt wider Zeglichen gubernirt und regiert und in Rechten behalten
werden, da erkannt worden ihre Treue und Dienste, beide demüthig-
lich und begierlich in Streiten die wir hatten wider Matthäum von
Trentschin und Demetrium, und wider Omodeus Sohn auf dem Feld
bei Rozgony, und dieselbigen Zipser, unsere Getreuen, männlich strit-
ten und schonten nicht ihre Güter, noch eigene Person, sundern sich
vor unser kuniglicher Majestet dargeben haben, in Fertigkeit und Blutvergissen biß in den Todt, so wollen wir ihren getreuen Dienst und
Blutvergissen, und vor den Todt ihrer Feinde mit Beheglichkeit begaben, wiewohl daß sie mehr würdig weren, so sein sie doch bereit die
vorgenannte Freynten vor Gutte zu haben, und zu bestettigen ohn Hin-
dernis kuniglicher Rechten und andere."

Unter König Sigismund, dem das ungarische Städtewesen eine
allgemeine Reorganisation verdankte, und der den Bürgerstand, durch
dessen Vertretung auf dem Reichstage, zur Standschaft emporhob, erwarb Käsmark das Stapelrecht und die Befugniß zur Abhaltung einiger Jahrmärkte. Leider aber schlug er dem Zipser Ländchen durch die
Verpfändung eines großen Theils desselben auf mehrere Jahrhunderte
hinaus eine tiefe Wunde. Diese Verpfändung bezog sich auf 13 Städte
aus der alten Universitas °), auf die kurz vorher zur k. Freistadt erho-
bene Gemeinde Pudlein, dann auf die Herrschaften Pudlein und
Lublau. Durch Pudlein, dann durch die von der polnischen Regierung
zu Städten erhobenen Märkte Lublau und Kniesen, wurden jene 13
Städte auf die nachmaligen XVI vermehrt. Die Verpfändung geschah im Jahre 1412 um den Preis von 37,000 Schock böhmische

---

°) Diese 13 Städte waren nachfolgende: Neudorf, Laibitz, Kirchdorf, Wallendorf, Bela, Georgenberg, Deutschendorf, Felka, Matzdorf, Michelsdorf,
Menhartsdorf, Durlsdorf und Mißdorf.

Groschen, welche Summe dem Werthe von 740,000 Gulden Konventions-Währung gleich berechnet worden ist. — Vielleicht rührt auch von diesem Könige, der für das Reich eine ausgedehnte Vertheidigungsnorm (Regesta circa modum defensionis regni) aufstellte, das Institut des sogenannten Zipser Lanzenträger-Distrikts, oder des kleinen Komitats her. In früheren Urkunden konnte ich bisher von dieser Einrichtung keine Spur auffinden. Dieser Distrikt, der in Bethelsdorf sein Komitatshaus hatte, bestand aus 14 Ortschaften und war in Kriegszeiten zur Stellung von zehn bewaffneten Adeligen, die eine Art Leibwache des Königs bildeten, verpflichtet. Mit dem Uebergange des Ländchens in Privatbesitz erfolgte die Auflösung des Lanzenträger-Distrikts von selbst.

Unter der Regierung dieses, in seinem Streben allzu weit greifenden, Königs und Kaisers begann für die Zips die Zeit der Unruhe und der Bedrängniß, die es, kurze Unterbrechungen abgerechnet, bis in das achtzehnte Jahrhundert nicht wieder verließ. In früheren Zeiten hatte es nur einige Male vorübergehend durch die Einfälle der Tartaren gelitten. Als damals die Horden Batu-Chans im Jahre 1241 in das Land einbrachen, flüchtete sich alles Zipser Volk mit seiner Habe auf den Schutzberg bei Kabsdorf, umgab die Höhe mit Verschanzungen, und widerstand unter dem Kastellan des Zipserhauses, Jordanus, muthvoll den Angriffen des wilden Volkes. Nachher, im Jahre 1284, zog ein Schwarm nogaischer Tartaren verwüstend durch das Land und zerstörte Leutschau, das nun auf Kosten aller Zipserstädte mit starken Befestigungswerken umgeben, und dadurch zu einem Stützpunkte der Landesvertheidigung umgeschaffen wurde. Seit jener Zeit ward fast anderthalb Jahrhunderte lang die Ruhe nicht wieder wesentlich gestört. Da erschienen 1433 zum ersten Male die Hußiten, erstürmten, plünderten und verbrannten Käsmark, und übten alle Greuel der Verwüstung und der blinden Rachsucht. Wenig Besseres erfuhr die Zips nicht lang darnach durch die Banden Giskra's und die Zügellosigkeit seiner Feldhauptleute. Namentlich war es der tapfere Aramith, der hier siebzehn Jahre lang mit räuberischer Wildheit hauste. Er eroberte das Zipserhaus sammt allen dahin geflüchteten Schätzen des Erlauer Bischofs Simon Rozgony, und brandschatzte und plünderte sofort von dieser Zwingburg

aus alles umliegende Land nach seinem Gefallen. In dem, 1450 reichs=
täglich abgeschlossenen Waffenstillstand verblieb Giskra auch im Be=
sitze der Zips; doch als bald nachher der Krieg von neuem losbrach,
eroberte Ladislaus Hunyady 1453 das Zipserschloß; und Martin
Thurzó, der bestellte Kastellan, erhielt es bis zum Abschlusse des Frie=
dens mit den Böhmen in k. Gewalt.

Im Jahre 1465 überging, wie wir wissen, die ganze Zips, mit
alleiniger Ausnahme der beiden königlichen Freistädte Käsmark und
Leutschau, auf dem Wege des Kaufs in die Hände Emerich Zápolya's,
nach dessen kinderlosem Tode sie seinem Bruder Stephan zufiel. Diese
Erwerbung erstreckte sich daher auch auf die übrigen 9 Zipserstädte,
welche dem Rechte nach unveräußerlich waren, und nun, ihrer städti=
schen Privilegien stillschweigend beraubt, zu unterthänigen Dorfgemein=
den herabsanken, in welchem Verhältniß sie noch heut zu Tage stehen.

In dem Kriege zwischen Ferdinand I. und Johann Zápolya war
diese Gegend, ihrer natürlichen Festigkeit wegen, ein Hauptstützpunkt
der Macht des Letzteren. Doch die Schlachten bei Tokay und Szinnye
nöthigten ihn zur Flucht nach Polen, und General Katzianer bemäch=
tigte sich des Zipserschlosses und der ganzen Grafschaft. Von Polen
aus verlieh Zápolya die ganze Zips, sammt Schloß, Käsmark und
Leutschau, seinem Freunde und Rathgeber Hieronymus Laßki, der auch
von den Umständen begünstigt, seinen neuen Besitz antreten und ihn
durch Gewaltthätigkeiten und Erpressungen bezeichnen konnte. Zápolya
aber, dieser Afterkönig, hatte gut schenken, was nicht ihm gehörte. Bald
räumten jedoch die Kaiserlichen in der Gegend wieder auf, nachdem die
Türken vor den Mauern Wiens durch ihre Niederlage die Sache ihres
Schützlings nur noch mehr verdarben. Und so sehen wir schon 1531
Alexius Thurzó mit dem Titel eines Erbgrafen von der Zips im Be=
sitze der schönen Herrschaft, um sie bald darauf seinem Neffen abzutre=
ten, dem sie durch Andreas Báthory bloß aus dem Grunde vorenthal=
ten wurde, weil er Alexius Thurzó's Schwiegersohn gewesen. Die Ge=
schichte des ungarischen Rechtslebens ist unerschöpflich reich an Fällen
solcher Art.

Ein eigenthümliches Intermezzo, wie es sich in Ungarn wohl
kaum zu einer ändern Zeit vor und nachher zugetragen hat, ereignete

sich hier während des Kampfes zwischen König Ferdinand und Johann Zápolya. Lange schon waren die beiden Städte Käsmark und Leutschau, wegen des Niederlagsrechtes der aus Polen kommenden Güter, unter sich in Hader; jetzt aber ersahen sie die günstige Gelegenheit und führten förmlich Krieg mit einander, wobei Käsmark den Vortheil hatte, sich der Unterstützung H. Laßki's zu erfreuen, der dieser Stadt ein Auxiliarkorps von 400 Mann zukommen ließ. Im Jahre 1532 fiel zwischen beiden Heeren die erste große Schlacht vor, in welcher 114 Leutschauer gefangen und viele andere getödtet wurden. Hierwegen wollten nun die Geschlagenen Rache nehmen, fielen in das Käsmarker Gebiet ein, trieben die Heerden fort, wurden jedoch bei dieser Gelegenheit überfallen, und mit einem Verluste von 44 Gefangenen in die Flucht geschlagen. Nicht gering mochte der Zorn der Käsmarker Rathsherren über den arglistigen Frevelmuth der Leutschauer Bürgerschaft und Kriegführung gewesen sein; denn als jene Gefangenen nach Käsmark geschleppt worden waren, ließ der hochlöbliche Magistrat, in der eigenen Sache als Richter einschreitend, acht dieser Unglücklichen öffentlich enthaupten. Die Moral dieses seltsamen Begebnisses ist diese, daß die guten Deutschen, zu allen Zeiten und an allen Orten, wo sie nicht mit auswärtigen Feinden Krieg führen konnten, sich unter einander in den Haaren lagen. Eine kaum minder heftige Feindschaft, wenn gleich ohne Krieg, hatte früher schon zwischen den Deutschen in Bartfeld und Eperies stattgefunden, und mußte reichstäglich beigelegt werden.

Später erscheinen wieder die Thurzonen als Herren von der Zips und meistentheils als Anhänger Botskaj's, Bethlen's und der Rákóczy, wodurch die Provinz fast unablässig in den feindseligen Berührungen beider Parteien hart mitgenommen wurde. So ward z. B. Leutschau in den zwei ersten Dezennien des siebzehnten Jahrhunderts dreimal eingenommen und geplündert. *) Aehnliches widerfuhr dem Ländchen in den Zeiten Tököly's und des jüngeren Franz Rákóczy. **) Als endlich

---

*) 1601 und 1604 durch die Haiduken Botskaj's, und 1619 durch die Truppen Gabriel Bethlen's.

**) Durch Tököly ward 1682 Leutschau abermals geplündert, und 1709 das von den Rákóczy'schen Truppen besetzte Käsmark durch General Graf Heister beschossen und eingenommen.

im Jahre 1636 das Geschlecht der Thurzó erloschen war, verlieh Kai=
ser Ferdinand III. den größten Theil der an die Krone heimgefallenen
Güter dieses Hauses, im Jahre 1638 an den um Thron und Vater=
land hochverdienten Stephan Csáky. So kam das Zipserhaus sammt
Zugehör, der Grafentitel und die erbliche Obergespanswürde des Ko=
mitats an dieses „uralte und mit den Geschicken des Landes engverbun=
dene Geschlecht."

Ohne Vergleich besser erging es mittlerweile dem im Pfandbe=
sitze des Königreichs Polen gestandenen Antheile der Zips. Denn nicht
allein, daß er von den revolutionären Wirren und Bürgerkriegen, die
das Stammland von der Mitte des fünfzehnten Jahrhunderts ange=
fangen so arg zerfleischten, verschont blieb, entgingen die Städte da=
durch auch noch der Vergewaltigung von Seiten des Adels, und bewahr=
ten ihre althergebrachten städtischen Privilegien. Mit der Erwerbung
Galliziens im Jahre 1772 geschah auch die Restitution des alten Pfan=
des; und Maria Theresia ordnete seine Wiedervereinigung mit dem Kö=
nigreiche Ungarn an. Die feierliche Bestätigung der alten Privilegien
geschah zu Igló am 20. Februar des Jahres 1775, und die damals
verlesene Akte bildet das Grundstatut für die Rechtsverhältnisse und
den Verwaltungsorganismus der k. privilegirten XVI Zipserstädte.

So wuchs aus diesen verschiedenartigen und wechselnden Schick=
salen der gegenwärtige Zustand und der Charakter dieses merkwürdi=
gen Völkleins heraus. Und es ist dermalen ein ruhiges, friedfertiges,
höfliches, fast schüchternes Geschlecht, dem weitaus nicht das Selbstge=
fühl innewohnt, zu dem es, seinen Nachbarn gegenüber, ganz wohl
berechtigt wäre. Dies spricht sich mitunter in der Volkstracht aus, die
ein stylloses Gemisch aus ungarischen und slavischen Bestandtheilen ist.
Eben so werden viele Zipserorte von den Deutschen hier zu Lande selten
mehr bei ihren ursprünglichen deutschen Namen genannt, sondern es wird
entweder die slavische oder ungarische Bezeichnung angewendet. So wird
z. B. für Deutschendorf gewöhnlich Poprad, für Matzdorf Matéjócz,
für Neudorf Igló, für Michelsdorf Strázsa u. s. w. gesagt. In ihrem
Wandel sind die Leute klug, wohlüberlegt, mäßig und arbeitsam; und
ungeachtet der Boden, der sie bewohnen, kalt und steinig ist, so sind sie
doch verhältnißmäßig wohlhabend, was sich in der besseren Bauart ihrer

Häuser, in der Einrichtung ihrer Wohnungen, in ihrer Kleidung, in ihren schöneren Pferden und besseren Wagen, u. A. m. auch äußerlich klar ausspricht. In allen diesen Dingen stechen sie von ihren slovaki= schen Nachbarn sehr zu ihrem Vortheil ab. Aber auch in ihrem Ver= kehr mit Anderen sind sie schlicht, offen, treu und bieder, und noch haben sie in diesen Eigenschaften ihren alten Ruf nicht verunglimpft. Schon König Stephan V. ordnet in seiner oben erwähnten, vom Jahre 1271 herrührenden Handveste an: „Niemand darf sie (die Zipser) außer ihrer Provinz belangen, meistens darum weil sie einfache, redliche Menschen sind, die sich in die adelige Rechtspflege niemals ganz hinein finden werden;" — zugleich ein demüthigendes Zeugniß, wie sehr die Rechtspflege in Ungarn schon damals im Argen lag, weil sie für ein= fache ehrliche Menschen als unverständlich und unanwendbar erklärt wurde. In den Städten hat übrigens die westeuropäische Sittenverfei= nerung mit ihren Vorzügen und Schwächen vielfach Eingang gefun= den. Das Land blieb nicht außer Verbindung mit Deutschland, beson= ders seit die Reformation Aufnahme in demselben gefunden, um welche Zeit es Mode ward, daß Söhne von wohlhabenden Adeligen und Bür= gern auf deutsche Universitäten gingen, um von dort Gelehrsamkeit und höheren protestantischen Eifer zu holen. So kam es, daß die geistige Kultur des Ländchens zwar langsamen, aber doch sicheren Schrittes vorwärts ging. In Käsmark und Leutschau entstanden bald treffliche Schulen, und in letzterer Stadt erhob sich im sechzehnten und siebzehn= ten Jahrhunderte die Buchdruckerkunst zu einer Blüthe, wie sie in jener Zeit kaum irgendwo in Deutschland anzutreffen war. Viele geschätzte Werke wurden hier gedruckt, und die Leutschauer Typen sollen in Form und Reinheit selbst mit den holländischen auf gleicher Stufe der Voll= kommenheit gestanden sein.

Nach seinen geistigen Anlagen wird das Zipservölklein als etwas schwerfällig bezeichnet; ich bin jedoch im Besitze einer Zahl von Ge= dichten in der Zipser=Mundart, die sich sämmtlich durch einen frischen, naiven und mitunter kecken Geist auszeichnen, und auf solche Art jene Behauptung zu widerlegen scheinen. Nicht minder werden die Zipser im Allgemeinen des Geizes und der Knickerei angeklagt; aber freilich mag den Umwohnern, namentlich dem lebensfrohen, um die Zukunft

10

unbekümmerten Slovaken und dem gastfreien, verschwenderischen Magyaren, das wohlüberlegte Zusammenhalten des Erworbenen von Seiten des deutschen Zipsers, und jene Mäßigkeit, die, mit dem Fleiße vereint, ihm und seinen Kindern die Vortheile der Wohlhabenheit sichert, in so argem Lichte erscheinen sein.

Was endlich die Sprache des gemeinen Volkes anbelangt, so ist dieselbe fast in jedem Orte eine andere, je nachdem die ursprüngliche Bevölkerung sich verschiedenartig mischte, und nachher im Laufe der Zeiten die Berührung mit den benachbarten slavischen Stämmen, je nach der Lage der Ortschaft, eine mehr oder minder innige war. Aehnliche Verhältnisse finden sich auch bei den südungarischen und banatischen Kolonien deutscher Abstammung, wo ein Kenner der deutschen Dialekte in jedem Orte meist ohne Mühe unterscheiden kann, aus welchem Theile Deutschlands der Haupttheil der ersten Ansiedler abstammte. So gleicht z. B. der bei Käsmark übliche Dialekt viel dem obersächsischen, indeß der sogenannte Garstvogel-Dialekt von Klein-Lomnitz wieder mehr ein Gemisch von sächsisch und schwäbisch sein soll. In der Käsmarker Mundart erscheint, mit dem Hochdeutsch verglichen, das e in ein ä oder ëu, das a in o oder ëu, das ä in ej, das o in u und ëu, das ö in ej, das u und au in o, das i in e, das pf in pp, das cht in t u. s. w. verwandelt. So lauten z. B. Schmecks und weg wie Schmäcks und wäck; Haar und einmal wie Hoor und enmëul; Käsmark und Schäfer wie Kejsenmark und Schejfer; Sohn und so wie Suhn und sëu; schön wie schejn; Schulter und auf wie Scholder und of; Glück und Blick wie Gleck und Bleck, Kopf und Knopf wie Kopp und Knopp ꝛc.

Ist indeß diese Mundart selbst für den Fremden noch gut verständlich, so ist dafür jener Dialekt welcher in Hobgaard (Hopfgarten) unterhalb Kniesen gesprochen wird, derart verdorben und mit slavischen Artikulationen durchsetzt, daß ihn, ein Fremder, wohl kaum verstehen dürfte. Hier werden nicht bloß die Vokale, sondern auch die Konsonanten verwechselt, u. z. letztere nicht bloß unter sich, sondern auch mit Vokalen. Ein Beispiel, das ich der freundlichen Mittheilung des Herrn Matirka, Pfarrers in Groß-Schlagendorf, verdanke, wird diese sonderbare Mundart besser zeigen als jede Beschreibung.

„En Metëu hot bedjint Mischkes Mechëu beim Goudainernen;

bou hot bebjint ouch ejne ous Kjismark fer a Kechn, bie hot behejßen Kiattuſch. En Onfong hon ſe ſich nonb a ſuu onbéuuckt, bann hon ſe ejns ju's anbere béuacht, of bie uaßt hon ſe ſich ouch bewout. Ante a ſuu lange as ſe bo wor, wor's 'n a ſu gut, a ſu fröhlich; wie ſe ofs neue Johr es anhejm begang, wors 'm a ſu bang, a ſu uejb. En Wen- ter hot er ju ehr nech bekunnt komm, en Summer hot er ſich naſſja'. ofbemacht, enb es béuufen bis ens Kjismark ju ehr; en ber Nacht um éube, jwéube es ehr ju er bekomm; ka'm hot'r mit ehr berebt hot er ſchun bemußt héjm gin u. ſ. ſ."

Auf Hochdeutſch: In Metéu (Ortsname) hat gebient Miſchkes Michel beim Pfarrer; [*] ba hat auch gebient eine aus Käsmark als Kö- chin, bie hat geheißen Käthchen. Im Anfange haben ſie ſich einander ſo angelugt, bann haben ſie eines zum anberen gelacht, auf bie leßt haben ſie ſich auch gewollt (geliebt). Aber ſo lange als ſie ba war, war ihm ſo gut, ſo fröhlich; als ſie aufs neue Jahr nach Hauſe gegangen, war ihm ſo bang, ſo leib. Im Winter hat er zu ihr nicht kommen können, im Sommer hat er ſich oft aufgemacht unb iſt gelaufen bis nach Käsmark zu ihr. In ber Nacht um elf, zwölf (Uhr) iſt er zu ihr gekommen; (aber) kaum hat er mit ihr gerebet, ſo hat er ſchon (wieber) heim gehen müſſen ꝛc.

Man ſieht, baß hier konſequent bas g in ber Vorſilbe ge in ein b, unb bas l in ein u übergeht; baß ferner bas di, gi unb ki nach ſlavi- ſcher Weiſe verquetſcht wirb, unb baß ſonſt noch faſt alle jene Verän- berungen ber Vokale ſtatt finben, wie ſie ber Käsmarker Dialekt auf- weiſt. Zur Vervollſtänbigung bes Bilbes muß noch erwähnt werben, baß im Hobgaarb'ſchen ſo gut wie im Engliſchen bas r nur wenig Recht auf ſelbſt- eigene Exiſtenz beſitzt, unb beshalb burchaus (nämlich auch am Anfange ber Silben) zu einem butterweichen Laute zerbrückt wirb. —

Doch nun genug über bie Zips, unb wieber nach Vernárth, bas ein bem Gömörer Komitat angehöriges, von Rußniaken bewohntes, griechiſch-katholiſches Dorf iſt, wo in Abweſenheit bes Pfarrers ein bärtiger griechiſcher Mönch aus Lemberg proviſoriſch ber Seelſorge oblag. Die Rußniaken ſprechen eine rauhe berbe Sprache, bie ben

---

[*] Im Dialekte wirb ber Pfarrer „Goubainerner" genannt, was eigentlich ſo viel heißt als: Golbener Einziger.

10 *

Mund füllt, und eine häufigere Mitwirkung der Kehle in Anspruch
nimmt. Von Vernárth gings aufwärts dem Kamm des Gebirges entgegen, den die Straße unweit des Königsberges übersetzt. Bis dahin
ist das Ibal allenthalben ein enges, tiefes Defilé, ein schmaler Einschnitt in die Flötzkalkmasse des Gebirges, eine dünne Falte in der dichten Decke von Wald, der sich meilenweit nach allen Richtungen ausbreitet. Drei Stunden nach unserem Aufbruche von Vernárth erreichten
wir Telgárth, gleichfalls ein rußniakisches Dorf, wo uns die späte
Nachmittagsstunde ein jämmerliches Diner aus Eiern und aufgewärm-
tem Gulyasfleisch brachte, das für einen unter uns von verhängniß-
voller Wirkung werden sollte.

Das Dorf Telgárth liegt am südöstlichen Abhange des Königsberges, und hat, obgleich tief im Thale gelegen, eine Seehöhe von
2698 Fuß. Dieselbe Höhe beträgt für Sumjacz, welches am südlichen
Fuße dieses Berges liegt, 2639, und für Vernárth, auf seiner östlichen Seite, 2360 W. F. — Bedenkt man nun, daß auf der Straße
von Vasecz nach Csorba der höchste Punkt der Wasserscheide zwischen
Waag und Popper eine Seehöhe von nur 2689' besitzt, und daß vom
Königsberge aus vier Flüsse — die Waag, der Hernad, die Göllnitz
und die Gran — nach eben so vielen einander ganz entgegengesetzten
Richtungen abfließen, so muß es klar werden, daß nirgend anderswo
im Lande, als gerade auf dem Punkte, auf welchem der Königsberg
aufgesetzt erscheint, die allgemeine Erhebung des Bodens ihre größte
absolute Höhe erreicht hat. Der Königsberg kann demnach mit dem
St. Gotthardsberge in der Schweiz verglichen werden, der, wenn auch
nicht eben sehr hoch an sich, doch auf einer höheren Basis steht als alle
anderen Berge seines Landes. — Die Rußniaken in Telgárth und überhaupt alle ihre Stammgenossen in diesem Landestheile sind ein gutes,
fleißiges Völkchen, von patriarchalischen Sitten und moralischerem
Wandel als ihre slovakischen Nachbarn. Nicht wenig erfreuten uns die
Aeußerungen fast religiöser Anhänglichkeit dieser guten Leute an unseren ritterlichen Kaiser. Diese Aeußerungen that unser Kutscher,
ein junger Mann von sichtlich beschränktem Verstande, dem gewiß
keine Schlauheit uns Fremden gegenüber zugemuthet werden durfte,
und von dem am ehesten anzunehmen war, daß er die Stimmung

seiner Dorfgenossen treulich wiedergebe. Unter diesen wurden einzelne,
gelegentlich der Rundreise Sr. Majestät, in Poprad zur Audienz
vorgelassen. Er und seine Landsleute, so lauteten ungefähr seine Worte,
erkennen mit größtem Danke die Wohlthaten, deren sie durch ihre Be=
freiung von den Lasten der Hörigkeit theilhaftig geworden sind, und
täglich schließen sie deshalb den kaiserlichen Herrn in ihre Gebete ein,
damit der Himmel ihm diese Gnade lohnen möge. — In der Kleidung
zeichnen sie sich durch große messingene Hemdschließen am Halse, durch
fast zwei Fuß breite Ledergürtel mit schweren Schnallen, und durch
Hüte von wahrhaft erstaunlichem Umfange aus. Aus einiger Ent=
fernung betrachtet zeigt die Figur eines Rußniaken nur mehr folgende
drei Theile: Füße, Ledergürtel und Hut.

Durch ein grünes, mit einzelnen Waldpartien geschmücktes Thal
führt der Weg abwärts gegen Sumjäcz, und bald darauf in das reizende
Granthal, dem sich an Lieblichkeit und leichter, wechselreicher Anmuth
wohl keines unter allen Thälern Oberungarns, die wir bisher durch=
zogen, vergleichen läßt. Ein dunkelgrüner Urwald, dessen Flächenraum
nicht weniger als sechs Quadratmeilen einschließt, überzieht gleich einem
buntgewirkten, schwellenden Teppich das niedere Vorgebirge der linken
Seite, indeß zur rechten Hand, von stolzen runden Bergkuppen herab,
deren Höhe oft mit 5 bis 6000 Fuß kaum ausgemessen werden kann,
ein anständiger Alpenernst herniederschaut. Aber diese höheren Berge
stehen etwas ab vom Thale, um nicht mit ihren schweren Massen seine
sonnenhelle Fröhlichkeit zu drücken. Lustig tanzen und schimmern da die
frischen Wellen der Gran, und um sie herum ist alles grün, alles heiter,
alles voll Wechsel, Rührigkeit und Leben. Ein Dörfchen folgt da dem
anderen, aber es sind Dörfer eigener Art, die etwa so aussehen, als
wäre ein Fabrikstädtchen auseinander gegangen und hätte sich über
das Land zerstreut. Bauchige schwarze Kohlenfourgons mit eben so
schwarzen Kohlenbrennern zur Seite, und andere Wägen mit rasseln=
den Eisenstangen beladen, fahren hin und her, und ihre Lenker grüßen
alle Welt höflich. Hohe, luftige Schornsteine, aus denen ein dicker
Rauch aufqualmt, stehen fast sehr häufig zur Seite, und die Luft zit=
tert von den Schlägen der Hämmer, und graue Cyklopen gehen so
munter ab und zu, als wäre Feuerswuth ihr liebstes Spielzeug. — Wir

ſind jetzt nämlich, von Sumjácz angefangen, in den herzoglich Koburg-
ſchen Eiſenhüttenbezirk eingetreten, der in einer Strecke von kaum anderthalb Meilen 10 bis 12 größere Hüttenwerke zählt, deren Direktion
ſich in dem Dorfe Poborella befindet. Seit die Straße nach Helpa an
das Ufer der Gran verlegt worden, was erſt vor wenigen Jahren geſchah, bleiben Sumjácz und Pohorella, gewiß zum Schaden der Rei-
ſenden, rechter Hand am Fuß des höheren Gebirges liegen. Und dieſe
Eiſenwerke, in der Zweckmäßigkeit und einfachen Eleganz ihres Baues,
ſind nicht allein eine Zierde der Gegend, in der ſie ſich befinden, ſondern des Landes überhaupt. Nicht hat da bei ihrer Erbauung bloß das
nackte Bedürfniß das Maß der aufzuwendenden Koſten diktirt. Dieſe
Räume, worin bald ein Hochofen flammt, bald ein Hammer pocht,
oder ein Walzwerk raſſelt; wo Kohlen lagern, oder fertiges Eiſen der
Verfrachtung harrt, ſind hier nicht, wie anderwärts ſo häufig, elende
hölzerne Verſchläge, denen der Geiz und die Begier des Gewinns den
Stempel der Hinfälligkeit und Häßlichkeit aufgedrückt. Und vollends die
Beamtenwohnungen mit ihren zierlichen Gärten und Parkanlagen!
Das ſind entweder kleine Paläſte oder zierliche Villen in der lieblich-
ſten Gegend, die vielleicht das Ziel ſich ſetzten, ihre Bewohner über die
Entfernung von der Welt und über die Privationen einer an den Genüſ-
ſen des geſelligen Lebens armen Exiſtenz nach Möglichkeit zu tröſten.

Zu ſpäter Abendſtunde trafen wir in Polomka ein, und fanden in
dem ſonſt unſcheinbaren Wirthshauſe ein gutes, reinliches Nachtquartier.

Des anderen Morgens ging's nicht eben früh — die vorabendliche
Beſtellung des Vorſpannswagens war nicht ſowohl an den unrechten
Mann, als vielmehr an die vergeßliche Frau Richtárka gerathen —
nach dem drei Meilen entfernten Städtchen Bries weiter. Bedenkliche
Zeichen hatten ſich mittlerweile ſchon am Abende vorher, und noch
mehr des Morgens, an dem Geſundheitszuſtande unſers guten Abbé
P..... eingeſtellt. Eine charakteriſtiſche Diarrhöe, unzweifelhaft die
Folge des Mittagmahles in Telgárth, war ſchon am Tage vorher auf-
getreten, und hatte ſich über Nacht ſo verſchlimmert, daß ſie in dem
Kranken bereits das Gefühl der Mattigkeit hervorrief. Zum Unglück
hatte derſelbe des Abends in Polomka den Gebrauch der von mir mitgeführten Dovère'ſchen Pulver verweigert, die dem Uebel in ſeinem

Entstehen vielleicht gänzlich Einhalt gethan, oder wenigstens seine Entwicklung gehindert hätten. Die Fahrt nach Bries ermüdete den Kranken noch mehr, und als wir um ½,11 Uhr Vormittags in dieser Stadt anlangten, trat heftiges Erbrechen, noch stärkerer Durchfall, Kälte an Händen und Füßen und große Schwäche ein, welche Erscheinungen der eilig herbeigerufene Arzt als Symptome der Cholera, und den Zustand des Befallenen als besorgnißerregend erklärte. Der Patient wurde nun ohne Verzug in das nahebei liegende Piaristenkloster geschafft, daselbst zu Bett gebracht, und alle dienlichen Mittel sorgfältig angewendet. Alles dies, so wie die Bestellung der Vorspann, und die Einnahme unseres Mittagmahles, das ich mit H..... in nicht sehr freudiger Stimmung genoß, nahmen ungefähr drei Stunden in Anspruch, worauf geschieden werden mußte. Herr Kanonikus H..... hatte beschlossen bei seinem kranken Freunde auszuharren, seine Pflege zu überwachen, und alle Gefahr redlich mit ihm zu theilen, welcher Entschluß um so höher anzuschlagen war, als in dem Städtchen die Cholera eben mit großer Intensität um sich griff. Nachdem ich von dem Kranken Abschied genommen, und dem Kanonikus mit wahrer, inniger Rührung, und mit dem Gefühle gesteigerter Achtung die Hand gedrückt, fuhr ich auf der Straße nach Neusohl weiter.

Dieser Fall hatte, ich will es nicht läugnen, meinen Gleichmuth nicht wenig erschüttert. Ich blickte mit Bekümmerniß auf die Lage des erkrankten geistlichen Herrn, und dachte mit steigender Sorge und Selbstqual an die Meinigen zurück, von denen ich meines unstäten Aufenthaltes wegen noch keine Kunde erhalten, und die ich in Wien inmitten der Seuche wußte, wenn diese auch dort seit einiger Zeit an Ausbreitung und Intensität beträchtlich abgenommen hatte. Nach der Lebhaftigkeit unseres Verkehrs, während der Reise bis hieher, trug die jetzige Einsamkeit meiner Lage nicht wenig dazu bei, meine Stimmung zu deprimiren, und so beschloß ich nunmehr ohne Zeitverlust nach Wien zurückzukehren, was denn auch geschah.

Die k. Freistadt Bries (Brezno bánya) gehört bereits dem Sohler Komitate an, und ist eine freundliche, von etwa 4000 Menschen bevölkerte Ortschaft. Altergraue, massive Thorthürme erinnern daran, daß die Stadt einst mit Mauern umgeben war. Ein großer, viereckiger

Platz, in deffen Mitte die stattliche katholische Kirche und das Rath=
haus stehen, macht einen gefälligen Eindruck, was in gleicher Weise
mit dem schönen, fast schloßartigen Schulgebäude und der großen städti=
schen Mühle der Fall ist, die mit ihrem Mehle die ganze Umgegend
versorgt und einen guten Theil sogar in die Ferne verschickt. Ein
waldiger, steil absetzender Bergfuß schaut auf der nördlichen Seite
freundlich in die Gassen der Stadt herein, und jenseits desselben ragt
der 6253 Fuß hohe gewaltige Djumbir, der majestätische Alpenkönig
dieser Gegend, über alles Land empor. Fast alle Waldung nach jener
Richtung hin ist ein Eigenthum der Stadt, zu deren Erwerbsquellen
einst auch der Bergbau gehörte, der jedoch schon seit langer Zeit als
erträgnißlos aufgelassen wurde.

Das Granthal ist abwärts von Bries stellenweise eine schier trot=
zige Schlucht, die mit kleinen Thalweiten wechselt. Zum Anbau ist da
wenig Land, auf den Höhen aber desto mehr Wald vorhanden. Bei
Valaszka fällt die von Hradek in der Liptau kommende, und durch die
„Teufelshochzeit" hindurchführende Straße in das Granthal ein. Sofort
kommt irgendwo eine große kaiserl. Eisenschienenfabrik mit einem zierli=
chen Arbeiterdörfchen zum Vorschein; dann folgt St. Andräs, eine Post=
station, zuletzt öffnet sich, vor dem Markte Tóth=Lipese, das Thal wieder
zu einer kleinen, grünen Ebene, in die ein altes, wohlerhaltenes Schloß
nicht allzu düster hinabschaut. Und wieder ist's ein vielbekannter, sturm=
fester Felsenhorst, an dem manches Schicksal und Kriegswetter rau=
schend vorübergezogen. Hier saß Stephan Verböczy, der das große
Rechtsbuch seiner Nation geschrieben, und dennoch ein Freund Zápolya's
gewesen. Ihm folgte etwas später der Ritter Christoph von Thury, ein
naiver Sohn der grünen Steiermark und Kastellan zu Altsohl, der an
hiesiger schöner Gegend so viel Gefallen fand, daß ihn Niklas Salm
mit Gewalt abtreiben mußte. Zuletzt, bevor das Schloß an die Krone
anheimfiel, der es auch jetzt noch gehört, residirte Maria Szécs darauf,
jene berühmte Amazone und Gemahlin Wesselényi's, von der anders
wärts bereits die Rede war, und die die Burg in jenen wehrhaften
Stand versetzte, der ihr Aussehen selbst für die heutigen Waffen noch
ziemlich trutzig macht.

Schon zogen langsam die Schatten des Abends ins Thal herein,

als mich der „Krebs" zu Neusohl in seine Scheren nahm. Letztere ließen
sich am besten mit der Rechnung des Herrn Oberkellners vergleichen.
Der Krebs ist ein Hotel im städtischen Style, mit Kellner, Zimmer-
mädchen, komplizirtem Anläutsystem auf dem Korridor und stockender
Langweile. Ach, wie prosaisch-matt sah das bemalte glatte Gastzimmer
aus, und klang das banale Geschwätz des Kellners, nach all den poetischen Entbehrungen, Eigenthümlichkeiten und Genüssen innerhalb des
Gebirges! Ich war müde und mißmuthig. Das böse Ereigniß des Tages
hob lästige Gedanken in meiner Seele, und die Alltäglichkeit der Umgebung bot kein Mittel zu ihrer Unterdrückung. Da kam ungerufen
der sanfte Gott des Schlafes in mein Zimmerchen herein und nahm
mich auf eine Stunde in seinen weichen Arm; dann trank ich meinen
Thee und arbeitete bis gegen Mitternacht an der Sichtung und Zusammenstellung meiner Reisenotizen.

Der nächste Morgen ging hell auf, wie der frohe Gedanke einer
reinen Seele. Ich eilte auf die Post, um mir die Karte für einen Platz
auf dem Eilwagen, der täglich um ½9 Uhr Morgens nach Gran ab-
geht, einzulösen. Als dies geschehen war, behielt ich noch zwei Stunden
zur Besichtigung der Stadt und ihrer Merkwürdigkeiten. An dem frischen und freundlichen Aussehen der Hauptstraße wird wohl niemand
einen Schluß auf das achthalbhundertjährige Alter der Stadt ziehen
dürfen. Die Einwohnerschaft ist vorherrschend deutsch, und so ist alles
was man sieht und hört. Es ist überhaupt merkwürdig, wie wenig in
dem nördlichen Theile Ungarns das magyarische Element, ungeachtet
seiner langen, unbedingten und rücksichtslos geübten Herrschaft, den
deutschen und slavischen Bevölkerungen dieser Gegenden ein deutlich
hervortretendes Zeichen seiner bevorzugten Stellung aufzuprägen vermochte. Selbst die ungarische Sprache wird dortlands nicht häufiger
gesprochen, als irgendwo in Deutschland die französische. Nur die
städtischen Panduren in ihrer bunten ungarischen Uniform erinnern
äußerlich daran, daß man sich hier in einer Stadt des Königreichs Ungarn befinde. Die Magyarisirung hat in früherer Zeit ohne Zweifel
große Fortschritte im Lande gemacht, aber sie bezog sich niemals
auf die Absorption ganzer Gebietsstrecken, wozu der Magyarismus
nicht die nothwendige Potenz in sich besaß, sondern vielmehr auf die

Affimilation Vieler aus den gebildeten Ständen, die sich utilitarischer
Zwecke wegen der magyarischen Nationalität anschloßen. Leider kann
behauptet werden, daß gerade bei den Deutschen in Ungarn die Abfälle zum Magyarismus, die gewöhnlich mit Namensänderungen verbunden waren, am häufigsten vorkamen, und daß die Slaven in dieser
Beziehung unendlich mehr nationalen Stolz an den Tag legten, als
eben jene Deutschen, die einst von den früheren Königen zu dem Ende
in das Land gerufen wurden, um die asiatische Roheit der magyarischen Sitten in das Geleise europäischer Kultur und Humanität über-
führen zu helfen.

Unweit des Gasthauses zum Krebsen steht die bischöfliche Residenz,
die durch jenen stürmischen Landtag des Jahres 1620 Berühmtheit
erlangte, auf welchem Gabriel Bethlen, in Folge Drängens der unzufriedenen protestantischen Stände, und namentlich des jungen Emerich
Thurzó, zum Könige gewählt und ausgerufen wurde, die Annahme
dieser Würde jedoch beharrlich ablehnte. Auf einem um wenige Fuße
erhöhten Platze, und theilweise von schönen Alleen beschattet, liegt das
alte Schloß, von dem noch ein Thor und einige modernisirte Theile
erhalten sind, die größere Hälfte aber verfallen ist. Hinter demselben,
und gleichsam in seinem Hofraume, befindet sich die katholische Kirche,
ein ursprünglich gothisches Gebäude, das nach dem Brande im Jahre
1661, wobei das Deckengewölbe einstürzte, in neuerem Style wieder
hergestellt wurde. Der Gothismus ist nur mehr am Thurme, an der
äußeren Gestalt und an den Seitenkapellen erkennbar. Eine dieser
Kapellen bewahrt indeß noch einen kostbaren Rest aus alter Zeit, und
dieser besteht aus einem großen gothischen Flügelaltar, der in seinem
Mittelfelde und auf den inneren Flächen der beiden Flügel eine Zahl
bedeutender Bildwerke enthält. Der Altar hat eine Höhe von 20 bis
24 Fuß, ist ganz aus Holz geschnitzt, wohlerhalten und von trefflicher
Wirkung. Seine oberen Theile sind mit schönen, gothischen Konstruktionen geschmückt, die architektonischen Linien vergoldet, und die Figuren
durchaus in Farben. — Noch rühmt man in Neusohl die künstliche
Wasserleitung; mit diesem Ruhme mag es seine Richtigkeit haben, das
Wasser aber, von dem ich trank, hat einen abscheulichen Geschmack.

Neusohl ist bekanntlich eine bedeutende Bergstadt, die viel Kupfer

und Eifen, und auch etwas Silber zu Tag förbert, welche Unternehmungen die Kultur eines, zwölf und einhalb Quadratmeilen umfaffen-
ben, Waldes beförbert. Diefem Metallreichthum, der freilich einft viel
größer war, hat denn auch die Stadt ihre beutfche Bevölkerung zu
banken, bie den Ort nach feiner erften Anlage im breizehnten Jahr-
hunberte rafch zur Blüthe emporhob, und ihm fchon Anno 1255 bie
Vortheile einer privilegirten Stadt erwarb. Seine gegenwärtige Einwohnerzahl beläuft fich auf ungefähr 10,000 Seelen.

Wie faß fich's herrlich in dem bequemen Eilwagen, mit dem wir
jetzt unter ftotternden Poftbornfanfaren, erft burch's Stabtthor hin-
burch, und bann bei höchft weitläufizen, ftaubigen und rußigen Schmelz-
hütten vorüber, in's Land hinausfuhren. Wer die Annehmlichkeit biefer Reifeart würbigen lernen will, der laffe fich vorher burch gewöhnliche flovakifche Vorfpannswägen 8 bis 10 Tage lang bie Gebeine
mürbe rütteln, bie Muskeln zerbläuen und bie Laune verwüften. Die
erfte größere Ortfchaft auf unferem Wege war ber gleich außerhalb
Neufohl liegenbe Flecken Rabvány; bann kam bas nur aus ber Ferne
fichtbare Babebörfchen Szliács, mit Quellen, bie fich burch ihren außerordentlich reichen Gehalt an Kohlenfäure auszeichnen. Eine in der
Nähe befindliche Quelle foll eine fo ungeheure Menge biefes Gafes
abfcheiden, baß fie, nach Umftänben, eine unvorfichtige Annäherung
mit augenblicklicher Betäubung, und felbft mit dem Tobe beftraft. Das
Bad liegt auf einer mäßigen Anhöhe bes linken Granufers, genießt
burch feine kräftigen Wirkungen eines großen Rufes im Lanbe, und
wird beshalb ftark befucht, was fchon aus ber allem Anfcheine nach
beträchtlichen Zahl hübfcher Häufer hervorgeht, bie zur Aufnahme ber
Gäfte bienen und ftattlich genug in's Thal herabfchauen.

Nach anberthalb Stunden feit der Abfahrt von Neufohl bekommt
man bie Stabt Altfohl zu Geficht, bie gewiß eine der fchönften Lagen
bes fchönen Granthals befitzt. Die Berge, bie von Neufohl abwärts
an Höhe viel verloren, und fich, zum großen Nachtheil bes malerifchen
Werthes der Gegend, viel zu weit vom rechten Granufer entfernt hatten, gewinnen hier rafch an Relief, nähern fich einander wieder, und
ftellen fich um bie Stabt herum zu einem wahrhaft reizenden, faft
epifch feierlichen Bilbe zufammen. Es ift eine ftille, ringsum gefchlof=

sene Berglandschaft nach der Weise Kaspar Poussin's; inmitten eine kleine, grünleuchtende Ebene, die der Fluß in mannigfachen Windungen durchzieht, und die die Stadt, mit ihren Thürmen und weißen Mauern, sinnvoll belebt. Die Stadt ist nur ganz klein, aber dennoch sehr alt und der Sitz der Komitatsbehörden.

Das epische Ingredienz der Gegend wird durch zwei alte Schlösser vermehrt, von denen eines auf einer kleinen Höhe abwärts des Städtchens in Ruinen liegt, zur Zeit Arpad's erbaut worden sein soll, und von unserem Wege aus nicht gesehen werden konnte. Es ist, nebenbei gesagt, in Ungarn oft der Fall, daß alte Schlösser aus Arpad's Zeiten stammen, wenn über ihre Erbauung keine verläßliche Nachricht auf uns gekommen. — Das neuere Schloß Zolyom aber steht in der Ebene unfern der Stadt, und ihm hat dieser Punkt vorzüglich seinen geschichtlichen Ruhm zu verdanken. Als Erbauer des Schlosses wird König Ludwig I. betrachtet, jener ritterliche, fromme und weise König, der ein Reich beherrschte, das von der Arva bis zum Pontus, und von beiden bis zum baltischen Meere reichte. Als er vorzeitig die Last der Jahre zu fühlen begann, und bei der Feindschaft des Papstes Klemens VII., der die entfernten Ansprüche Wladislaws von Kujavien, eines unbeständigen, gehaltlosen Abenteurers, auf den polnischen Thron unterstützte, für die Nachfolge seines Hauses in beiden Reichen fürchten mußte, da versammelte er 1382 im Schlosse zu Altsohl die polnischen Stände um sich und vermochte sie dahin, seiner älteren Tochter Maria und ihrem Gemahle Sigismund von Böhmen zu huldigen und ihm die Aufrechthaltung des Vereines beider Kronen in seinem Hause zu geloben. Als dies geschehen war, legte der große König sein Haupt noch iu demselben Jahre getrost zur ewigen Ruhe nieder, getrost — weil sein sterbliches Auge das Dunkel der Zukunft nicht zu durchdringen vermochte.

Siebenundfünfzig Jahre später (1440) schlug hier Giskra von Brandeis sein Hauptquartier auf, jener ehrenfeste, ritterliche Kämpe für das Recht des jungen Königs, dem er den Eid der Treue geschworen, und dem er, unbeirrt durch die Mühsal eines zwanzigjährigen Krieges, und durch alle Künste der Ueberredung und Bestechung, die Treue hielt. Die ungarischen Historiographen pflegen ihn einen blutdürstigen Tyrannen, einen Räuber und ein Ungeheuer zu nennen, das seine Ge-

seße mit Blut geschrieben u. dgl. Aber all diese Verunglimpfung ent-
spricht dem Bilde des Mannes nicht, das seine Handlungen selbst zu
zeichnen im Stande sind. Wenig mag es freilich dem magyarischen
Stolze schmeicheln, daß der tapfere Böhme die erprobtesten Heerführer
der Ungarn, einen Perény, Szökely und selbst den großen Johann
Hunyady auß dem Felde geschlagen; daß er in seiner einfachen Ehrlichkeit klüger war als alle Schlauheiten ihrer Politik; daß er sich um
Reichstag und Gubernator wenig gekümmert, und daß er so lange Herr
der Lage geblieben, als er selbst es bleiben wollte. Aber alles dies ist
noch kein Grund ihn zu verdammen. Die Sachen standen einfach
wie folgt. Als Kaiser Albrecht II., König von Ungarn und Böhmen
dieses Namens der Erste, gestorben war, ging die Nachfolge in diesen
beiden Ländern rechtmäßig auf seinen nachgebornen Sohn Ladislaus
über, der sonach auch Giskra's Herr und König gewesen. Giskra aber
ward von der Königin Elisabeth, der Witwe Albrechts und Tochter Sigismunds, zur Unterstützung der augenscheinlich gefährdeten Rechte ihres
Sohnes nach Ungarn berufen, zum k. Generalkapitäne ernannt, und
mit der Behauptung des nördlichen Landestheils beauftragt. Wie nöthig
er aber zum Schuße der Erbansprüche des jungen Königs war, beweist
sich durch die Berufung Wladislaws I. von Polen auf den ungarischen
Thron, welchen Akt die drohende Lage des Landes vielleicht rechtfertigte,
der aber gewiß die anerkannten Rechte des unmündigen Königs in hohem
Grade präjudizirte. Wer konnte damals vorhersehen, daß Wladislaw
in kurzer Zeit den Tod des Helden sterben, und nicht der Stifter einer
neuen Dynastie würde, die, von der Thatkraft der Nation unterstützt,
den rechtmäßigen König leicht bei Seite hätte schieben können? Und auch
jetzt, als der Thron des Usurpators ledig geworden, konnte Giskra seine
Aufgabe nicht für gelöst ansehen. Wer kannte nicht den eigenwilligen
Geist des ungarischen Adels, der einmal schon das Beispiel einer ille-
galen Königswahl gegeben und dieses Beispiel eben so leicht wiederholen
konnte. Giskra behielt daher Oberungarn als Pfand für die Achtung der
Rechte seines Herrn von Seiten der ungarischen Nation, und erreichte seinen Zweck vollkommen. Die von ihm besetzten Landestheile umfaßten das
ganze geblrgige Gebiet von Mähren bis nach Kaschau, und von den
Karpathen bis zur Donauebene herab, wodurch er im Besiße aller mi-

litärisch wichtigen Positionen stand, bei deren Behauptung selbst das
übrige Land nicht leicht für Ladislaus verloren gehen konnte. In diesem
Sinne allein muß, wie ich glaube, die Stellung Giskra's aufgefaßt
werden. Er war sonach weder ein Räuber, noch ein Kondottiere, mit
welchen Ehrentiteln ihn ungarische Autoren mit Vorliebe bezeichnen;
er war vielmehr ein geachteter Edelmann in seinem Vaterlande, und
das Ansehen, dessen er bei seinen Landsleuten genoß, beweist sich dadurch, daß ihn diese, als sie einstmals die Lust anwandelte den jungen
Ladislaus bei sich in Prag zu wissen, zum Mitgliede der Deputation er-
wählten, die zu diesem Ende an Kaiser Friedrich abgefertigt wurde.
Die Szene, die sich bei dieser Gelegenheit zutrug, erzählt Johann Jakob
Fugger in seinem „Spiegel der Ehren des Erzhauses Oesterreich" umständlich. Als nämlich der Kaiser, aus begreiflichen Gründen, die Auslieferung des erst vierjährigen Kindes verweigert hatte, ließ er es, auf
die Bitte der Abgesandten, die ihren jungen König zu sehen wünschten,
herbeirufen. „Giskra, als Ladislaus eingetreten, weinte vor Freuden,
und bezeigte mit Worten sein höchstes Vergnügen ob des Glückes, seinen
König zu sehen, für den er so viel Gefahr, Mühe und Arbeit überstan-
den und Wunden empfangen, mit Versicherung, daß er dergleichen noch
ferner um seinetwillen zu übernehmen bis in den Tod gesonnen sei.
Endlich fragte er ihn: „Mein schönes Herrlein! weil Ihr mir so
fleißig zuhört, zwar solches itzt noch nicht verstehet, sondern nur darzu
lachet: so möchte ich doch gerne wissen, was meine treuen Dienste bei
Euch vor Dank verdienen, und was Ihr mir, als Euerem alten Ritter,
dereinst für Belohnung und Ergetzlichkeiten werdet widerfahren lassen!"
Da ergriff Ladislaus den Seckel des Schatzmeisters, nahm aus demselben die letzten sechs Goldstücke, und händigte sie dem bärtigen Krieger
ein, der sie fortan als sein höchstes Kleinod betrachtete und sie zeitlebens
an einer Kette am Halse trug. Nicht minder dankbar bewies er sich stets
gegen seinen Feind, den König Wladislaw I., nachdem dieser ihn zur
Zeit des stürmischen Reichstags zu Ofen im Jahre 1444, auf den er,
eines abzuschließenden Waffenstillstandes wegen, über Einladung persönlich erschienen war und von den erbitterten Ständen am Leben bedroht wurde, unter Waffengeleit heimlich nach Raab in Sicherheit bringen ließ. Giskra sprach von dieser Zeit an über den König nur mit

Worten der höchsten Anerkennung und Dankbarkeit. Das ist für-
wahr nicht die Stellung, Handlungsweise und Gesinnung eines Räu-
bers und fühllosen Wütberichs. Daß seine Hauptleute und seine Kriegs-
knechte sich manchen Unfug, manche Plünderung und Gewaltthat im
Lande erlaubten; daß er die von seiner und der gerechten Sache Ab-
trünnigen hart anließ und züchtigte, und daß er oft das Recht des Krieges nach dem rauhen Geiste jener Zeit haubhabte, das darf ihm wohl
nicht zum Vorwurfe gemacht werden. Als endlich durch den Tod des
jungen Ladislaus Posthumus, und durch den Vergleich des Kaisers
Friedrich mit Mathias Corvin, für Giskra jeder Grund zur Fortsetzung
des Kampfes erloschen war, da trat er freiwillig von dem Schauplatze
seines Wirkens und von der Machtstellung, die er so lange inne hatte,
zurück, und begnügte sich mit Wenigem, das er zur Sicherheit seines
Alters als nothwendig und erreichbar erachtete. Und Mathias selbst,
dieser stolze und hochsinnige König, wie ehrte er nicht den grauen Helden, als er nach geschehener Unterwerfung vor sein Antlitz trat! Freundlich ging er ihm entgegen und reichte ihm die Hand, über welchen Beweis von Achtung der alte Krieger Thränen der Rührung weinte. So
hätte Mathias gewiß einen Mann nicht behandelt, der dessen unwürdig
gewesen wäre. — Dies Wenige zur Ehrenrettung Giskra's von Brandeis.

Nahe vor Altsohl verläßt die Straße nach Schemnitz auf kurze
Zeit das Granthal, und indem sie über das niedere Gebirge der rechten
Thalseite setzt, durchzieht sie ein Land, das sich in sorgsamer Pflege von
Wiese und Wald, von Aeckern und Wegen, mit einem Garten vergleichen läßt. Die nächste Station heißt Butsch, das wieder im Gran-
thale liegt, und wo der würdige Postmeister die Passagiere umarmt
und küßt, die sich zu Gegnern der russischen Politik bekennen, welche
unverhoffte Ehre auch mir begegnete, als ich über einen den Fall Se-
bastopols erzählenden Zeitungsartikel meine eigenen Glossen machte.
Unterhalb Butsch verläßt die Chaussee abermals und zwar auf längere
Dauer das Thal der Gran, und tritt in ein enges, ziemlich kahles und
langweiliges Seitenthal ein, in welchem die bekannten Schemnitzer
Pfeifenköpfe fabrizirt werden. Die Unternehmung ist das Eigenthum
eines Herrn Hönig in Schemnitz. Vor Dilln (ungarisch Béla bánya)
liegt am Wege ein großes ärarisches kaiserliches Pochwerk, und in Dilln

selbst auf erhöhter Stelle eine schöne alte Kirche. Von hier bis Schem=
nitz kann man die Gruben, Schachte, Poch= und andere Werke nach
Dutzenden zählen. Immerfort aber erhebt sich jetzt die Straße in vielen
Windungen auf einen ziemlich hohen Berg empor, der nach drei Seite
hin die schönsten Fernsichten gewährt. Ueber ein Gewirr von Bergen,
die in der Nähe als ein unauflösbares Haufenwerk isolirter Kuppen
erscheinen, blickt das Auge in blaue Fernen bis zu den steilen Felsge=
birgen von Kremnitz hinüber, welche Distanzbestimmung ich indeß durch
den Kondukteur unsers Eilwagens verantworten lasse. In der Nähe
aber liegt der Kalvarienberg, ein schöner, bewaldeter, konischer Gipfel,
auf dessen Spitze eine zweithürmige Kirche steht, die sich jenseits bereits
im Angesichte der Stadt befindet. Von der Höhe geht's erst noch durch
einen kurzen Hohlweg abwärts, dann öffnet' sich die Aussicht wieder
mehr, und nun bekommt man nach und nach die freie Bergstadt Schem=
nitz, in ihrer seltsamen und merkwürdigen Lage zu Gesicht. Man stelle
sich einen etwa dritthalb tausend Fuß hohen Berg vor, dessen Rücken
eine hufeisenförmige Krümmung bildet, in welcher, nahe der Höhe, eine
stark abgedachte Mulde ihren Anfang nimmt, die weiter unten in ein
enges, scharf einschneidendes Thal ausläuft. Auf dieser südöstlich expo=
nirten Mulde liegt nun die Stadt, amphitheatralisch über den höchst
unebenen Boden hingestreut, und mit so unordentlicher, bunt durch
einander gewürfelter Häuserstellung, daß es dem Fremden gar nicht ein=
leuchten kann, wie, zwischen diesen Häusern hindurch, auch nur eine
Art von dem möglich sei was man eine Straße nennt. Nicht anders
sehen die Häuser drein, als hätte jedes bei seinem Emplacement möglichst
viel Laune und eigene Erfindung an den Tag legen wollen. Für allzu
nahe Nachbarschaften scheinen die meisten gar nicht eingenommen zu
sein; und damit ihnen keines gegenseitig allzu nahe an den Leib rücke,
haben sie sich in der Regel mit einem frischgrünen Verhau von Bäumen
und Gärten umgeben, die nun in ihrer Gesammtheit das Bild einer weit=
läufigen, exzentrischen Gartenanlage gewähren. Betritt man dann die
Stadt, so entwirrt sich dieses Häuserlabyrinth etwas; hie und da, und
besonders dort wo man eben steht, zeigt sich eine Straße oder ein Gäß=
chen; aber alles Uebrige bleibt für das Auge, bezüglich seiner inneren
Anordnung und Verbindung, immer ein undurchdringliches Geheimniß,

und für die Phantasie ein Gegenstand ansprechenden Reizes. Daß aber diese Beschaffenheit der Straßen, wie sehr sie auch den Blick des Fremden befriedigen mag, für die Bewohner der Stadt lästig und unangenehm sein muß, ist selbstverständlich. Ich glaube fest, daß hier nirgends ein auch nur zehn Schritte langes und breites ebenes Stück Boden aufgefunden werden kann; und was nicht eben, ist zugleich so abschüssig, daß man sich im Winter gewöhnlich der Steigeisen bedient, um über die Straße zu gehen. — Von Kirchen sah ich eine große gothische ohne Thurm, und weiter unten in der Nähe der Post eine andere, im modern-langweiligen Style gebaute, die den Piaristen angehört. Vom oberen Ringe herüber, wo auch die erwähnte gothische Kirche steht, leuchtete ein großes, von Säulen eingeschlossenes, religiöses Denkmal herüber, und auch einige ziemlich ansehnliche, palastartige Häuser schmücken jenen Platz. Ich bedauerte, nicht wenigstens einen Tag lang mich hier verweilt zu haben. In einer Konditorei trank ich eine Tasse vorzüglichen Kaffee, und fand hier eine nette Gesellschaft angehender Gnomen, d. i. Bergakademiker, die aus allen Nationalitäten der Monarchie, und auch aus Ausländern zusammengesetzt, die Kürzung der Ferienzeit durch Spiel und Frohsinn anstrebten. Ungefähr in der Höhe des unteren Stadtendes steht dem Kalvarienberge das sogenannte Jungfernschlößchen gegenüber, ein kleines, thurmartiges Gebäude, mit breiten runden Streben an den Ecken, und annoch im Besitze seiner Bedachung. Ein flottes Fräulein, so erzählt die Sage, war einst die Erbauerin und Eignerin dieses Schlößleins, und verlor darin in wüstem Wandel alles was ein Mensch verlieren kann: Ehre, Reichthum, Leben und ewige Seligkeit.

Schemnitz ist die bedeutendste aller Bergstädte Ungarns, und ihre Einwohnerzahl ward, bevor noch ihre weit entfernten Vorstädte, unter welche Dilln und Windschacht gehörten, von ihr getrennt und zu eigenen Gemeinden erhoben wurden, auf mehr als 20,000 Seelen angegeben. Auch hier hat der Ertrag der Gold= und Silberminen beträchtlich abgenommen; doch ist ihr Betrieb noch immer so bedeutend, daß sich die Zahl der dabei beschäftigten Arbeiter auf 18 bis 20,000 Mann beläuft. Die Längenentwicklung aller Minen soll bereits eine Ausdehnung von nahe an sechs deutschen Meilen erreicht haben. Schemnitz ist der Sitz des Oberstkammergrafen und der Centralverwaltung des ober-

11

162

ungarischen Bergbistrikts. Auch befindet sich hier eine, früher von 400
Zöglingen besuchtgewesene Bergakademie, deren Bedeutung in neuester Zeit
durch die Errichtung von noch zwei Instituten dieser Art, zu Leoben in der
Steiermark und zu Przibram in Böhmen, beträchtlich verringert wurde.

Als wir weiterfuhren, bedurfte der Eilwagen einer Vorspann
von vier Pferden, um, mitten durch die Stadt, gegen das Windschach-
terthor emporgezogen zu werden, wobei noch beide Kutscher aller stimu-
lirenden Künste ihrer Peitschen und Lungen bedurften, um den armen
Pferden zu ihrer schweren Arbeit den erforderlichen Muth zu erwecken.
— Die Lage von Windschacht ist jener von Schemnitz ähnlich, nur daß
hier die Straße mit mehr Bequemlichkeit in einem Bogen längs des Bergabhangs hinzieht, und um diese Straße herum sich der größte Theil der
Ortschaft in weiter Erstreckung hingelagert hat. Allenthalben ist hier die
Gegend in hohem Grade anmuthig und gleicht einem großen, mit den schönsten Eichen- und Buchenwäldern erfüllten Parke. Der Fels, auf welchem
Schemnitz und Windschacht stehen, ist Grünstein von sehr kompakter Beschaffenheit. Steinbach, die nächste Poststation, ist nichts weiter als ein
einzeln stehendes Wirthshaus. Bald darauf tritt die Straße in die Ebene
hinaus, und der Postwagen fährt in die Nacht hinein, aus welcher er,
je nach der Jahreszeit, erst vor oder hinter Kéménd wieder hervortritt.

Um 8 Uhr Morgens langten wir im Bahnhofe von Gran-Nána an,
und drittehalb Stunden später dampfteder von Pesth kommende Zug gegen
Wien weiter. Wer kennt nicht die Monotonie der sogenannten kleinen un-
garischen Ebene zwischen Gran und Preßburg, die schöne Lage letzterer
Stadt, die man jedoch, vom Bahnhofe aus betrachtet, gleichsam nur von
rückwärts sieht, und die hübsche Berggegend endlich bis Neudorf an der
March! Zuletzt begann um die sechste Abendstunde, als wir nämlich in den
Wiener Nordbahnhof einfuhren, jene Zeit, in der die eben beschriebene
Reise für mich in die Reihe der interessanten und theilweise auch sehr genußreichen Erinnerungen eintrat. — Und fast mehr noch als der Leser hatten jetzt die Meinigen, durch die Erzählung des Gesehenen und Erlebten, und
durch den Ballast von Reflexionen, der daran hing, zu leiden und zu ver-
winden. — Zum Schlusse noch die Bemerkung, daß Abbé P..... seinen
Cholera-Anfall glücklich überwand, aber erst nach vier Wochen, und in
sehr geschwächtem Zustande, wieder in Wien eintreffen konnte.

Reisen in Tirol.

11 *

le

1. Oetzthal, Schnals, Meran und Passeyr.

Abreise von Wien. Salzburg. Innsbruck. Abreise von Innsbruck. Silz. Das Oetzthal. Oetz. Das Oe'tzig. Die Engelswand. Umhausen. Der Stuibenfall. Mauracher Schlucht. Lengenfeld. Hohe Brige. Sölden. Windau. Windauer Klamm. Zwieselstein. Allgemeines über das Oetzthal. Fender Thal. Heiligenkreuz. Fend. Rosenthal. Die Rosenhöfe. Vernagtgletscher. Geschichte des Vernagtgletschers. Hintereishütte. Uenkberg. Hochjochgletscher. Schnalserthal. Der Karzenhof. Der Similaun. Unsere liebe Frau. Karthaus. Staaben. Meran. Die Jenoburg. Ober-Mais. Der Küchelberg. Dorf Tirol. Schloß Tirol. Passeyrthal. Salthaus. Am Sand. St. Leonhard. Sterzing. Rückfahrt. Der Brenner.

Wieder war die Ferienzeit gekommen, und meine Seele nach etwas mehr Natur, als sich in französischen und englischen Gärten und auf Landpartien zu Wagen mit obligaten Backhühnern auftreiben ließ, sehnsüchtig geworden. Da vermaß ich mich den Kreis des Alltaglebens etwas enge zu finden, gerieth dabei mit allen gewohnten Bequemlich= keiten in ein gespanntes Verhältniß, und verlor nachgerade alle Lust zu meinen Büchern, zu den wässerigen Tagesblättern, und überhaupt zu jedem ruhigen Lebenswandel. Ich wollte einmal wieder die Luft der Alpen athmen, mich freier auf ihren Bergen fühlen, und von ihren Zinnen hinaus in die Welt schauen, in die Welt da unten, voll Sorge und Konvenienz, voll Zwang und Zimmerluft, voll Tinte, Papier und Unnatur. So kam es, daß ich gleich am ersten Morgen meiner Ferien= zeit, d. i. an einem der ersten Tage des Augustmonats, nach Nußdorf fuhr, um mich durch den Dampfer „Germania" nach Linz spediren zu lassen.

Ich fand einige Bekannte auf dem Schiffe, aber noch mehr Unbe= kannte, von denen jedoch manche im Laufe des Tages sich in Bekannte verwandelten, die mich mitunter die Kürze unseres Beisammenseins beklagen ließen. Das heitere Wetter und die herrlichen Ufergegen= den der Donau erhöhten die Reiselust, die Abends noch mehr gewann, als sich ein prangendes Abendroth auf den Strom und die herrlichen Berge legte. Um diese Zeit hörten auch die politischen Diskurse auf; vorhandene Engländer mit dicken Shawls um den Hälsen hielten inne mit ihrem Wettrennen auf dem Verdecke, und das schlechte und theure Diner der table d'hôtes war bereits einigermaßen verbaut. Als dann später die volle Mondesscheibe still und feierlich im Osten aufging, gingen die Menschen unter — das Verdeck, was später auch ich, nachdem ich einiger Melancholie mich erfreut hatte, zu thun nicht unterließ. Der Morgen fand das Boot bereits in der Nähe von Linz, wo es etwas nach 5 Uhr beilegte.

Eine Stunde später ging's mit der Eisenbahn in das schöne, gleich einem Garten blühende, vom hellsten Sonnenlichte überschimmerte Land hinaus Bei Gmunden jedoch begann der Himmel sich zu bedecken, und der nahe Traunstein hüllte eine Mütze von Nebel um sein Haupt; der See ließ nicht minder von seiner sonst so schönen Farbe ab, und bald nachdem der kleine Dampfer mit uns abgefahren war, begann Jupiter Pluvius uns bis nach Ischl eine jener Launen fühlen zu lassen, unter deren Einfluß man Gefahr läuft verdrießlich zu werden, wenn man die Grillen des Unholds unter anderen Verhältnissen ertragen muß. Ich aber dachte mir: diese Regenflut sei nur für die Ischler Kurgäste bestimmt und gehe mich eigentlich gar nichts an, da ich Abends von Ischl wieder abreisen werde. Ich ließ mir daher auf der Post unter allerlei Reichsgliedern, zwischen bremerischen Freistädtlern und singend sprechenden Kleinsachsen, einige Küchenfabrikate sehr wohl schmecken, was mir denn auch die Kraft gab, um die Nachtreise nach Salzburg leicht zu ertragen.

Salzburg, wo ich einen Tag lang verweilte, war langweilig wie immer. Die Stadt gleicht einer vornehmen, aber etwas verblühten Schönheit; nur die Natur um sie her war nicht gealtert und prangte in Glanz und Herrlichkeit. Des anderen Tages ging's rasch durch das reinliche Reichenhall, durch Lofer und den Strubpaß nach Tirol. Dieses, am Fuße des über 8000 Fuß hohen Breithorn hinziehende Defilé vermittelt auf eine würdige Weise den Eintritt in jenes stolzumthürmte, prachtvolle und männerreiche Hochland.

Die Reisegesellschaft war zahlreich, doch wenig interessant, mit Ausnahme eines ältlichen Herrn aus Berlin, der fortan die Leiden des warmen Tages und die noch größeren ob der tirolischen Küche, mit lächelndem Gleichmuth ertrug, oder höchstens mit einem gutmüthigen

Scherze seine diesfälligen Erfahrungen illustrirte. Gegen acht Uhr Abends erreichten wir Wörgl im Innthale, die Nachtmahlstation für die Passagiere des von Salzburg kommenden Postwagens. Im Speisezimmer war auf zwei Tischen eine Zahl von Gedecken für die Eßlustigen bereitet, und auf meine Frage, was hier für den Hunger zu bekommen sei, erwiederte die Kellnerin kurz und trocken: „Alle essen miteinander!" wodurch sie offenbar bloß gegen alle unbequemen gastronomischen Separatgelüste ihrer Gäste Protest einlegen wollte. „Hier waltet also das Schicksal!" bemerkte unser Preuße gutherzig und setzte sich an meine Seite, um bald nachher einige Forellen in die Lage zu versetzen, in die ein Mann mit gutem Appetit sie mit Vorliebe bringt.

Um 3 Uhr Morgens feierten wir unsere Ankunft in Innsbruck, wo ich mir im Kreise der Meinen einige Tage ruhigen Glückes vergönnte.

Bezüglich der Exkursionen, die ich nun von hier aus unternehmen wollte, waren meine Gedanken vorherrschend in's Großartige gerichtet. Ich wollte das Oetzthal besuchen, das ich während meines früheren, dreijährigen Aufenthaltes in Tirol zu sehen versäumt hatte, und das mir vom Hörensagen als eine Gegend bekannt war, wo tiefste Bergeinsamkeit und Verlassenheit, meilenlange Eiswüsten und alle übrigen Schauer der Wildniß stellenweise in hellen Haufen anzutreffen sind. Darum eben war mir dies der rechte Ort, wohin ich meine Schritte lenken wollte. Nachher gedacht' ich mir Meran ein wenig zu besehen, von dem alle Welt sagt es sei ein Paradies, und noch dazu ein deutsches; von dort endlich würde sich, ich war dessen überzeugt, ein passender Rückweg ohne Mühe ausmitteln lassen. Da sich ferner mein Schwager, einer meiner theuersten Freunde, großmüthig herbeiließ, mich auf meiner Irrfahrt zu begleiten, so blieb mir nichts mehr zu wünschen übrig. Die Vorbereitungen zur Reise nahmen sofort nur kurze Zeit in Anspruch, und schon am sechsten Tage nach meiner Ankunft in Innsbruck trug uns der in das Oberinnthal abfahrende Eilwagen unserem Reiseziele zu.

Als wir uns Zirl näherten, brach die Sonne hervor, und übergoß die Spitzen der Berge nah und fern miteinem prangenden Purpurschein, der von so greller und eigenthümlicher Wirkung war, daß wir ihn unmöglich als günstiges Wetterzeichen ansehen konnten. Im Coupé saß

mit uns ein geiſtlicher Herr, aus der Umgebung von Brixen, wenn ich
nicht irre, der mit der Büchſe an der Seite nach Bregenz zum Kaiſer⸗
ſchießen eilte. Ihn kümmerte das Wetter wenig, und er ſchien auch
ganz der Mann dazu, um ſelbſt mitten durch den Regen ſeine Kugeln
in das Schwarz der Scheibe zu bohren. Deſto übler aber ward unſere
Laune, als ſchon hinter Telfs das Gewölk in ſchweren Tropfen des
prahleriſchen Morgenrothes zu ſpotten begann, und bald darauf mit
einem dichten Regen das ſchöne Land nicht minder als unſere ſchönen
Hoffnungen verdüſterte. Das gab eine ſchlechte Einleitung zu unſerem
Reiſeplan, deſſen erſter Paragraph ein günſtiges Wetter verlangte. In
Silz verließen wir den Eilwagen und verſuchten nun im Poſthauſe, ob
etwa nicht ein gutes Frühſtück im Stande wäre, unſere geſunkenen Hoff⸗
nungen wieder etwas aufzurichten. Es gelang, zumal die flinke Kell⸗
nerin — der Himmel gebe ihr einen Mann nach ihrem Herzen — mit
prophetiſchem Geiſte verſicherte: „Das Wetter muß ſich ändern; es
kann durchaus nicht immer ſo ſchlecht bleiben!" Nebenbei war die
Zuverſicht, die ſich in ihren freundlichen Augen über die Wahrheit be⸗
meldeten Arguments ausſprach, viel werth, und zeugte von nicht weni⸗
ger Logik als nothwendig war, uns eine Weile lang trefflich zu amü⸗
ſiren. Wir mietheten nun ein Wägelchen, das uns bis nach Umhauſen
im Oetzthale bringen ſollte, und benützten die Zeit bis zum Erſcheinen
deſſelben, um uns die neuerbaute ſtattliche Kirche des Dorfes zu beſe⸗
hen, die mit ihren ſchön in Holz geſchnitzten Altären, mit einer gleich⸗
artigen Kanzel und mit einigen guten, theils al fresco, theils in Oel
ausgeführten Gemälden von Arnold, ein würdiges Gotteshaus dar⸗
ſtellt. Als wir nachher, etwa um die Mittagszeit herum, von Silz ab⸗
fuhren, fühlten wir Ehrfurcht vor der Kellnerin auf der Poſt, denn
ſchon bei Haimingen begann die Wolkendecke ſich zu lichten, der Regen
inne zu halten und ſelbſt die Sonne dann und wann einen hellen Strahl
durch die graue Dunſthülle des Firmaments zu bohren.

    Hat der Weg die waldige Anhöhe von Brunau erklommen, ſo
öffnet ſich das Thal, und man gewahrt jenſeits des Baches das zwi⸗
ſchen Fluren und Bäumen liegende, freundlich blickende Dorf Sautens.
Bei Brunau ſelbſt rauſcht, dicht neben der Straße, der aus dem Ochſen⸗
gartenthale kommende Bach in einer zwar nicht ſehr hohen, aber unge⸗

mein zierlichen Kaskade in das tiefere Thal herab. Ich setze voraus, meine freundlichen Leser werden es errathen haben, daß wir uns bereits im Oetzthale befinden, das jedoch an dieser Stelle noch wenig Spuren jener Wildheit zeigt, um derentwegen es in den Augen von Romantikern und Gänsehautfreunden in so hoher Achtung steht. Hier findet fast das Gegentheil statt; um das Dorf Oetz herum gedeiht der Mais herrlich, und in den Gärten sahen wir Aprikosen reifen; ja es behaupten die Bewohner von Oetz sogar, das Klima ihrer kleinen Landschaft sei jenem des Innthals vorzuziehen, was übrigens, den Landeskundigen gegenüber, nicht eben viel zu sagen hat. Oetz ist ein wohlhabendes, auf der östlichen Berglehne und im Thalgrunde zerstreut umher liegendes Dorf, mit einer schönen stattlichen Kirche. Der Primiz eines aus der Ortschaft gebürtigen jungen Geistlichen wegen herrschte diesmal eine frohe Aufregung in der Gemeinde, und einige blumengeschmückte Triumphbögen aus Tannenreisig bewiesen, welchen Werth das fromme Gefühl der Bewohner des Dorfes diesem heiligen Vorgange beilegte.

Als wir nach halbstündigem Aufenthalte in Oetz wieder weiter fuhren, machte uns der Kutscher auf das nach Norden gerichtete Ziehen des Nebels aufmerksam, was auf das Wehen des Südwindes hinwies und uns vom Wetter für die nächste Zukunft nicht viel Gutes erwarten ließ. Wir erinnerten uns jedoch der Weissagungen unserer Pythia in Silz, und dies reichte hin unsere Geduld zu kräftigen. Hinter Habichen wird das Thal plötzlich sehr enge, indem links vom Bache ein schroffer Bergfuß, wahrscheinlich das Produkt eines uralten Bergsturzes, ins Thal vorspringt und zwischen sich und der Bergwand gegenüber eine tiefe Schlucht offen läßt, durch die sich die Ache unter immerwährenden Wasserfällen und erschrecklichen Zornesäußerungen den Weg gebahnt hat. Dieser Platz heißt das „G'steig" und ist der erste, ungezähmt sich geberdende Vorposten ötzthalerischer Wildheit. Wer hier die Lust bekäme eine Konversation zu führen, oder vielleicht seine Reisebemerkungen laut vorzulesen, der sorge früher für ein Sprachrohr wie etwa der Seeheld Nelson in der Schlacht bei Trafalgar eines führte; auch kann demjenigen, der von der Schwindelfreiheit seines Kopfes noch keine zureichende Ueberzeugung gewonnen hat, ein Spaziergang längs des Randes der einige hundert Fuß tiefen Thalschlucht von großem Nutzen

fein. Wild zufammengewürfelte Blöcke aus fchönem Diorit, unter denen
manche riefige Dimenfionen zeigen, bedecken, im Verein mit dem fchönften Lärchenwald, diefen Bergvorfprung, über welchen fich nun unfer
Weg emporfchlängelte, um fich vor dem Weiler Dumpen in die kleine
Thalebene von Umhaufen herabzufenken, die nach der fo eben durch-
fchrittenen, lärmerfüllten Wildniß einen für das Auge verföhnlichen
Kontraft darbot.

In dem Artikel der Kontrafte ift das Hochgebirge überhaupt mit
anerkennungswerthen Vorzügen ausgeftattet, und darin reicher wie jedes
äfthetifche Lerikon, weshalb allein fchon ich meinen Lefern den Rath
gebe, erft die einfchlägigen Artikel des Lerikons aufmerkfam zu lefen,
(oder auch nicht), und dann eine fechswochentliche Reife in die Alpen
bei fchöner Jahreszeit zu unternehmen Einen folchen Kontraft bildet,
mit dem grünen Frieden auf der Ebene von Umhaufen, die gleich neben
Dumpen fenkrecht aus dem Thalgrunde auffteigende, gewiß nicht unter
2000 Fuß hohe Engelswand. Aus dunklem Gneiß aufgethürmt, ftarrt
diefe Urbaute der Schöpfung dräuend dem Wanderer entgegen; um
jedoch ihre Schreckensgeftalt zu mildern, hat der kindliche Sinn des
Volkes fie in den Zauber der Dichtung gehüllt. Einem Grafen von
Hirfchberg, fo erzählt nämlich die Sage, der das unweit gelegene, nunmehr verfchüttete Schloß gleiches Namens bewohnte, entführte einft ein
Adler das in Gefellfchaft feiner Eltern fich ergehende Söhnlein, und
trug es in die Lüfte empor. Da fank das fromme Elternpaar auf die
Knie und flehte in heißem Gebet zu Gott um die Rettung ihres einzi-
gen Kindes. Ihre Bitte ward erhört: ein Engel rang dem Adler das
Kind aus den Krallen und fetzte es auf die Höhe jenes Felfenabfturzes
nieder, der feither den Namen der Engelswand führt. — Dem nahen
Abgrund zum Trotz, bauten dafelbft genügfame Menfchen den Weiler
Fahrft, wohin der Weg zum Theil auf Leitern führt, und deffen
Häufer unter großer optifcher Verjüngung in das Thal herunterfchauen.

Die Ebene von Umhaufen, die eine Länge von etwa einer Stunde
und im Mittel eine Breite von einer Viertelftunde befitzt, ift allenthalben von mächtigen Bergen umftellt, deren Spitzen uns jedoch die
immer dichter zufammenrückenden Nebelmaffen verbargen. Die Karte
zeigt den **9385 Fuß** hohen Wildgradkogel, und der Hochpfeiler neben-

an wird für noch höher geachtet. Das Gepräge höheren Ernstes war in
dem landschaftlichen Bilde unverkennbar; die bunten Fluren des tieferen
Oetzthales machten hier schon groß:ntheils der Wiesenwirthschaft Platz,
die Obstbäume wurden seltener in den Dörfern, längs der Wege und
um die Gehöfte herum, und an den Bergwänden hingen wilde Schroffen aus dem stockenden Nebel ins Thal herein. Bei schönem Wetter
wäre alles herrlich gewesen, aber die Wolken mischten in jede Farbe
ihr düsteres Grau und verdarben Vieles.

Umhausen ist ein stattliches Dorf, und in diesem Dorfe ist, die
schöne Kirche nicht gerechnet, Marberger's Gasthaus das stattlichste Gebäude. Nicht wenig würde jedoch derjenige irren, der sich durch das
Wort „Gasthaus," und in Erwägung der Nähe des berühmten Wasser-
falls dahin verleiten ließe, sich ein Hôtel vorzustellen, mit neumodischem
Komfort, mit Kellnern im Frack und theuren Preisen. Nichts von all
dem! Herrn Marberger's Gasthaus ist wenig mehr als eine gewöhnliche
Dorfschenke, mit einer getäfelten Stube zu ebener Erde, zwei hübschen
Zimmern im oberen Stockwerk, mit phantasievollen Winkeln in Menge,
und einem Asyle nebenan für supernumeräre Gäste. Hier nahmen
wir Abschied von unserem Wagen, den wir leider nur bis hieher ge-
miethet hatten und der uns leicht bis nach Lengenfeld, wo erst der Weg
fahrbar zu sein aufhört, hätte bringen können. Wir beklagten dies einmal des schlechten Wetters wegen, und dann auch deßhalb, weil in Umhausen selbst kein Fuhrwerk für diesen Tag aufzutreiben war. Alle
Pferde des Dorfes waren in die Sommerfrische gegangen, und erfreuten sich zur Zeit des nahrhaften Genusses duftiger Alpenkräuter.

Nachdem wir uns sattsam überzeugt hatten, daß dieser Kasus sich
nicht ändern ließ, so schlugen wir ohne Zeitverlust den Weg zum nahen
Stuibenfall ein, den alle Welt als einen der schönsten Wasserfälle der
Monarchie preist, und der es in der That auch ist. Er liegt etwa eine
halbe Stunde abseits von Umhausen in einer Schlucht der rechten Thalseite, und wird durch den Hairlachbach gebildet, der aus dem Gletscher
des Grieskopfs entspringt, und sich dann bei Umhausen, unter sichtlichen Beweisen zeitweiliger Zerstörungssucht, in die Oetzthaler-Ache ergießt. Der Weg zum Wasserfall führt anfangs ganz zahm durch die
Roggenfelder des Dorfes, bis er die Mündung des Hairlachthales

erreicht; von hier an windet er sich über Felstrümmer von jeder Größe hindurch, und erreicht dann eine Brücke, jenseits welcher ein schmaler und etwas rauher Steig auf die dem Katarakte gegenüber stehende Bergwand leitet. In der Tiefe selbst ist kein lohnender Standpunkt möglich, denn die Schlucht ist so enge, daß an der Stelle des Falles ihre ganze Breite von der stürzenden Flut überdeckt wird, weßhalb sich dem Beschauer dort nur eine Seitenansicht bietet, die ihn das Beste verlieren läßt. Es lasse sich daher Niemand das Erklettern des erwähnten Berghangs gereuen. Von da angesehen scheint sich der Bach nicht aus dem Hairlachthale selbst, sondern von der rechten Seite desselben, aus dem höheren Gebirge herabzudrängen. Der Fall besteht aus zwei Kaskaden, die zusammen die Kleinigkeit von 472 Fuß Höhe messen, was die volle Höhe des Thurmes der St. Stephanskirche in Wien um 40 Fuß übertrifft. Wahrscheinlich in Folge eines kleineren Falles oberhalb, schießt der wasserreiche Bach bei seinem Erscheinen wie ein breiter Strahl aus seinem oberen Rinnsal hervor, und wird ungefähr im dritten Theile der ganzen Fallhöhe von einem Felsenbecken aufgefangen, das einen Theil des Wassers in anfänglich horizontaler Richtung wegstäuben macht. Die andere, etwas stärkere Hälfte wendet sich von hier an etwas nach rechts, sinkt, bereits in weißen Schaum verwandelt, etwa 50 bis 60 Fuß in mehreren kleinen Sprüngen herab, und fällt dann als ein breiter, wehender Silberschleier stäubend und donnernd auf den Boden des Thals. Die reiche Umgebung, der dunkle Wald nebenan und die grünen Bergkolosse dahinter, erhöhen die Schönheit des großartigen Naturbildes, das nur die Engheit des Thales beklagen läßt, die das Beschauen aus größerer Entfernung und die Vereinigung aller Theile dieser machtvollen Szenerie zu klarerer Empfindung nicht wenig beeinträchtigt.

Nachdem unsere Blicke befriedigt, unsere Ohren voll Donner, und unsere Kleider mit Wasserstaub reichlich bedeckt waren, traten wir den Rückweg an. Im Gasthause fanden sich zwei neuangekommene Studenten aus München vor. Es war jetzt etwa 5 Uhr und der subjektive Grund zu einem guten Diner vorhanden, weßhalb wir Nachfrage nach eßbaren Dingen, und namentlich nach Forellen, hielten, bezüglich letzterer jedoch die traurige Auskunft entgegennahmen, daß der letzte im Jahre 1845 erfolgte verheerende Ausbruch des Rofener Gletschersees diese achtbaren Alpenbewohner im ganzen Oetzthale grausam vertilgt habe. So erzählte uns Herr Marberger selbst, ein kluger und wohlhabender Mann, der seiner Redlichkeit wegen weit und breit große Achtung genießt. Aber auch an Witz fehlte es ihm nicht, was er durch manche humoristische Bemerkung bewies, mit der er diese und jene Notiz im Frembenbuche kommentirte, wozu übrigens mancher Fremde vortreffliches Material lieferte. So warnte z. B. ein Privatdozent der Universität Heidelberg jeden Touristen vor dem Uebergange über den Hochjochferner, unter Hindeutung auf Gefahr für seine Stiefel und Füße, wobei er nicht unterließ vorauszusetzen, daß ihm — dem Touristen nämlich — beide lieb seien. Marberger bemerkte, es wäre merkwürdig zu wissen, welche Art Landstraße jener junge Herr auf einem Joche vermuthete, auf dem mehr Eis liegt als selbst den Oetzthalern, und den Schnalser Schafen, die alljährlich zweimal darüber müssen, angenehm ist. Auch den Namen des unglücklichen Dr. Bürstenbinder aus Preußen fanden wir hier; er brachte die Nacht in Umhausen zu, so erzählte der freundliche Wirth, war des Morgens sehr heiter, und trug, als er fortging, leichte zierliche Schuhe, mit denen er recht wohl eine Tanzunterhaltung hätte mitmachen können. Bei so wenig Erfahrung im Gebirgswesen hätte er vorsichtiger sein sollen. Im Gegentheile, er trotzte der Gefahr muthwillig, und fand so in einer Eiskluft des Gurglerferners ein trauriges Ende. ¹) Unter diesen Gesprächen dampfte endlich der Schöpsenbraten von reichlichen Kartoffeln begleitet zur Thüre herein, worauf Marberger sein grünes Käppchen vom Kopfe nahm und „guten Appetit" wünschte, wir aber alsogleich daran gingen die Ueberflüssigkeit dieses Wunsches darzulegen.

Mittlerweile hatte der schon während unserer Rückkehr von dem Wasserfalle eingetretene Regen nicht nur nicht nachgelassen, sondern es hatten sich die Wolken so dicht zusammengeschoben, daß sie jetzt einen den ganzen Horizont überdeckenden, geschlossenen Nimbus bildeten, unter dem die Dämmerung rasche Fortschritte machte. Wir entschlossen uns daher in Umhausen zu übernachten, was sich auch in Beziehung auf meine Person als zweckmäßig erwies, indem sich bei mir gegen Abend alle Anzeichen einer Fieberalteration einstellten. Ich hatte mich ohne Zweifel bei Besichtigung des Wasserfalles dadurch erkältet, daß ich,

174

bei Erkletterung der erwähnten Bergwand in stärkere Transpiration versetzt, mit unvorsichtiger Eile den Rock öffnete, und mich so der erkältenden Einwirkung des vor dem Sturze hergehenden heftigen Luftzuges und Wasserstaubes darbot. Unter solchen Umständen machten wir unsere Weiterreise in das obere Oetzthal von meinem Befinden und von dem Wetter des nächsten Tages abhängig.

Am Morgen weckte uns Herr Marberger mit der erfreulichen Nachricht, daß das Wetter sich „aufgemacht" habe und einen heiteren Tag verspreche. Das klang angenehm, zumal auch ich mich wieder ganz wohl fühlte. Wir sprachen daher in Eile dem Frühstück zu, und traten um 7 Uhr in Begleitung von Marberger's Sohne, der unseren Reisesack trug, und der beiden baierischen Studiosen, die Wanderung thalaufwärts an. Da eben Sonntag war, so begegneten wir häufig den zum Gottesdienste herbeieilenden Bewohnern der entfernteren Gehöfte. Die Männer trugen vorherrschend dunkle Tracht, schwarze Jacken und braune Strümpfe, während die Weiber die auch im Innthal gebräuchlichen konischen Mützen führten, in kurzen, faltenreichen Wiflingen staken, und die Waden vom Knie abwärts mit einem dicken, unförmlichen Wulst umwickelt hatten. Dieser letztgenannte Schmuck war jedoch nicht allgemein, sondern schien, wenn ich nicht irre, ein Privilegium der Frauen des Thales zu sein. Nicht vieler freundlicher Grüße konnten wir uns von Seiten dieser Leute rühmen, denn die rauhe Natur ihres Bodens, ihr lebenslanger Kampf mit den Elementen, und vor Allem ihr einsames, dem häufigeren Verkehr mit Menschen schwer zugängliches Dasein, macht sie ernst, scheu und verschlossen, aber auch phantasiereich, gottesfürchtig, rechtschaffen und kräftig. In keinem Theile des Landes hat die Märchenwelt den „saligen Fräulein," Heren und Norken, den guten und bösen Geistern ein so weites Gebiet eingeräumt, als im Oetzthale. *)

Eine Viertelstunde oberhalb Umhausen beginnt die Schlucht von Maurach, eine brausende, felsüberhangene, schauerreiche Klamm; — ein Stück Tollheit der Natur und eine Art Ehrenrettung für manche Unglaublichkeit in den Werken Vater Tieck's und seiner Jünger. Wer in dieser Schlucht die Felswand rechts oder die Felswand links mit den Augen bis zu ihrem oberen Ende verfolgen wollte, der thäte gut sich rücklings auf den Boden zu legen; wer aber an Nervenschwäche leidet, der sehe lieber gar nicht hinauf, weil er sonst leicht, besonders wenn Wolken vorüberziehen, dahin gebracht werden könnte zu glauben, es stürzen ihm die Berge über den Kopf zusammen.. — Mehr als sonst wo sind beim Eingange in diese wilde Thalenge die Verwüstungen erkennbar, mit denen die Fluten des Gießbaches das an fruchtbarem Boden ohnehin so arme Thal von Zeit zu Zeit heimsuchen; Geschiebe von jeder Größe, zuweilen von mehreren Kubikklaftern räumlichen Inhalts, bedecken im wildesten Gewirre theils das Bett der Ache, theils jemaliges Ackerland, auf Jahrzehende hinaus jede Kultur zurückweisend. Aber nicht die Oeß allein bedroht Felder und Häuser, auch die zahllosen Seitenbäche führen bei starken Regengüssen Schutt und selbst beträchtliche Steinmassen zur Tiefe herab, und die oft kolossalen Schuttkegel, die an den steilen Bergwänden angelehnt liegen, reden von den Gefahren, die den armen, vielgeplagten Thalbewohnern von allen Seiten drohen. Ein eindringliches Beispiel dieser Art konnten wir in der Thalenge oberhalb Lengenfeld wahrnehmen. Ein Haus steht da dicht am Wege, um wenige Fuße höher als dieser, und am Rande eines über die dahinter liegende Berglehne sich hinaufziehenden hochstämmigen Fichtenwaldes, der das Haus gegen jeden Murrbruch auf ewige Zeiten zu schützen schien. Und dennoch hatte sich, vor nicht gar langer Zeit, eine Murre den Weg durch den Forst gebrochen, dicke Bäume geknickt, die Umfassungsmauer des Hofes durchbrochen, und lag nun, wenige Schritte vom Hause entfernt, als ein mindestens zwölf Fuß hoher Schuttwall quer über dem Wege. Es kann mit Bestimmtheit angenommen werden, daß die nächste Thätigkeit dieser Murre jenes Haus über den Haufen wirft. — Es wäre von eigenthümlichem Interesse zu erfahren, ob der Besitzer dieses, in so kritischer Lage befindlichen Gehöftes, unter gewissen Bedingungen gerne sein heimatliches Thal verließe. Ich glaube es nicht; denn der Mensch achtet im Allgemeinen gerade jenen Besitz am höchsten, dessen Erhaltung ihm die meiste Mühe kostet; er hat eben durch diese Mühe alle seine Gefühle in Anspruch genommen, und sich mit diesen verwachsen. Und so geht es denn auch den Bewohnern aller Hochländer mit der beschwerlichen Existenz, in den oft unwirthlichsten Thälern, in denen sie ihr Dasein empfingen.

Kaum hat man den Mauracher Paß hinter sich, so verändert sich alles wie mit einem Zauberschlage. Die lachende Ebene von Lengenfeld spannt sich wie ein smaragdgrüner Teppich, anderthalb Stunden lang und eine halbe breit, vor den Blicken aus, und eine verhältnißmäßige Zahl von Dörfern und Weilern belebt mit ihren Kirchen und weißblinkenden Häusern das schöne, fesselnde Bild. Das hellste Wiesengrün bedeckt die Sohle des Thals, und da jetzt der Flachs nicht mehr blüht, so halten sich die Zeitlosen für verpflichtet, seine Rolle zu übernehmen, und zu schmücken deshalb in unermeßlicher Zahl den feuchten, grasigen Grund. Der Flachs ist hier bereits das Hauptprodukt der Bodenkultur geworden; er wird im Oetzthale mit großem Erfolg gebaut, bildet einen gesuchten Ausfuhrartikel und zieht in guten Jahren Hunderttausende von Gulden ins Thal herein. Umsichtige Hausfrauen preisen die Länge und Stärke dieses Flachses. — Dem sinnvollen Wanderer wird die gesteigerte Majestät der Lengenfelder Landschaft nicht entgehen; auf den Bergflanken beherrscht der Wald nur mehr kleine Gebiete, die Kämme und niederstreichenden Felsenrippen des Gebirges werden immer wilder und trotziger; schon hängen da und dort, wie eine Sache die sich von selber versteht, kleine Wasserfälle als lange weiße Bänder ins Thal herein, und rechts drüben ganz nahe bei Lengenfeld blickt gar schon ein silberner Gletscher aus dem wallenden Nebel hervor. Wir stehen hier bereits 3800 Fuß höher als die Meeresfläche und 600 Fuß höher als wir bei Umhausen standen.

Als wir uns Lengenfeld näherten, was in Anbetracht des Kothes und der vielen Wassertümpel am Wege, nicht eben leicht war, erschollen plötzlich Glockenklänge und Böllerschüsse, was wir bescheidener Weise als Freudenbezeigung der Bevölkerung über unseren Besuch ausgaben, und wobei wir nur darüber im Zweifel waren, auf welche Art den guten Leuten die frohe Kunde von unserer Reise zugekommen sein mochte. Der junge Marberger klärte uns jedoch die Sache dahin auf, daß hier so eben eine Redemptoristen-Mission thätig sei, die heute einen feierlichen Gottesdienst mit Predigt abhalte. Bei unserem Eintritt in das Dorf war der heilige Akt eben zu Ende; die Andächtigen strömten aus der Kirche, und umstanden dann in dichten Gruppen das mit Gemälden und sonstigen bunten Dekorationen reichlich verzierte, geräumige Gotteshaus.

Wer das tirolfche Volk, und namentlich das in den höheren Seitenthälern, etwas genauer kennt, feine Glaubenskraft und Frömmigkeit,
feinen Biederfinn und Sittenernft, — wer da weiß, wie treu und warm
fie an der Kirche und ihren Dienern, an Kaifer, Gefetz und Vaterland
hangen, der wird billig fragen dürfen, was die Herren jenes geiftlichen
Ordens an diefen Leuten im Allgemeinen zu beffern nöthig finden? —
Die kalte, keufche Natur der Hochalpen liefert ihren Bewohnern wahrlich der Verführungen wenige; eher umftellt fie ihr Dafein mit einer
Fülle von Bedrängniffen und Gefahren, die den Geift von felbft an
jene höhere Vorfehung erinnern, von der allein ein ausreichender Schutz
gegen jedes Unglück zu erwarten ift. Gewiß haben diefe Miffionspredi-
ger keinen Grund zur Annahme, es feien ihre mahnenden, zürnenden,
bilderreichen Worte eindringlicher als die Stimme Gottes, die aus dem
Donner der Lawinen, aus dem Braufen der Murren, aus den Berg-
brüchen, den Verheerungen der Gebirgswäffer, und anderen ähnlichen
Ereigniffen fpricht. Weffen die Leute hier bedürfen, das ift eine gründ-
liche Unterweifung in den heiligen Lehren unferer Religion, und dann
aufrichtender Worte des Troftes, der Geduld und des Gottvertrauens.
Aber jene ift mehr Sache der Schule und eines längeren Unterrichts,
und diefe, die Troftesworte nämlich, find eben nicht die Aufgabe der
Miffionen, die fich die Befferung der Sünder zum Ziel gefteckt. Ift
aber die Exiftenz des armen Mannes, der die Entfernung feines Hofes
von dem nächften Dorfe oft nach Stunden mißt, nicht ohnehin fchon düfter
und voll Entbehrungen genug, als daß es gut und nöthig wäre, feine
Seele durch vorgehaltene, von ihm oft kaum geahnte Sünden Anderer zu
verwirren, fein Selbftvertrauen zu erfchüttern und die Ruhe in feiner
Bruft zu ftören? Wenn er auch nicht fündenfrei ift — und welcher Menfch
wäre dies! — fo find dennoch die Mittel, welche folche Miffionen zu feiner
Befferung aufwenden, viel zu draftifch und deshalb eher gefährlich als
wirklich heilfam. Anderswo und in Städten mögen diefe Mittel am
rechten Platze fein.

Im Wirthshaufe, wohin wir uns begaben, um die Dienfte des
Wirthes bezüglich der Beiftellung eines Führers zu requiriren, fand
fich bald eine große Zahl braunftrümpfiger Gäfte ein, die uns mit allen
Zeichen der Neugier betrachteten. Die meiften hielten fich in befcheidener

12

Entfernung, einige guckten von der Gasse durch die Fenster in die Stube herein, noch andere aber setzten sich neben uns an den Tisch und besahen uns von allen Seiten, nicht anders als wären wir zwei seltene und sehenswerthe Kleinodien. Einen frischen, stämmigen Burschen, der zu meiner Linken saß, und in staunender Betrachtung meiner Wenigkeit den Schnaps vergaß, den ihm die Kellnerin vorgesetzt hatte, frug ich endlich, weßhalb er mich so aufmerksam mustere, worauf er mir erwiederte: „Schau, Du gefällst mir gar so gut; Deine Uniform ist so schön, eine solche habe ich mein Lebelang nicht gesehen!" Das war nun einmal eine Bemerkung, die, wie ich glaube, auf dieser Welt noch niemand gemacht hat; ich hielt sie ohne Zweifel für geistreich, und faßte freundliche Gefühle für den jungen Mann. Er nahm hierauf meinen Säbel zur Hand, zog ihn vorsichtig aus der Scheide, und bewunderte aufrichtig seine Länge, seine Leichtigkeit und seinen Glanz. Diese kleine Historie beweist, daß mein und meines Uniforms naiver Apologet bis dahin den Fuß noch nie aus seinem heimatlichen Thale gesetzt, da er sonst wenig Grund gefunden haben würde, mich und meinen weißen Waffenrock so ehrlich anzustaunen. Ein Gleiches mag wohl bei vielen dieser einfachen Alpensöhne der Fall sein, wenngleich vielleicht kaum einer das Glück ahnt, das ihnen diese Beschränkung gewährt.

Lengenfeld ist ein großes, schönes Dorf, und das wohlhäbige Aussehen seiner Häuser berührt gefällig das Auge. Aber es hat einen bösen, tückischen Genossen in seiner Mitte, einen wahren Störenfried, der, wenn er zu brummen anhebt, Häuser und Ställe einstürzen macht. Das ist der Fischbach, zur Stunde ein harmloses Bächlein aus Gletschermilch, das aber erst im vorigen Jahre einigen Häusern den Garaus machte, weßhalb man zwei mächtige Steindämme an seine Ufer hinbaute. Er kommt aus dem Sulzthale, durch welches ein Marsch von zwölf Stunden nach Ranalt im oberen Stubai führt. Es ist interessant, den Verbindungen der Thäler über die Kämme hinüber nachzuforschen. Denn man erfährt dadurch nicht allein wie nahe sich manche Thäler liegen, die sonst nur auf Tagereisen weit ausholenden Umwegen zu erreichen sind, sondern man wird auch auf solche Weise praktisch über die Orographie des Landes belehrt. Der Stubaier-Gebirgsstock ist in dieser Beziehung ein wichtiger Knotenpunkt, indem von ihm nicht weniger als neun größere Thäler nach allen Richtungen ausstrahlen. Aehnliche Verhältnisse, nur in noch reicherer Entwicklung, bietet die Centralkette im oberen Oetzthale dar.

Mittlerweile hatte der Wirth uns einen Führer ausgemittelt, weßhalb wir uns, nach halbstündigem Aufenthalte, zum Aufbruche rüsteten. Doch vorher mußten wir unseren Freund, den jungen Marberger, für seine Leistung befriedigen, und siehe, da stießen wir mit einem Male auf ein ungeahntes Hinderniß; er wollte in keinem Falle eine bestimmte Forderung stellen, sondern meinte das Bißchen Weg sei keiner Rede werth, und wir möchten geben was uns eben in die Hand käme. Die Strecke von Umhausen bis hieher maß aber dritthalb wohlgezählte Stunden und das Gewicht des Reisesacks zählte nicht unter 20 Pfunde. Nach einigem Hin- und Widerreden, und als wir ihm erklärten, daß wir von dem einschlägigen Brauch im Oetzthale nicht das Mindeste wüßten, nannte er endlich den Betrag von 36 Kreuzern in Reichswährung. Daß wir mehr gaben und eine Halbe Wein dazu, versteht sich fast von selbst. Ich stelle nun die Frage, ob einem Reisenden seit einem halben Jahrhundert etwas dergleichen in der Schweiz begegnete; dort kostet, nach der Erzählung Dr. Ruthner's, unsers rühmlich bekannten muthvollen Bergtouristen, das Nennen eines Namens gelegentlich einen Batzen.

Als wir Lengenfeld verließen, hatte der Himmel sich vollends aufgeklärt, und über Berg und Thal lag nichts als Glanz und Glorie. Jeder Farbe geschah jetzt das gebührende Recht, das meiste aber dem oben bereits erwähnten Gletscher, der oberhalb des Dörfchens Huben nicht anders heruntersah, als sei er ein spezieller Freund der Sonne und von ihr mit einer dreifachen Menge Licht bedacht. Der Bergriese, der ihn trägt, ist die „hohe Geige" — eine eigenthümliche Violine, deren Fidelbogen annoch vermißt, von der k. k. geologischen Reichsanstalt aber gewiß noch aufgefunden werden wird. Von diesem Berge geht in Lengenfeld das Sprichwort, daß ein mittelstarker Mann alle ehrlichen Hubener huckepack auf seine Spitze tragen könne, worauf jedoch die Hubener also antworten: „Dies sei wohl möglich, aber der besagte Mittelstarke müsse selber ein ehrlicher Mann sein, und darum seien die Lengenfelder den Beweis von der Wahrheit jenes Sprichworts bis heut

12 *

zu Tage schuldig geblieben." — Uebrigens beginnt auf der hohen Geige jene zusammenhängende Eisdraperie, deren Länge viele, und deren Breite stellenweise zwei bis dritthalb Meilen mißt, deren Zipfel endlich weiter oben mannigfach bis ins Thal herunterhängen.

Gleich hinter Huben schließt sich die Lengenfelder Ebene, und es beginnt neuerdings eine dunkle, wildvertobelte Schlucht, die aber durch ihre Länge und Monotonie ermüdet. An breiten Murren, hohen Schutthalden, Wasserfällen, aufschreienden Bächen und tiefsten Einsamkeiten ist hier noch weniger Mangel als anderswo, aber die dreistündige Dauer genannter Bergschrecknisse macht endlich nicht mehr Wirkung, als eine einzige am rechten Platze. Toujours perdrix! rief einst mißmuthig jener Franzose, dessen Küche für längere Zeit nur köstliche Rebhühner, und nicht auch minder leckere Gerichte zu liefern vermochte. Mit doppeltem Behagen begrüßten wir deßhalb die kleine Thalweitung von Sölden, auf deren weichen, grünen Grund das gleichnamige Dorf friedlich sich hingelagert hat.

Sölden, das bereits 4435 Fuß über dem Meere und 625 Fuß höher als Lengenfeld liegt, gleicht schon fast einem Verein von Sennereien, so ernst und des Baumschmucks bar ist's um die Häuser herum, und so still und träumerisch läßt sich bereits die Gegend an. Und dennoch hat hier die Kunst, ich meine die Malerei, viel drolliges Unwesen getrieben. Wer immer ein warmer Kunstfreund ist, und sich die Häuser von Sölden betrachtet, dem wird es einleuchten, daß dieses Alpendorf eine Künstlergröße eigener Art beherberge; einen in das Oetzthalerische übersetzten Polidoro oder Maturino, dem es verliehen worden, die Wohnungen der Ortschaft äußerlich mit einer solchen Auswahl von Ornamenten zu bedecken, daß sie klärlich die Kraft und Originalität seines Geistes verrathen. Das „obere" Wirthshaus, in welchem wir einkehrten, war in dieser Hinsicht besonders ausgezeichnet. Da war der Eingang in einen wahren Triumphbogen verwandelt: schlanke Säulen unbekannter Ordnung, und aus den kostbarsten Materialien aufgebaut, hoben ihre dicken Häupter empor und waren bedeckt von Architraven, Simsen und allerlei unmöglichen Bögen; an Schnörkeln und unterschiedlichem Zierrath war auch kein Mangel, indeß die gebrochenen Linien und wechselnden Schatten die Täuschung eines geheimnißvollen Hintergrundes erzeugten. — Sollte dies Alles vielleicht ein gemaltes

Versprechen des Wirthes vorstellen, daß unter seinem Dache den physischen Hälften der Gäste ein Triumph zu Theil werden würde? — Diese
Frage sollte jetzt beantwortet werden.

Auf unsere Nachfrage, was die Küche zu bieten vermöge, nannte
uns die Kellnerin: Suppe, Rindfleisch, Schöpsenbraten und Kompot.
„Rindfleisch!" rief mein Freund entzückt, und „Kompot sogar!" setzte
ich nicht minder erfreut hinzu; welche volle Summe schmeichlerischer
Hoffnungen! — Aber ach! wie reich an Täuschung ist dieses Erdenwal-
len! Als das Rindfleisch kam, war's ein Stück brauner Asbest, eine
Art paläontologischer Delikatesse; — der Schöpsenbraten trieb Selbst-
chemie, und war bereits in einem merklich vorgerückten Stadium frei-
williger Zersetzung begriffen; und gar das Kompot! — der Himmel
verzeihe jener Kellnerin die leichtsinnige Verunglimpfung dieses edlen
Wortes! denn was sie Kompot nannte, bestand weniger aus Kirschen,
als vielmehr aus Kirschen-Mumien; es waren Vermächtnisse einer antiken Zeit an die Gegenwart, — dünne, schwarze Bälge mit kolossalen
Körnern. So stand es um den Sinn bemeldeter Triumphpforte und
um unser Mittagessen in Sölden nach einem fast sechsstündigen Marsche. Zum Ueberfluß ging jetzt draußen ein zerfließender Nebel als
Regen, mit Graupen untermischt, nieder, und rasselte um die Fenster,
als ärgerte er sich uns nicht im Freien erwischt zu haben.

Das alles störte unsere Laune, was uns gewiß nicht zu verdenken
war, und brachte nachher, als wir wieder weiter zogen, in mir den
Eindruck hervor, als habe Sölden eine düstere Lage. Die Höhe der
umstehenden Berge kann beiläufig dadurch beurtheilt werden, daß der
Uebergang in das nahe Pitzthal, eine tief in den Bergkamm einschneidende Scharte, 9453 Fuß Seehöhe besitzt, und hier mit dem Diminutiv
„Jöchel" bezeichnet wird. Eine Elevation also, die in der Gegend bei
Umhausen einem beliebigen Berggipfel ein Anrecht auf unsere Achtung
gab, ist hier bereits zur Höhe der Joche herabgesunken. Auf der östlichen Seite hob der eisverhüllte Grieskopf seine Silberscheitel über die
Wolken auf, und von Süden her schaute durch die Windauer Schlucht
der Röderkogel, ein derber, finsterer Geselle, ins Thal herein. War's
meine Schuld, oder die des triumphalen Wirthshauses in Sölden, ich weiß es nicht, aber mir dünkte damals, als zitterte etwas

Schwermuth durch die Luft, und hätte sich über das Thal, über die Berghänge, und über die still und nachdenklich aufragenden Felsenstirnen abgelagert.

Oberhalb Sölden ist einmal wieder, und Gott weiß es zum wievielten Male, die Oetz zu überschreiten, worauf sich der Weg über den Abhang des Brunnenkogels emporwindet, wo die kleine Häusergruppe von Windau liegt. Hier trifft man merkwürdig glattgeschliffene, unter der spärlichen Grasdecke nur theilweise zu Tag tretende Felstafeln von so blanker Oberfläche, daß der Fuß, der sie besteigt, einigen Grund zur Vorsicht findet. Diese Schliffflächen liegen einige hundert Fuß oberhalb der Thalsohle und sind ohne Zweifel ein Produkt vorweltlicher Gletscherarbeit. Sie überraschen hier um so mehr, als der zerbrechliche, leicht verwitternde Glimmerschiefer, der, von Umhausen angefangen, das Gebirge zusammensetzt, derlei Schliffe zu erhalten nicht geeignet ist. — Bald darauf biegt der Pfad in die Schlucht von Windau ein — einen grauenvollen, von den dämonischen Gewalten der Urwelt durch die Gebirgsmasse gesprengten Abgrund. Es ist eine tiefe Spalte voll steiler, hängender Schroffen, voll wilder Wasserrünse, Martersäulen und Gefahren. Unten braust die Oetz über chaotisch gehäuftes Trümmerwerk, und oben, wohl tausend Fuß über dem Spiegel der Ache, zieht längs des zerklüfteten Bergabsturzes der oft kaum fußbreite Weg vorüber, zuweilen über lange, schwankende, entlang der Felswand gebaute und über dem Abgrunde hängende Brücken hinführend. Ein falscher Tritt, ein von oben herabrollender Stein oder das Weichen einer jener Brücken, mag nach Umständen hinreichend sein, dem unglücklichen Wanderer die Fortsetzung der Reise zu ersparen. — Kurz, das ist die extravaganteste Wildheit des Oetzthals, und eine Gelegenheit zum Schaudern, wie sie nicht besser zu wünschen. Ja man kann ohne Bedenken die Behauptung aufstellen, daß, könnte man diesen Schlund wie irgend ein Wunderthier durchs Land führen und für Geld sehen lassen, unter Hunderten kaum Zehn den Muth hätten, sich freiwillig an seinen inneren Geheimnissen zu ergötzen.

Bei Zwieselstein, einem ärmlichen Weiler, aus etlichen Häusern und einem Kirchlein bestehend, den man von Sölden in etwa anderthalb Stunden erreicht, endet das eigentliche Oetzthal, indem es sich in

zwei Arme spaltet, von denen der eine unter dem Namen des Gurgler-
thales bis zum Firnmeere des großen Oetzthaler- oder Gurglerferners
aufsteigt, der andere aber als Fenderthal in südwestlicher Richtung fort-
zieht, an dem Zwiesel bei Fend sich ebenfalls in zwei Arme theilt und
mit diesen einerseits am Niederjoch= und anderseits am Hochjochferner
die Zentralkette der tirolischen Alpen erreicht. Auch die Oetzthaler-Ache
büßt jetzt ihren Namen ein und die Bäche, denen wir fortan begegnen,
werden nach den Thälern benannt, in denen sie fließen.

Der ernstere Leser wird es mir nicht verargen, wenn ich jetzt, bevor ich mit ihm das Oetzthal verlasse, seine Aufmerksamkeit nochmals,
u. z. in aller Kürze, auf den eigenthümlichen Bau dieses, in vielen Beziehungen merkwürdigen und großartigen Alpenthals zu lenken mir
erlaube. Die vorangegangene Erzählung bietet zu einer allgemeinen
Betrachtung bereits einiges Materiale, indem sie den wiederholten
Wechsel zwischen Thalweiten und Thalengen, die Höhe und Steilheit
der Gebirge und ihre geognostische Zusammensetzung, die geringe Anzahl bedeutender Nebenthäler, das Auftreten des ewigen Eises auf den
Kämmen u. dgl. m. theils umständlich, theils nebenher erwähnte. Die
Thalweiten sind jene von Oetz, Umhausen, Lengenfeld, Sölden und
Zwieselstein; sie liegen terrassenförmig über einander, und sind zum
Theil, wie jene von Umhausen und Lengenfeld, so horizontal und flach,
daß schon der Volksglaube sie für den Boden abgelaufener Seen erklärte. Dies scheint auch in der That bei der Lengenfelder Ebene vom
Beginne her, und bei der von Umhausen seit jener Zeit der Fall gewesen zu sein, in der ein ungeheurer Bergbruch das Thal zwischen Oetz
und Umhausen verschüttete. Die Erroston, der übrigens auch die Entstehung der Windauer Schlucht zuzuschreiben ist, verschaffte endlich dem
stehenden Gewässer einen Abfluß in das tiefere Innthal. Weniger eben
sind die beiden Becken von Oetz und Sölden, und das von Zwieselstein
endlich ist an sich unbedeutend und hat seine Entstehung wohl zumeist
der hier stattfindenden Vereinigung der Thäler von Gurgl und Fend
zu verdanken. Die Seehöhen dieser Becken sind: 2621 W. F. für
Oetz, 3257 F. für Umhausen, 3809 F. für Lengenfeld, 4435 F. für
Sölden und 4600 F. für Zwieselstein, woraus sich ihre Höhenunter=
schiede mit 500 F. zwischen Haimingen im Innthal und Oetz, mit

184

636 F. zwischen Oetz und Umhausen, mit 652 F. zwischen Umhausen und Lengenfeld, mit 626 F. zwischen Lengenfeld und Sölden, und mit 165 F. zwischen Sölden und Zwieselstein ausmitteln lassen. — Die Geognosie des Oetzthals ist sehr einfach; die auftretenden Formationen streichen parallel zur Zentralkette, und durchschneiden daher die beiderseitigen Höhenzüge unter rechten Winkeln. Vorherrschend sind die krystallinischen Schiefer, nur unten an der Mündung des Thals finden sich erst kalkige und dann thonige Gebilde, letztere von dunkler rauchiger Farbe. Im Gsteig oberhalb Oetz stößt man auf eine Zone von Hornblendegestein, worauf Gneiß folgt, der aber schon bei Umhausen in Glimmerschiefer übergeht, und sich weiter oben, wie die von dem geognostisch-montanistischen Vereine in Tirol herausgegebene Karte nachweist, nur mehr in einzelnen, schmalen Streifen wiederfindet; ein gleiches Bewandtniß hat es auch mit den Amphibolitgebilden. Der Glimmerschiefer, der, wie erwähnt, schon bei Umhausen beginnt, beherrscht nun das weite Terrain bis gegen das Etschland hin, steigt zu den höchsten Jochen und Bergspitzen empor, und ist in allen Varietäten und Farben anzutreffen. Bei Huben zeigt er reichliche Einschlüsse von Granat, und der durch Verwitterung abgesetzte Glimmer ist seines Glanzes wegen für das Auge zuweilen von lästiger Wirkung.

Doch nun wieder nach Zwieselstein zurück, um unsere Wanderung in das Fenderthal anzutreten.

In diesem Thale, das uns zuvörderst mit einem dichten Fichtenwalde empfing, hören alle Thalweiten auf und es liegt vor uns wie eine lange hohle Gasse, von stolzen Bergpalästen umstanden, auf deren Terrassen und Zinnen eitel Schnee und Eis liegt, als wären sie der Sonne nicht näher als die grüne, blumige Grastrift unten, und als wäre dort der Winter noch immer Herr und König. Aber auch Roggenfelder, freilich ärmliche, und Erdfleden mit Stockrüben und Kartoffeln bebaut, mischen sich hie und da unter die dunkeln Wiesenbreiten; doch war selbst jetzt, um die Mitte des Augustmonds herum, noch keine dieser Kulturen erntefähig; — was suchen auch derlei exotische Gewächse im Fenderthale, 5000 Fuß über der See? — Unten im Thalgrunde hält die Fenderache brummige Selbstgespräche, und der nahe Robferner, der oben hinter dem Röderkogel horstet, macht ihr in plät-

ſchernbem Falle ſeinen Waſſertribut flüſſig. Und wie hier Alles ſonder-
bar zu ſein anfängt, ſo iſt dies auch bei den menſchlichen Wohnungen
der Fall, die ſich von einer Seite hinter mächtige Steindämme verſtecken,
wie gegen einen lauernden Feind, deſſen Geſchoß Verberben bringt.
Dieſer Feind iſt die Lawinengefahr, gegen welche jedoch, in vielen Fällen, ſelbſt Schutzwälle von ſolcher Größe nicht zureichen. In Tirol iſt
überhaupt das Fenderthal die wahre Heimat der Lawinen, und geſchicht-
liche Notizen in Menge, ſo wie die unverhältnißmäßig große Zahl der
am Wege aufgeſtellten Marterſäulen, die mit einer einfachen Abbildung
und Beſchreibung des Unglücksfalles das fromme Mitleid des Wanderers anſprechen, zeugen von dem verderblichen Wirken jener Sendboten
der Zerſtörung. Von welchem Umfange die Lawinen zuweilen ſein können, offenbarte ſich uns weiter oben in der Nähe des Weilers Winter-
ſtall, wo wir den Bach noch von den Reſten der im letzten Winter her-
abgegangenen Lawinen überbrückt fanden — Schneelaſten, deren Maſſe
jetzt, nach einem der heißeſten Sommer ſeit Menſchengedenken, nur nach
Tauſenden von Kubikfußen hätte gemeſſen werden können. Von den
Bauernhöfen iſt nur ſelten einer ganz außer dem Strich der Lawinen,
und ſelbſt die Kirche von Fend wurde in der zweiten Hälfte des vorigen
Jahrhunderts durch eine vom Wildmandelberge niederſtürzende Lawine
von ihrem Platze weggefegt.

Eine halbe Stunde hinter Zwieſelſtein wurden wir von zwei Männern aus Fend eingeholt, die ſchwere Säcke mit Brot auf dem Rücken
trugen, welches ſie für den Bedarf ihrer und anderer Familien zu Lengenfeld eingekauft hatten. Die armen Leute haben daher ihre Backöfen
8 bis 10 Stunden weit im Thale unten, bis wohin nämlich im Sommer noch Mehl verfahren werden kann; — eine etwas unbequeme
Wirthſchaft! obgleich ſie die Frauen der Gegend des Brotbackens über-
hebt. Die Schulter des Mannes iſt in der beſſeren Jahreszeit begreifli-
cherweiſe das einzige Transportmittel für die Bewohner dieſer höchſt-
gelegenen Thäler. Die Säumung iſt nicht üblich, auch würde die Her-
ſtellung und Erhaltung des hiezu erforderlichen Saumſteigs die Kräfte
dieſes an Zahl und Glücksgütern armen Volkes weitaus überſteigen.
Im Winter aber bildet das Bett des feſtgefrornen Baches die Bahn,
auf welcher vermittelſt Schlitten die Verbindung mit den tiefer liegen-

den Theilen des Oetzthales erhalten wird, auf der diese Hochlande ihre Produkte zu Markte bringen, und ihre eigenen Bedürfnisse an sich ziehen. Aber welche Gefahren der schrecklichsten Art umgeben diese beschwerliche Straße! Ist schon auf den Thalwänden selten eine Stelle ganz vor den Lawinen, hier „Lahnen" genannt, sicher, so drohen diese auf jener eigenthümlichen Schlittenbahn von beiden Seiten zugleich. Da knallt keine Peitsche und wird kein lautes Wort gesprochen, weil selbst die kleinste Luftschwingung die bösen Geister auf den Höhen erwecken und zu unheilvollen Thaten reizen könnte. Der grimmige Frost so hoher Lagen ist ein kaum minder zu fürchtender Feind. — Alle diese und noch andere Schrecken sind aus Büchern sattsam bekannt, nur waltet hier der Unterschied ob, daß wir jetzt eben auf dem Boden stehen, auf welchem alle jene Schrecken ihr ständiges Hauptquartier aufschlugen.

Aber außer der fast mit jedem Schritt sich ändernden Szenerie änderte sich jetzt noch etwas Anderes merklich. Das Wetter, das seit seiner letzten Missethat in Sölden aufrichtige Reue übte, und deshalb wieder in dem Strahlenkleide der Reinheit geprangt hatte, begann jetzt sich neuer Bosheiten schuldig zu machen. Erst warf es den Bergen dicke Schleier über die Köpfe, dann sprühte es sie mit Wasser an, und schüttete ihnen zuletzt volle Eimer über den Rücken. Dies Alles mochte vielleicht den Gleichmuth der Berge wenig erschüttern, desto mehr aber brachte es den unserigen zum Wanken. Bald war die Nässe bis zur Haut durchgedrungen und weckte in mir das eingeschlafene Fieber von gestern. Da erwies sich die Nähe des kleinen Dorfes Heiligenkreuz, das von einer Anhöhe herab mit seinen grauen Steindämmen und dem ragenden Kirchlein wie eine Art Ritterburg niedersah, als frohbegrüßter Zwischenfall; es war nämlich unsere Absicht dahin gerichtet gewesen, an diesem Abende das noch um drei Stunden weiter aufwärts liegende Dorf Fend zu erreichen. Davon mußte nun abgestanden werden; bald war die Anhöhe von Heiligenkreuz erstiegen, da aber das „Widum," d. i. die Wohnung des Kuraten, seiner Abwesenheit wegen unter Schloß und Riegel stand, so nahmen wir die Gastfreundschaft eines Bauernhauses in Anspruch, und gewannen hier freundlich gewährten Einlaß.

Die getäfelte, reinliche Stube mit dem großen Tische in der Ecke und dem Kruzifix darüber, mit den umlaufenden Bänken, dem gigantischen Kachelofen, der schnurrenden Schwarzwälderuhr und den gemalten Holzschnitten an der Wand, luden zur Gemüthlichkeit ein; auch war, nach der Temperatur der Luft im Freien, die Wärme bemeldeten Kachelofens unseren Empfindungen sehr homogen. Als dann nach wiederholtem Ersuchen die Hausfrau erschien, mit einem Gesichte so ehrlich und fromm, so liebreich und herzensgut, wie ich mich nicht erinnere je eines im Leben gesehen zu haben, da vergaßen wir des Herrn Kuraten Abwesenheit und die muthmaßlichen Komforts seines verriegelten „Widums" gänzlich, hatten Freude an Allem was wir im Hause sahen und hörten, und wurden zuletzt gar noch heiter, trotz Regen, Fieber und Zeitverlust. Zu Abend befriedigte uns ein treffliches Mus mit Milch und gelber Butter vollkommen, obschon die gute Frau die Befürchtung aussprach, uns so gut nicht bewirthen zu können, als wir es gerne wünschen möchten. Später kam der Hausherr von der Arbeit „im Berge" und brachte zwei hübsche Mädchen, von sechs und drei Jahren, mit sich in die Stube. Er war ein stiller, ernster Mann, der wenig sprach, ein ehrliches Gesicht besaß, und in seinem Benehmen weder Schüchternheit noch Mißtrauen bewies. Und so vollendete er, mit seinem Töchterchen auf den Knien, das er von Zeit zu Zeit liebkoste, das anziehende Bild eines stillen, idyllisch-glücklichen Daseins, und zeigte uns, wie wenig zum wahren Glücke gehört, wenn die inneren Bedingungen dazu vorhanden sind.

Ich schlief schlecht, theils der ungewohnten Wärme, theils der Schwarzwälderin wegen, die mit unmäßiger Vorliebe für Kraftanstrengungen ihre viertel- und ganzen Stunden herunterhämmerte. Sie kam von dem geschwätzigen Volke der Schwaben, wo den Uhren eine laute Stimme Noth thut, um sich hörbar zu machen. Der helle Morgen brachte für die Leiden der Nacht ausreichenden Trost. Frischer Schnee lag auf den Bergen und verkündete einen günstigen Wechsel in den Zuständen der Atmosphäre. Die Morgenstrahlen der Sonne spielten mit den leichten Nebeln, die um den nahen Zirmkogel gaukelten, dessen langer Eismantel uns Farbe und Falten seines kühlen Stoffes schon mit freiem Auge erkennen ließ. Wir frühstückten rasch, berichtigten die sehr billige Rechnung unserer ehrlichen Wirthe und nahmen herzlichen Abschied von ihnen.

Und nun ging's weiter gegen Fend in frohester Bergluft. Rasse Grasflächen, prall auf- und absteigende Wegstrecken, Künste mit herabtaumelnden Gletscherbächen und tiefe Abgründe, kamen jetzt dutzendweise vor; aber jedes neue Hinderniß stimmte unsere Empfindungen nur um so höher, so daß die Berge, diese uralten Philosophen voll Ernst und Schweigsamkeit, nunmehr den Kummer erlebten, unsere profanen Gesänge anhören zu müssen. — Vor Winterstall übersetzt den Weg das in den Felsengrund tief eingefressene Bett der Fender-Ache vermittelst eines aus Holz gebauten, kühn gesprengten Bogens, der das Werk eines einfachen Zimmermanns aus Sölden oder Huben ist, und in konstruktiver Beziehung einige Aufmerksamkeit verdient. Aehnliche Brücken desselben Meisters an anderen Orten wurden uns von unserem Führer als noch kühner und kunstreicher geschildert. Drei Stunden nach unserem Aufbruche von Heiligenkreuz erreichten wir Fend, ein kleines, aus der Kirche, dem Widum und neun Feuerstellen bestehendes Dorf.

Obschon auf dem Boden des Thales erbaut, hat Fend bereits eine absolute Höhe von 6050 W. F., und ist somit die höchstgelegene Gemeinde Tirols, der österreichischen Monarchie und Deutschlands. Seinen Einwohnern dürfte daher der Titel „Hochgeboren" am wenigsten bestritten werden dürfen. Ist aber schon der Thalgrund so beträchtlich hoch, wie es anderwärts vielbestaunte Gipfel nicht sind, wie hoch müssen erst die Berge sein! Ein seltener Ehrgeiz ist hier in dieses Volk gefahren, und wer da mindestens 10,000 Fuß nicht überstiege, würde sich zeitlebens für kompromittirt erklären. Fend hat, wie ich oben schon erwähnt, seinen Platz an jenem Punkt gefunden, wo sich das Fenderthal in zwei Arme spaltet, von denen das Niederthal in südlicher — und das Rofenthal in südwestlicher Richtung bis zu dem Kamme des Hauptgebirges aufsteigt. Die Thalleitspitze, eine gewaltige, aus dunklem Schiefer aufgethürmte Pyramide, steht an dem Vereinigungspunkte beider Thäler und gehört beiden an, und der helle Eisfloß, der sie krönt, liefert zu den schwarzen Wänden unterhalb einen fesselnden Gegensatz. Das Rofenthal entzieht sich dem Blicke durch eine scharfe Wendung,

die es unfern des Dorfes gegen Süden hin macht, indeß das Niederthal, und namentlich dessen rechte Seite, offen vor dem staunenden
Auge liegt. Der Spiegelkopf, der Schalfkogel, die Firmisanschneid und
die Similaunspitze, durchaus Riesen, die, gemessen und ungemessen, die
Höhe von 11,000 Fuß übersteigen, heben ihre Silberscheitel gegen den
blauen Himmel auf, und die ungeheuren Eismassen, die in stolzer Herrlichkeit diese ewigen Ehrensäulen des Allmächtigen bedecken, hängen
dort bis ins Thal herunter, und schimmern allenthalben unter dem hellen Sonnenlichte. Gleiche Lust zu einer Wanderung ins Thal legt der
nahe Latschferner an den Tag, der linker Hand den Ramolkogel über-
lagert, und so tief heruntersteigt, daß sein Ende, bei etwas Zehenstel-
lung, fast erfaßbar scheint. Kurz, hier ist Alles bedeutend anders als
anderswo, und der Geist, der solche Bilder noch niemals in sich aufgenommen, fühlt hier die Nothwendigkeit deutlich, seine bisherigen Vorstellungen über die Großartigkeit der Natur beträchtlich zu erweitern.

Nichts ist klarer, als daß die klimatischen Verhältnisse dieser Gegend von der rauhesten Art sein müssen, und fast jede andere Erwerbsquelle, als die der Viehzucht, von selbst ausschließen. Hier reift die
Sonne kein Korn und keine Gerste mehr, und nur für Kartoffeln und
einiges Gemüse ist der kurze Sommer noch warm genug; selbst die
Baumvegetation ist karg geworden, wie dies an der Thalleitspitze wahrzunehmen, wo sich ihre obere Grenze um wenige hundert Fuß über die
Thalsohle erhebt. Aber die Viehzucht braucht Raum, und deßhalb eben
besteht das Dorf, mit Ausschluß einiger Gehöfte, die abseits liegen, aus
den erwähnten zehn Feuerstellen. Das Kirchlein bildet den religiösen
und das Wirthshaus den sozialen Vereinigungsort der Bewohner, doch
ist dieses letztere so beschränkt und schlecht bestellt, daß in der Kuratie,
unter humaner Rücksicht auf ermüdete und hilfebedürftige Wanderer,
ein Zimmer mit vier Betten zu ihrer Aufnahme, gegen billiges Ent-
gelt, hergerichtet wurde. Der Kurat selbst wird, seiner mühevollen, ent-
behrungsreichen Existenz wegen, nach Verlauf von drei Jahren, wenn
er es wünscht, von diesem Posten versetzt.

Es war ungefähr ¼10 Uhr, als wir in die Kuratie von Fend
unsern Einzug hielten. Wir waren zwar nicht ermüdet, aber hilfebedürf-
tig, was uns freilich erst auf dem Wege des Kalküls klar wurde; denn

da wir von hier weg noch einen mindeſtens achtſtündigen Marſch zu
überdauern hatten, um drüben in Schnals jenſeits des Hochjochs die
erſte menſchliche Wohnung zu erreichen, ſo war eine entſprechende
gaſtronomiſche Vorbereitung unerläßlich. Hiezu bot uns nun Herr
Lechner, der freundliche Kurat, hilfreiche Hand. Die mittlerweile mit
touriſtiſchem Luxus intendirte Beſichtigung der Alpenlandſchaft vom
Söller des Widums aus, ſcheiterte an dem ſchneidenden Südoſt, der
von der Eiswüſte im Niederthal das ganze Kältelager von Similaun
und Kompagnie zu Thal brachte. Weit favorabler erwieſen ſich dagegen die Penaten des Widums; erſt am Küchenherde mit dem traulichen
Spiel der Flammen und den reizenden Töpfen daneben, dann am
Tiſche mit Suppe, Hammelfleiſch, Tirolerklößen und Kaffee. Als unſere Uhren Mittag zeigten, erinnerten wir uns auch des Hochjochs, gaben
dem geiſtlichen Herrn unſeren Dank zu erkennen, und zogen weiter.

Für den Uebergang nach Schnals war ein neuer Führer aus
Fend aufgebracht worden, der ſich bei näherer Beſichtigung als einer
jener zwei Männer herausſtellte, die uns geſtern von Zwieſelſtein bis
Heiligenkreuz das Geleite gaben. Leider war Nikodemus Kloz von Rofen, der beſte Fremdenführer in dieſer Gegend, wegen Erkrankung für
heute nicht mehr zu gewinnen. — Erſt gings einen ziemlich ſteilen
Grashügel hinan, von deſſen Höhe ſich das untere Roſenthal in ſeiner
ſtockenden, athemloſen Stille und düſteren Feierlichkeit gut überſehen
ließ. Dann gings gegen die Roſenhöfe hinab, zwei einige hundert Fuß
höher als Fend und am Rande eines tief in den Boden einſchneidenden
Runſtes liegende Gehöfte, die dadurch eine hiſtoriſche Berühmtheit gewannen, daß einſt Herzog Friedrich mit der leeren Taſche hier ein
ſicheres Aſyl fand, als er, des Vorſchubs wegen, den er dem Papſte
Johann XXIII. bei Gelegenheit ſeiner Flucht von Konſtanz leiſtete,
durch Kaiſer Sigmund in die Reichsacht erklärt worden war. Von hier
aus begab ſich der unglückliche Fürſt nach Landeck, wo er ſich auf eine
ſinnreiche Weiſe von der treuen Geſinnung des tiroliſchen Volkes
überzeugte, und nachher mit ſeiner Hilfe die Behauptung des größeren
Theils ſeines Länderbeſitzes durch Waffengewalt durchſetzte. Den Treuen
von Roſen aber lohnte er den Schutz, den ſie ihm gewährt, durch das
Privilegium der Steuerfreiheit für ewige Zeiten und durch Verleihung

des Asylrechts; zugleich machte er dem Hofe ein Ehrengeschenk mit seiner Rüstung, die daselbst noch immer wie eine Art Heiligthum aufbewahrt wird. In der Anich'schen Karte von Tirol ist der weite Bezirk von den Rosenhöfen aufwärts, bis zum Uebergange des Hochjochs und rechts und links bis zum Grathe der einschließenden Eisregion, unter dem Namen des „Burgfriedens von Rosen" ausgeschieden. Das Asylrecht hat später freilich einer anderen Ordnung der Dinge weichen müssen, das Recht der Steuerfreiheit aber ist geblieben, und es erfreuen sich die beiden Höfe eines sichtlichen Wohlstandes. An den mit rothen Flechten reichlich überdeckten Steinblöcken des Sockels ist der Stammhof, auch der „obere Rosenhof" genannt, auf den ersten Blick zu erkennen.

Noch ungefähr eine Stunde lang zieht der Weg im Thale über die herrlich grünen Wiesenmatten von Rosen vergnüglich weiter, bis er die Abfälle des Platteikogels erreicht, eines finster in die Luft aufstarrenden, 10,660 Fuß hohen Felsblockes, der mit seinen brüchigen und wildzerklüfteten Wänden weit ins Thal vorspringt und dieses zu einer schmalen Schlucht zusammenpreßt. Hat man diese sturzdrohenden Schroffen bis zu einem Punkte überklettert, von dem sich eine Aussicht in das obere Rosenthal öffnet, so wird das Auge plötzlich von dem Anblicke eines Gegenstandes überrascht, den es in Anbetracht der weit früher schon wahrnehmbaren Länge des oberen Thalstückes, so nahe nicht vermuthet. Es ist dies der gewaltige Eisdamm des berüchtigten Vernagtgletschers, der dicht hinter dem Platteikogel aus einer tiefen Depression der linken Thalseite herabzieht, auf eine weite Strecke das Bett der Rosener-Ache überbrückt, und in der Richtung unseres Weges eine Breite von etwa tausend Schritten besitzt. Mit einer Neigung, die 10 Grade nicht übersteigt, drängt die derbe, unzerklüftete Masse des Eises zu Thal, wird hier in ihrer Bewegung durch die gegenüberstehende Bergwand aufgehalten und thalabwärts gelenkt, wo sie sich sofort beträchtlich ausbreitet. Ueber dem Bette der Ache hat der Körper des Gletschers zur Zeit eine Dicke von mindestens 300 Fuß.

Als wir auf den Gletscher hinabstiegen, machte sich mir gleich von vornherein die Region seiner Wirkungen dadurch kenntlich, daß ich bei einem unvorsichtigen Sprunge bis über die Knöchel in den Schlammkumulus der Randmoräne einsank. Das Unglück war erträglich und ließ sich in einem der vielen über die Oberfläche des Eises rieselnden Bäche leicht vollends beseitigen. Jenseits der Mitte des Gletschers war alles Eis bis zum Ufer hin mit einer starken, zusammenhängenden Schuttdecke überzogen — offenbar nichts anderes als eine Mittelmoräne, die hier nach rechts hin zu stranden im Begriffe war. Als wir dann den Gletscher jenseits wieder verließen, mußte die vielleicht 150 bis 200 Fuß hohe rechte Randmoräne erklettert werden, was des lockeren Gefüges ihrer Bestandtheile wegen, kein geringes Stück Arbeit war und uns alle nicht wenig ermüdete.

Das pittoreske Interesse an diesem Gletscher, der sich übrigens in seinem gegenwärtigen Zustande von anderen Exemplaren seiner Art nur wenig unterscheidet, wird jedoch billig der Theilnahme für gewisse physikalische Eigenthümlichkeiten desselben weichen müssen, die ihn in der Gletscherwelt als ein ganz besonderes und merkwürdiges Individuum kennzeichnen. Dies allein gibt mir den Muth, meinen freundlichen Lesern etwas weniges von der Geschichte dieses Gletschers zu erzählen, und ihnen dabei eine Serie natürlicher Erscheinungen vorzuführen, deren Großartigkeit den Geist anregen, und deren noch unerforschte Ursachen den Freund der Natur zu ernstem Nachdenken führen wird.

Der Vernagtgletscher liegt nämlich nicht immer im Rofenthale, wie dies jetzt der Fall ist, sondern es mißt im normalen Zustande die Entfernung des unteren Endes seiner Zunge von der Ache nicht weniger als 5000 Fuß. Der Gletscher hat dann seine Lage so weit oberhalb des zum Hochjoch führenden Steiges, daß er von diesem aus nicht einmal gesehen werden kann. Das Seitenthal, welches er gegenwärtig bis zu seinem Austritt in das Rofenthal ausfüllt, entspringt an dem Kamme jener hohen Bergkette, welche die Wildspitze mit der Weißkugel — die zwei größten Erhebungen des ganzen Systems — miteinander verbindet. Weite Firnmeere bedecken diesen hohen Kamm und schieben meilenlange Gletscher in die nebenliegenden Thäler hinab. Die Firnmulde des Vernagtthales hat eine östliche Exposition, und wird durch einen kurzen Felsrücken, „im Hintergraslen" genannt, in zwei sekundäre Mulden getheilt, unter denen die nördliche den Hochvernagtferner, und die südliche den Rofenthalerferner einschließt. Nach ihrer

Vereinigung an der Spitze von Hintergraslen bilden diese beiden Gletscher den eigentlichen Vernagtferner, von welchem hier die Rede ist.

In seinem normalen Zustande macht dieser Gletscher keine anderen als die gewöhnlichen, durch die klimatische Verschiedenheit der Jahre bedingten, und im Ganzen wenig beträchtlichen Oszillationen durch; plötzlich aber, und zwar in ungewöhnlich langen Perioden, erhebt er sich, und beginnt in so rascher und tumultuarischer Weise vorwärts zu schreiten, wie dies bei keinem anderen Gletscher der Erde bisher beobachtet worden. Diese Perioden umfassen beiläufig achtzig Jahre, nach deren Ablauf der Gletscher in zwei bis vier Jahren, mit einer kontinuirlichen, durch Winter und Sommer gleich anhaltenden, zuweilen schon dem freien Auge sichtbaren Geschwindigkeit, bis in das Rosenthal herabwächst. Hier angelangt verschließt er der, dem höher gelegenen Hintereis- und Hochjochgletscher entquellenden Rosenthaler-Ache den Abfluß, und staut sie nach rückwärts zu einem mächtigen See an, der selten auf friedlichem Wege ein Rinnsal durch den Eisdamm findet, sondern ihn meist gewaltsam durchbricht, und dann seine Fluten unter furchtbaren Verheerungen über das Oetzthal ergießt. Dieser Umstand läßt den Bewohnern des Thals den Vernagtferner als einen Gegenstand abergläubischen Schreckens erscheinen, der manchem grausigen Märchen Wort und Farbe lieh.

Die letzte Sturm- und Drangperiode des Vernagtgletschers fiel in die Jahre 1842 bis 1845 und war für das vielgeprüfte Oetzthal von höchst verderblichen Folgen begleitet. Im Jahre 1842 begann zuerst der Rosenthalerferner, aus unbekannten Ursachen, in seinen Firnlagern sich gewaltig aufzublähen, und schob nachher auch sein unteres Ende an dem noch schlummernden Hochvernagtferner vorüber, dem Vernagtthale zu. Im folgenden Jahre erwachte auch der Hochvernagtferner mit voller Wuth, und im Herbste desselben Jahres drängte er schon, mit jenem vereint, ins Vernagtthal hinab. Aufgerichtete Zeichen und andere Thatsachen bewiesen unzweifelhaft das Vorrücken des Eises auch in den Wintermonaten, und im April 1844, als den Gletscher die winterliche Schneehülle noch umgab, erkannte man aus Messungen, daß die Zungenspitze des Eiskörpers täglich um 1½ Fuß vorrückte. Bald nachher wurde die Bewegung der Eismasse abwärts, seitwärts

13

und in vertikaler Richtung aufwärts immer bedeutender, so zwar, daß
bis zum Juni desselben Jahres, also gerade in den kälteren Monaten,
die Vorrückung für den Tag auf 6½ W. F. stieg. Ganz im Wider=
spruche mit den Behauptungen der Theorie, ermäßigte sich diese Ge=
schwindigkeit während des nun folgenden Sommers auf den Betrag
von 3½ Fuß, während sie im Herbste wieder zunahm, und im Winter
auf 1845 sogar das durchschnittliche Maß von 10½ Fuß für den Tag
erreichte. Im Mai 1845 lag das Gletscherende nur mehr einige hun=
dert Fuß von der Rosenthaler=Ache entfernt, wobei die Eismasse selbst
das Bild einer grauenhaften Unordnung und Zerrissenheit darbot.
Die immerfort sich übereinander aufthürmenden und wieder zusammen=
stürzenden Eisschollen gestatteten keine Annäherung mehr; ein dumpfes
Brausen erscholl aus dem Innern des Gletschers, nur dann und wann
durch das donnerähnliche Krachen unterbrochen, von dem das Aufreißen
einer neuen Kluft begleitet ist. Um diese Zeit hatte der Gletscher im Ver=
nagtthale an einer Stelle, die sonst eisfrei, die erstaunliche Mächtigkeit
von nahe an 1000 Fuß gewonnen.

Am 1. Juni 1845 erreichte der Gletscher den Boden des Haupt=
thales, worauf der See sich zu bilden anfing. Das Gletscherende hatte
in den letzten Tagen mit der unbegreiflichen Geschwindigkeit von 37 Wien.
Fuß per Tag sich abwärts bewegt, und in dem letzten Stadium seines
Vorrückens endlich gar 6 Fuß in einer Stunde zurückgelegt; zu dieser
Zeit konnte die Bewegung mit freiem Auge deutlich wahrgenommen
werden. Durch die gegenüberstehende „Zwerchwand" in seinem Vor=
drängen gehemmt, schwoll nun der ungeheure Eiskörper in seiner Breite
und Höhe auf, so zwar, daß er an der Zwerchwand, die er am 1. Juni
mit der beiläufigen Dicke von 240 Fuß erreichte, schon nach 14 Tagen
eine Mächtigkeit von 478½ Fuß entwickelte, zugleich war seine Breite
daselbst von 400 auf mehr als 1000 Fuß angewachsen. Dabei schien
der Gletscher fortwährend in wilder Gährung begriffen, und unaufhör=
lich dröhnte das Getöse der in den wildesten und seltsamsten Formen
sich aufrichtenden und niederstürzenden Eisnadeln und Pyramiden.
„Die Ruinen einer großen Stadt," — so spricht Dr. Stoller [*] in seiner
ausführlichen Schilderung dieses großartigen Naturereignisses — „welche
ein Erdbeben in Trümmer gerüttelt hat, geben annähernd ein Bild von

dem damaligen Zustande des Gletschers." — Nirgends, weder in Tirol,
noch in der Schweiz, noch anderswo hat je ein Gletscher in seinen Bewegungen eine so furchtbare Energie und so außerordentliche Verhältnisse gezeigt, wie dieser. — Vom 1. bis 14. Juni staute sich der See
hinter dem Gletscher auf, und gewann einen Wasserinhalt von beiläufig
40 Millionen Kubikfuß, als er mit einem Male den noch lockeren Eis-
wall durchbrach, und in wenig mehr als einer Stunde seine ganze
Wassermasse über das Oetzthal ausschüttete. An dem Stege bei den Ro-
fenhöfen erreichte der Strom die Höhe von 39 Fuß, was einen Schluß
auf die Verwüstung der tieferen Gegenden des Thales erlaubt; der Weiler Aftlen bei Lengenfeld verschwand damals von der Oberfläche
der Erde.

Der Gletscher wuchs noch bis in's Jahr 1846, nahm immer mehr
an Konsistenz, Breite und Höhe zu, und dehnte sich über der Rofener-
Ache thalabwärts aus. Erst im Sommer des erwähnten Jahres trat
in seinem Wachsthum Stillstand ein, und seither ist er in rascher Ab-
nahme begriffen; doch wird es, früheren Wahrnehmungen zu Folge,
noch eines Zeitraums von 24 bis 30 Jahren bedürfen, ehe er wieder
in seine alten Grenzen zurückgekehrt sein wird. Die früheren, geschicht-
lich konstatirten Wachsthumsperioden des Vernagtgletschers fallen in
die Jahre 1599—1601, 1676—1678 und 1770—1771. Im Jahre
1822 wuchs einseitig nur der Hochvernagtferner ins Rofenthal
herab, ohne jedoch den Bach erreichen zu können. Ueber diese Bewegungen sind urkundliche Daten vorhanden, und eine schon im vorigen
Jahrhunderte abgefaßte Darstellung des in Rede stehenden Phänomens
sagt, wie schon damals die Bewohner des Oetzthales, nach den Erzäh-
lungen ihrer Voreltern, das Herabsteigen des Vernagtferners ins Thal
als etwas ansehen, das nach „alter Gewohnheit" von Zeit zu Zeit statt
finde. — Aehnliche Verhältnisse zeigt übrigens auch der große Oetzthalgletscher im Gurglerthale, der durch sein, seit etwa hundert Jahren
überhand nehmendes Vorschreiten den ans einem Seitenthale kommenden Abfluß des Langthalgletschers neben sich zu einem „Eissee" auf-
staut; doch sind hier die Oszillationen des Gletschers regelmäßig und
langsam, und dadurch der gefahrlose Abfluß jenes Sees gesichert. —

Von dem Vernagtferner führt etwa eine Stunde lang ein ange-
13 *

nehmer Weg bis zum Hintereisferner, unter immerwährender Beglei=
tung von langen Gletscherzeilen, die ober der nahen Zwerchwand so daliegen, wie seltene Mineralien, die zum Vergnügen des Publikums, auf
etwas hohen Gestellen der Vorsicht wegen, aufgelegt wurden; nur sind
die Hauptstücke hier oft um einige Tausend Klafter zu groß. Auf dem
Berghange weidete eine Schafherde, die, als sie unser ansichtig wurde,
in größter Eile herbeilief, und bis zur Hintereishütte nicht mehr abzu-
weisen war. Muthmaßlich hielten die guten Thiere einen von uns für
die salzgewordene Gemahlin Loths, und glaubten nun es sei ein Leichtes, das mineralische Dasein dieser Frau durch Beschleckung zu Grunde
zu richten. Die Folgen dieser unerbetenen Begleitung fielen alsbald
auf das Haupt unseres unschuldigen Führers nieder; denn als wir uns
der erwähnten Hütte näherten, fiel ihn ein wildaussehender Hirte
schreiend an, und warf die Frage auf, weshalb er seine Schafe von
der Trist weggelockt habe. Der Führer rechtfertigte sich leicht, und ließ
sich überhaupt durch den Schreier nicht irre machen. Als dieser dann
zur Hütte herauskam, zeigte er unter den struppichen, ergrauten Haaren
und einem Aussehen im Ganzen, um dessentwegen er eben so gut für
einen Irokesen oder Tektosagen hätte genommen werden können, ein
freundliches, treuherziges Gesicht. Eben so klangen dann auch seine
Worte, als er in einer humoristisch-lärmenden Ansprache an seine
Schafe, sie wegen ihres Leichtsinns tadelte und ihnen Salz vorstreute.
Der wiederholte Gebrauch der vulgären Bezeichnung des Antichrist's
in dieser Rede verrieth die freiere Geistesrichtung des Etschländers, und
aus demselben Grunde gab ich die Meinung kund, er müsse wohl einst
Soldat gewesen sein, was er zwar verneinte, aber zugab, daß er im
Jahre 1848 gegen die Wälschen auszog, und dabei nur deshalb seinen
Mann nicht stellen konnte, weil die Schufte sich nirgends sehen ließen,
wo ein Tiroler Stutzen Pulver und Blei im Leibe hatte. — Die Hintereishütte, auch Rosenthaler Hütte genannt, liegt in der Nähe des
Hintereisgletschers, 7000 Fuß über dem Meere, und ist, nach Aussehen und Inhalt, vielleicht kaum besser als der Wigwam eines Irokesen,
oder die mobilen Palais sagenhafter Tektosagen. Und doch leben in dieser armseligen Behausung, mitten zwischen meilenlangen Eisgefilden,
zwei Menschen mit Christenseelen, Monate lang ein Leben voll unbe-

greiflicher Genügsamkeit, und beklagen zuletzt den Eintritt der rauheren Jahreszeit, die sie und ihre Heerden zwingt, eine ihnen durch Gewohnheit liebgewonnene Wildniß zu verlassen.

Gegen das Fieber, das neuerdings in meinen Adern zu spuken anhob, ersann ich jetzt ein Mittel, welches Grog heißt und aus Wasser, Zucker und etwas Franzbranntwein besteht; es war ein gutes Mittel, nur half es nichts. Und wieder weiter ging's, in Begleitung unseres gutherzigen Irokesen, der eine Art zum Einhauen einiger Eisstufen mit sich nahm, erst steil aufwärts über magere Weiden, dann über den mächtigen Eisstrom des Hintereisgletschers, bis wir den Abhang des Neußberges erreichten, wo der Sohn der Wildniß, gehörig beschenkt, wieder entlassen wurde. Der Neußberg ist ein schneidiger, nach allen Seiten schroff abstürzender Felsgrath, der den Hochjoch- von dem Hintereisgletscher scheidet, und über den jetzt unser Weg in den launenhaftesten Windungen und unter großer Steilheit fortkroch. Hat nun der Wanderer, in der beiläufigen Höhe von 8300 Fuß, einen Punkt erreicht, von welchem weg der Steig sich gegen den Hochjochferner hinüberwendet, so bleibe er stehen, wende sich gegen das Thal zurück, und genieße, wenn anders das Wetter seiner Absicht günstig, mit entzückter Seele des wundervollen Blickes, der sich ihm an dieser Stelle in seltener Größe und Erhabenheit darbietet. Zuvörderst wird er den, dicht vor sich in der Tiefe liegenden, prachtvollen Hintereisgletscher fast in seiner ganzen Ausdehnung überblicken; seine Firnlager steigen bis zu den höchsten Spitzen dieser Eisregion empor, und bedecken zahlreiche Mulden, die sich um zwei große Becken gruppiren, von denen das eine „im hinteren Eis" und das andere der „Kesselwandferner" heißt. Das Langtaufererjoch, ein aus dem strahlenden Eisfelde wie ein dunkler Dämon aufsteigender Felskoloß, trennt diese beiden Becken und entsendet, in einer schwarzen, über die ganze Länge des Gletschers herablaufenden, schmalen Schuttlinie, seine Trümmer ins Rosenthal nieder. Der Hintereisgletscher hat eine Längenentwicklung von mehr als 26,000 W. F. und steht unter allen Gletschern Tirols an Größe nur dem großen Oetzthalferner nach. An seinem Ende an der Zwerchwand zeigt er eine Dicke von mindestens 500 Fuß, und hier ist es, wo er mit der steil abbrechenden Zunge des Hochjochgletschers, mit der Zwerchwand und dem

Neußberge einen dunkeln, grausig gähnenden Schlund bildet, in den hineinzublicken das Auge sich scheut. [*] — Noch Gewaltigeres aber tritt vor den Blick, wenn er sich links nach jenem Höhenzuge wendet, der das Rosenthal auf der westlichen Seite einschließt: zuerst das kühne, hochgetragene Horn der Weißkugel, ein in helles Silber gekleideter Himmelsstürmer, nahe an 12,000 Fuß hoch; dann nacheinander die Hochvernagtwand, der Fluchkogel, die Urkundspitze, der Prochkogel, und wie sie alle heißen, diese stolzen, stummen Häupter, bis zur Wildspitze hin, die an Höhe die Weißkugel noch etwas überbietet. Alle Gletscher, welche diesseits dieses zwei deutsche Meilen langen, lichtschimmernden Eiskamms liegen, sind von dieser Stelle sichtbar, und doch bilden sie vereint den weitaus kleineren Theil jenes großen zusammenhängenden Eisgebiets, das hier meilenweit nach allen Seiten das Gebirge überdeckt. Verborgen liegen jenseits des Kamms die beiden großen Gletscher des Pitzthals, der ungeheure G:batschferner in Kauns, dann die Gletscher im Langtauferer- und Matscherthal. Und hat sich endlich das Auge an den sonnenfrohen Gebilden des ewigen Eises gesättigt, dann schweift es gerne in das nahe Rosenthal hinab, entlang der grünen Alpentrift, über die waldigen Berghänge von Fend hinüber, bis ihm in blauer Ferne abermals die Schnee- und Eiskuppen der Stubaier Gletscher den Gesichtskreis schließen. — Dies alles gibt ein Schauspiel, unter dessen Anblick ein unwillkührlicher Ernst sich in die Empfindung mischt, und die Gedanken etwas von dem Inhalt und der Farbe des Gebets gewinnen.

Noch etwa eine Stunde lang verfolgt der Weg den zerbröckelnden Abhang des Neußberges, und ist nachgerade so unwirsch und holprich, daß der Heidelberger Professor fast Recht hat. Stachlige Felsscharten und hängende Klippen schauen in Menge von der rechten Seite herunter, und blaue, wildverschründete Eiswände von der linken Seite herauf; letztere murmeln und gurgeln unaufhörlich, als ob sie etwas sagen wollten, aber ihre Sprache vergessen hätten. Es wäre auch kein Wunder, denn eine unbeschreibliche Oede und Verlassenheit ist hier zu Hause, und, abgesehen vom Lichte, könnte es in einem Grabe nicht stiller und einsamer sein. Endlich ist die „steinerne Treppe" erreicht, ein kunstloses Gefüge schmaler Schieferplatten über den steilen Abhang eines klippi-

gen Bergvorsprunges, und ist sie erklommen; so endet das beschwerliche
Klettern und froh betritt man die glatte, fast ebene Oberfläche des
Gletschers.

Als ein schöner, flachgewölbter Rücken steigt hier der Hochjochferner mit sanftem Gefäll zu seinem Firnmeer empor, und schon beträgt
seine Breite hier etwa eine halbe Stunde. Links drüben stehen die drei
Kreuzspitzen auf hohem Kamme, und gerade vor uns erhebt sich nach
und nach die prächtige Finailspitze über das schimmernde Schneefeld;
ein regelmäßiger, von fleckenlosem Weiß umkleideter Obelisk, der die
Höhe des Joches um wenigstens 2000 Fuß überragt, und daher eine
Seehöhe von mehr als 11,000 Fuß besitzen muß. [5] Erst schritten wir
in schräger Richtung der Mitte des Gletschers zu, bis wir eine Moräne
erreichten, über die wir nun eine Weile lang mühsam fortkletterten, da
frischer Schnee gefallen war, und die Klüfte unterhalb sich oft nicht
leicht erkennen ließen; bald jedoch, als wir den Firn betraten, verlor
sich die Moräne, und nun sanken unsere Füße schuhtief in die lockere
Schneemasse ein, wodurch besonders mir, dem jetzt das Fieber um so
lebhafter zusetzte, die aufsteigende Bewegung in hohem Grade beschwerlich fiel. War schon seit einiger Zeit von einer Aussicht ins Thal wenig
die Rede mehr, so ging sie zuletzt, als wir uns dem Plateau auf der
Höhe näherten, vollends verloren, und nun erblickte das Auge, wohin
es sich auch wenden mochte, nur Himmel, Wolken und funkelnden
Schnee. Diese Gegend, mit ihrer unglaublichen Wildheit und Fremdartigkeit, hätte eben sowohl dem winterlichsten Theile Spitzbergens, oder
einer anderen, eben so winterstarren Polarregion angehören können.
Hier, inmitten der grausesten Negation der Natur, auf diesem Felde
im weißen Todtenkleide — es schien das Leichenhemd der gestorbenen
Erde — hielten wir uns für vollkommen überflüssig und beeilten uns
so viel wie möglich fortzukommen. Bei etwas mehr Phantasie und
Weltschmerz hätten wir uns auf dieser todesstummen Eiswüste für die
letzten Menschen halten können, so fern lag für den äußern Sinn die
warme lebendige Welt in der Tiefe, mit allen höchsten Gütern des Daseins und den Gegenständen unserer liebsten Hoffnungen. — Zuletzt
geriethen wir gar in die wilde Jagd der Luftgeister hinein, die mit uns
und den Wolken die tollsten Spiele trieben: bald jagten sie dunkle Ne-

belhaufen so dicht über unsere Köpfe hinweg daß wir nach ihren herabhängenden Zipfeln mit den Händen hätten fahnden mögen, bald bingen sie sie an die Finailspitze fest; bald wälzten sie schwere, dunkelschattende Dunstmassen über die Berge herüber, und zogen und zerrten an ihnen, daß diese in ihrer Angst nicht wußten wohin sie flüchten sollten, bald warfen sie uns körnigen Schnee ins Gesicht und stoben dann spornstreichs mit allen Nebeln von dannen, damit die Sonne heller und der Himmel tiefblauer leuchte wie je. Endlich nach dreistündigem Waten durch den Schnee erreichten wir die höchste Stelle des 9310 Fuß hohen Passes, und saßen, wenige Minuten später, auf einem Felsen jenseits des Ueberganges, wo wir unsere Kräfte wieder etwas sammelten; vor uns aber lag das obere Schnals in entsetzenerregender Tiefe.

Es war jetzt halb sieben Uhr und daher zum Rasten nicht viel Zeit. Nachdem wir noch den massigen Scheitel des Saturnferners vor uns, und die breite, kuppelartige Innquellspitze zu unserer Rechten nach Gebühr bewundert hatten, ging's dann abwärts ins Thal, so furchtbar steil und rasch, als wären wir noch für diesen Abend in den Erebus zum Thee geladen. Eine solche Schroffheit beängstigt das ruhige und gesetzte Wesen des Hochjochgletschers, weshalb er sich auch, auf der Schnalser-Seite, kaum einige hundert Fuß über das Joch hinab wagt. Wie die Erfahrung lehrt, sind die Gletscher durchwegs keine Freunde, und am allerwenigsten warme, von Sonnenschein und heißen Südwinden; diese beiden Feinde nagen unaufhörlich an ihnen und verkürzen ihnen das Leben; hier aber auf dem steilen Südhange des Gebirges würden sie sich eben am besten den vereinten Attaquen von Sonnenglut und Föhn aussetzen. — Im Thale selbst, ich nenne es lieber eine wilde, trümmererfüllte Schlucht, courbettirte der Steig bald über die schwarzen Schiefermassen der linken, bald über die rothen der rechten Thalseite, in einer Art, als wollte er uns zeigen, daß ihm kein Hinderniß unüberwindlich sei. Kurz, es war zwei Stunden lang ein rechtes Gemsleben, das den Vortheil gewährte, mir auf dem Wege der Transpiration das widerwärtige Fieber aus dem Leibe zu jagen, woraus sich Veterinärbeflissene die nützliche Folgerung abziehen können, daß die Gemsen im oberen Schnals dem Wechselfieber nicht unterworfen sind. Endlich schoben sich die morschen Felswände etwas auseinander, und vor uns lag, mitten im Thale auf grünem Wiesengrunde, der Bauernhof Kurzras, eine noch ganz und gar der Alpenregion angehörige Wirthschaft.

Aber nirgends mehr als im Gebirge ist das erste Erblicken eines beliebigen Gegenstandes und sein Erreichen zweierlei. Schon lag tiefe Dämmerung über dem stillen Alpenthale, als wir den Fuß auf die Schwelle von Kurzras setzten. Wir thaten dies nicht ohne Besorgniß, denn in Fend hatte man uns viel erzählt, wie kurz angebunden der Kurzenbauer sei, und wie wenig gastlich der Empfang war, den er unlängst einem reisenden deutschen Fürstensohne zu Theil werden ließ, der da rundweg ohne vorläufige Anfrage einkehren wollte, und darüber um eine halbe Stunde bis zum nächsten Hofe weiter wandern mußte. Der tirolische Bauer ist frei und stolz, und wenig imponirt ihm das bessere Kleid eines Anderen. Seit Jahrhunderten kennt er, im deutschen Theile des Landes, das Hörigkeitsverhältniß nicht mehr; er ist freier Herr auf seiner Scholle und will als solcher geachtet sein. — Unser freundlicher Gruß erwarb gleich freundlichen Gegengruß, und die Frage, ob wir hier für die Nacht eine Unterkunft finden würden, ward von dem Hausherrn sogar mit Höflichkeit bejaht. Der Kurzenbauer und Maria Stuart theilten demnach dasselbe Schicksal: beide waren besser als ihr Ruf. Da nun die Hauptfrage erledigt, machten wir es uns an dem Tische bequem, der frei in einer Ecke der Stube stand. An einem anderen Tische saßen sieben rüstige junge Männer, drei Söhne des Hausherrn und vier Knechte nämlich, und unterhielten sich mit Kartenspielen, und neben ihnen stand, sein Pfeifchen rauchend, der Hauswirth, ein ernstblickender ruhiger Mann, von schönen Formen und etwa 50 bis 55 Jahre alt. Mit würdevollem Gleichmuth sah er dem lustigen Treiben der jungen Leute zu und schien überhaupt, wie sich uns nachher aus manchen Einzelnheiten herausstellte, im Hause großer Achtung zu genießen. Unserem Begehren nach Wein ward bereitwillig entsprochen, und gleich dienstfertig zeigte sich die ehrbare Hausfrau, als wir den Wunsch äußerten irgend ein Fabrikat ihrer Küche zu genießen. Der Anbot eines vollen Glases nöthigte den Hausherrn an unseren Tisch, und bald nahm Alles lebhaften Antheil an dem Gespräch, das wir nicht ohne einige Mühe in dem Ideenkreise dieser einfachen Natursöhne bewegten.

So trug uns ein freundliches, müheloses Entgegenkommen das Vertrauen der guten Leute und ein angenehm verschwätztes Stündchen ein. Wie ward da jeder kleine Scherz aus voller Brust belacht, und jede Erzählung über Dinge, die außerhalb dieser Thäler liegen, mit tiefem Staunen angehört. Die Neugier schürzte immer wieder von neuem den Knoten des Gesprächs; da wurde nicht nur das Nationale der Fremdlinge gründlich durchforscht, und, woher wir kämen und wohin wir gingen, ins Klare gebracht, sondern ich meines Orts mußte melden, welchem Regimente ich angehöre, welchen Rang ich bekleide u. dgl. m. Und als sie bei dieser Gelegenheit erfuhren, daß Wien mein Standort sei, da fragten sie durchaus nicht nach den Moden, Theatern und Kunstschätzen der Hauptstadt, wie dies andere Leute mit weniger natürlichem Verstande gethan hätten, wohl aber mußte ich ihnen von unserem Kaiser viel erzählen: wie er aussehe, wie er sich kleide, ob er viele schöne Pferde besitze, wie gut, wie edel, wie mannhaft und ritterlich er sei, und wann er wieder einmal nach Tirol kommen werde, auf welche Frage ich mit diplomatischer Wendung erwiederte, daß dies muthmaßlich in einiger Zeit geschehen wird. Wie leuchteten da unter diesen Reden die kühnen Augen der wackeren Jungen, und wie energisch dampfte der Inhalt ihrer kurzen Pfeifen! Auch hier fand mein Säbel wohlfeile Bewunderung, und bei dieser Gelegenheit stellte mir der Hausherr einen seiner Söhne vor, der bei der letzten Rekrutenstellung „verspielt" habe, von ihm aber losgekauft worden sei, weil — wie er zartsinnig bemerkte — sein Hauswesen ziemlich weitläufig sei und der Hände des „Buben" nicht entbehren könne. Sicherlich verlor das Regiment Kaiser-Jäger an dem blondlockigen, kräftigen jungen Manne einen eben so hübschen als tüchtigen Soldaten. Die dicke Milch und das fette Türkenmus — letzteres aus Mehl von türkisch Korn und Butter zubereitet — schmeckten trefflich, und ersetzten zureichend den Kräfteverlust des vergangenen Tages. Mittlerweile hatten sich auch die weiblichen Hausgenossen in der Stube eingefunden, blühende Töchter des Hauswirths, und flinke, rothwangige Mägde, worauf das übliche Beten des Rosenkranzes begann, dessen profuse Länge unsere ganze Bewunderung herausforderte, und unseren Führer aus Fend zu einer plump scherzenden Bemerkung veranlaßte, worüber er jedoch von uns gebührend zurecht gewiesen wurde.

Bald darauf gingen wir zur Ruhe und schliefen diesmal auf weichem
Heu beffer als je in einem Bette.

Des anderen Morgens verließen wir zeitlich unfer buftendes La=
ger. Denn wir hatten vier Stunden bis nach „Unferer lieben Frau"
vor uns, dem nächsten Kirchdorfe in Schnals, das wir heute an dem
Fefte der Himmelfahrt Mariä noch vor Beginn der h. Messe erreichen
wollten. So geschah es, daß wir diesmal, ohne besonders genöthigt zu
sein, schon um 5 Uhr unsere Reise thalabwärts antraten.

Es war ein herrlicher Morgen mit blauem Himmel, voll Glanz
und Klarheit in der Höhe, mit labender Frische und blitzendem Thau
in der Tiefe. Nur an den Spitzen der höheren Berg hingen leichte,
filberglänzende Nebel, die zur Höhe wollten, aber von der Wärme er=
reicht, oft in einem kurzen Augenblicke zerflossen. Das Thal ließ von
feiner rauhen Größe noch lange nicht ab, nur fiel es rasch, was den
Bach — der, wie alle anderen, von Natur ein träger Geselle ist und
nur dann fortläuft wenn er muß — zuweilen so in Wuth brachte, daß
er schäumte, oder gar zu lauter Schaum ward. Vor dem Dörfchen
Obervernagt wendet sich das Thal gegen Osten, und ehe wir noch von
einem waldigen Bergfuße in die schmucke kleine Ebene, auf der jene
Ortschaft liegt, hinabstiegen, bemerkte ich hoch in der Luft einen dun=
keln riesigen Felskegel, hinter welchem ein verdächtiger weißer Schein
aus den lockeren Nebelflocken hervorbrang. Wir blieben eine kurze Weile
lang stehen, um eine Veränderung des Bildes abzuwarten, und nicht
lange dauerte es; der Nebel zerrann schnell, und faft plötzlich trat in
unbeschreiblich großartiger Erscheinung ein schneeweißer Bergdom her=
aus, der sich von dem dunkelblauen Himmelsgrunde und der schwarzen
Felsenpyramide vor ihm mit vollkommenfter Klarheit abhob. „Der
Similaun!" so riefen wir in freudiger Ueberraschung faft mit Einer
Stimme, unser läppischer Führer aus Fend aber entgegnete, es sei nicht
der rechte Similaun. Nun war es aber gewiß, daß es nicht zwei Simi=
laune in dieser Gegend gebe, einen rechten nämlich und einen unrechten.
Auch hatte uns jetzt glücklicherweise der würdige Kurzenbauer mit sei=
ner ganzen Familie im Gefolge eingeholt, und so war die Bestätigung
über die Richtigkeit unserer Vermuthung gleich an Ort und Stelle zu
erlangen. Die große Nähe dieses schönen, 11,444 W.F. hohen Gipfels;

204

unfer eigener Standpunkt, der uns gegen den Berg hin in die Tiefe zu blicken gestattete, wodurch sich uns seine relative Höhe scheinbar ungemein vergrößerte; die grüne Ebene mit dem schmucken Dörfchen zu unseren Füßen; die dunkelwaldigen Berghänge etwas höher, und die finstere „Schröffwand" endlich, die wie eine schwarze Folie vor dem blendend weißen Edelsteine aufgerichtet stand — dies Alles erhöhte nicht nur die stolze Majestät dieser Szenerie, sondern verlieh ihr auch einen eigenthümlichen, wunderbaren Reiz. — In der kleinen Ebene angelangt, gewahrten wir zur linken Hand, und auf einer hohen, grünen Alpenterrasse hängend, den gleichfalls steuerfreien Finailhof, wo Herzog Friedrich, gleichwie zu Rofen, auf kurze Zeit einen sicheren Versteck fand. Und je weiter wir gingen, desto mehr Leuten begegneten wir, die in ihrem Sonntagsstaate, der jenem in der Meraner Gegend sehr ähnlich sieht, nach Unserer lieben Frau zur Messe eilten. So macht die Natur den Gläubigen dieses Landes auch die formelle Gottesverehrung schwierig, als wolle sie damit sagen, daß sie hier allenthalben die Tempel und Säulen des Allmächtigen aufgebaut, schöner und erhabener, als es ein Menschengeist auch nur zu denken vermöchte. Doch dem frommen, gottesfürchtigen Sinne dieses Volkes ist eine solche Auffassung fremd: wie groß und erhaben auch diese Berge sein mögen, es sieht in ihnen eben nur Berge, sucht deshalb unverdrossen die geweihten Stätten der Andacht auf, und erlaubt sich, selbst nicht zur Winterszeit, die oft meilenweite Entfernung der nächsten Kirche mit dem Auge der Bequemlichkeit zu betrachten. Der Weltling, dem das eigene Ich die Gottheit, oder besser der Götze ist, dem er dient, nennt die Strenge dieses Volkes gegen sich selbst Bigotterie, und meint mit dieser spottenden Bezeichnung den eigenen Unglauben zu beschönigen. Da er die Innerlichkeit eines auf kein materielles Interesse gerichteten Gefühls selbst nicht zu fassen weiß, so höhnt er diejenigen, die ein solches besitzen. — „Die Menschen sind gewohnt das zu verspotten, was sie nicht verstehen!"

In Unserer lieben Frau war eben Kirchtag, und darum hatte sich, wie es schien, die Schnalser Population vollzählig auf die Beine gemacht, um der h. Messe und Prozession beizuwohnen. In Kurzras, dem hintersten Hofe des Thales, wie wir wissen, war nur ein einziger Knecht als Locumtenens und Hofthürhüter zurückgeblieben. Welche Gelegenheit

wäre demnach besser gewesen wie diese, um den kräftigen Menschen-
schlag dieser Gegend ins Auge zu fassen. Bei weniger Zierlichkeit in
den äußeren Formen und freier Anmuth in Gang und Haltung, wie
sie den Zillerthalern eigen, liegt doch mehr Stahl in den Männern von
Schnals. Die Gestalten hier sind höher und sehniger, die Schultern
breiter, und der allgemeine Ausdruck weniger den Hang zur Fröhlichkeit, Insinuation und List, wie bei jenen, als die Fähigkeit verkündend,
den erbarmunglosen Gewalten einer rauhen Natur mit Kraft und Ausdauer entgegen zu treten. Die malerische Tracht trägt überdies nicht
wenig dazu bei, die athletischen Formen des Männervolkes hervorzuhe-
ben. Die eng anliegenden weißen Strümpfe und schwarzen Lederhosen,
der rothe Brustlatz, die grünen Hosenträger darüber, der lederne Gurt,
die graue, grünverzierte Jacke und der breitkrämpige Hut vereinigen sich
zu einem farbenreichen, dem Auge wohlgefälligen Ganzen. — Im
Wirthshause waren zum Empfang der Kirchtagsgäste weitläufige Vorbereitungen getroffen worden, und wahrhaft leid that es uns, daß wir,
wegen Kürze der Zeit, die Gelegenheit versäumen mußten, dieses gut-
müthige und interessante Völkchen etwas näher kennen zu lernen.

Hinter Unserer lieben Frau, mit seinen wohnlichen Häusern, grünen Rasenplätzen und dem prächtigen Similaun in der Ferne, folgt
jetzt wieder eine anderthalb Stunden lange, mehr felsige als waldige
Schlucht, angefüllt mit Trübsinn, Menschenhaß und Langweile. In
opportunem Lichte erschien jetzt ein kleiner Streit mit einem der beiden
angehenden Gelehrten aus München über die praktische Frage, welches
Volk des Alterthums, die Griechen oder Römer, das noblere und überhaupt höher achtbare gewesen. Mein Opponent schlug sich auf die Seite
der Griechen — vielleicht wegen König Otto und seinem fröhlichen
Dasein in Attika, — während ich als Soldat für das Kriegervolk der
Römer stritt, worüber wir unvermuthet Karthaus erreichten, einst ein
reiches, angesehenes Kloster, jetzt die halb zur Ruine gewordene Behausung von 2 bis 300 dürftigen Schnalsern. — Hier an der Ecke, wo
das Thal gegen Süden abbiegt, mündet auf der linken Seite das Pfos-
senthal, durch welches ein schrecklich rauher Steig über den großen
Oetzthalferner nach Gurgl und Zwieselstein ins Oetzthal führt. Von
der Höhe nächst Karthaus genießt das Auge mit Lust der Aussicht auf

das jenseits des Baches liegende Dorf St. Katharina, dessen Häuser sich über eine brennend grüne, farbenbunte, und von dunklem Walde umsäumte Berghalde ausbreiten, und dessen Kirche dicht am Rande eines Felsabsturzes steht, der sich mindestens 1000 Fuß hoch über den Thalgrund erhebt. Von Karthaus weg hielten wir uns auf der Lehne der rechten Thalseite und kümmerten uns gar nicht um den Hof Ratteis — welch' seltsam klingender Name! — und einige andere Gehöfte in der Tiefe, die sich gelegentlich durch Waldlücken sehen ließen. Die Vegetation gewinnt hier überhaupt bereits den freundlichen Charakter des Südens; hellgrünes Laubholz mischt sich immer mehr und mehr unter die dunkeln nordischen Fichten und Föhren, und durch die schmale Thalöffnung zeigen sich mit wachsender Deutlichkeit die in warme blaue Töne gehüllten Berge des gesegneten Etschlandes. Und immer parkartiger schlängelt sich der schmale Steig — für Wägen hat auch dieses Thal noch durchaus keinen Raum — unter dem Schatten von Buchen, breitlaubigen Linden und Nußbäumen bis zum Schlosse Jufahl, das auf stolzer Höhe prangt und mit einem Blicke sowohl das rauhe Schnals, als das schöne milde Etschthal beherrscht. Die einst große und mächtige Burg ist jetzt in den Händen eines Bauers und geht rasch ihrem Verfall entgegen. Quer gegenüber, aber noch im Schnalserthale, klimmt in eine zerbröckelnde, senkrecht aufsteigende Felswand eingehauen, der „verbotene Steig," von Naturns im Etschthale ausgehend, nach Sankt-Katharina empor und ist so schmal und gefährlich, daß es eines obrigkeitlichen Verbotes bedurfte, um das Betreten dieses, seiner Kürze wegen vorgezogenen, Weges zu verhindern. Hier endet auch das Schnalserthal als eine enge, durch den Fels gebrochene Spalte, hinter der wohl niemand eine so reich entwickelte Thalbildung vermuthen wird, dem es etwa widerfährt den Wasserreichthum des daraus hervorquellenden Baches zu übersehen.

Mit welcher Freude begrüßten wir nicht, von der Höhe des Schlosses Jufahl herabschauend, das herrliche Land, das reich und blühend und mit Dörfern und Häusern übersäet, wie ein Garten vor uns lag! Hat die mächtige Wildniß, die wir so eben durchwandert, eine Fülle hoher, ergreifender Reize für sich, die die Seele in ahnungsvolle Bewunderung versenken, so nähert sich der Mensch doch wieder gerne den tausendfältigen Gestaltungen des menschlichen Lebens, und deutlicher fühlt er dann den Werth des geselligen Daseins.

Nach so vielen Entbehrungen bot uns jetzt das treffliche Gasthaus in Staaben den ersten Ersatz. Schon die Möglichkeit, unsere Toilette zu ordnen, war mit einer Art Genuß verbunden; von dem Diner gar nicht zu reden, das uns Angesichts des geräucherten Bockfleisches ein wahres Göttermahl däuchte. Auch des lieblichen Weines von Kaltern und der billigen Rechnung sei mit Anerkennung gedacht. Mit sichtlichem Behagen verlängerten wir deßhalb unseren Aufenthalt in dem gastlichen Hause, und ließen uns nach Tisch gerne von der munteren Wirthin die Verwüstung zeigen, welche die Traubenpest unter dem Weine anzurichten im Zuge war. Ich bin noch jetzt der Meinung, daß es mich wenig Ueberwindung gekostet hätte, drei Tage lang in Staaben zu versitzen, mich dabei der Oetzthaler Schauerlichkeiten zu erinnern, in's sonnige Land hinaus zu blicken, dem biederen Kalterer zuzusprechen und mit der Frau Wirthin zu plaudern. Endlich aber mußte aufgebrochen werden, was mittelst eines leichten Wägelchens geschah, das uns in anderthalb Stunden nach Meran brachte. Und wie herrlich war diese Fahrt durch das dichtbevölkerte, fruchthängende Land, mit seinen lachenden Fluren und Weinbergen, seinen altklug blickenden Burgen auf steilen Hügeln, und seinen fröhlichen Menschen! Die Festtagsfeier und der goldene Abend hatte diese auf die Straßen gelockt, und in den Dörfern gab sich allenthalben ein lustiges Treiben kund. Die farbenreiche Tracht der Männer und die feuerrothen Strümpfe der Frauen verliehen den Gruppen einen heiteren, lebendigen Anstrich, und hie und da fand sich auch wohl eine schlanke Mädchengestalt, die uns aus ihren blauen Augen heraus einen freundlichen Gruß zunickte. Bei Töll, wo die Etsch über eine kleine Thalstufe lärmend hinabstürzt, und wo die Straße über eine schöne Brücke auf das rechte Flußufer übersetzt, gewinnt die Gegend schnell ein so hohes Maß landschaftlicher Anmuth, daß sie in der Welt weit und breit herumreisen könnte, um ihres Gleichen zu finden. Auf breitem, herrlich grünem Thalgrunde, den die Etsch durchströmt und stolze Berge umstehen, liegt das viel und mit Recht gepriesene Meran. Durch Luft und Licht, durch Feld und Flur athmet hier schon warmes, südli-

ches Leben. In dichtem Kranze umdrängen blühende Dörfer und zierliche Villen das schmucke Städtchen, und da und dort schauen ernste
Burgen mit alten Erinnerungen in das ewig junge Leben des Thales
herab. Da steht z. B. gleich neben der Straße, ehe diese noch den Fluß
zum zweiten Male kreuzt, die altergraue, epheuumrankte Burg Ferst,
und schaut die lustigen Wanderer da unten mit so historienhaftem Dün-
kel an, als sei des Lebens goldener Baum mit ihrer eigenen Blüthe
welk geworden, und der Menschen erste Pflicht nur die, vergangener
Zeiten zu gedenken. Als wir endlich in den Gasthof „zum Grafen von
Meran" einfuhren, sank die Poesie des Tages schnell auf den Null-
punkt herab, und kleinlaut fragten wir uns selbst, ob wir heute Morgens wirklich noch in Kurzras gewesen, den Similaun bewundert, die
starken Männer von Schnals gemustert und in Staaben edlen Kalterer
Wein getrunken oder nicht. Doch nicht lange ließen wir diese Erkaltung
in uns gewähren. Wenige Minuten genügten zur Besitzergreifung eines
Zimmers, worauf wir hinaus in's Freie eilten, um noch des Abends
froh zu werden, der sich in den zartesten Tinten über den Himmel aus-
zubreiten begann.

Die Hauptstraße der Stadt, und ich glaube sie hat wenig andere,
war mit ihren düsteren, niedrigen Bogengängen nicht eben sehr geeignet unserer sinkenden poetischen Stimmung wieder auf die Beine zu
helfen. In der Nähe der Kirche boten rothstrümpfige Bäuerinnen
frühreife Trauben, Pflaumen und Pfirsiche feil, und aus den Schenken
scholl fröhlicher Lärm. Wir wendeten uns der Passerbrücke zu, gingen
an der Kirche von Unter-Mais vorüber, stiegen dann links in das Weinland auf und der Gegend zu, wo einst die römische Maja lag, und wo
sich jetzt ein Dorf aus Burgen und Edelsitzen über schwellende Hügel
ausbreitet. Eine kleine Anhöhe, die uns eine freie Aussicht in die Gegend
gewährte, war bald gewonnen, und nun ließ sich, von der Kühle des
Abends und dem Geflüster des Weinlaubs umweht, der herrliche
Traum des abklingenden Tages lohnend weiter spinnen. Der Abendhimmel brannte jetzt in dunkler Glut und verklärte wundervoll den
Schneegipfel des hohen Gingeljochs und die weißen Felsmassen des
nahen Ifingers und seiner nachbarlichen Spitzen, während er mit seinen rothleuchtenden Pinselstrichen über alles fuhr, was er im Thal

und auf den Höhen nur immer erreichen konnte. Und immer weiter gingen wir, über grasige Raine, und durch langgestreckte duftige Weinlauben, an Schloßruinen und heiteren Villen vorüber, durch schattige Alleen, durch grasbewachsene Burghöfe mit verschollenen Wappenbildern, durch fruchtbeladene Obsthaine, bis nach und nach die träumerische Stille des Abends kam, ein blauer Duft sich über die Gegend, und fast etwas Wehmuth auf unsere Herzen legte. Zurückkehrend gingen wir an dem Schlosse Winkel vorüber, und überschritten dann den Steg, der unfern des Passerthors, mit kühngesprengtem Bogen die wilde Passer übersetzt. Am Thore sind noch einige Reste der alten städtischen Ringmauer sichtbar, und der sogenannte Pulverthurm, ein Theil der uralten, einst landesherrlichen Zenoburg, steht nahebei auf dem Fuße des Küchelberges, und schaut mit mittelalterlicher Würde dem Treiben der Gegenwart zu.

Durch die siebenstündige Morgenpromenade von Kurzras bis Staaben und die anderthalbstündige Streifung über Unter- und Obermais etwas ermüdet, sehnten wir uns jetzt nach Ruhe, die wir einleitend vorerst im Speisesaale des Gasthofes suchten. Und siehe da! obgleich die Traubensaison noch gar nicht begonnen hatte, und daher auch noch keine eigentlichen Kurgäste vorhanden waren, so standen dennoch die vielen Sessel um den langen Tisch nichts weniger als leer. Eine dicke Russin, mit vieler Schminke, doppeltem Kinn und hübscher Tochter, führte das Präsidium und schlürfte eine unendliche Menge Tassen Thee, indeß ein ältlicher Gentleman mit hochblonder Perücke und kühn vorspringenden Vatermördern, und ein zweiter, dessen Deutsch unverkennbar den Magyaren verrieth, sich alle Mühe gaben, den Damen gegenüber liebenswürdig zu erscheinen. Die übrigen Gäste waren durchweg Deutsche aus aller Herren Länder, was sich nicht sowohl durch die Sprache, die sie redeten, als vielmehr durch die dicken Biergläser verrieth, mit denen diese Herren hier, mitten im Lande des Weins, ihrem, wie es schien, chronischen Durstübel abzuhelfen suchten. Der eine tadelte die eingebornen Weinsorten weil sie nicht stark genug, der andere weil sie etwas süßlich seien; bei mehr Säure, so meinte er, wären sie etwas besser; ein dritter glaubte, daß es ihnen an Bouquet gebreche, und ein Vierter fand gar an ihrer Stärke etwas auszusetzen. Nun, jedermann

14

weiß es, daß der Tirolerwein weder mit dem Tokaier noch mit gutem
Bordeaur sich vergleichen lasse, doch es gibt sehr trinkbare Sorten im
Lande, und jedenfalls ist selbst der beste hiesige Wein so wohlfeil, daß
man ihn hier schoppenweise trinken kann, während man anderwärts
um den gleichen Preis kaum besseren Wein nur aus Dessertgläs=
chen nippt.

Wer von Allen, die nach Meran kommen, denkt nicht zuerst an
das Schloß Tirol, an das Palladium und den „Pathen des Landes,"
der ihm für alle Zeiten den Namen gab, und den Ort, wo die Wiege
der Landesherrschaft stand! So thaten auch wir, und widmeten den
Morgen des nächsten Tages einer Erkursion dahin, bei welcher uns
Herr von St°°°°, ein guter Freund meines Schwagers, zu begleiten
die selbstverläugnende Artigkeit hatte. Der Morgen hatte sich nämlich
ungemein warm angelassen, und zwei bis drei seiner besten Stunden
waren im Kaffeehause unter Frühstück, Durchmusterung rückständiger
Zeitungen und heiterem Geschwätz bereits ungehörig benützt vorüber=
gegangen. Es gibt verschiedene Wege nach dem Schlosse Tirol, unter
welchen derjenige gewählt wurde, der durch das Passerthor und an der
Zenoburg vorüberführt. Die Zenoburg, einst die fröhliche Residenz
des böhmischen Heinrich und seiner Tochter Margaretha von Maul=
tasch, deren Lebensgeschichte einen so seltsamen Verein von Kraft und
Frivolität, von Güte und Grausamkeit nachweist, liegt auf einer mäßig
hohen Terrasse des nördlich von der Stadt sich erhebenden Küchelber=
ges, die dicht neben dem Schlosse als eine steile Klippe in das Bett der
rauschenden Passer hinabstürzt. Alle Zeichen alter Herrlichkeit sind hier
verschwunden und kaum ist mehr die ehemalige Ausdehnung des stolzen
Herzogssitzes zu erkennen. Zwischen den Ruinen aber hat sich ein klei=
nes, freundlich blickendes Häuschen den traulichsten Ruheplatz gewählt
und sich, wie wir hörten, unter seinem jetzigen Besitzer zu einem inhalt=
reichen Museum für die Landesgeschichte aufgearbeitet. Wir wagten es
nicht, uns in den Beschau seiner Schätze einzulassen, sondern genossen
lieber des reizenden Blickes über Ober=Mais, dessen Gewirr von Bur=
gen und Edelsitzen, Ruinen und modernen Villen sich, von hier betrach=
tet, in genügende Ordnung und Uebersichtlichkeit auflöste. Von dun=
keln Epheuranken umzogen, blicken ernst und altersgrau die nahen Bur-

gen von Au und Rubein, dann die freundlicheren von Winkel und
Rametz, und etwas weiter entfernt jene von Fragsburg, Katzenstein und
Goyen zu uns herauf; mancher anderer nicht zu gedenken, deren Namen meinem Gedächtnisse entfallen sind. Und wie freundlich lagen sie
alle da unter dem hellen Sonnenlichte, diese halb verborgen in dem
Schatten mächtiger Bäume, jene mit ihren trotzigen Giebeln und Zinnen den niedrigen Obsthain überragend, und wieder andere auf niederen Anhöhen thronend und der reichen Aussicht froh über das kleine Paradies da unten, — jede aber von ihren eigenen sanften Schauern der Vergangenheit umflossen, und mit ihren eigenen Träumen über die alten vergessenen
Zeiten ihrer Jugend beschäftigt. Dieses Dorf von alten Rittersitzen,
das eine lokale Widerlegung des mittelalterlichen Faustrechts bildet,
deutet mehr als die Stadt selbst, in der die profane Hand jeder nach
einander auftretenden Gegenwart die Spuren der Vergangenheit, mit
wenigen Ausnahmen verwischte, auf eine Zeit hin, wo Meran die
Hauptstadt des Landes und der Sitz der Landesherren war, die ihre
Edlen um sich her versammelten. Damals blühte noch der Handel in
dieser Gegend, denn der Kuntersweg von Botzen nach Briren war noch
nicht eröffnet, und die Güter von Nord und Süd nahmen ihren Zug
meist durch Meran und über den Jaufen nach Sterzing. Später, als
Herzog Friedrich mit der leeren Tasche unter dem widerspänstigen Adel
des Etschlandes aufräumte und seine Residenz in das sichere Innsbruck
verlegte, und als Botzen, mit seinen besseren und kürzeren Verbindungen und mit seinen an Bedeutung immer mehr sich steigernden Messen, den Handel dieser Gegend an sich riß, da verloren sich die Edel-
herren von Obermais und die Reichthümer der Stadt Meran. Dieser
aber blieb, außer der unfruchtbaren Ehre die erste der tirolischen Städte
zu heißen, der unverwüstliche Reiz einer paradiesischen Natur, die der
Stadt in neuester Zeit, seitdem die Heilsamkeit der Trauben für kranke
Lungen und gesunkene Kräfte erkannt worden, eine neue Quelle der
Wohlhabenheit eröffnete.

Der Küchelberg, eine weinbepflanzte, nicht sehr bedeutende Anhöhe, ist von der Natur dadurch begünstigt, daß er in der Ecke zwischen dem Etschthale und Passeyr wacker vorspringen durfte, und dadurch eine Lage gewann, in der er beide Thäler zugleich beherrscht. Von

14 *

212

da weg kann man eben so gut links hinab in das Weinland von Ter-
lan, oder rechts hinauf gegen Allgund und Partschins, oder nach rück=
wärts über Kains, Riffian und Schönna mit seinem stolzen Schlosse,
in die Wildnisse des oberen Passeyr blicken, und wer gute Augen hat,
der mag auch wohl in den Gassen der Stadt Meran irgend einen lieben Bekannten erkennen. Ein kleines Stündchen weiter, aber auch etwas
höher, liegt das Dorf Tirol mit einem unverwerflichen Gasthause, wo
der müde oder von der Hitze des Tages gequälte Wanderer alle Mittel
vereinigt findet, um seine Kräfte wieder in brauchbaren Stand zu setzen;
aus den thalabwärts gewendeten Fenstern aber wird er sich einer Fern=
sicht erfreuen können, die jene vom Küchelberge an Glanz noch über=
trifft. Ueberfieht hier das freie Auge schon alles, was die Umgebung an
Zaubereien nur immer aufweist: die grüne prangende Ebene im Thal
mit allen ihren Städten, Dörfern und Villen, und alle nahen und ferneren Berge mit ihren Schneehörnern und Kuppen, mit ihren Alpen
und Wäldern, mit ihren zahllosen Schlössern und Burgruinen, so blei=
ben zuletzt dem grübelnden Fernrohr selbst die Berge um und jenseits
Bozen, St. Pauls und die stolz ragende Feste Hoheneppan nicht mehr
verborgen. — Nur um Weniges später als wir, war eine Gesellschaft
von Herren aus Norddeutschland in dem Gasthofe eingetroffen und
war jetzt so praktisch, die Schönheit der Landschaft vermittelst Biers zu
genießen. Nun ist es aber eine bekannte Sache, daß nichts so leicht den
Genuß einer schönen Gegend zu stören im Stande ist, als Engländer,
Norddeutsche und schlechtes Wetter, und wir waren jetzt unglücklich
genug, die Wahrheit dieses Satzes zu erproben. Alle diese norddeutschen
Herren kamen so eben aus Venedig, und hatten ihre Urtheile über die
Wunder der Lagunenstadt vollständig ins Reine gebracht; — wie es
sich aber bei gebildeten Norddeutschen, besonders wenn sie aus der sogenannten Metropole der Bildung stammen, von selbst versteht, so ver-
achteten sie diese Wunder allesammt. Einer dieser Herren trug immense
Brillen mit schwarzer Büffelhorn=Fassung, und ohne Zweifel kam diesen das Verdienst zu, das Urtheil ihres Eigners vor jeder Verirrung
zu bewahren und auf der lichten Ebene des norddeutschen Verstandes
zu erhalten. Nach ihm waren die Paläste des Canal grande nichts weiter als eine, auf das Gemüth drückende Schaustellung von Ruinen.

„Und ihr Styl, wie bizarr und regellos, wahrhaft unangenehm! Und
gar der Dogenpalast, mit seinen niederen Bögen unten, und der breiten, schweren, nur von wenigen kolossalen Fenstern durchlöcherten
Wand darüber, liefert den Beweis eines ganz und gar desorganisirten
Geschmacks!" — Diese Querheit, die, um geometrisch zu reden, eine
Größe messen wollte, und nichts zwischen den Zirkelspitzen hatte,
wurde mir endlich doch zu arg, und ich erwiederte ruhig: „Seltsam ist
dieser Styl allerdings; aber zu seiner Beurtheilung ist wohl ein anderer Maßstab nöthig, als etwa der des lukrativen, vielfensterigen Zins-
hausstyls!" — Es war für die guten alten Venetianer, für ihre
Lombardi, Sansovini und Scamozzi, ein Unglück, daß sie in so früher
Zeit lebten und für ihre Paläste der Muster entbehrten, die ihnen jetzt
in den „steinernen Kabinetsordres" der unvergleichlichen Friedrichs-
und Wilhelmsstraße in so reicher Auswahl zu Gebote stünden. So bestimmt die Gewohnheit, nebst tausend anderen Dingen, auch den Geschmack; die Speisen, die noch zur Zeit des dreißigjährigen Krieges die
Gaumen unserer Voreltern kitzelten, sind heut zu Tage ungenießbar;
so schaudert der Grieche vor gebackenen Fröschen und Schildkröten, der
Italiener vor frischer Butter, der Hochwalliser vor einem Halse ohne
Kropf, und der Chinese vor einem Frauenzimmer mit großen und horizontal gestellten Augen; und deshalb mag auch wohl dieser oder jener
Berliner, ohne besonderen Schaden für den architektonischen Geschmack
der Gegenwart im Allgemeinen, den Styl des Dogenpalastes und der
übrigen Paläste am großen Kanale in Venedig, nach seinem Gefallen
„wahrhaft unangenehm, bizarr und regellos" finden.

Von dem Dorfe Tirol — die Bauern hier nennen es „Trohl"
— ist's bis zum Schlosse gleiches Namens nicht mehr weit, doch muß
man früher noch das „Knappenloch," d. i. einen durch eine hervorragende Bergrippe gebrochenen Tunnel, nach Art des Steintbores in Salzburg, nur weniger ansehnlich und zierlich, dann einen überbrückten Tobel passiren, durch dessen Oeffnung von unten herauf die Ruinen der
Brunnenburg, ein schwarzes, zackiges, moosbedecktes Gemäuer, phantastisch hervorblicken. Das Schloß Tirol krönt stattlich eine hohe Terrasse,
die aus lockerem Dilurialboden besteht, und mit einer senkrechten, zwei-
bis dreihundert Fuß hohen Kieswand aus dem erwähnten Tobel auf-

steigt. Diese Wand rührt von einem, vor mehreren hundert Jahren statt gehabten Abbruch des Berges her, der von den Fluten des Wild-baches unterwühlt, mit jenem Theile des Schlosses, den einst die alten Grafen des Landes und ihre Nachfolger aus dem Görzer Geschlecht bewohnten, zu Thal stürzte. Was aus jener Zeit übrig geblieben und was im späteren Mittelalter und in den darauf folgenden Jahrhunder-ten hinzugefügt worden, bildet indeß noch immer ein ziemlich ansehn-liches Ganzes, das übrigens in seiner gegenwärtigen, modernisirten Gestalt von seiner ruhmreichen mittelalterlichen Existenz nur mehr sehr wenige, und von seinem römischen Ursprunge auch nicht die leisesten Spuren mehr sichtbar aufweist. Und so ist denn hier, mit Ausnahme der wundervollen Aussicht — aus den westwärts gewendeten Fenstern des obersten Stockwerkes erblickt man das ehrwürdige weiße Haupt des Ortles — des Interessanten wenig mehr vorhanden, das zu längerem Verweilen gegründeten Anlaß böte. Dem Kunstarchäologen mögen in-deß einige Bildwerke am Portale der vor der Burgkapelle befindlichen Halle von Werth erscheinen. Diese in weißem Marmor ausgeführten Basreliefs gehören ohne Zweifel einer Zeit an, die den Meistern der Kölner Dombilder um manches Jahrhundert voranging. Es ist ein un-geschlachtes, barbarisches Werk, das vorherrschend allegorische Thierge-stalten enthält, und nach der Annahme der Kunstverständigen den Sieg der christlichen Lehre über das Heidenthum vorstellen soll. Dieß mag so sein; sicherer aber ist es, daß die Franzosen an diesen ehrwür-digen Resten uralter Kunst zerstörenden Frevel geübt. Bekanntlich fand um das Dorf Tirol herum das letzte Gefecht des Jahres 1809 seinen Schauplatz, ein Kampf, der, lange nachdem bei Wagram der ent-scheidende Würfel bereits gefallen, ein Akt trauriger Uebereilung war, und einigen Hunderten entschlossener Söhne des Gebirges ein bluti-ges Ende bereitete. Denjenigen, denen die Geschichte des Landes weni-ger bekannt, wird die Notiz vielleicht von Interesse sein, daß die Baiern, als sie 1805 in den Besitz des Landes kamen, daß Schloß Tirol auf dem Licitationswege an den Meistbietenden verkauften. Es war dieß ein gutes Mittel, die Liebe der Bevölkerung für die neue Herrschaft zu gewinnen, kaum weniger als jene andere Verordnung, nach welcher da-mals der bisherige Name Tirol, als unvereinbarlich mit den neuern

Grundsätzen der Geographie, hinfüro aufhören sollte. Daburch, so meinte
man, würde nebenbei dem alten österreichischen Patriotismus das Sub-
strat entzogen, und durch gleichzeitige Einführung von allerlei mund-
schiefen Kreisnamen dem gewünschten baierischen Nationalgefühle eine
wirksame Grundlage geschaffen werden. Schloßverkauf und Namen-
austilgung waren demnach in sich konsequente Regierungsverrichtungen.
Aber das Namensverbot zog nicht, und wenn auch nach einiger Zeit
die neuen königlichen Beamten nicht mehr recht wußten, in welchem
Welttheile das Land Tirol einst lag, so haftete dafür dieser Name desto
fester an den Bergen und Thälern, Felsen und Gletschern des Landes,
und fester noch an der treuen Gesinnung seiner Bewohner, die da in
aller Welt nicht begreifen konnten, wie ein Land seinen Namen, und
ein Volk seine angestammte Herrschaft verlieren könne. So standen
denn zur Zeit der Wiedereroberung des Landes Berge und Gletscher,
Landesname und Volkstreue noch ganz so wie sie vordem gestanden, und
umsonst hatten die Herren in München nach der rechten Formel ge-
forscht, um alle diese Dinge aus dem Lande hinaus zu dekretiren. Ja
selbst das Schloß Tirol kam später durch Kauf von Seite der treuen
Stadt Meran und Schenkung an Kaiser Franz wieder in den Besitz
seiner alten Herren.

Nachdem wir der schönen Aussicht froh geworden waren und das
Fremdenbuch, in welchem wir manchen hohen und gefeierten Namen
fanden, kurz durchmustert hatten, nahmen wir unseren Rückweg durch die
zerstreuten Höfe von Gratsch und Allgund, erst durch wohlgepflegtes
Weinland, und dann im Thale über den saftig-grünen Wiesenplan, dessen Fruchtbäume sich unter der Last jener köstlichen Aepfel bogen, die
einen ergiebigen Ausfuhrartikel bilden und selbst bis nach Rußland ver-
sendet werden. Um an der Bodennützung nichts einzubüßen, werden die
Raine zwischen den Wiesenparzellen mit solchen Aepfelbäumen bepflanzt,
und diese sind es vornehmlich, die der ebenen Thalfläche das Aussehen
eines Gartens gewähren.

Nach Tisch besahen wir uns die Pfarrkirche, ein stattlicher gothi-
scher Bau mit einem überaus zierlichen Seitenportale und einigen hübschen Bildern im Innern, dann den um die Kirche herumliegenden
Gottesacker, der in engem Raume eine Zahl alter und neuer Grabmäler

umfaßt, von denen einige nicht ohne Kunstwerth find. Und auch mancher Fremde ruht hier im langen Schlafe, deſſen Hoffnungen auf Beſ-
ſerung ſich bald, aber im ſchöneren Jenſeits, erfüllten. Nachher fla-
nirten wir auf der Promenade in Begleitung einer meinem Schwager
näher bekannten Familie, und verdarben ſo einige der ſchönſten Nach-
mittagsſtunden, die wir viel beſſer durch eine Promenade nach dem
vielgerühmten Schloſſe Lebenberg hätten benützen können; auch die
mageren Reſſourcen des Meraner Kaſinos wurden in Augenſchein genommen, und der Abend endlich durch ein fröhliches Beiſammenſein
unter Geſang und Becherklang würdig beſchloſſen.

Für die Heimkehr nach Innsbruck zogen wir den Weg durch das
Paſſeyr vor, der für die Strecke von Meran bis Sterzing eine Fußpro-
menade von zehn vollen Stunden vorausſetzt, was ich hier deßhalb erwähne, damit derjenige, der dieſe intereſſante Tour in einem Tage zu
machen beabſichtigt, mit der Zeit etwas haushalte, damit es ihm nicht
geſchehe, daß er, bei dem unvermeidlichen Raſten im Wirthshauſe am
Sand und vielleicht am Mittagstiſche zu St. Leonhard, einen Theil
des Weges über den Jaufen zur Nachtzeit durchwandern muß, was bei
der Rauheit dieſes Alpenſteiges nach Umſtänden nicht allein etwas
gefährlich, ſondern auch in hohem Grade ermüdend iſt. Leider fiel es
uns zu, dieſe unangenehme Erfahrung zu machen, indem wir, den An-
gaben eines Bekannten trauend, die angegebene Wegſtrecke um einige
Stunden kürzer hielten, als ſie es wirklich war.

Unſere Gefühle glichen faſt der Betrübniß, als wir an der Zenoburg von Meran Abſchied nahmen. Die Natur, beſonders wenn ſie in
ſo herrlicher Geſtalt wie hier uns aufnimmt an ihrem gaſtlichen Herde,
gleicht einem Kreiſe guter, liebevoller und ſinniger Menſchen, an die
ſich das Herz bald gewöhnt, und die es als theure Freunde verläßt.
Doch unter dem anregenden Wechſel der Erſcheinungen, die das ſchim-
merndſte Sonnenlicht und ein Morgen ohne Gleichen mit dem ganzen
Aufwand ihrer Magie verklärten, fanden die wehmüthigen Empfindungen des Scheidens keinen rechten Boden. Wir hatten unſere Bagage
mit dem Eilwagen nach Innsbruck vorausgeſendet, bedurften daher
auf dem unverfehlbaren Wege keines Führers und Trägers, und waren
demnach allein, mein Schwager und ich, mit unſerer Freundſchaft.

unserem Vertrauen und unserer Fröhlichkeit. Ich vergaß zu erwähnen, daß wir unsere zwei Studenten aus München schon in Staaben zurückließen, von wo sie thalaufwärts gegen das Wormserjoch weiter wanderten. Wir aber wanderten jetzt auf dem thauigen Grunde des Passeyrthales, guckten links zur schönen Kirche in Kains mit den heiligen Gebeinen Korbinians, und rechts nach Schönna hinauf, wo Dorf und Schloß auf ihrer grünen Bergstufe so heiter daliegen, daß es einen Naturfreund billig Wunder nehmen kann, warum nicht schon längst zwölf Dörfer aus verschiedenen Theilen des Landes dahin siedelten — beneideten etwas bald diesen und bald jenen Hofbesitzer von Rifftan, und ließen unsern Sinn überhaupt hinausschwärmen in die sonnige, fröhliche Welt, wie es ihm eben am besten gefiel; da ward stundenlang keine einzige Sorge neuüberdacht, kein möglicher Scherz unversucht gelassen, und kein Lied, wie alt und verklungen es auch sein mochte, erneuerten Gesangs unwürdig erklärt. Freilich verlor sich später die Morgenfrische und machte einer lästigen Wärme Platz, und auch das Thal ward nach und nach einförmig und reizlos, dafür aber gab's Mittel am Wege, die hierüber zu trösten im Stande waren. In Salthaus, einem zwei Stunden von Meran entfernten, und dem Bürgermeister dieser Stadt angehörigen Gasthause, hielten wir eine kurze Rast, und ließen uns von dem gutmüthigen Seppel, dem Seneschall des stattlichen Hofes, die Stube zeigen, wo der Sage nach vor nicht gar langer Zeit der leibhafte Gottseibeiuns mit den Bauern Karten spielte und ihnen ihr Geld abgewann. Besagter Seppel ist ein feister Bursche, mit einem lachenden, fettglänzenden Vollmondgesichte und etwas Schalkheit in den Augen. Er setzte voraus, daß seine Gäste die Wärme des Tages würdigen und es natürlich finden würden, ihn in kleidsamen Hemdärmeln, gemildert durch eine lange weiße Schürze, zu erblicken. Keinen Augenblick mit dem Genusse seines würzigen Knasters inne haltend, setzte er sich zutraulich an unseren Tisch, und versicherte uns mit leiser Moquerie und bedeutsamen Augenzwinkern, daß die ganze Historie von dem Kartenspiele der Bauern mit dem Antichrist eine pure Erfindung sei, und gar nichts weiter. Er erzählte uns das Märchen umständlich und deutete uns sogar den Winkel an, wo der Böse gesessen haben soll. Und auch Wein habe er getrunken, aber nicht viel, nur ein Seitel.

Salthaus ist einer von den sogenannten „Schildhöfen," deren es eilf im Passeyrthale gab, und die einst Lehengüter waren, mit denen die alten Herren des Landes ihre Getreuen für geleistete Dienste belohnten, wofür dann die Lehenträger bei gewissen feierlichen Gelegenheiten verpflichtet waren, als gräfliche Leibgarden zu fungiren, denen als Hauptmann der jeweilige Besitzer der Jaufenburg bei St. Leonhard vorstand. Weiter oben im Thale, westwärts von St. Martin, fällt einer dieser merkwürdigen Höfe durch seine thurmartige, verwitterte Gestalt besonders auf. Sie sind nun mit alleiniger Ausnahme von Salthaus in bäuerlichen Besitz gerathen, die Jaufenburg aber liegt längst schon in Ruinen.

Erst vor St. Martin öffnet sich das Thal wieder etwas, und der hinter St. Leonhard aufsteigende, und bis zur Höhe mit den herrlichsten Alpenweiden bedeckte Glaitenberg liefert dem ermüdeten Auge wieder einen freundlichen Ruhepunkt. St. Martin ist ein schmuckes Dörfchen, und eine Stunde jenseits desselben liegt das Wirthshaus am Sand, die Heimat Andreas Hofers.

Ich enthalte mich jedes Versuches, das Andenken dieses in seiner Art großen Mannes irgendwie zu illustriren. Was könnte ich auch Neues sagen über einen Gegenstand, über den bereits von den ersten Historikern der Zeit, und von so vielen Dichtern jeder Größe, des Trefflichen so viel gesprochen und gesungen worden! Der Name Andreas Hofers gehört der Geschichte an, und das Blatt, das die Erzählung seiner Thaten, seiner schlichten eingebornen Hoheit, und seiner aufopfernden Treue und Hingebung für Kaiser und Vaterland in sich faßt, gehört wahrlich unter ihre schönsten und erhabensten. — Das Haus, wo dieser edle Mann seinem Schicksale entgegen reifte, unterscheidet sich wenig von anderen Häusern, wie sie in diesem Thale üblich sind. Dem Andrange der wilden Passer, die nahe vor dem Hause vorübertobt und früher dessen Existenz bedrohte, hat die Regierung durch den Bau gewaltiger Schutzdämme wirksam begegnet. Das Haus hat auf der vorderen Seite eine breite Terrasse, über welche dichte Bäume ihre kühlenden Schatten werfen. Sein gegenwärtiger Besitzer ist Andreas Erb, der Schwiegersohn Andreas Hofers, und ein liebliches Mädchen von etwa sechzehn Jahren, die Enkelin des Letzteren, zeigte uns bereitwillig das Innere des Hauses und die noch übrigen Kleidungsstücke ihres Großvaters. Wir sahen das Zimmer, in welchem er schlief, und worin er gewiß von allem weniger als von den Siegen träumte, mit denen er später den Stolz eines übermüthigen Feindes beugte, von dem Tode, den er auf welscher Erde finden, und der Verherrlichung, die sein Andenken nachmals erfahren sollte. Wer die zähe, unerschütterliche und, man möchte sagen instinktartige Anhänglichkeit des tirolischen Volkes am Althergebrachten aus eigener Erfahrung kennt, — wer da gesehen hat, wie es manches Neue, das zu seinem Wohle abzielte, oft bloß deßwegen von sich stieß, weil es eben neu war und das Neue sein Mißtrauen und seine Abneigung erweckte: der wird begreifen, in welchem Lichte diesem Volke gewisse Entscheidungen der Politik, sein Abtrennen von der Herrschaft eines angestammten, hochverehrten Herrscherhauses, und seine Unterordnung unter das Gebot eines fremden Volksstammes, erscheinen mußte. Solche Erfahrungen waren geeignet, alle theuersten Gefühle und die ganze, natürliche Logik dieses naturgetreuen Volkes von Grund aus zu erschüttern. Bedenkt man ferner, wie wenig die neuen Herren des Landes die speziellen und verbrieften Rechte und alle bis hieher hochgeachteten Gewohnheiten des Volkes schonten, und wie sie durch rücksichtslose Härte die allgemeine Mißstimmung zu wilder Erbitterung entflammten, so sind damit die wesentlichsten Bedingungen des tirolischen Aufstandes im Jahre 1809 erklärt. In Andreas Hofer vom Sand und Joseph Speckbacher von Rinn fanden diese beiden Impulse des gereizten Volksbewußtseins ihre entschiedenste Verkörperung, und von daher rührt der Einfluß, den diese zwei einfachen und thatkräftigen Männer auf die damaligen Geschicke ihres Landes gewannen.

Andreas Hofer wird seither als eine Art Volksheiliger betrachtet, und als Musterbild und Märtyrer der Treue durch alle deutschen Theile des Landes mit unveränderter Wärme verehrt und hochgehalten. Bedarf es aber eines anderen Beweises, daß das tirolische Volk jene Treue, für die Andreas Hofer gekämpft und gestorben, über Alles hochachtet, daß es sie als eine Volkstugend erkennt und übt? Wohl gerne möchte Dieser und Jener — es wäre müßig seinen Namen zu nennen — ein leises Mißtrauen in die Gegenwart dieser Treue erwecken und die Mei-

nung verbreiten, als beklage der Tiroler von heute, daß seine Väter
von damals Rebellen waren und ihr Blut an·ben Umsturz einer Sache
setzten, welche ihnen jetzt in ganz anderem Lichte erscheine. Dies zu sagen
ist eitel Unwahrheit und Leichtsinn; mag auch irgend ein Weinbauer
von Obermais oder anderswo den ruhmvollen Aufstand von 1809
„so a Dummheit, a zochete Gschicht" nennen, so lange es ihm beliebt.
Es kann nicht bestritten werden, daß es den tirolischen Weinproduzen-
ten höchst angenehm wäre, wenn sie ihren Wein frei nach Baiern aus-
führen und dem kornarmen Lande überhaupt, wenn die Baiern ihr
Korn frei nach Tirol einführen dürften; aber nicht alle Leute in Tirol
sind Weinbauern und nicht alle bedürfen des baierischen Korns; auch
möchte sich kaum ein Bauer im Lande finden, der die Last der Zollver-
hältnisse der österreichischen Regierung allein in die Schube schöbe, und
noch weniger wird einer anzutreffen sein, der da nicht weiß, daß jener
Aufstand im vierten Jahre jener Zeit losbrach, in der die Weinbauern
um Botzen, Kaltern und Meran des Segens der freien Ausfuhr ihres
Produktes nach Baiern bereits theilhaftig waren, was gleichwohl die
Männer von Allgund und Mais, Marling und Partsching nicht hinderte, unter den Kämpfern jener Zeit in erster Linie zu stehen. Doch das
wäre alles nur leeres Raisonnement, wenn das Jahr 1848 der neuen,
thatsächlichen Beweise nicht in Menge geliefert hätte, daß der uralte
Stamm der tirolischen Treue noch gesund und lebensfrisch sei in Mark
und Frucht. Damals, als so manche gehätschelte Provinz des weiten
Reiches theils die Fahne der offenen Empörung aufpflanzte, theils die
Gelegenheit wahrnahm, um durch unrühmliches Drängen auf die rath-
los gewordenen Lenker des Staates Privilegien zu erhaschen, die ihnen
an sich und dem Ganzen gegenüber nicht gebührten, da forderte das ge-
treue Land Tirol, seiner eigenen Wünsche nicht gedenkend, nur Waffen
allein zur Abwehr des welschen Feindes, der an den Säulen des Staates zu rütteln sich vermaß. Und als dann später Kaiser Ferdinand flüchtig in Innsbruck einzog, wie war da der Empfang, den er fand? Ich
war vom Glück begünstigt, diesen Empfang zu sehen, in seiner herzer-
schütternden Wildheit, in seiner aus Freude und Schmerz gemischten
Raserei, — ein Empfang, der, als ich ihn eines Tages in Berlin einem
wackern Pommer erzählte, diesem die hellen Thränen aus den Augen

preßte, ihm, dem Fremden und Preußen. Damals zogen aus den fern=
sten Thälern des Landes wechselweise und auf eigene Kosten die Schützen=
kompagnien nach der Landeshauptstadt, um der Ehre willen, einen Tag
lang Wache zu stehen vor der Thüre ihres Kaisers und Herrn. Andere
Kompagnien dieser Art, und es waren ihrer 66 an der Zahl, standen
an den Grenzen des Landes vor dem Feinde, und scheuchten mazzinische
Kreuzschaaren und anderes welsches Gesindel von dannen. Ich schäme
mich fast zu fragen, ob etwa diese Kleinigkeiten nicht mehr wiegen, als
die dummdreisten Worte eines mißrathenen Weinhauers von da oder
dort. — Freilich wurden jene Andeutungen über das Siechthum der
tirolischen Treue vor dem Jahre 1848 geschrieben, aber voreilig blei=
ben sie immer; denn wer wird als Fremder und Meraner Kurgast von
einem tirolischen Bauer, der seinen Vortheil so gut wie ein anderer
versteht, und die Fremden gerne sieht, weil sie ihm persönlich und der
Gegend Geld eintragen, erwarten können, daß er den Aufstand von
1809 ihm gegenüber lobpreise, dem Fremden gegenüber, den er, der
Sprache nach, vielleicht als Baier erkannt hat, oder hinter dem er
einen solchen vermuthen darf? — Auch ist es eine gewagte und un=
überlegte Sache, aus den Aeußerungen Einzelner, besonders wenn es
südtirolische Weinbauern sind, so weitgehende Schlüsse auf die Gesammt=
heit zu ziehen. Es gibt Gravamina im Lande, die jeder, der eine Weile
lang unter dem tirolischen Volke lebt, ohne Mühe erfährt; aber so groß
und verstimmend sind sie doch keineswegs, um den dynastischen Grund=
ton der tirolischen Gesinnung gegen das engere und weitere Vaterland
so tief zu erschüttern, als es Manchem erlaubt scheint anzunehmen. Das
Volk in Tirol beobachtet bezüglich seiner Beschwerden ein ganz eigen=
thümliches Verfahren, eine Art unbewußten Konstitutionalismus, in=
dem es alles Unliebe, das dem Lande widerfahren mag, ausschließlich nur
den „Herren," d. h. der Regierung und ihren Organen, alles Gute aber
dem Kaiser, und nur diesem allein, zuschreibt. Deßhalb wird hier bei
Beurtheilung mißliebiger Regierungsmaßregeln die Person des Monar=
chen nie mit ins Spiel gezogen; diese ist dem Volke allezeit heilig, und
kann nur ein Born der Güte und Gnade sein. Damit ist aber eben
wieder ein neuer Beweis jener angeerbten und anerzogenen Treue ge=
gen den Landesherrn, und ein allezeit thätiges Mittel gegeben, die alte

Anhänglichkeit an das angestammte Herrschergeschlecht zu erhalten und zu kräftigen, zumal es in keiner Zeit und am allerwenigsten in den letzten Jahren, an thätigen Beweisen, wie hoch am Thron der Werth dieser Gesinnung geachtet wird, gefehlt hat. Schließlich nur noch die Bemerkung, daß ein Baier, wie groß und glänzend auch seine Fähigkeiten sind, doch ein ganz außerordentlicher Mann sein muß, um bei der Darstellung gewisser Seiten in dem geistigen Leben des tirolischen Volkes objektiv zu sein; schon seine Eigenschaft als Nicht-Oesterreicher und Nicht-Tiroler verpflichtet ihn zur größten Vorsicht, besonders wenn es sich darum handelt, daß das Neue, das er sagt, auch wahr sei. Der alte Haß zwischen hüben und drüben ist erloschen, und wer freut sich nicht darüber; aber eines ist es, sich mit seinem Feinde zu versöhnen, und ein ganz anderes der Wunsch, sein Hausgenosse zu sein.

Es verlohnt sich der Mühe die beiden Fremdenbücher am Sand durchzublättern, obgleich man des faden Schnickschnacks viel zu lesen hat, ehe man sich eines gesunden, kernigen Spruches erfreuen darf. Daß es in den Jahren 1848 und 1849 nicht an Bemerkungen fehlte, wie sie allenfalls ein Robert Blum oder ein Vogt von Gießen an diesem Platze niedergeschrieben hätten, versteht sich von selbst. Da gab's Studenten, die mit hochfliegenden Worten — natürlich in Versen — den guten alten Hofer anredeten, als tränke er Bier mit ihnen, ihm seine Unüberlegtheit vorhielten und überzeugt waren, daß er sich jetzt ganz und gar anders benehmen würde. Gelehrte Handelskommis fanden an der strategischen Seite des Aufstandes viel auszusetzen, und deuteten, nicht sehr verständlich, auf die Art hin, wie sich's besser hätte machen lassen. Andere kritisirten das tirolische Volk von wegen des Aufstandes im Allgemeinen, und hofften auf Besserung desselben für die Zukunft, und wieder Andere priesen, mit Hinblick auf Andreas Hofer, die beglückenden Lehren der neuen politischen Schule und anderen ähnlichen Unsinn und dadurch sich selbst am meisten. Armes Tirolervolk, das noch so wenig von Fourier und Weitling, vom Republikanerthum und Welker's Staatslexiten weiß! Ein Marquis aus Paris ließ gar die demokratisch-soziale Republik hoch leben; — doch das ist ein Franzose, ein Mitglied jener großen Nation, die seit etwa siebzig Jahren deutlich zeigt, wie klar sie die Mittel und Wege zu ihrer eigenen Beglückung erkannt hat.

Aber auch herzerfreuende Worte finden sich in Menge, die es mich be=
bauern ließen, daß ich keine Zeit erübrigte sie mir in meine Schreibtafel
zu kopiren.

Doch meine Bergfahrt droht nachgerade in eine Thalfahrt auszu=
arten, denn der Hof am Sand liegt noch im Thale, und in St. Leon=
hard, gleichfalls im Thale und nur ein halbes Stündchen weiter, ist
noch ein Mittagmahl zu überstehen. Wir nahmen letzteres in Strobel's
Gasthaus ein, ein treffliches, aber etwas theures Institut; Wein und
Forellen waren preislich, nicht so die Rechnung, die dem industriellen
Geiste eines Gasthofkellners in München oder Wien Ehre gemacht ha=
ben würde. Hier erfuhren wir nun zu unserem Schrecken, wie irrig man
uns in Meran über den Weg bis Sterzing belehrt hatte. Denn anstatt
der sechs bis sieben Stunden, die wir für die ganze Strecke benöthigen
sollten, zeigte sich's jetzt, daß diese Zeit bloß für das Stück von St. Leon=
hard bis Sterzing erforderlich sei. Nicht die Entfernung des letztge=
nannten Ortes war's, die uns in Bestürzung setzte, sondern die volle
Gewißheit, ihn nicht vor Einbruch der Dunkelheit erreichen zu können;
nur die Versicherung des theuern Herrn Strobel, daß der Weg auch zur
Nachtzeit nicht zu verfehlen sei, beruhigte uns in so weit, daß wir um
3 Uhr Nachmittags den Marsch über den Jaufen antraten. Wir hatten
in Salthaus, am Sand und in St. Leonhard gar zu viel Zeit auf=
gewendet, und sollten nun die Folgen unserer Unvorsichtigkeit tragen.

Der Weg über den 6500 Fuß hohen Jaufenpaß gehört gewiß
unter die schönsten Jochübergänge dieses an Naturschönheiten so über=
reichen Landes. Schon das Dorf St. Leonhard, die Hauptortschaft in
Passeyr und Sitz eines Bezirksgerichtes, kann sich einer herrlichen Lage
rühmen, die besonders dann deutlich hervortritt, wenn man etwa eine
halbe Stunde auf dem Jaufensteige, der sich dicht hinter dem Dorfe in
die Höhe hebt, fortwandert, dann stille hält und den Blick nach rück=
wärts wendet. In das Passeyrthal, das hier eine rasche Wendung nach
Westen macht, um weiter oben zweiarmig bis zum Kamme der Oetztha=
ler Gletscher emporzusteigen, münbet bei St. Leonhard das von der
östlichen Seite herabziehende Waltenthal, und diese beiden Thäler bil=
ben an dem Punkte ihrer Vereinigung einen dreiseitigen ebenen
Thalgrund, den schimmernd grüne Wiesenstriche, Obstbäume und zer=

ſtreute Häuſergruppen maleriſch bedecken. Die aus dunklem Gehölz aufragenden Ruinen der Jaufenburg erinnern an das Alter des an ſeinen öden Mauern vorüberziehenden, für die Verbindung Italiens mit Deutſchland einſt ſo wichtigen Alpenweges, obgleich die Eröffnung des letzteren der Erbauung jenes Schloſſes um nicht weniger als ein volles Jahrtauſend voranging. Ueber den Mons Jovis, deſſen Namen der Wechſel von Zeiten und Völkern zum Jaufen umänderte, zogen einſt die römiſchen Legionen in das transalpiniſche Rhätien und Vindelicien hinüber, und als nachmals in der Kaiſerzeit, zum Gebrauche einer vielgliederigen Verwaltung, der Cursus publicus oder die Staatspoſt eingerichtet wurde, um alle Theile des Weltreiches mit ihrem Zentrum ſowohl als auch untereinander zu verbinden, ging auch über ihn eine wohlorganiſirte Linie des dienſtlichen Verkehrs. Vielleicht rührt noch aus jener Zeit das, wo die Oertlichkeit es erforderte, aus größeren oder kleineren Felsblöcken gebaute Pflaſter, welches ſtellenweiſe in ein unregelmäßiges Stufenwerk übergeht, und dadurch erſt für die Säumung brauchbar wurde. Selbſt noch im Mittelalter war der Weg über den Jaufen, nebſt jenem durch das obere Etſchthal über Mals und Landeck, eine Hauptader des deutſch-italieniſchen Handelsverkehrs durch Tirol, bis endlich, zu Anfang des vierzehnten Jahrhunderts von Botzen aus, durch die ſchauerliche Felſenklamm bei Klauſen eine Fahrbahn nach Brixen und Sterzing eröffnet wurde. Dies geſchah durch Privatmittel und liefert den Beweis des erſtarkten Handelsgeiſtes und des mächtigen Aufblühens der ſüdtiroliſchen Städte in jener frühen Zeit.

Der Steig hielt ſich ohne Unterlaß an die rechtſeitige Thalwand, und je näher er dem Joche kam, deſto großartiger wuchſen Berge und Thäler aus dem erweiterten Umkreiſe heraus. Jenſeits des ſchluchtartigen Waltenthales, das ſich oben zwiſchen herrlich grünen Alpenmatten verliert, thürmt ſich aus rothem Geſtein der gewaltige Bräuning auf, während das nach rückwärts gewendete Auge die Ruinen der Jaufenburg in dunkler Tiefe noch immer vor ſich ſieht. Darüber weg ragen die Koloſſe des oberen Paſſeyr, und vor allen die Hochwildſpitze und der Hohe Fürſt empor, deren weite Eishüllen im Widerſchein des Sonnenlichtes blendend herüberſtrahlen. Als wir das hochgelegene Dorf Walten paſſirten, und am Rande eines kleinen Baches

einen Augenblick lang stille hielten, um etwas ruhiger zu athmen, versammelte sich eine Schaar Kinder um uns, sprang und tanzte im Kreise,
und streckte uns die Hände entgegen, damit wir ein Geschenk hineinlegten.
Und als wir dies gethan hatten, wie jubelte da der kleine Hause, und
wie fröhlich hüpfte er von dannen, uns immer seinen Dank noch aus
der Ferne nachrufend. Da erinnerte ich mich lebhaft jener kurzen, in
kühnen Zügen durchgeführten Schilderung einer Pyrenäen-Landschaft
von H. Heine im Atta Troll, wo den einsamen Bergwanderer ein Kranz
fröhlicher Kinder umringt, ihn singend neckt und ihr Gesang noch lange
ihm nachfolgt ins wilde Thal hinab:

> Während ich in's Thal hinabstieg,
> Scholl mir nach verhallend lieblich,
> Immerfort wie Vogelzwitschern,
> Gireflino, Gireflette!

Nach vierthalb Stunden rastlosen Steigens erreichten wir endlich
den höchsten Punkt des Ueberganges, den, wie üblich, ein großes hölzernes Kruzifix bezeichnet. War die Fernsicht auf der südlichen Seite
schön und prachtvoll, so war nun das gegen Norden und Osten sich
öffnende Panorama in hohem Grade großartig und überraschend, und
dieser Eindruck ist um so tiefer und ergreifender, als er sich dem Wanderer plötzlich und ohne Vermittlung ergibt. Eine mächtige Gebirgswelt
hatte sich uns auf beiden Seiten erschlossen, und doch wie auffallend
der Unterschied zwischen da und dort! Jenseits, in verhältnißmäßig
engem Raume, der warme, unruhige, lebensfrische Hauch des Südens,
das helle Grün der Bäume, die dunkle Bläue der Wälder, das blitzende
Gletscherlicht in der Höhe, der duftige Schmelz in den Fernen — diesseits, in weitgezogenem Kreise, ein aufgewühlter Ozean von Bergeswo-
gen, in feierlicher Ruhe hingebreitet, tiefblau und ernst, in seinen Gegensätzen halb versöhnt, und deshalb weniger auffordernd zu fröhli-
chem Genuß, als zu beschaulichem, süßwehmüthigem Sinnen. — Alles
Gebirge von den Gletschern im Stubai bis zu den fernsten Schneespitzen
des Zillerthales lag in mehrfachen Ketten, von denen die entfernteren
stets die näheren überragten, offen vor dem Auge. Dunkle Thäler
schnitten in den rauhen Boden dieser Bergwelt tiefe Furchen ein, die
die Schatten des Abends bereits mit träumerischer Dämmerung erfüll-

15

ten. Nur auf den Spitzen der Berge, und vor allem auf den Kuppen und Hörnern voll ewigen Eises, haftete noch der Rosenblick der scheidenden Sonne. Unter den Bergriesen, die hier auf allen Seiten in reicher Zahl ihre Häupter aufstreckten, zeichnete sich der finstere Scheitel des Tribulaun besonders aus. Er steht in der Centralkette des rhätischen Alpenzuges, zwischen den Thälern von Pflersch und Gschnitz, und sieht so wild und unnahbar aus, daß man ihn bis in die letzten Jahre für unersteiglich hielt. Erst Dr. Stotter, dessen ich oben bereits Erwähnung that, und dessen Feuereifer im Interesse der Wissenschaft kein Hinderniß kannte, machte diesem Glauben durch eine im Jahre 1847 glücklich ausgeführte Ersteigung ein Ende. Doch fand er leider die Wünschelruthen nicht, die ein gewaltiger Zauberer auf der Spitze dieses Berges verwahrt, um sie, wie die Sage berichtet, vor der habgierigen Hand der Menschen zu schützen.

Es war ungefähr 7 Uhr, als wir das Jaufenhaus verließen. Eine halbe Stunde später erreichten wir, bei schon ziemlich vorgeschrittener Dämmerung, die Waldregion, unter deren Schatten sich der Weg sehr bald in vollständiger Dunkelheit verlor. Nun wurde unsere Wanderung unergiebig und beschwerlich. Wer noch niemals zur Nachtzeit etliche tausend Fuß tief auf einem rauhen Hochgebirgssteig herabgeklettert, der kann sich unmöglich einen Begriff von den Mühsalen und Gefahren machen, die da den Wanderer bedrohen. Es war nicht die Gefahr, von irgend einer hohen Wand — hier gab es keine solche — abzugleiten und in die Tiefe zu stürzen, wohl aber die, bei jedem neuen Schritte auf dem unsäglich holperigen Pflaster, durch einen falschen Tritt oder einen Sturz, einen oder beide Füße zu brechen. Gegen eine solche Wanderung im Finstern ist, für die Dauer, das gefährliche Klettern über steile Felswände bei hellem Tageslicht nach Umständen ein wahres Spiel; da läßt sich bei jedem Sprunge das Maß der anzuwendenden Kraft, ihre Richtung und jeder Umstand der momentanen Lage vollständig beurtheilen und übersehen, und man wagt nicht mehr, als wohin das eigene Leistungsvermögen eben reicht; die Gefahr selbst aber ist, da man ihr offen in das Auge blicken kann, ein Reiz mehr für ein kühnes, muthiges Herz. Hier aber nützt aller Muth nichts, wo der Weg, selbst an den besseren Stellen, nur an dem schwachen Scheine der vielgestaltigen Steinklötze zu erkennen ist, über die der Pfad, sehr oft mit großer Stellheit, in die Tiefe fällt; hier muß der Fuß, wenn er Zeit genug dazu hat, jeden Tritt erst antasten, oder er muß sich dem Ungefähr überlassen, und im besten Falle die schmerzlichen Stöße und Verrenkungen ertragen, die das wechselnde Niveau und die Beschaffenheit jeder folgenden Stufe ihm beibringen. Zuweilen verlor sich der Steig in dem Steinschutt einer Murre oder er ging unsichtbar über grasige Stellen fort, und hier war nun aller Scharfsinn und das Aufgebot unserer ganzen Sehkraft nothwendig, um ein Irregehen abzuwenden, das uns vielleicht in noch unangenehmere Lagen gebracht, und unsere Zeit und Kräfte noch mehr in Anspruch genommen hätte. An solchen Stellen leistete uns das scharfe Auge meines Schwagers die trefflichsten Dienste. So erreichten wir etwa um 10 Uhr das Dörfchen Gasteig, und zuletzt eine Stunde vor Mitternacht die Stadt Sterzing.

In dem Gasthause „zur Post," wo gelegentlich einer ausgebrochenen Hochzeit so eben ein lärmendes Zweckessen statt fand, das nach biederer altdeutscher Sitte sich bis zum ersten Hahnenruf hinausdehnte, gelang es uns einen gebratenen Kapaun zu erobern, dessen enorme Größe in vollständig richtigem Verhältnisse zu unserem Hunger stand. So geschah es, daß dieser arme Kapaun seiner Vokation untreu wurde; denn anstatt ein Labsal für Hochzeitsmägen zu werden, verschwand er spurlos zwischen uns sausenmüden Wanderern, die er nie im Leben gesehen hatte und von denen er gewiß nie, auch nicht in den phantasienreichsten Tagen seiner Jugend, auch nur ein Wörtchen träumte. Doch wer war's, der hier so eben im Kreise stattlicher Herren — dann und wann wackelte einer, die Thür verfehlend, in unser Zimmer herein — und feingeputzter Damen seinen Ehrentag feierte? — war's etwa der Bürgermeister der Stadt oder eine andere hochobrigkeitliche Person, welcher zu Ehren die öffentliche Moral über unterschiedliche Haarbeutel und schlafstörenden nächtlichen Rumor gerne ein Auge zudrückt? — weit gefehlt! der magistratische Amtsdiener war's, bloß ein Mitglied der ausübenden Gewalt, was jedoch freilich kein Hinderniß gegen die Achtung ist, die der gegenwärtige junge Ehemann unter den Einwohnern des Städtchens ohne Zweifel genießt, besonders wenn er oft in die Lage kommt seine amtliche Gewalt auszuüben.

15 *

Des anderen Morgens blieb mir, bis zur Ankunft des nach Innsbruck durchziehenden Poststellwagens, Zeit genug zu einem Spaziergange durch die kleine Stadt, die mir übrigens von früher her schon
oberflächlich bekannt war. Sie erfreut sich eines römischen Ursprungs,
und ging aus einer mansio höheren Ranges hervor, die damals Vipi-
tenum hieß. — An den stattlichen Straßen mit wappenverzierten Häusern erkennt man leicht den ehemaligen höheren Wohlstand der Stadt,
der in dem ergiebigen Betriebe der nunmehr aufgelassenen Bergwerke
im nahen Ridnaun, und in dem Transit des deutsch-italischen Handels
reichlich fließende Quellen fand. Die Thalbreite, in der Sterzing liegt,
und in die sich fünf bis sechs verschiedene Thäler einmünden, ist anmuthig und die Landschaft im Allgemeinen nicht ohne Großartigkeit.

Die Reisegesellschaft über den Brenner war mehr langweilig als
das Gegentheil davon; ein dicker Weinbauer aus Meran schlief meistens, eine ältliche Dame aus Sterzing kam über profundes Nachdenken
nie zu Wort, zwei junge Mädchen von acht bis zehn Jahren, die En-
kelinnen dieser Dame, hielten lärmende Konferenzen über ihre Puppen
und Kochgeschirre, ein junger Mann aus Brixen konnte mit seiner Begeisterung über das Schalderjoch, das er unlängst überstiegen, nicht
fertig werden, und eine junge Frau aus Bern pries auf eine ziemlich
vorlaute Weise die Vorzüge ihres Vaterlandes. Sie kam aus Kärnthen,
wo ihr Gemahl in einer Fabrik eine Anstellung gefunden hat. Kaum
hatte sie Dieses und ich Jenes gesagt, so standen wir bereits auf ge-
spanntem Fuße. Ich stellte sodann in aller Artigkeit die Frage, ob sie
etwa eine Nichte, Stieftochter oder sonstige nahe Verwandte Herrn
Stämpfli's sei, oder vielleicht gar eine Katholikin, da sie und ihr Gatte
nach Oesterreich ausgewandert, und rief sie zuletzt bei meiner Behauptung zum Zeugen auf, daß es sich bei einer sanften Anarchie, wie sie
zur Zeit in der Schweiz gebräuchlich ist, herrlich leben lassen müsse,
weil da Jeder alles thun und lassen könne was ihm beliebt, ohne
sich viel um Gesetz, Obrigkeit und das Wohl Anderer zu bekümmern,
was nach soliden Begriffen Freiheit heißt. Sie grollte mir darüber eine
Weile lang, aber zuletzt schieden wir doch noch als gute Freunde. —
Auf dem Brenner lag, von dem letzten Unwetter her, hie und da noch
etwas Schnee, während nebenan auf der Straße der Wind dichte Staub-

wolken aufwirbelte. Im Gasthause auf dem Brenner, wo wir zu Mittag aßen, saß ich so, daß mein Herz auf der deutschen Seite der Wasserscheide schlug, Leber und Gallengang aber der welschen oder südlichen Seite angehörten. Eine gleiche Zweitheiligkeit zeigen bekanntlich
die beiden Dachtraufen dieses Gasthauses; denn während die eine weiter unten Schiffe tragen hilft bis zur Sulinamündung hinab, und zuletzt gar türkisch und russisch wird, macht die andere italienische Mais-
und Kornfelder fruchtbar, und endet kaum rühmlicher in den Seesüm-
pfen von Venedig. — Um sechs Uhr Abends legte sich endlich unsere
Arche in einem Hafen von Innsbruck vor Anker, und der nächste Mo-
ment darauf sah mich wohlbehalten und glücklich in den Armen meiner Lieben.

2. Dux, Zillerthal, Achensee.

**Einleitung. St. Jodokus. Schmirner Thal. Außer Schmirn. Inner Schmirn. Kasern. Inner-
oder Schmirner Joch. Purer Thal. Hinterdur. Sanersbach. Teufelssteg. Finkenberg. Meyerhofen.
Zillerthal. Zell am Ziller. Fügen. Allgemeines über das Zillerthal. Jenbach. Achensee. Schwatz.**

Kaum waren acht Tage seit unserer Rückkehr aus dem Oetzthale
verstrichen, so kam neue Wanderlust und Bergsehnsucht in unsere Herzen. Zwar weiß Jedermann, und wer es nicht weiß, dem zeigt es die
Landkarte auf den ersten Blick, daß die nächste Umgebung von Innsbruck eben keinen großen Mangel an Bergen leidet, die sich weder ihrer
Höhe wegen schämen dürfen, noch auch einer beliebigen Ueberwande-
rung böswillig sich widersetzen; auch ist es wissentlich noch keinem dieser Berge in den Sinn gekommen, irgend einem Sterblichen die Sehnsucht nach ihnen zu verbieten; mir wenigstens ist eine solche Aeuße-
rung unvernünftigen Stolzes noch nicht zugestoßen, obgleich ich die
Fälle gar nicht zählen könnte, in welchen mich, unter mancherlei Him-
melsstrichen, eine solche Sehnsucht befallen hat; im Gegentheil, mir
schien es jedesmal, wenn ich nach längerer Zeit wieder einmal in ihrer
Mitte erschien, als ob sie mir gegenüber nicht gleichgiltig blieben und
mich freundlicher anlachten wie je. Ich war ihr Freund, das wußten
sie, und darum vergalten sie mir mein Verlangen sie wieder zu sehen.

Aber wie es den meisten Leuten geht, so ging es jetzt auch mir. Der Mensch braucht Dieses oder Jenes, nach welchem er sich Gott weiß wie lebhaft sehnte, nur wirklich zu besitzen, so schätzt er es gleich nicht mehr recht, und meint dann auch bald, etwas anderes sei das rechte das ihm fehle. Diese Beweglichkeit des menschlichen Sinnes, und in den meisten Fällen verdient sie als Schwäche bezeichnet zu werden, ist der Grund, warum die Menschen im Allgemeinen so viel Gefallen am Neuen finden, warum sie in ihren Genüssen, Kleidungen, Sitten und Gegenständen des Besitzes eben so wohl, als in der Politik und allen übrigen generellen Bedingungen des sozialen und staatlichen Lebens, immerfort nach Veränderung streben. Das Vorhandene und zum sicheren Besitz Gewordene bringt nach und nach, und in dem Maße als es von allen Seiten bekannt wird, die strebenden Wünsche zur Ruhe; es hört auf den Geist thätig anzuregen und die Phantasie zu beschäftigen, die irgend ein Dichter nicht mit Unrecht die vierte Lebensparze nennt, und wird so allgemach aus den Interessen des Daseins gestrichen; aber

> Etwas fürchten und hoffen und sorgen
> Muß der Mensch für den kommenden Morgen,
> Daß er die Schwere des Daseins ertrage,
> Und das ermüdende Gleichmaß der Tage...

So ging es mir nun gerade mit der Innsbrucker Gegend. Ihre Berge, und es gibt wahrhaft tüchtige Bursche darunter, machten mir, da ich sie kannte, keine rechte Freude mehr; ihre Gestalt, Höhe und Schönheit schien mir abgenützt und alltäglich, und ihre Wildheiten waren mir gegenüber zahm geworden. Darum sehnte ich mich, da ich ein Mensch bin wie andere, nach Neuem, und trat sohach mit meinem Schwager und treuem Freunde über eine neue Bergfahrt in Konferenz. Es war nicht schwer, mich mit ihm über Dauer und Ziel derselben zu verständigen, und als dies geschehen war, brachte uns die Post in wenigen Stunden nach Stafflach, einer kleinen Ortschaft am nördlichen Fuße des Brenner, von wo unsere neue Fußwanderung ihren Anfang nahm.

Von Stafflach erreicht man in einer halben Stunde das Dörfchen St. Jodocus, das an der Stelle liegt, wo sich die Thäler von Fals und Schmirn vereinigen. Wir ließen das Falserthal, das sich hier bei sei-

nem Ausgange als eine wilde, von hohen schroffen Hörnern umstellte
Schlucht präsentirt, zur Rechten liegen, und stiegen an der Seite eines
brausenden Baches gegen Schmirn aufwärts. Zwischen St. Jodokus
und den Häusern von Kernach ist der Weg, etwa eine Stunde lang,
ein enger, rauher Fußpfad, der ziemlich steil bergan steigt und sich oft
die Mühe nehmen muß, seinen ungeduldigen Nachbar, den Bach, auf
schwanken Stegen zu übersetzen; bald behelligt ihn links ein wüster
Bergtobel, bald rechts eine steil abbrechende Felswand. Endlich öffnete
sich die Thalenge etwas, und nun betraten wir die kleine, freundliche
und in ihrem unteren Theile reich mit Holz bestandene Ebene von
Schmirn, aus der von ferne die Kirche und Häuser des Dorfes her-
überschauten. Aber wieder ist's eine Ebene, wie sie eben nur in Tirol
als eine solche bezeichnet werden darf; eine kleine grüne Oase auf dem
Thalboden, umgeben von gewaltigen Felsenscheiteln, unter denen der
8274 Fuß hohe Gampenkogel eben keine sichtlich hervorragende Rolle
spielt. Dritthalb Stunden seit unserem Aufbruch von Stafflach erreichten wir das Dorf Schmirn, dessen Seehöhe bereits 4424 Fuß beträgt.

Unsers Bleibens war hier nicht lange; bevor wir weiter wanderten, wollten wir uns nur erst mit Bergstöcken versehen, zu welchem
Ende wir in das nächstbeste Bauernhaus traten, dessen Besitzer uns
auf Ersuchen mit zwei tüchtigen, eisenbeschlagenen Stöcken versah, für
welche er die Summe von 2 Kreuzern per Stück in Rechnung brachte.
Wir gaben ihm den verlangten Betrag und schenkten seinem Söhnchen,
einem munteren, flachshaarigen Jungen von vier Jahren, etliche Sech-
ser obendrein.

Das Dorf Schmirn besteht aus drei getrennten Theilen, welche
die Namen Außer-, Inner-, und Ober-Schmirn führen. Der erstge-
nannte ist der weitaus ansehnlichere, und umfaßt die Kirche, das Widum, ein Wirthshaus und etwa ein Dutzend längs des Weges zerstreut
umher liegender Häuser. Inner-Schmirn hat seine Lage um ein halbes
Stündchen weiter, und dahin lenkten wir nun in Ermanglung eines
Führers unserer Schritte, was wir, wenn wir besser berathen gewesen
wären, nicht gethan hätten, weil der Weg zum Durerjoch von Außer-
Schmirn angefangen, immer auf der rechten Thalseite bleibt und sich
meist in ziemlicher Höhe über dem Bache erhält. Inner-Schmirn

besteht nur aus wenigen dunkeln, rauchgeschwärzten Hütten, in denen vor einigen Jahren der Typhus arg gehaust haben soll, was bei der hohen und gesunden Lage des Oertleins gewiß wunderbar klingt. Als Grund dieser Erscheinung ward die verderbte Luft in den Wohnungen, die viel zu selten hinreichend gelüftet werden, namhaft gemacht. Fast durchgehends scheint bei den Bewohnern des höheren Gebirges das Oeffnen der Fenster keine Sache zu sein, der sie einen besonderen Geschmack abgewinnen können; mit der frischen Luft kommt, den größten Theil des Jahres hindurch, oft auch etwas gar zu viel Kälte in die Stube herein, und ihre Anstreibung erfordert dann um so mehr Holz, dessen Herbeischaffung nach Umständen Geld und viele Mühe kostet. Auch macht die Kälte ihre unangenehme Wirkung auf der Stelle geltend und beeinträchtigt das gemüthliche Beisammensein in der Stube, die den Hauptschauplatz der häuslichen Thätigkeit bildet, während der eigenthümliche Geruch, der hier herrscht, auf dem Wege der Gewohnheit zu einem nothwendig scheinenden Attribut des häuslichen Herdes geworden ist. Andere luftreinigende Mittel aber sind entweder nicht bekannt, oder es ist ihre Anwendung für das ärmere Volk unerschwinglich. Auf diese Weise hat sich die Gewohnheit eines täglichen oder zeitweiligen Fensteröffnens noch nicht festsetzen können, ein Uebelstand, der besonders im Winter, wenn die Beschäftigungen in freier Luft seltener werden, seine nachtheiligen Einflüsse nur so deutlicher offenbart.

Bei Inner-Schmirn zeigt ein Blick gegen die Rechte hin, die unheimliche Wildniß des Wildlahnerthals, ein stiller, melancholischer Erdwinkel, so trostlos und verlassen, daß er, bei dem Gedanken an ein Leben darin, selbst dem routinirtesten und menschenscheuesten Einsiedler einen Schauder zuwege brächte; nur Felsen, Murren, Gletschereis und Lawinen — von woher auch der Name — theilen sich in die Herrschaft über diese Wüstenei. — Arglos folgten wir dem Pfade, der von Inner-Schmirn aufwärts zu führen schien und ließen uns durch eine Brücke täuschen, wodurch wir das linke Ufer des Baches gewannen. Aber anstatt dem Hauptthale treu zu bleiben, bog jetzt der verrätherische Steig in das Wildlahnerthal hinein, als ob wir unsere Gemüther voll ascetischer Gefühle hätten, und nicht viel lieber, so bald als möglich, das fröhliche Zillerthal erreichen wollten. Wir schlugen daher die-

sem Weg ein Schnippchen, wendeten uns links ab und zogen am Ufer
des Baches weiter; in kurzer Zeit zeigte sich's jedoch, daß unser Vor-
dringen, vor lauter wüstem Steingetrümm, mit welchem der aufrüh-
rerische Bach in Revolutionszeiten hohe Barrikaden gebaut, und vor
allerlei Ufergeschröff unter die Zahl der sehr mühsamen Dinge gehörte,
indeß der eigentliche Weg am anderen Ufer des Baches unter dem behaglichen Schatten von vielen Bäumen eben und anmuthig weiterzog.
Ich war bald überzeugt, daß im Hochgebirge das Auffinden eines neuen
Weges eine mißliches Geschäft sei, und billig den Eingebornen selbst
überlassen werden müsse, weßhalb ich eilig zum Bache herabkletterte,
mit einem gewaltigen Sprunge über ihn hinwegsetzte, einen steilen
Grashang emporstieg und so den eigentlichen Weg gewann. Mein
Schwager aber hatte sich mittlerweile mit den höheren Regionen dieses feindseligen Ufers eingelassen; den aufeinander folgenden Schroffen immer gegen die Höhe hin ausweichend, erfreute er sich zuletzt eines
erhabenen Standpunktes, der nur den einen Fehler hatte, daß er vollständig nutzlos war. Er stieg nun ebenfalls wieder ins Thal herab,
und übersetzte den Bach auf einer Leiter, die ich ihm durch einen auf
dem Felde arbeitenden Bauer herbeitragen ließ, wobei ihm jedoch der
Unfall begegnete, eine Sprosse der Leiter durchzutreten und sich unwillkürlich eines kalten Fußbades erfreuen zu müssen. — Dies waren
unsere Abenteuer ehe wir Ober-Schmirn, auch Kasern genannt, erreichten, eine kleine Sammlung ärmlicher Hütten, von denen die äußerste
und höchste gegen das Durerjoch zu als Wirthshaus figurirt; mit
welchem Rechte sie diese imponirende Stellung einnimmt, wird im
Laufe der Begebenheiten klar werden.

Von diesem Weiler angefangen, setzt sich das Schmirnerthal in
nordöstlicher Richtung bis zum Geierjoch, wo es entspringt, fort, und
scheint, so weit es von unserem Wege aus sichtbar war, eine seltsam
stille, baumlose und öde Gegend. Die Ortschaft selbst ist die höchste im
Thale, und ich zweifle, ob ihre Seehöhe mit fünfthalb tausend Fuß zu
Ende gemessen werden kann. Das Land blickt fahl und alpenmäßig und
alles Erdreich hat sich hier nur zu Fels und Wiesentrift, alles Geräusch
nur zu Bachesmurmeln und Heerdengeläut verwandelt. Von der rechten Seite aber, wo sich das Kasererthal öffnet, und wohin jetzt

unfer Weg abbiegt, schaut gar schon ein breiter Fleck ewigen Eises aus
ziemlicher Nähe ins Thal herein, und verleiht so den ohnehin schon
sehr ernsten Zügen der Landschaft erst recht die Weihe der Großartigkeit. Nach einem mehr als vierstündigen, raschen Marsche hatten wir
jetzt das Recht durstig zu sein, und nach einem Hause zu fragen, wo
wir uns für die bevorstehende Uebersteigung des Durerjoches etwas
stärken konnten. Wir fanden das Alpenhotel verschlossen, und alles Pochen konnte seine Entriegelung nicht herbeiführen; da erinnerten wir
uns eines alten Mannes, den wir in einiger Entfernung vor dem Hause
auf einem mageren Kartoffelfelde arbeitend gesehen hatten, und von
dem anzunehmen war, daß er der Besitzer dieser würdigen Herberge
sei. Wir trachteten daher nach der Verifizirung dieser Annahme und
stellten aus einiger Entfernung die laute Frage — und die Berge
ringsum widerhallten davon — ob er der Wirth sei. „Ja!" klang die
Antwort, war jedoch durchaus von keiner annähernden Bewegung des
Angeredeten begleitet; dieser fuhr vielmehr so ruhig in seiner Arbeit
fort, als ob unsere Frage nichts weiter, als der Ausdruck eines theoretischen Problems, oder gar der Beweis einer indiskreten Neugierde
gewesen wäre. „Habt Ihr Wein?" so frugen wir weiter, und wieder
frugen die Berge herum mit uns, worauf die Antwort: „Ja, aber
einen spottschlechten!" War nun das Resultat dieses Gespräches für
unsere Wünsche nichts weniger als beruhigend, so brachte es uns doch
zu hellem Lachen; denn ein Wirth, der, bei gesunden Sinnen, seinen
Gästen gegenüber die eigene Waare so schnöde behandelt, ist doch gewiß ein seltenes und drolliges Exemplar unter seines Gleichen. Als
dann der Alte herbeikam, und wir in sein ernstes, offenes und verwit-
tertes Angesicht schauten, da dachten wir er sei ein ehrlicher Mann, und
als er uns seinen Wein vorsetzte, da waren wir überzeugt davon. Er
war auch kein Spaßvogel, weil er sein Getränk nicht lobte, denn dieses
war trübe, von Farbe fast ziegelroth und schien zur Hälfte mit einer
vegetabilischen Säure, etwa mit dem Safte der Sauerdornfrucht, versetzt, wodurch es den Weingeschmack zum großen Theile eingebüßt hatte. Der
Mann war demnach nur ehrlich, was unseren civilisirten Wirthen gegenüber freilich etwas sagen will, die da ein ganz anderes System befolgen, das System dickhäutigen Gewissens nämlich, nach welchem eine

schlechte Waare im voraus angerühmt und nachher theuer bezahlt werden darf. — War der Berberitzenwein in Kasern auch wenig geeignet den Fond unsere Kräfte zu vermehren, so dämpfte dafür seine Säure unseren Durst um so wirksamer, was, wie alle Bergwanderer wissen, bei der Uebersteigung eines hohen Joches kein geringer Vortheil ist. Im Hause selbst, und besonders in der Schenkkammer, sah es etwas wüst und unordentlich aus; kleine Fäßchen mit Wein und Schnaps, Arbeitswerkzeuge jeder Art, blauschimmeliges Brot, allerlei Gemüse, Kleidungsstücke u. dgl. m. lagen hier bunt durcheinander und erzeugten einen Geruch, der uns schnell ins Freie hinaustrieb, wohin der Wirth einen kleinen Tisch und zwei Stühle brachte, auf denen wir uns niederließen. Es war eben nur ein Gasthaus für die genügsamen Durer, die, wenn sie mit ihrer Butter beladen über das Joch wandern, hier gerne etwas stille halten, um sich die nötbige Rast zu gönnen.

Während nun auch wir diesem angenehmen Geschäfte oblagen, schritten zwei junge Fremde in Begleitung eines Führers an uns vorüber dem Durerjoche zu, in welcher Richtung wir ihnen in kurzer Zeit nachfolgten. Das Kasererthal ist ein enges, felsiges Hochthal, aus dessen Hintergrunde das riesige Haupt des Olperer, eines gewiß nicht unter 10,000 Fuß hohen Gipfels, majestätisch hervorragt; ein großer, blaugrauer Gletscherstreifen hängt über ihn herab und reicht fast bis ins Thal nieder, aus welchem die beiden Berghänge mit großer Steilheit emporsteigen. Vom Wirthshause weg bleibt der Weg noch etwa eine halbe Stunde lang im Thale, dann aber wendet er sich links ab, und kriecht in vielen Windungen, immer längs der linken Seite eines tiefen Runstes, der vom Joche herabzieht, gegen die Höhe fort, und wird erst oben unweit einer Galthütte *) etwas sanfter, in deren Nähe ein weißmarmorner Denkstein steht, dessen Inschrift den, im Jahre 1835 durch Se. kaiserl. Hoheit den Erzherzog Johann ausgeführten, Uebergang dieses Joches verewigt. Noch tief unten im Kasererthale hatten wir die beiden Fremden eingeholt, die sich durch Sprache und Manieren als Preußen ankündigten und wahrscheinlich Studenten waren, die die Ferienzeit dazu benützten, um ihre Seelen voll Schulstaub und Bücherwitz in der frischen Natur des Hochlandes etwas zu reinigen. Als wir uns dem Joche näherten, fiel Regen ein, der strichweise in schweren Güssen niederrauschte, und uns die frohe Laune sowohl als auch die Aussicht verdarb, der wir von der Höhe gewiß in wunderbarer Schönheit theilhaftig geworden wären. Am Joche bezeichnet ein großes hölzernes Kreuz die höchste Stelle des Ueberganges, und die eingerammten Stangen am Wege liefern den Beweis von der Frequenz dieses Passes auch zur Winterszeit. Er vermittelt nämlich nicht allein die Verbindung des Durerthales mit Innsbruck, wohin das Durervolk die Produkte seiner schwunghaft betriebenen Viehzucht zu Markte bringt, sondern auch des weiter rückwärts liegenden reichbevölkerten Zillerthales mit dem oberen Sillthal und den Gegenden jenseits des Brenner. Das Joch hat eine Höhe von 7346 W. F., und ist, vergleichsweise mit seiner nicht eben unbedeutenden Erhebung über das Meer, vielleicht eines der gangbarsten in Tirol.

In der Nähe des Kreuzes am Sattel stießen wir auf den gegenwärtigen Inhaber der vorerwähnten Galthütte, einen rüstigen, zutraulichen Gesellen, der in seine graue Wolldecke gehüllt, dem herrschenden Unwetter viel Uebles nachsagte und es geradezu „duivelisch" nannte. Uebrigens gewannen wir Grund zu dem Verdachte, es rühre ein großer Theil seines Unmuthes von der schädlichen Einwirkung des nassen Wetters auf seine Pfeife her, mit der er sich angelegentlichst beschäftigte und so heftig daran zog, als müsse er den belebenden Funken derselben mit seinem Athem aus der Mitte der Erde heraufsaugen. Ich bot ihm deshalb eine Cigarre an, die er dankend in Empfang nahm und mir dafür als Gegengeschenk, unaufgefordert und mit großer Freundlichkeit, von seinem Hute weg ein tüchtiges Sträußchen duftender Edelrauten präsentirte, das mit nicht minderem Danke angenommen wurde. Eine Viertelstunde später standen wir am Rande jenes Bergvorsprunges, wo sich die Wege theilen, und entweder rechts hinab in eine Alphütte am Durerferner, oder links hinüber in das Dörfchen Hinterdur führen. Hier fällt der Abhang nach drei Seiten schroff zur Tiefe und gestattet demnach einen freien Einblick in das Durerthal, von seinem Ursprunge angefangen bis über Lanersbach hinab. Auch hatte es jetzt zu regnen aufgehört, nur auf den höheren Theilen des Gebirges schoben und jagten sich die Nebel, als wären sie lebendig und freuten sich ihres lustigen Daseins. Vor uns lag das hinterste

Dur als ein gähnender Abgrund offen, in welchem die Wässer in ein=
tönigem Unisono zusammenrauschten, das unter dem Einfluß des in sei=
ner Stärke wechselnden Windes schwingend und zitternd heraufdrang.
Zur rechten Hand und im tiefsten Hintergrunde des Thales sah der
weiße, starkgeneigte und wildverschründete Eisauwurf der „gefrorenen
Wand" ins Thal hinab, und stieg, unten schmal und oben bis zu dem
Umfange einer halben Meile sich erweiternd, zu den schimmernden Eis=
spitzen des Kamms empor, von denen zeitweise eine oder die andere
durch die Lücken des Nebels hervorblißte. Die „gefrorne Wand" ist
nach Größe und Gestalt gewiß einer der schönsten sekundären Gletscher,
den man sehen kann; wie ein ungeheures, scheinbar vollkommen ebenes
und mit einer Spitze nach abwärts gekehrtes Dreieck bedeckt er die hin=
terste Jochwand des Thales, steht demnach auf die Längsrichtung des
letzteren senkrecht, und ist bis jenseits Lanersbach fast stets bis zur Tiefe
herab sichtbar. Er liegt dem Durerjoch so nahe, daß wir alle Einzel=
heiten: die Klüfte, die Moränen, die Farbe des Eises u. A. m. mit
freiem Auge zu erkennen vermochten. [7] Zwischen diesem Gletscher und
dem Olpererberge, der nach Schmirn hinüberschaut, starrten unsäglich
wilde Felshörner in den phantastischesten Gestaltungen aus dem Eise
auf; es war der hohe Grath, der die Thäler von Schmirn und Fals
einerseits und das Zamserthal andererseits begrenzt, und den wir hier,
in seinen hervorragendsten Spitzen, der Länge nach überblickten. Zur
linken Hand aber zog sich das Durerthal hinab, ein langer, dunkler
Riesenhohlweg, über den die ziehenden Nebel eine graue Decke spann=
ten, und wo alles Land, eines unbekannten Unglückes wegen, in tiefer,
stummer Schwermuth versunken lag.

Wir schlugen nun den Weg nach Hinterdur ein, und hatten
Grund zur Eile, denn der Abend war bereits angebrochen und in der
Tiefe wachsen die Schatten schnell; wir gingen doppelt, in Zeit und
Raum, dem Dunkel entgegen. Erst schritten wir eine steile Grashalde
hinab und dann bog der Steig wieder links der Thalwand zu, deren
unzähligen Ausbuchtungen und Einkerbungen er fortan gewissenhaft
folgte. Wem beim Absteigen ins Thal die Zeit etwas knapp wird, und
wer da Gefahr läuft über die Pedanterie des Weges zu grollen, der
oft scheinbar unnöthig weit ausholt, anstatt den Sehnen der Bögen

zu folgen, der wird gut thun, sich die eigene Rückkehr auf demselben
Wege vorzubilden; es ist übrigens eine bekannte Sache, daß Hochgebirgspfade im Allgemeinen nichts weniger als pedantisch genannt werden dürfen; auf Schwindel, zarte Nerven, schwache Lungen, Embon-
point und dergleichen Dinge nehmen sie vollends gar keine Rücksicht,
und oft nicht einmal auf andere weniger zufällige Bestandtheile des
menschlichen Körpers, z. B. Arme, Beine, Rippen und Genick. Hier
war nun von allen diesen Gefahren keine Rede, sondern der Weg erwies sich als wohlerzogen, und kam aus lauter Rücksicht für uns kaum
vom Flecke. Er glaubte sich uns gegenüber noch mit allerlei apparten
Höflichkeiten im Rückstand; immer wieder fand sich ein neuer Wasserfall in einer Felsenecke, oder ein neues von uns noch nicht gesehenes
Seitenthal, das er uns zeigen wollte; auch manche Sennhütte ließ er
uns sehen, mit emsigen Menschen herum, und lungernden Viehheerden
in der Nähe, und gewährte uns so nach und nach die Einsicht in den
unermeßlichen Grasreichthum dieses Thales, der überall hin, mit Ausnahme des Eisgebiets im hintersten Thalwinkel, seinen grünen, weichen Teppich ausbreitet, zuletzt selbst bis über die Joche hinweg, die da
nicht mehr Fels genug besitzen um den Teppich zu durchreißen, weil sie
weiter rückwärts mit dem Gestein allzu verschwenderisch umgegangen.
Diese Fülle herrlichen Weidelandes ist für den einheimischen Viehstand
auch fast zu groß, weshalb es wohl geschieht, daß die Durer einzelne
Alpenstriche an Viehzüchter aus anderen Thälern verpachten, und so
ohne Mühe manchen Gewinn ernten. Selten nur verloren wir die
schwarzen Hütten von Hinterdur aus dem Gesichte, was dann erst geschah, als sich die Dämmerung endlich in völlige Dunkelheit verkehrte;
aber da dauerte es auch nicht mehr lange, bis wir uns, den Weg durch
einen steilen und kothigen Bachrunst abschneidend, auf den Thalgrund
herabließen, und etwa um 9 Uhr Abends in Hinterdur einzogen.

Aber da war bereits alles finster und zur Ruhe gegangen, und
tiefer Friede herrschte um und in den Hütten. Die guten Hinterdurer
konnten von den unglaublichsten Sachen träumen, ohne irgendwie gestört zu werden; und wenn wir annehmen, daß die Liebe irgend ein
sanftes Hinterdurer Herz zu dieser Stunde noch wach erhalten hatte, so
konnte auch dieses von jedem süßen Glücke schwärmen, ohne durch Gas-

fenlärm und Nachtwächtergesang geweckt zu werden. Nur aus dem
Gast- und Badehause unten, das mit weißem Anstrich freundlich daher-
blickte, drang heller Lichtglanz ins Freie. Ein schöner, hochgewachsener
junger Mann, in der netten Zillerthaler Weise gekleidet, hieß uns in
der Stube willkommen, und gab auf unsere Frage höflich zu verstehen,
daß er uns mit Trank und Speise und mit guten Betten für die
Nacht zu unserer Zufriedenheit versorgen werde. Nachdem wir, d. h.
mein Schwager und ich, von einem wohnlichen Zimmer mit zwei Bettstellen Besitz genommen, und uns unserer vollständig durchnäßten Fuß-
bekleidung entledigt hatten, eilten wir wieder in das Gastzimmer hinab, um eines trefflichen Kaffees froh zu werden, mit welchem wir unter heutiges Souper einleiteten.

Die Stube sah mit ihren weißgetünchten Wänden etwas kahl
aus und wurde durch drei Tische und eine entsprechende Anzahl
sehr einfacher Stühle, alles aus hellem weichen Holz, nicht freundlicher
gemacht. Ihre einzige Thüre öffnete sich auf den feuchten Wiesengrund, und um aus derselben in die Küche oder in eines der Schlaf-
zimmer zu gelangen, mußte man nothwendigerweise in's Freie hinaus
treten, was unter manchen Umständen nicht angenehm sein konnte.
Man sah es dem Hause überhaupt auf den ersten Blick deutlich an,
daß es nicht in der schlichten Weise des Thales und nur für den Som-
merbedarf errichtet worden; es ist durchaus aus Stein gebaut, ent-
behrt auch sonst aller charakteristischen Merkmale der üblichen Bauart,
und trägt ein kaltes, halbmodernes, zur Umgebung wenig passendes
Gepräge. Dennoch befriedigt es auch in solcher Gestalt zureichend einen
wichtigen hygäischen Zweck, indem es die Benützung einer Heilquelle
ermöglicht, deren wohlthätige Kraft schon seit Jahrhunderten bekannt
ist, von den Kundigen vielfach angepriesen wurde, aber bis in die letzten Jahre fast unbenützt blieb. Die Quelle entspringt jenseits, d. i.
am rechten Ufer des Baches, und wird mittelst Röhren in die Bade-
kammer geleitet und hier in ziemlich einfache, aber rein gehaltene Wannen
vertheilt. Das Gebäude wurde erst vor zwei oder drei Jahren vollendet,
und ist das Eigenthum eines Bäckers in Zell, der so viel Unterneh-
mungsgeist besaß, um sich an ein Geschäft zu wagen, dessen Rentabili-
tät bei der hohen und abgeschiedenen Lage dieses Alpendörfleins — es

240

liegt nicht weniger als **4666** W. F. hoch — sehr zu bezweifeln ist,
was sich vielleicht dann günstig ändern mag, wenn in einigen Jahren
die Quelle an Ruf gewinnen wird. Wir hörten zur Zeit von einem einzigen Badegast, einem Lehrer aus Stumm im Zillerthal, dessen freilich
nur unvollkommene Bekanntschaft wir sehr bald auf eine eigenthümliche
Weise machen sollten.

In der Gaststube fanden sich noch drei andere Gäste vor: ein
Zillerthaler von etwas liederlichem und schäbigem Ansehen, dann
zwei Durer, letztere in der thalüblichen Tracht, mit kurzen Pumphosen,
nackten Knien, grauen Jacken und kleinen runden Hüten. Der Zillerthaler war auf die Forellenfischerei nach Dur heraufgekommen, doch
weniger des Handels wegen, als vielmehr um die gefangenen Forellen in selbsteigener Person zu verschmausen; von den beiden Durern
war der eine seines Gewerbes ein Schweinhirt, der andere ein Par-
ticular aus Lauersbach, der am nächsten Tage übers Joch nach
Schmirn wollte. Eben als wir eintraten, trug der Wirth zwei dam-
pfende Schüsseln mit Forellen und Tirolerklößen auf, stellte sie auf den
Tisch dieser drei Herren, und überlieferte damit ihren Inhalt der un-
verzüglichen Vertilgung, bei welcher Gelegenheit einer von den guten
Durern, u. z. der lockenumflatterte Schweinhirt, sein Gedeck etwas zur
Seite schob, einen Knödel nach dem anderen auf die nackte Tischplatte
legte, und die fetten Brocken von da weg zum Munde führte. Das Gespräch dieser drei Männer konnte Jedem, der daran Freude hatte, die
Ueberzeugung gewähren, daß sie den Branntweinflaschen zu ihren Zeiten bereits mehr als hinreichend zugesprochen hatten, was sie jedoch
nicht hinderte in dieser Zusprache von Zeit zu Zeit ergiebig fortzu-
fahren.

Als sie endlich fertig waren mit ihrem Nachtmahl, welches, nebenher gesagt, dem unserigen den größtmöglichen Abbruch an Forellen zu-
fügte, erhob sich der göttliche Sauhirt Eumäos — er war ein junger
Bursche und daher auch im Punkte Alters seinem antiken Standesge-
nossen auf Zakynthos unähnlich — und setzte sich an unseren Tisch,
um bezüglich meiner Person einige Anwandlungen von Neugierde zu
befriedigen. Er frug um allerlei, und als ihm die gewünschten Aus-
künfte nicht mit der erwarteten Dienstfertigkeit gegeben wurden, erhob

er sich unmuthig von seinem Sessel, steckte die Hände in der Gegend
der Hosenträger unter seine bauschigen Inexpressibles, und begann, im
Zimmer auf und abgehend, eine öhlzweigdurchrauschte Standrede im
Style Elihu Burrit's, nur in starkakzentuirtem Lokaltone, über die Nutz-
losigkeit des Soldatenstandes im Allgemeinen, dann über die Gottlo-
sigkeit des Kriegführens und des dabei mitunterlaufenden Menschen-
mordes. „Gibt's nicht Land genug auf der Welt" — so sprach ungefähr dieser neue Friedensapostel — „und Alpen und Vieh und Ge-
treid und Möbels obendrein? gibts nicht Platz genug für alle Menschen miteinand und für noch mehr, wenn's gerade Noth thäte? und
doch marschiren die Leute auf einander los und erschlagen sich um
etwelche Zauch Grund, die ohnehin nicht alle zugleich besitzen können.
Und wie steht's geschrieben in der heiligen Schrift? — heißt es da
nicht, Du sollst Deinen Nächsten lieben wie Dich selbst? und doch
schlagen die Menschen auf einander drein, als wären sie von Holz,
und schießen und stechen gegen einander, als wär' ihr Leben nur so
ein Frakl Schnaps, das man wieder einfüllen kann, wenn's ein Duzer
ausgetrunken hat? Kannst mer's epper sagen, ha?" Diese Frage war
hinaus in die Luft gerichtet, und konnte eben so wohl irgend einen
abwesenden Philosophen, kriegslustigen Staatsmann, Inhaber einer
Branntweinschenke, oder auch die gefrorne Wand in der Nähe betreffen,
die davon erschreckt, wild und käseweiß durch die Fenster herein glotzte.
Da näherte sich uns der andere Duzer, stellte sich vor uns hin, deutete
schweigend auf seinen gelehrten Freund, und machte dann mit der
Hand einige wackelnde Schwingungen vor seiner Stirne, offenbar um
damit anzudeuten, daß zur Stunde in dem Kopfe seines Landsmannes
nicht alles in bester Ordnung sei. Dies hatten wir zwar längst schon
errathen, fanden jedoch den Vorgang zu possierlich, um nicht Geschmack
daran zu finden. Nun machte einer von uns dem noch immer ambuli-
renden Duzer Elihu die Bemerkung, wie die Leute unten dies Alles
noch nicht wüßten, und wie ihre Köpfe noch lange nicht so illuminirt
seien als die der Männer in Dur, die da vom Schnaps so guten Gebrauch zu machen verstünden. Diese Worte waren von animirender
Wirkung.

Und es erwiederte darauf der göttliche Sauhirt Eumäos: „Sel

16

iſch alm gleich, Sakra Duivel! Luminirt ober nicht! Wenn'ſt ben
Schneller loŝbruckſt am Stuzen, ſo kracht'ŝ unb baŝ Blei fliegt vorn'
rauŝ; baŝ weiß jeber, ſelbſt ein Herr. Unb wenn'ŝ hernach brüben
einem armen Kerl „a Krucken" abſchießt, ober einen Arm ober gar
bie Seel' forttragt in'ŝ ewige Leben ohne Beicht' unb lezte Oehlung,
ſo iſt eŝ eine Sünbe unb gottloŝ unb ber Duivel hat ſeine Freube b'rü-
ber. Wenn ich unſer Herrgott wäre, ich wüßt' für bie Solbaten einen
ſicheren Plaz; ber müßt' ſein zu hinterſt in ber Hölle, wo vor ber
Porten, wie unſer Herr Pfarrer ſagt, zwölf eiſerne Riegel liegen, ſo
bick wie ein Kirchthurm. Haben nicht bie welſchen Spizbuben vor ein
Paar brei Jahren meinem Bruber ein Haxel weggeſchoſſen, baß ber
arme Häuter jezt immer hinter'm Ofen ſizt, g'rab nur neben ſeinem
Krückel, unb nicht auf bie luſtige Alm hinauf kann, unb alle Jahr ben
Kirtag verpaſſen muß, unb nix fürſchi kann im Hauŝ unb in ber
Wirthſchaft!"

Mit bieſer Wenbung war ber Humor beŝ Geſprächŝ in baŝ Ele-
giſche übergegangen, unb bieŝ rettete ben Mann vor einer etwaŝ herben
Ironie, bie einem von unŝ bereitŝ auf ben Lippen ſtanb. Der ehrliche
Durer argumentirte in ſeiner künſtlichen Begeiſterung mit Grünben
ad hominem, unb hatte inbivibuell gerabe nicht ſehr unrecht. Im Uebrigen waren wir weit bavon entfernt, bie Trunkenheit unb Unhöflichkeit
bieſeŝ Inbivibuumŝ bem ganzen Durer Völklein zur Laſt zu legen. Je-
bermann im Lanbe weiß, baß eŝ ein guter, harmloſer Menſchen-
ſchlag iſt, ber ſich eben ſowohl burch Ehrlichkeit, Genügſamkeit, Reli-
gioſität, Sitteneinfalt unb treueŝ Feſthalten an ber bieberen Weiſe ber
Väter, alŝ burch beſonbere Eigenthümlichkeiten in Sprache, Kleibung,
Sitten unb häuŝlichem Weſen auŝzeichnet. Hier hat z. E. ſich baŝ zu-
trauliche Du noch faſt burchweg erhalten, währenb eŝ im ganzen übrigen Tirol, bei bem Gebrauche gegen Fremde unb Höhere, alŝ beinahe
völlig erloſchen zu betrachten iſt, wenngleich pfiffige Zillerthaler eŝ
außer Lanb immerfort noch anwenben unb bamit ihre Nationalität zur
Schau tragen. Die eigenthümliche Fröhlichkeit beŝ Kirchweihfeſteŝ zu
Lanerŝbach, bem Hauptorte beŝ Thaleŝ, hat Ludwig Steub in ſeinen
„brei Sommern in Tirol" eben ſo anziehenb alŝ gemüthvoll zu ſchil-
bern gewußt. Nicht weniger abſonberlich iſt baŝ Verhältniß beŝ gotteŝ-

fürchtigen Durers zu Gott dem Herrn; er steht mit ihm auf sehr nai-
vem Fuße, in welcher Hinsicht das artige Gebetchen einer frommen
Durerin bekannt geworden, worin sie dem himmlischen Vater, zur Unterstützung seines Gedächtnisses, ihren Namen nennt und ihre Wohnung beschreibt, und ihn bittet, er möge doch einmal, wenn er über
das Durerjoch ins Thal hereinkommen sollte, in ihrem Hause zu-
kehren.

Wir brachten die Nacht auf eine ziemlich peinliche Weise zu und
konnten einige Stunden lang nicht einschlafen, u. z. des vorerwähnten
Schullehrers von Stumm wegen, der im Zimmer nebenan wohnte und
an dem entsetzlichen Uebel der Magendürre litt. Das Uebel befand sich
bereits in einem sehr vorgeschrittenen Stadium, und strafte jeden, selbst
den unentbehrlichsten Genuß eines Nahrungsmittels durch ein stunden-
langes konvulsivisches Brechwürgen, das wir, durch die dünne Thüre
hindurch, mit ekelerregender Deutlichkeit hören mußten. So kam es, daß
wir des nächsten Morgens, wo jene Anfälle sich bereits wieder gelegt
hatten, keine große Lust zur Eile empfanden, und uns mit dem Aufstehen und Ankleiden ziemliche Zeit ließen. Als dies endlich doch geschehen war, stellte uns die Magd im Gasthause die Frage, ob wir den
Wasserfall am Ferner sehen wollten, in welchem Falle sie bereit sei
uns dahin zu geleiten; wir dankten höflich für so viel Güte, denn im
Oetzthal und Schnals, in Schmirn und vom Durerjoch herunter,
hatten wir von diesem Artikel bereits so viel zu uns genommen,
daß wir völlig übersättigt waren und eine Indigestion befürchte-
ten, wodurch der Hinterdurer Wasserfall in unseren Augen gewiß viel
von seinem Ruhme verloren hätte, während wir ihn uns mit allen er-
denklichen Reizen ausgestattet vorstellen konnten. Unser Sinn stand
jetzt mehr nach einem guten Morgenimbiß, der uns denn auch in aus-
gezeichneter Qualität geliefert wurde. Endlich blieb noch im Dörflein
selbst manches zu observiren übrig: Ortslage, Art der Häuser und
des Lebens darin, die Heilquelle u. A. m. — Der Weiler Hinterdur
hat wohl kaum mehr als 10 Feuerstellen, und es sind wahrhaft ziemlich
feuergefährliche Stellen, denn da ist Alles und Jedes von Holz bis auf
die Stelle, auf der das Feuer brennt. Auch entbehren sie fast ganz und
gar jener äußeren Zierlichkeit, und einen großen Theil jener inneren

16 *

Komforts und Reinlichkeitspflege, wie sie in anderen Theilen des Landes und in kaum weniger hohen Thalstrichen gefunden werden; doch
fehlt auch hier nirgends ein oberes Stockwerk. Wir traten in eines dieser Häuser, und trafen hier die Küche gleich neben der Eingangsthüre,
wo sonst der das Haus der Mitte nach durchschneidende Gang, oder
auch eine mehr oder minder geräumige Halle, angetroffen wird; der
Herd war niedrig, das Küchengeräth unbedeutend, und über dem hoch-
auflodernden gewaltigen Feuer hing an einer Kette der gebräuchliche
kupferne Kessel. Die Leute grüßten uns freundlich, und wir zündeten
an ihrem Feuer unsere Cigarren an, was als Vorwand des unerbetenen Eintrittes dienen konnte. — Ungeachtet der geringen Häuserzahl
ist Hinterdur dennoch eine Ortschaft, deren Entstehung ziemlich weit in
die Vergangenheit zurückgreift, was daraus hervorgeht, daß schon im
Jahre 1448 ein Graf von Trautson den Bezirk Hinterdur von
dem Erzbisthume Salzburg zu Lehen nahm. Seit jener Zeit gehörte
Hinterdur immerfort zu Tirol und zu dem Gerichtssprengel von Ma-
trei, jetzt Steinach, und blieb bis auf den heutigen Tag ein Bestandtheil der Pfarre zu Schmirn, und somit der Diözese von Brixen,
während das untere Dur und das Zillerthal dem Erzbisthume von
Salzburg unterstehen. Dies ist der Grund, um deshalb die Seelsorge
hier von Schmirn aus besorgt wird, wozu an jedem Sonn- und Fest-
tage und bei allen sonstigen wichtigen Anlässen, ein Geistlicher von
dort her über das Joch wandert. Zur Winterszeit jedoch, wenn hoher
Schnee das Gebirge unwegsam macht, müssen die Leute in die Messe
nach Lanersbach; und geschieht es zu dieser Frist, daß ein oder der andere Hinterdurer von seinem mühevollen Erdendasein abberufen wird,
so wird seine Leiche von den Angehörigen entweder mühselig nach
Schmirn hinübergetragen und dort bestattet, oder sie wird der konser-
virenden Einwirkung des Frostes überlassen, bis zwei oder drei Monate später das Joch gangbar wird, und der Todte unter priesterlichem
Segen der Erde zurückgegeben werden kann:

Um 9 Uhr trug uns der Weg über Junsberg abwärts gegen Lanersbach. Der Himmel hatte sich gestern ausgeweint und heute blickte
sein klares Auge wieder strahlend auf die frohe Welt herab; nur die
Berge, diese ewig stummen Pythagoräer mit den faltigen Stirnen,

nahmen sich ihr Leid von gestern noch immer zu Herzen, und trugen auf ihren Schultern Trauerkleider von grauem Nebelgas. Bei Juns= berg mischten sich schon dunkle Waldflecken in den welken, thauschim= mernden Teppich von Gras, und bei Lanersbach, wo die Berge sich ein wenig weiter auseinander schoben, häuften sich fast plötzlich die Zei= chen menschlichen Seins und Waltens. Auf dem Thalgrunde lag das freundliche Dörfchen, mit weißblinkender Kirche und einem Dutzend schwarzbrauner Häuser zu einer langen, krummen Zeile geordnet, und über die Berghänge hatten sich die einzelnen Höfe zerstreut, und schau= ten von da, in stattlicher Zahl, von trotzigen Wetterbäumen beschützt und von hellgrünen Wiesen und gelben Gerstenfeldern umlagert, ins Thal herein; noch höher aber verloren sich die Sennhütten bis in den Nebel hinein. In Lanersbach selbst holten wir unseren göttlichen Eu= mäos ein, der, neben einer Heerde dickleibiger Grunzer einherschreitend, uns jetzt mit anständiger Schamhaftigkeit grüßte. Eine kurze Strecke abwärts des Dorfes treten die Berge abermals nahe zusammen, was zuletzt bei Lämmerbichel in so argem Maße geschieht, daß der Weg zu einem wilden Passe wird, an steilen Schroffen hängend weiter zieht und hie und da sogar in den Fels eingesprengt werden mußte; daß der Durerbach nebenan über alle diese Hindernisse die Geduld verliert und in seinem Unmuth tobt und schäumt, versteht sich von selbst. Endlich wird die Gegend etwas freier und nun erblickt man, zwischen Frucht= bäumen versteckt, das Dörfchen Finkenberg, die letzte Ortschaft in Dur. Nahebei liegt noch der sogenannte Teufelssteg, ein merkwürdiger Ueber= gang über den Durerbach, der aus zwei mit Geländer und Dach ver= sehenen Balken von höchstens 24 Fuß Länge besteht, und über eine Kluft setzt, deren Tiefe 96 W. F. mißt. Es ist gewiß in hohem Grade interessant, auf dieser schwanken Brücke zu stehen und in den finsteren Schlund hinabzublicken, dessen Wände sich senkrecht und thurmhoch aus der Tiefe erheben, während das Wasser unten harmlos und träge weiterzieht, gleichsam als wäre es müde und wollte nun ausruhen von der ungeheuren Arbeit, die es auf das Durchnagen des festen Gesteins zu solcher Tiefe aufgewendet. Man kommt von diesem Stege in einer halben Stunde nach Dornau, einem in der Wildniß des Zemmthales einsam liegenden, ansehnlichen und wohlhabenden Bauernhof.

Im Wirthshause zu Finkenberg fanden wir wieder unsere beiden
preußischen Freunde vom Durerjoch, die kurze Zeit vor uns hierselbst
eingetroffen waren. Der eine von ihnen, ein mißlauniger junger Mann
von hübschen Formen, schmollte mit uns noch etwas über einige politische Erörterungen gelegentlich unseres gemeinschaftlichen Absteigens -
nach Hinterbur, wobei sich vermuthlich eine oder die andere verwund-
bare Seite seines schwarzweißen Bewußtseins übelberührt fühlte, der
andere aber war von besserer Art, und ließ sich mit mir bis zur Essenszeit, auf mitgeführtem Brette in einen, an diesem Orte zwar seltsamen,
aber dennoch vergnüglichen Schachkampf ein. Wir aßen nebst Suppe
und Hammelbraten, die ziemlich gut schmeckten, auch Gemsenfleisch in
einer griesigen, unangenehmen Sauce, die den übermäßigen haut gout
des edlen Fleisches nur sehr unvollkommen deckte. Mittlerweile regnete
es wieder strichweise, doch gab es auch helle, sonnige Momente und in
diesen geschah es, daß, wenn der Wind an einer bestimmten Stelle in
den wogenden Nebelvorhang ein Loch riß, zwei finstere, erschreckliche
Felshörner von enormer Höhe und ganz nahe vor uns, aus den Wolken hervortraten. Es ist eine bekannte Sache, daß bei feuchter Atmosphäre, wegen der stärkeren Refraktion des Lichtes, alle entfernten Gegenstände und daher auch Berge, höher scheinen als zu anderen Zeiten,
wo die Luft weniger feucht oder sogar trocken ist; am ersichtlichsten
aber wird diese Thatsache, wenn Dunstmassen auf dem Gebirge lagern,
und die Gipfel in einzelnen Momenten über denselben schwebend, sichtbar werden. In solchen Fällen trägt auch noch die Phantasie dazu bei
die Täuschung zu vermehren, denn da, wo man vorher Wolken sah, erscheint jetzt in Wolkenhöhe der gewaltige Bergscheitel. Die beiden Gipfel, welche uns hier Gelegenheit zu dieser Bemerkung gaben, waren
die Ahornspitze und die Tristenspitze; jene ist mit einer silbernen Glet-
scherkrone geschmückt und steigt 9397, diese, die Tristenspitze nämlich,
8615 Fuß über die Meeresfläche empor.

Das Durerthal endet bei Finkenberg mit einer plötzlichen, nahezu
450 Fuß Höhe betragenden Senkung der Thalsohle, und schließt sich
so mit physikalischer Deutlichkeit von dem nun beginnenden Zillerthal
ab. Wir eilten nach Tisch ohne Verzug abwärts, sahen uns aber bald
genöthigt, unter dem Dache einer Mühle das Ende eines heftig nieder-

fahrenden Regengusses abzuwarten, weßhalb wir erst nach etwa einer
Stunde in Meyerhofen eintrafen. Dieses aus einer stattlichen Kirche,
aus 16 Häusern und 300 Einwohnern bestehende Dorf liegt in einer
sehr anmuthigen und zugleich orographisch höchst merkwürdigen Thalweitung, die vielleicht einzig in ihrer Art ist. In dieses kleine, kaum
eine halbe Stunde breite Becken münden sich nämlich vier große, fächer-
förmig ausstrahlende Thäler, deren Längenachsen hier in einem und demselben Punkte zusammentreffen; sie heißen: das Brandenberger-, Stil-
lup-, Zemm- und Durerthal, die nunmehr nach ihrer Vereinigung das
eigentliche Zillerthal bilden, das 6 bis 7 Stunden lang, bei dem Dorfe
Straß in das Innthal mündet. Es wäre leicht, bei Meyerhofen eine
etwas erhöhte Stelle aufzufinden, von der man alle, jenen vier Thälern
entströmenden Bäche, sowohl einzeln als nach ihrer Vereinigung, zugleich übersehen könnte. Aber auch der landschaftliche Reiz dieser Gegend sucht seines Gleichen; das flache Land decken reinliche Fluren und
saftig grüne Wiesenbreiten, in welche sich die zierlich gebauten und
weithin zerstreuten Höfe mit ihren Gärten und Baumgruppen anmuthig mischen; von Dur her schaut Finkenberg mit seinem spitzigen
Kirchthurme, wie aus hoher, prachtvoll dekorirter Loge, auf das grüne
Parterre der kleinen Ebene nieder; die Thalhänge schmücken dunkle
Fichtenwälder, über denen, besonders auf der Seite gegen Süden,
nackte braune Klippen hängen und die stolzen Herrscher des Gebirges,
die Ahornspitze, der Brandenberger Kulm, die Tristenspitze u. A. in
wolkenumflossener Höhe thronen. Gegen Zell hin aber zieht sich das
breite blühende Thal in duftige Fernen fort; die Kirche von Hippach
und hie und da ein weißes Haus sind helle Punkte darin, und die Lieblichkeit der ganzen Erscheinung macht immer mehr den fröhlichen Muth
und die Lebenslust begreifbar, die das Völklein in diesem Thale vor
allen anderen in Tirol auszeichnet [5]).

    Ein neuer Regenschauer zwang uns auch hier, im Wirthshause
ein schützendes Obdach zu suchen. Das Haus war groß und stattlich,
von außen und innen sehr reinlich gehalten und mit einer hinreichenden Zahl umlaufender Gallerien versehen, auf denen sich die Gegend
mit aller Bequemlichkeit überblicken ließ. In der Stube trafen wir zwei
Eheleute aus dem Thale, sichtlich einer weniger bemittelten Klasse ange-

hörig, die eben ihr Mittagmahl einnahmen und uns durch die Leichtigkeit und forsche Gewandtheit auffielen, mit der sie bei Tisch, ganz
der neuen Mode gemäß, Messer und Gabel zu handhaben wußten. Sie
ließen nämlich, so lange sie an ihrem Rostbraten aßen, Messer und
Gabel nie aus der Hand, gebrauchten diese mit der Linken so fertig und
ungezwungen, als sie an irgend einem anderen Orte mit der Rechten
gehandhabt wird, und benahmen sich überhaupt so, daß sie in dieser
Beziehung jeder fashionablen Tafelgesellschaft Ehre gemacht hätten.
Es scheint demnach, daß dieser Modus des Essens hier recht eigentlich
zu Hause sei, und es wäre daher für den Forscher in solchen Dingen
nur noch zu eruiren übrig, welcher französische Marquis vor der gehörigen Zahl von Jahren dies Thal durchreiste, Gefallen an solcher Gebrauchsweise von Messer und Gabel fand, und sie sofort nach Paris
verpflanzte. Ein f r a n z ö s i s c h e r Marquis aber war es auf jeden Fall,
denn wie wäre sonst diese Mode in Deutschland so allgemein geworden! Uebrigens war der Unterschied in dem Benehmen bei Tisch, zwischen diesen beiden Zillerthalern einerseits und dem schweinehütenden
Duxer zu Hinterdur andererseits, gewiß merkwürdig genug; und doch
liegt die Heimat beider nur einige Stunden Weges auseinander. —
Da mittlerweile das Wetter von seinen Neckereien noch immer nicht
abgelassen hatte, so trafen wir Vorkehrungen um ihm zu trotzen,
mietheten ein leichtes Wägelchen und erreichten in einer Stunde das
freundliche Zell.

Es war schon spät am Tage, doch fanden wir noch Zeit genug
zu einem kleinen Spaziergange durch das Dorf und zu einem Besuche
des Kirchhofes, in welchem zwei Brüder meines Schwagers, die in
ihren schönsten Jünglingsjahren dem Tode zum Opfer fielen, im langen Schlafe liegen. Ich habe sie nie gekannt, doch ehrte ich jetzt ihr
Andenken gerne mit einem frommen Gedanken. Das Dorf hat eine
große, stattliche Kirche, wie vielleicht manche kleine Stadt sie nicht besitzt, und manches ansehnliche Haus aufzuweisen, doch sind die Häuser
meist unordentlich untereinander gestellt, so daß nirgends eine eigentliche Gasse hervortritt; nur vor der Kirche befindet sich ein kleiner
freier Platz und hier sind auch die Häuser gegen die Zillerbrücke hin
zu einer Art Straße geordnet. Im Gasthause fand sich Abends ziemlich

zahlreiche Gesellschaft ein — Beamte des hiesigen Landgerichtes und des im nahen Heinzenberge befindlichen ärarischen Bergwerkes, und auch Fremde, Damen und Herren, unter letzteren abermals unsere beiden jungen Preußen.

Köstlich schlief sichs in den guten Betten mit den leichten seidenen Decken, die nicht, wie zu Hinterdur, mit einem 40 bis 50 Pfund schweren Federsacke belastet waren. Wie groß war unser Erstaunen, als wir des nächsten Morgens erwachten und der herrlichste Tag zu den Fenstern hereinschien. Der Himmel hatte sich, vielleicht des Sonntags wegen, in sein reinstes Blau gehüllt, und die Berge waren nicht minder des schmutzigen Nebels frei geworden und standen jetzt, in scharfe edle Linien eingeschlossen, vor unsern bewundernden Blicken. Wir traten nun so bald als möglich eine Promenade nach Heinzenberg an, wo wir das Goldbergwerk besehen wollten, den Stollen jedoch des Sonntags wegen verschlossen fanden, und uns daher bloß mit der Besichtigung der Schlemm- und Amalgamiranstalt begnügen mußten. Das Gold, dessen Ausbeute hier jährlich 30 Mark nicht übersteigt, findet sich in derbem Quarzfels eingesprengt, und es ist gewiß, daß der Bau weit mehr kostet als er einträgt, doch läßt ihn die Regierung bestehen, um nicht die 50 Arbeiter, die dabei beschäftigt sind, brotlos zu machen. Neben dem Heinzenberge vorüber, auf welchem von hoher Stufe und zwischen dunkeln Bäumen ein Wallfahrtskirchlein segnend ins Thal blickt, führt der Weg in die Gerlos, und von da über Krimmel in das Pinzgau hinüber. Die Gerlos ist eines der größeren Seitenthäler des Zillerthales, und der Einschnitt, den es in die Masse des Gebirges macht, gewährt von der Straße unterhalb Zell einen fesselnden Einblick in die Eisfelder und Wildnisse der Krimmler Tauern. — Auf dem Rückwege sprachen wir bei einem alten, hageren, zur Ruhe gesetzten Bergmann ein, der jährlich einige Male den Greinerberg besucht und von da allerlei seltene Mineralien heimbringt, die er den Durchreisenden um sehr mäßige Preise feilbietet. Wir fanden schöne Exemplare von Granat, Spargelstein, Cyanit, Turmalin, Feldspath, Apatit u. A. m. in seinem Vorrathe, und kauften Einiges, fast mehr um dem guten Alten, der über seine mineralischen Schätze so trefflich Bescheid gab und so bescheiden war, einen kleinen Verdienst zu verschaffen, als um der

Mineralien selbst willen, die wir höchstens zu Geschenken für sammelnde
Freunde verwenden konnten. In dem Hause des bejahrten Gnomen sah
es so ärmlich und doch so rein und ordentlich aus!

Als wir in's Dorf zurückkamen, begann eben der Gottesdienst,
weshalb wir zur Kirche gingen, die, im Innern durch geschickte Künst=
lerhand ausgemalt, von einer an diesem Orte wahrhaft überraschenden
Schönheit ist. Bei dem heiligen Amte fehlte es auch nicht an Kirchen=
musik, wobei freilich einige Stimmen und Instrumente mangelten und
mancher falsche Ton mit unterlief, was aber der allgemeinen Erbau=
ung keinen Eintrag that. Im Kirchenraume nahmen die Männer die
rechte und die Frauen die linke Seite ein, und wir hätten unsere Augen
geradezu schließen müssen, um in der Menge vor uns nicht manche
schlanke, zierliche Mädchengestalt, mit reichem Haar, mit feinem Teint
und tadellosen Formen um Wangen und Nacken, herauszufinden. Die
Tracht der Männer ist auch außer Land bekannt genug; man kann sie
in allen größeren Städten auf Märkten mit ihrem Handschuh= und Le=
derkram, oder als Natursänger wahrnehmen, und hier in Wien hat
vollends eine Kolonie von Zillerthalern auf Tivoli und in der Penzin=
ger Aue ihr bleibendes Domizil aufgeschlagen; doch verdient erwähnt
zu werden, daß sich die rothen Brustlätze, die kurzen ledernen Bein=
kleider und weißen Strümpfe, aus dem Nationalkostüme hier so ziem=
lich schön verloren haben, und den styllosen Gilets, prosaischen Panta=
lons und Stiefeln gewichen sind. Die Köpfe beider Geschlechter aber
ziert der kleine, konische, abwärts gekrämpte Hut, mit goldenen Schnü=
ren und Trodbeln behangen; jedenfalls eine sehr zweckmäßige und dem
Auge wohlgefällige Kopfbedeckung, deren Form bei den Frauen bloß
etwas kleiner und zierlicher gehalten ist. Die Kleidung der letzteren be=
steht aus schwarzem Rocke, mit bunter Schürze von Seidenzeug oder
anderem Stoffe, und aus einem oben eckig ausgeschnittenen Korset mit
langen engen Aermeln und gleichfalls von schwarzer Farbe; die Taille
ist lang. Die Schulter und den Hals bedeckt anständig ein meist roth=
seidenes, hellfärbiges Tuch, und an den Füßen werden weiße Strümpfe
mit gewöhnlichen Frauenschuhen getragen. — Das Volk ist im Allge=
meinen auffallend schön und rüstig; die Männer groß, schlank, leicht
und gewandt, die Frauen zart, freundlich, anmuthig und oft von so

feinem weißen Teint, daß manche Dame, wenn sie ihn besäße, mehr
als zufrieden damit wäre. Auch ist bei den Bewohnern dieses Thales
eine merkwürdige Stätigkeit der Gesichtsbildung wahrzunehmen, die
nicht selten zu hoher Schönheit erblüht, und an die hervorragendsten
Muster der klassischen Skulptur erinnert. Das Typische dieser Form,
das mit Worten freilich nur höchst unvollkommen gegeben werden kann,
besteht in großen, von runden Brauen überwölkten Augen, aus einer
länglichen gekrümmten Nase, fein geschnittenem Munde und rundvor-
springendem kräftigen Kinne nach Römerart. Fast nie ist hier ein fla-
ches, breites Gesicht von germanischem Schnitt, mit eckiger Stirne, kleinen Augen, derber oder gestülpter Nase und zurückgeschobenem, in seiner Entwicklung benachtheiligtem Kinn, anzutreffen. Und wie die Gesichtsbildung edel, so sind es auch die übrigen Körperformen dieses von
der Natur bevorzugten Völkleins, obgleich sie bei den Männern, in dem
Ausdrucke zusammengehaltener Kraft und Kühnheit, von den in anderen Thälern des Landes übertroffen werden.

Nach der h. Messe machten wir einen Spaziergang über die Zillerbrücke in das sogenannte „Vorstadtl" von Zell, einer am linken
Ufer des Flusses liegenden Abtheilung des Dorfes, und strichen dann
aufwärts gegen Laimach, bis wir endlich dem herrlichen Thalwinkel von
Meyerhofen, dessen stolze Bergtitanen sich jetzt in ungetrübter Glorie
zeigten, einen freundlichen Scheideblick zuwerfen konnten. Auf dem
Heimwege begegneten wir einem überaus schönen Mädchen von Laimach, das sich Lisall nannte, in Zell zur Kirche gegangen war und nun
wieder nach Hause ging. Sie plauderte mit uns einige Minuten lang
mit voller Unbefangenheit, hatte eine Stimme so sanft und treu wie
ihre Augen, und Zähne so weiß wie der Schnee auf der nahen Ahornspitze. Wir frugen sie, warum sie so ganz allein nach Hause wandere,
und ob nicht Jemand vorhanden sei, dem es ein Leichtes wäre, ihr den
weiten Heimweg zu kürzen, worauf sie lächelnd erwiederte, ein solcher
Jemand sei freilich vorhanden, aber der Weg wäre doch zu lang und
eine Begleitung würde sich da wohl nicht recht schicken. Wir zogen nun
wieder nach Zell, und das schöne Lisall zog nach Laimach, doch nicht
ohne sich noch einmal nach uns umzusehen, und für unsere nachgesen-
deten Grüße uns ihren Gegengruß zuzunicken.

Nunmehr gedachten wir der Bäckerfamilie im Orte einen kurzen
Besuch zu machen, der aber nachgerade ein sehr langer wurde, und fast
bis zur Essenszeit dauerte. In diesem Hause hatten nämlich meine verstorbenen Schwäger gewohnt, von den guten Leuten daselbst tausend
Freundlichkeiten erfahren, und waren von ihnen während ihrer Krankheit, und bis zu ihrem letzten Athemzuge, mit der größten Sorgfalt
und der herzlichsten Theilnahme gepflegt worden. Unser Besuch war
demnach bloß die natürliche Konsequenz jener Erkenntlichkeit und Achtung, zu der wir uns dieser Familie gegenüber verpflichtet fühlten. Der
Hausherr hatte schon vor langer Zeit das Zeitliche gesegnet, und es
stand nun seine Wittwe, allgemein unter dem Namen der „Bäcken-
Manna" bekannt, und weit und breit ihrer Herzensgüte und Freundlichkeit wegen hochgeachtet, dem ansehnlichen Hauswesen vor. Sie wurde
hierin von zwei Söhnen und zwei Töchtern unterstützt, von denen der
ältere Sohn zur Sommerszeit das Badehaus in Hinterdur verwaltete,
der jüngere aber, der die Kunst des Gesanges und des Citherspieles in
löblichem Grade besitzt, zu Hause blieb und der Bäckerei oblag. Die
Töchter hatten in Innsbruck längere Zeit hindurch in einem größeren
Konditorgeschäft die Feinbäckerei erlernt, sich nebenher eine gewisse Bildung angeeignet, und backen nun für die guten Zeller, für den Tisch im
Gasthause und für den eigenen manches leckere Gebäck. Es waren hübsche Mädchen, das eine blaß und sanft, das andere frisch und lebhaft,
beide aber gleich gut, freundlich, natürlich und verständig. — Wie
groß war die Freude der guten Leute, als sie meines Schwagers, den
sie von früher her gut kannten, ansichtig wurden, und kaum geringer
war diejenige, die sie äußerten, als mich mein Freund in der zwischen
uns bestehenden verwandtschaftlichen Eigenschaft präsentirte. Da wurden unsertwegen schnell alle anwesenden Mitglieder der Familie her-
beigeholt, und alle hatten dieselbe Freude über unser Erscheinen, und
alle erkundigten sich mit gleicher Dringlichkeit um das Befinden der
Unsrigen, deren Bekanntschaft sie theils hier in Zell, theils in Innsbruck selbst gemacht hatten. Bald auch folgten ganze Lasten von frischen
Kuchen, von Torten, Zwieback, Biskuit, Mandelbögen und Anisschnit-
ten, von Wein und Liqueurs, die sie uns mit der freundlichsten Nöthigung anboten, und fast etwas böse wurden, als wir nach all den Ver-

wüstungen, die wir unter diesen Dingen anrichteten, zuletzt nichts weiter mehr zu genießen im Stande waren. Als wir endlich fortgingen, mußten wir versprechen, sie vor unserer Abreise noch einmal zu besuchen, was wir auch thaten, und wobei wir von den Mädchen mit zwei allerliebsten, von schönen seidenen Bändern umwickelten Blumensträußchen beschenkt wurden, was hier als Zeichen gern gewährter Gastfreundschaft und freundlichster Gesinnung gegen die Scheidenden angesehen wird. Ich bewahre dieses Sträußchen noch immer als ein werthes Andenken an eine treffliche, liebreiche Familie.

Daß wir nach solchen Antizipationen für unser eigentliches Diner wenig Appetit mitbrachten, ist erklärlich; auch lag uns jetzt daran, schnell damit fertig zu werden, damit wir der Prozession anwohnen konnten, die heute zu Ehren des Schutzpatrons der Bergleute in feierlicher Weise abgehalten wurde. Der Umzug nahm seine Richtung gegen den Heinzenberg, bog dann in die Felder ein und kehrte auf einem Umwege wieder zur Kirche zurück. Die Kirchenfahnen und die Standarte der Bergknappen verherrlichten das religiöse Fest, das Meiste aber that die Natur, die mit allen ihren höchsten Reizen sich geschmückt hatte. Es war gewiß ein Anblick von eigenthümlich anziehender Art, die lange Reihe der Andächtigen, die Kinder und Männer baarhaupt voran, und die Frauen mit ihren schwarzen Hüten bedeckt, hinten nach, durch die Fluren und grünleuchtenden Wiesen des herrlichen, traulich umschlossenen Thales, betend und singend daher wandeln zu sehen. Das hiesige Volk mag wohl, so wie man sagt, das Leben von einer etwas allzu leichten Seite nehmen, und Manche, auf ihren Wanderungen durch die weite Welt, mehr oder weniger von jener schlichten, ehrenfesten Gesinnung, die sie ehedem besaßen, eingebüßt haben, aber von einem Mangel an Gottesfurcht oder von einer Gleichgiltigkeit gegen die geziemende Verehrung des Allerhöchsten, war weder in der Kirche während des vormittägigen Gottesdienstes, noch auch jetzt während dieses frommen Umzuges, nicht das Geringste zu bemerken.

Vor unserer Abreise machte ich zufällig noch die Bekanntschaft des Bezirkshauptmannes von Zell, des Herrn von Wieser, eines Mannes von hoher wissenschaftlicher Bildung. Er war so artig mich in seine Wohnung zu führen, und mir seine wahrbaft reichhaltigen Sammlungen von Autographen, Kupferstichen, Radirungen und interessanten mittelalterlichen Gegenständen verschiedenster Art zu zeigen. Ich fand darin etwa eine Stunde lang reichen Genuß, und drückte dem Eigner dieser Schätze nachträglich nochmals meinen höflichen Dank aus.

Um 5 Uhr Nachmittags fuhren wir bei schönstem Wetter mit dem Omnibus dem Innthal zu. Das Zillerthal ist überall eine ziemlich breite, von mäßigen, durchaus grünen Bergen umfaßte, blühende Ebene, deren Breite indeß nirgends das Maß einer kleinen halben Stunde überschreitet. Die Ziller, die nach Aufnahme des Gerlosbaches ein ansehnliches Flüßchen geworden, zieht zwischen Erlenauen dahin, und eine Zahl schöner und stattlicher Dörfer, in welchen manches ungemein zierliche Haus anzutreffen, geben Zeugniß von der reichlichen Bevölkerung und dem theilweisen Wohlstande dieser Gegend. Aber trotz aller Lieblichkeit und lukrativen Beschaffenheit des Landes macht es zuletzt nicht den gewinnenden Eindruck, den andere Thäler, von dem übergewaltigen Oetzthale gar nicht zu reden, in empfänglichen Gemüthern zurücklassen. Es fehlt hier jener ansprechende Wechsel und jene Art von natürlichen Gegenständen, welche das Auge reizen und die Phantasie nachhaltig beschäftigen. — Uderns ist ein schönes Dorf, und noch größer und schöner ist Fügen, der zweite Hauptort des Thales, in dessen Mitte ein prächtiges Schloß steht, das jetzt einer Gräfin von Dönhof, geb. Gräfin von Taxis, gehört, zur Zeit aber als eine Nadelfabrik verwendet, oder besser mißbraucht wird. Daneben liegt der Hacklthurm, ein altes, ansehnliches Bauwerk, in welchem die Familie Rainer als Wirthsleute haust, und durch ihren Gesang aus England und Nordamerika manche gelbe Guinee und manchen harten Dollar heimbrachte. Wir sahen hier auch die Tochter des Wirthes, die einstmalige prima cantatrice der Rainer'schen Sängertruppe, eine nunmehr schon etwas reife, seit längerer Zeit out of her teenth befindliche Schönheit, die über ihre künstlerischen Erfolge in fernen Gegenden, dem Anscheine nach, ein lohnendes Selbstgefühl mit sich herumtrug. Vielleicht bezog sich dieses letztere auf den trefflichen Wein, den sie uns servirte, in welchem Falle es von uns ein Beweis gröblichen Undankes wäre, wenn wir an diesem Selbstgefühle irgend etwas zu tadeln fänden; wir waren übrigens fremd in diesem Hause und wurden, bis neue Pferde vorgespannt waren, für unser Geld bewirthet. Auf der anderen Seite des Thales liegt das Dorf Stumm, die Heimat des armen Schullehrers im Bade zu Hinterdur, und mit einem gräflich Lobron'schen Schlosse behaftet, und gegenüber von Fügen erhebt sich die schöne, grüne, mit Häusern übersäete und vielgetheilte Halde des Hartberges, eine Art Zillerthaler Paradies. Schlitters ist das letzte Dorf des Zillerthales und Straß das erste des Innthales, das wir beiläufig um 7 Uhr Abends erreichten. Eben vergoldeten die letzten Strahlen de untergehenden Sonne den weißen Kalkgipfel des Sonnenwendjoches, der sich jenseits der grünen Wellen des Innstroms gerade so hinstellte, um sein Auge unverrückt auf alle Gegend von Schlitters bis gegen Zell hinauf heften zu können, so recht wie ein Wächter des Thales auf hoher Warte stehend.

Nach allen diesen einzelnen Zügen und fragmentarischen Bemer-kungen wird meinen freundlichen Lesern etwas Allgemeines über das Zillerthal vielleicht nicht unwillkommen sein. Das Zillerthal war, wenn ich meinem Gewährsmann folge, schon im achten Jahrhunderte be-wohnt, und wurde im Jahre 889 durch Kaiser Arnulf, den vorletzten Karolinger in Deutschland, dem Erzbisthum Salzburg zum Geschenke gemacht. Doch erscheint später der salzburgische Antheil dieses Thales durch tirolische Besitzungen mehrfach beschränkt und unterbrochen. So war z. B. Kropfsberg, ein mächtiges Schloß dicht neben der Thalmün-dung, dann Fügen, Zell, Meyerhofen und Vorderdur salzburgisch, da-gegen Schlitters, Stumm, Hippach und Hinterdur tirolisch. Dieser Zu-stand blieb bis zur Aufhebung der Souveränität des Erzstiftes Salz-burg, wobei das Zillerthal, mit Tirol vereinigt, an die Krone Baierns fiel und nach der Rückkehr Tirols unter die österreichische Herrschaft von diesem Lande nicht wieder getrennt wurde. Es gehört auch in geo-graphischer und jeder anderen Beziehung vollkommen dahin: es mün-det in das tirolische Innthal, liegt Innsbruck viel näher als Salzburg, und ist mit diesem direkt nur mittelst eines hohen, blos für Fußgänger praktikablen Jochüberganges verbunden. — Das Thal erfreut sich eines guten, milden Klima's und der Mais gedeiht bis Zell hinauf; aber es ist auch ein schönes, fruchtbares, von zerrissenen, unwirthlichen Theilen nirgends gequältes Land. Den breiten Thalgrund und den Fuß des

Gebirges, so wie auch manche höheren sonnigen Abhänge, wie nament=
lich am Hartberge, bedeckt einträgliches Ackerland, der mittlere Theil
der Thalhänge trägt dichte Wälder und Heimwiesen, und auf den Hö=
hen bis zu den Kämmen hinauf grünen die herrlichsten Alpen und lie=
fern die Mittel zum lohnendsten Betriebe der Viehzucht, die immer die
Hauptnahrungsquelle der Einwohner bildet. Diesen aber ist in neuerer
Zeit manches Unrühmliche nachgesagt worden, und Staffler, der sehr
verdienstliche Topograph Tirols, der sie zwar auch mit den Epitheten :
kräftig, schön, heiter, lebenslustig, scherz=, tanz= und gesangliebend be=
zeichnet, hat manche Schattenseite ihres Charakters hervorgekehrt. Sein
Urtheil ist vielleicht allzu herb, und auf jeden Fall viel zu allgemein
ausgesprochen. Ich habe zwar nie im Zillerthale, aber doch manches
Jahr lang in Tirol gelebt, habe während dieser Zeit manche Beschwerde
über das Zillerthaler Völklein vernommen, die Gründe dazu aber nur
selten triftig genug gefunden, um so harte Auflagen zu rechtfertigen,
wie sie im Lande Einer dem Anderen gedankenlos nachbetet. Es ist
allerdings wahr, daß sich überall im Thale, und besonders bei Uderns
und Fügen, schon äußerlich an den Wohnungen ein Luxus kund gibt,
der anderwärts im Lande nicht angetroffen wird. Die Häuser sind oft
sehr groß, weichen nicht selten von der üblichen Bauweise des Thales
gänzlich ab, und gleichen hie und da viel eher zierlichen Villen, als den
Behausungen einfacher Bauersleute. Derselbe ungewöhnliche Aufwand
soll sich ferner auch oft in der häuslichen Lebensweise dieser Leute offen=
baren und auf Bedürfnisse deuten, die in den übrigen Thälern, und
selbst bei den ärmeren Bewohnern des Zillerthales nichts weniger als
gekannt sind. Auch wird häufig über die zunehmende Verschlimmerung
der Sitten geklagt, u. z. nicht allein über die sinkende Redlichkeit im
öffentlichen Verkehr, wobei ein schlaues Uebervortheilen, List und Raffi=
nement an die Stelle der schlichten, geraden Wahrheit getreten sein
soll, sondern es steht auch die geschlechtliche Moral des Zillerthales in
Verruf, und die schönen Zillerthalerinnen werden im Allgemeinen nicht
eben als blanke Tugendspiegel betrachtet. In welchem Maße nun diese
Dinge wahr und in welchem sie übertrieben sind, könnte nur ein län=
geres Verweilen unter diesem Volke lehren, das Wahre aber dürfte
dann nicht beschönigt, sondern mit jenem Tadel belegt werden, den es

verdient. Ich bin der Meinung, daß dies und jenes übertrieben worden, und daß die Zillerthaler zwar nicht besser, aber auch nicht um Vieles schlechter sind als Andere; nur sind sie im Ganzen etwas klüger, etwas gewandter, etwas welterfahrener und um Vieles fröhlicher als die übrigen Landbewohner Tirols. Andererseits aber mag hier die Bemerkung am Platze sein, daß sich der Charakter eines Volkes naturgemäß aus den Umständen entwickelt, unter denen es lebt. Unter diesen Umständen nehmen die physikalischen Verhältnisse des Bodens den ersten Platz ein. Der Mensch kann nirgends aus dem Zusammenhange mit der Natur heraustreten, und aus ihr, und in gewissem Grade auch aus der Erziehung, entstammen seine Eigenthümlichkeiten in Körper und Geist. Der Franzose ist heiter, der Brite hat seinen Spleen, der Holländer ist phlegmatisch, der Skandinavier kalt und ernst, der Russe schwerfällig und kriecherisch nach Sklavenart, der Magyar phantastisch, der Türke faul, der Grieche besaß einst den reinsten Sinn für Schönheit und Rhythmus, der Italiener hat diesen Sinn jetzt, der Nordamerikaner ist unruhig und beutelustig — alles deshalb, weil die physikalischen Bedingungen seiner Existenz in erster, und die gesellschaftlichen Verhältnisse in zweiter Linie, ihn so werden ließen, wie er ist. Es wäre übrigens vielleicht unschwer nachzuweisen, daß auch die sozialen Einrichtungen, ihren Hauptzügen nach, Ausflüsse der Physis des Landes sind, in denen sie gefunden werden. — Das Zillerthal ist ein freundliches, liebliches Thal; da gibt es nirgends wilde, einsturzdrohende Engen, finstere Wände von nacktem Gestein, verderbliche Murrbrüche, donnernd herabbrechende Lawinen und schreckliche Eiswüsten, die Leben und Besitz der Thalbewohner unablässig in Frage stellen, ihre Gedanken zurückstauen in die eigene Brust, und sie zu trübem Ernste und sorgenvoller Beschaulichkeit nöthigen. Im Gegentheil, hier strotzt die Natur in Kraft und Lebensfülle, und wie eine Freundin steht sie den Bewohnern helfend zur Seite; sie bietet ihnen fröhlich was sie fordern, weckt auf den blumigen Almen die Freude in ihren Herzen, umgibt sie überall mit Schönheit, Lust und Sonnenschein, und hemmt nirgends die Freiheit ihrer Bewegungen. Von daher der heitere Sinn und der frische Lebensmuth des Zillerthalers, von daher seine Neigung zu Tanz, Gesang und spöttischem Witz, dem er am liebsten in den munteren

17

Schnaderhaggen einen bithyrambischen Ausdruck leiht. Aus dieser Fröhlichkeit stammt denn ein großer Theil jener Fehler, die man ihm zur Last
legt. Ist sie mit Jugendkraft gepaart, so entsteht freilich leicht, wenn
die Erziehung keine Schranken setzt, jene trotzige, muthwillige Kampflust, um derentwillen die Zillerthaler „Buben" im Lande eine nicht eben
schmeichelhafte Berühmtheit besitzen, und die besonders in früherer Zeit
häufig genug zu jenen, mit eisernen Schlagringen unterstützten, pugili-
stischen Zweikämpfen führte, bei denen das Blut oft in Strömen floß,
Nasen und Ohren abgebissen und Augen aus ihren Höhlen herausge-
dreht wurden. Diese üble Sitte hat indeß beträchtlich abgenommen, und
die vorschreitende Volksbildung wird zu ihrer gänzlichen Ausrottung
gewiß mehr beitragen, als alle obrigkeitlichen Verbote und der in diesem
Falle gegründete Tadel der Auswärtigen. — Das Zillerthal ist stark
übervölkert und nährt schon seit längerer Zeit nicht alle seine Bewohner
mehr auf natürlichem Wege, und dies ist eine weitere Quelle morali-
scher Uebelstände. Die Noth aber macht erfinderisch, und ließ die Leute
hier auf allerlei Mittel verfallen, sich die Existenz zu sichern. Erst griffen sie zum Oelhandel, indem sie allerlei aromatische Fettsubstanzen
und offizinelle Kräuter in die Welt hinaustrugen und absetzten; aber
dieser Handel erlosch schon vor vielen Jahren, als nämlich die Phar-
makologie auf rationellere Beine gerieth und den guten Zillerthalern,
mit ihren hypothetischen und oft leider auch verfälschten Heilmitteln,
davon lief. Nachher kam, um die Mitte des vorigen Jahrhunderts be-
ginnend, die Kolportation von Handschuhen, Hosenträgern, Lederta-
schen und dergleichen Dingen mehr, die noch heut zu Tage schwunghaft betrieben wird, und einen zwar kleinen, aber sicheren Gewinn ab-
wirft. Dazu gesellte sich später der Handel mit Rindern und Schafen,
der, oft bis nach Rußland hin ausgedehnt, den Glücklichen in Eile zu
einem reichen Mann machte. Von sekundärer Wichtigkeit ist der Absatz
einiger im Thale vorfindlicher Mineralien, als: Granaten, Asbest, und
andere Spezies für Sammlungen. In jüngster Zeit endlich hat sich das
Sängerwesen als eine einträgliche Erwerbsquelle herausgestellt, in welcher Beziehung die Rainer'sche Gesellschaft aus Fügen, und die Geschwi-
ster Leo aus Zell europäische Berühmtheit erlangten, und ihre Lieder,
Jodler und Schnaderhaggen durch ganz Deutschland, Frankreich, Eng-

land, Schweden und Nordamerika erklingen ließen, von weniger bekannten Gesellschaften gar nicht zu reden. Andere mehr seßhafte industrielle Bestrebungen der Zillerthaler dürfen hier auch nicht verschwiegen
werden; es gibt unter ihnen treffliche Holzschnitzer, welche oft Arbeiten
liefern, die als Kunstwerke betrachtet werden können, in welcher Hinsicht die
beiden Franz Rießl und Anton Huber aus Fügen zu ehrenvoller Be-
kanntheit sich aufschwangen; der Nadelfabrik im gräfl. Dönhoff'schen
Schlosse zu Fügen habe ich oben bereits Erwähnung gethan, und seit
wenigen Jahren hat sich in Johann Einhauser von Uderns ein sehr ge-
schickter Sticker aufgethan, der mit der biegsamen Hornsubstanz der
Pfauenfeder schwarzes Lackleder benäht, allerlei Dinge, als z. B. Gürtel, Lederbeutel, Reisetaschen, Tischdecken, Pferdegeschirre u. s. w.,
mit höchst artigen und kunstvollen Stickereien schmückt, und für seine
bereits fabriksmäßig betriebene Produktion selbst in Paris und London
einen ergiebigen Markt gefunden hat. — Alle diese verschiedenen Mittel des Erwerbes wurden hier ganz aus demselben Grunde ergriffen,
aus welchem viele Tausende von Bewohnern des Oberinn- und Lech-
thales, des Bregenzerwaldes, der Thäler von Montafon, Patznaun,
Gröden und Tefereggen zeitweise aus dem Lande wandern, um theils
durch ihrer Hände Arbeit, theils durch den Handel mit Kinderspielzeug
und Teppichen, sich jenes Dasein zu fristen, das der kärglich zugemessene
und unwillfährige Boden ihrer heimatlichen Berge nicht zu fristen vermag. Was nun bei diesen natürlich und erlaubt scheint, sollte bei den
Zillerthalern getadelt werden dürfen? — Auf diese Weise kommt es
nun, daß mancher „Handler" von Uderns oder Fügen, dem es an dem
nöthigen Witze nicht gebricht, und der meist von Haus aus ein aufge-
weckter und, seiner munteren Laune wegen überall gern gesehener Geselle ist, nach Jahren mit gefülltem Säckel heimkehrt, des Wanderns
müde sich zur Ruhe setzt, und jetzt sein Hauswesen so bestellt, wie er es
auf seinen Reisen als zweckmäßig und besser erkannt hat. Aber das
Neue ist nicht immer schlecht, und nirgends mehr als in Tirol geht die
Kritik dem Neuen hart zu Leibe, und verunglimpft es, weil es etwas
Anderes oder weil es nicht heimischen Ursprunges ist. Daß dann die
Leute hier im Thale vom Nothwendigen oft auch andere, weitere Begriffe als die landesüblichen nach Hause mitbringen, und daß sie leider

17 *

häufig auch manche unlautere Gesinnung und manches Laster kennen
gelernt und in sich aufgenommen, das auf dem Wege des Beispiels
übel weiterwirkt, ist begreiflich; aber all das ist die unausweichliche
Konsequenz der verhältnißmäßig allzu reichlichen Bevölkerung des Thales, und verdient deßhalb in seinen Ursachen gewürdigt und theilweise
entschuldigt zu werden. —

Doch nun wieder nach Straß zurück, wo ich mich plötzlich in der
unvermutheten Anwesenheit eines anderen, in dem k. k. Hüttenwerke zu
Jenbach angestellten Schwagers befinde, und mir unter heiterem Geschwätz und dem labenden Anblicke der herzigen Tochter des Hauses
den trefflichen Wein gut schmecken lasse. Als es zu dämmern begann,
ward nach Jenbach hinüber promenirt, was ungefähr eine Stunde Weges austrägt, und der fröhliche Abend im Kreise dortiger k. k. Eisen-
männer, worunter ich Beamte des Hüttenwerks verstehe, gemüthlich zu
Ende gebracht.

Der nächste Tag war einer Exkursion nach dem Achensee bestimmt
und der Weg dahin, nach vorhergegangener Besichtigung aller Theile
des erwähnten Hüttenwerkes, in Gesellschaft meiner beiden Schwäger
um 9 Uhr Morgens angetreten. Und es ging bequem aufwärts, denn
wir durften nur der Landstraße folgen, die über Jenbach und an dem
Achensee vorüber nach Kreuth, Tegernsee und München führt. Diese
Straße ist überhaupt eine der vorzüglichsten Verbindungen Tirols mit
der baierischen Hauptstadt, nur ist sie, verglichen mit der eigentlichen
Poststraße über Seefeld und Mittenwald, etwas länger, aber gewiß
schöner und reizender wie diese. Jedenfalls bleiben diese beiden Ein-
schnitte in die tirolischen Kalkalpen, über welche nämlich die genannten
Straßen nach Baiern durchbrechen, wegen ihrer geringen Meereshöhe
merkwürdig. Die mittlere Kammhöhe des Gebirges kann für die Gegend bei Seefeld mit 6500, und für jene um den Achensee herum mit
6000 Fuß angenommen werden, obgleich sich hier wie dort einzelne
Bergspitzen häufig bis zum Niveau von 7000 und 8000 Fuß, und
selbst bis über 9000 Fuß Höhe erheben; dies ist namentlich bei dem
Brandeck, dem Numerjoch, der Seegrubenspitze, dem Sonnen- und
Sonnenwendjoch der Fall, welche die Höhe von 7000, dann bei dem
Hochmundi, der Edkor- und Speckkorspitze, welche die von 8000 Fuß

übersteigen; der hohe Solstein endlich ist gar 9393 Fuß hoch; selbst
die wenigen in dieser Strecke vorhandenen Jochübergänge sind beträchtlich höher; so liegt die höchste Stelle des Lamsenjoches nördlich von
Schwaß 6124, und des Stempeljoches bei Hall 7083 W. F. über dem
Meere. Und dennoch schneidet der Straßenübergang bei Seefeld bis zur
Tiefe von nur 3760, und jener bei Jenbach bis auf 3120 W. F. in
diese Bergkette ein, welche Zahlen, verglichen mit der Höhe der Thal-
punkte unterhalb, von welchen aus die Straßen emporsteigen, dort einen
Niveauunterschied von 1800, hier nur von 1300 Fuß liefern. — Hieraus ergibt sich aber auch die bessere Qualifikation der Achenthaler
Passage für den Durchbruch nach jenseits, wozu noch die geringere
Steilheit des Abhanges tritt, während die Schroffheit des Gebirges
zwischen Zirl und Seefeld die Straße zu manchen Serpentinen und zu
schrägem und daher längerem Ansteigen nöthigt, während von Jenbach
weg auch noch ein zum Joche führender Thaleinschnitt der Führung
des Weges zu Hilfe kam.

Wir gingen gemächlich entlang der Straße aufwärts, schnitten wohl auch hie und da durch den Wald ein Stück Weges ab, und erreichten nach etwa anderthalb Stunden den Weiler Buchau, wo der
schöne See mit seinem dunkelblauen Wasser und seinen stolzen, berges-
hohen Ufern, mit dem lieblichen Pertisau jenseits und der düsteren felsigen Wildniß dahinter, in träumerischer Ruhe vor uns lag. Er glich
der Seele eines Heiligen, die, wenn sie in stille Andacht versunken, der
Engel des Friedens durchzieht und in ihrer reichen Tiefe den Himmel
der Verheißung widerspiegelt. Hier am Anfange des Sees — sein Abfluß geht nämlich hinüber gegen die baierische Seite — umfängt ihn
halbkreisförmig ein breites, herrlich grünes Wiesenband, das selten
gelbe Kornfelder unterbrechen, und auf welchem die eilf Höfe von Buchau stehen. Am Seestrande selbst lagert im kühlen Wasser schwirrendes
Rohr mit gelben Fahnen, bis wo ihm die zunehmende Tiefe des Grundes eine Grenze setzt. Von der Höhe schauen einige starre Kalkgipfel
mit lockerem Grase überstreut ins Thal nieder, und rechts drüben, von
der Seite des Innthales her, blickt das stattliche Kirchlein von Eben,
das die Reliquien der h. Nothburg, der Schutzpatronin aller frommen
und treuen Mägde, birgt und als Wallfahrtsort häufig besucht wird,

wie ein, nach dem befferen Jenfeits zeigenber, Finger des Glaubens zu uns herab. *) Kurz, es ift eine Szene, an der ein fühlendes Herz feine Freude haben kann. Nun war aber unfer Sinn nicht auf das Verbleiben in dem Weiler von Buchau, fondern, nebft der Freude an dem fchönen See, ben wir in feiner Ganzheit genießen wollten, auch nach bem Wirthshaufe ber Scholaftifa gerichtet, bas am unteren Ende vorliegenden Gewäffers fteht, und von bem fich, feinem Rufe nach, erwarten ließ, es werde dem See Ehre machen. Wir pochten daher an der Thür eines Buchauer Hofes an, und verlangten nach einem Boote fammt Fährmann, ber uns fetzen fonnte an das gewünfchte Land. Das Boot fam wohl, aber fein Fährmann, fondern an feiner Statt erfchien eine Frau, eine blaffe, nichts weniger als robuft ausfehende, ehrlich blickende Geftalt, die fich bereit erflärte, uns zu führen wohin wir begehrten. Sie, die arme Frau allein, wollte uns drei Männer von Gewicht zwei Stunden lang fortrubern in dem plumpen Boote! Und fie that es auch, trotz aller vorhergegangenen Protefte, mit einer fo geduldigen Ausdauer und mit fo viel anfpruchslofer Befliffenheit, daß es uns bald lebhaft rührte, wir abwechfelnd zu den Rudern griffen und wacker mithalfen. Diefes gute, fanfte Weib ift gewiß eines von denjenigen, denen die im hiefigen Gebirge vorzüglich gerne haufenden Bergmännchen wohlwollen, ihren Rudern unfichtbar nachhelfen, und fie überall mit Wohlthaten begünftigen, wie es ihre Art ift gegen alle frommen, ehrlichen Leute im Thale. Die Bergmännchen find eine eigenthümlich gutherzige und witzige Race von guten Geiftern, die ihre Leute, bevor fie fich zu einer Gunftbezeigung gegen diefelben entfchließen, erft auf eine tüchtige, oft fehr humoriftifche Weife prüfen, und fie bann mit Wohlthaten in weifer Art bedenken. Sie find durchaus nicht fo unflug, ihren Günftlingen volle Töpfe mit Dukaten in den Weg zu ftellen, oder ihnen ein forgenfreies Leben zu bereiten; plötzliches Glück verdirbt die fchwachen Menfchen, das wiffen fie aus vieltaufendjähriger Erfahrung. Dafür aber entfernen fie von ihnen den Keim der Krankheit, befchützen ihr Vieh und ihre Ernten, lenken das Blei des frommen Schützen unvermerkt dem Ziele zu, und führen auch wohl Diefen oder Jenen zur Entdeckung einer nicht allzu reichlich beftellten Erzdrüfe. Auch unterlaffen fie es nicht, fchwierige Bedingungen an die Fortdauer ihrer Wohlthaten zu knüpfen, um dem Uebermuthe einen Damm zu legen und, trotz alles Glückes, die Demuth des Herzens zu erhalten. — Man sieht hieraus, welchen tiefen Sinn diese harmlosen Märchen nicht selten einschließen, und wie klar sich in ihnen des Volkes Denk= und Gefühlsweise abspiegelt; dem Unverstand und der trockensten Beschränktheit aber konnte es allein nur einfallen, diese naiven Blüthen des Volksgeistes als Aberglauben zu erklären und in den Bann zu legen.

Der Spiegel des Achenthaler Sees liegt 2961 Fuß über dem Meere, also nur um etwa 150 Fuß tiefer als der höchste Punkt der Straße am Sattel, von dem er auch kaum eine kleine Viertelstunde entfernt ist. Er hat eine Länge von einer und einer halben, und im höchsten Falle eine Breite von einer Viertel=Meile. Seine Tiefe ist fast durchaus bedeutend, und in der Nähe der Kapelle unfern Buchau, wo die Straße hart am Ufer vermittelst einer Brücke über den tiefeingeschnittenen Runst eines kleinen Baches setzt, soll mit einer 600 Fuß langen Leine der Grund nicht erreicht worden sein. Die Ufer sind durchaus, mit alleiniger Ausnahme der zwei Stellen am Anfange und Ausgange des Sees, steile und stellenweise fast senkrecht abstürzende Kalkwände, die sich unter der Oberfläche des Wassers zu einem tiefen Thale vereinigen, das von den Abflüssen des Gebirges, und namentlich von dem bei Pertisau einmündenden Falzthurnbache, ausgefüllt wurde. Der See ist schön, doch keiner von den schönsten, und kann an Großartigkeit weder mit dem Hallstädter= noch mit dem Königssee bei Berchtesgaden, und an Lieblichkeit eben so wenig mit dem Traunsee bei Gmunden, noch mit dem Kochel=, dem Walchen= und Tegernsee verglichen werden. Seine Ufer sind einförmig und unbelebt; er ist eben nur ein kleines Stück ernster, wassererfüllter Wildniß. Aber in einem Punkte übertrifft er alle anderen Seen, die ich kenne, und das ist die wunderbare Bläue seines Wassers, die nicht vom Firmamente herrührt, wie wir anfangs glaubten, sondern eine unveränderliche Eigenschaft des Mittels ist, aus dem er besteht; denn als wir heimkehrten, hatte sich der Himmel mit Wolken bedeckt und zeitweise floß ein leichter Sprühregen nieder, demungeachtet wurde der See immer blauer und nahm zuletzt, als des Regens wegen das Licht am schwächsten war, eine dunkle Indigofarbe an. — Die Scholastika, so nennt man nämlich, Besitzerin mit Besitz ver-

wechselnd, gemeinhin dieses Gasthaus, hielt auch uns gegenüber ihrem
Rufe Wort, und sorgte durch die Passagiere des durchziehenden
Stellwagens, der hier Mittagsstation hält, auch für anderweitige
Unterhaltung. Um 2 Uhr traten wir wieder unsere Rückfahrt an, und
trafen schon um 5 Uhr in Jenbach ein, von wo wir dann, in Gesellschaft des Herrn von B...., derzeit Direktor dieses wichtigen ärarischen Etablissements, unter dem aufheiternden Einflusse eines herrlichen
Abends zu Fuß nach Schwaz wanderten, wo wir die Nacht und die
größere Hälfte des folgenden Tages zubrachten.

An dem Morgen dieses Tages ruhten wir erst viel aus von den
Mühen der Vergangenheit, und schlenderten dann mit Muße nach
der Burgruine von Freundsberg hinauf, um ja keine Merkwürdigkeit
in Stadt und Gegend zu versäumen. Das Schloß der Freundsberge ist
jetzt ein zerfallendes Gemäuer, auf dem Gras und Unkraut wuchert, und
von dem nur ein Thurm mehr aufrecht steht, der durch Staatsmittel
vor dem Einsturze bewahrt wird. Von hier also stammt jener berühmte
Ulrich Freundsberg, der treue Mann und starke Held, der seinem ritterlichen Kaiser das erste stehende Heer zusammenwarb und ordnete, dem
er das erste Kriegsreglement zur Richtschnur gab, und mit welchem er
so manchen glorreichen Sieg für seinen kaiserlichen Herrn errang. Wer
denkt nicht des Kampfes bei Pavia, wo er mit seinen Landsknechten zuerst die französischen Schlachtreihen brach und die Gefangennahme des
Königs herbeiführte? Er starb im Jahre 1528 als kaiserlicher Feld-
oberster, dem höchsten militärischen Range jener Zeit, und als Hauptmann der gefürsteten Grafschaft Tirol, in fast ärmlichen Verhältnissen,
weil seine Redlichkeit es verschmäht hatte, das Vertrauen seines Kaisers
zu mißbrauchen. U. Freundsberg wurde 1475 zu Mindelheim in dem
Jahre geboren, in welchem seine Eltern, die die Burg ihrer Väter, das
herrliche Freundsberg, dem münzreichen Sigismund im Tausch gegen
Petersberg und Sterzing einige Jahre vorher abgetreten hatten, auf
ihre schwäbischen Besitzungen zogen. Die Freundsberge erscheinen schon
im eilften Jahrhunderte als Dienstmannen der Grafen von Andechs,
nach deren Aussterben sie sich bereitwillig an ihre Nachfolger aus dem
Geschlechte der Grafen von Görz, und nach dem Aussterben dieser, an
Heinrich von Böhmen anschlossen. Hiedurch erhielt und vermehrte sich

ihr Besitz, im Unterinnthal, an der Salza, Isar, Amper und in Schwaben; im Jahre 1467 aber traten sie Freundsberg auf die obenerwähnte Weise an Herzog Sigismund ab und zogen später aus dem Lande. Sigmund taufte den Namen der Burg in Sigmundsfried um, und genoß von ihrem Söller bis zu seinem Tode des wundervollen Anblicks über ein Land, das zu regieren er müde geworden war. Nach seinem Tode gerieth Freundsberg in verschiedene Hände, bis es im Jahre 1788 wieder landesherrlich ward, was es zur Zeit noch immer ist. Außer einigen verrosteten Pickelhauben, Schwertern und Tartschen findet sich in dieser Burg von mobilen Dingen nichts, was auf ihr Alter und ihre einstmalige Bedeutung hinweisen könnte. Etwelche, auf Holz gemalte Wappen liegen in dem obersten Stockwerke des Thurmes herum, aber sie sind offenbar neueren Ursprungs und ohne Bedeutung.

Doch reicher noch als die historischen Erinnerungen floßen auf Freundsberg die Quellen der Schönheit, die dem prachtvollen Gelände umher, dem freundlichen Städtchen zu unseren Füßen, den Bergen gegenüber und dem oberen und unteren Theile des Innthals entströmten, zu einer wahrhaft entzückenden Wirkung zusammen. Wenn es wahr ist, daß der tägliche, oder allzu häufige Anblick des Schönen seinen Reiz abnutzt, so beweist sich die Wahrheit dieses Satzes bezüglich des Innthales besonders deutlich. Wer spricht da viel — wenn es nicht etwa ein Fremder thut — von dem pittoresken Werthe des Innthales, das doch bei Imst, Telfs, Innsbruck, Hall und Schwatz Punkte aufzuweisen hat, die von eben so hoher als großartiger Schönheit sind? Vor etlichen Wochen hatte ich bei meiner Rückkehr von Meran die erwünschte Gelegenheit, die Richtigkeit jener Bemerkung sehr lebhaft zu empfinden, indem mir der zwar um vieles ruhigere und kältere, aber auch ungleich imponirendere und ergreifendere Eindruck der Innsbrucker Gegend, verglichen mit jener bei Meran, eindringlich auffiel; und doch sah ich sie damals von der Seite des Berges Jsel, von wo aus sie sich bekanntlich in weit weniger günstigem Lichte präsentirt, als von der entgegengesetzten Seite, wo die prächtige, altarähnliche Waldrastspitze in das landschaftliche Bild eintritt. — Als wir auf Freundsberg standen, goß eben die Mittagssonne eines heißen Sommertages einen Strahlenkatarakt über Berg und Thal, und hüllte Alles ein in Licht und Glut.

Die vielschartigen Berghäupter gegenüber schienen alle schläfrig und
müde zu sein vom langen Aufrechtstehen, und das Thal unten blinzelte,
als wollte es einschlummern und Siesta halten bis es kühler würde;
das schöne Kloster Viecht auf dem sammtenen Thalgrund unten war
schon völlig eingeschlafen, wie seine gelehrten, seelsorgemüden Mönche
in ihren schattigen Zellen, und auch die vielen Dörfer umher wußten
nichts mehr von sich selbst und regten weder Arm noch Bein. Nur der
grüne Innstrom floß aus schuldiger Rücksicht für die Schiffahrt lustig
weiter, und seine Wellen hüpften und schimmerten, daß man es ihnen
ansah, sie seien frische Bursche aus dem Hochland, die ein wenig Hitze
nicht zu beirren vermag. Die Fernen aber in Ost und West hüllten sich
in violette Farben ein, als wären sie Amtszeichen der Erde, der Hohen-
priesterin in dem weiten Tempel des Allmächtigen.

Zögernd rissen wir uns los von dem Zauber dieser Stelle und
ließen es im Niedersteigen nicht unerwähnt, wie der alte Herzog Sigismund ein gescheidter Mann gewesen, und wie er, ohne eben ein Land-
schaftsmaler zu sein, den schönsten Punkt im Lande zu seinem Ruhesitz
erkoren. Vor einem Hause am Abhange des Berges sahen wir in dem
Schatten einer Linde ein altes Mütterchen sitzen, und ihr graues Haupt
stufenweise unter das sanfte Joch des Schlummers beugen; sie hielt
einen Kamm in ihrer Hand, mit dem sie den Haarwuchs ihres Enkel-
chens etwas in Ordnung zu bringen gedachte. Und auch die graue
Katze nebenan schien eben in holden Träumen befangen, und es bleibt
unentschieden, ob sie unbewußt in diesem Augenblicke nicht eine Schaar
Mäuse der delikatesten Sorte zu Grunde richtete. So lastete die Hitze
des Mittags auf jeder lebendigen Kreatur.

Dennoch ließen wir uns in unserem touristischen Eifer nicht ab-
schrecken und trockneten geduldig die Thränen ab, die, nicht die Augen,
sondern die Haut über den herrschenden heißen Föhnwind weinte. Das
Kapuzinerkloster liegt recht wie ein Asyl für Weltmüde unter dem traulichen Schatten mächtiger, uralter Bäume versteckt, und die Pfarrkirche
ist ein ernster, stattlicher Bau gothischen Styles aus dem fünfzehnten
Jahrhunderte; der Architekt war Lukas Hirschvogel aus Nördlingen,
und es zeugt sein Werk von dem Reichthum der Gemeinde zu einer
Zeit, wo der Bergsegen dieser Gegend in seiner Fülle stand. Damals

fand man schweres Silbererz in ganzen Fudern, das nicht allein den Landesherrn bereicherte, sondern auch manches vornehme Geschlecht, wie z. B. die stolzen Rottenburge, die Freundsberge, die Füger, Tänzel u. A. m. zu Macht und Ansehen brachte, oder ihren Wohlstand erhöhte. Tausende von Bergknappen arbeiteten zu jener Zeit in den Schwazer Silberminen, und erfreuten sich eines solchen Rufes von Geschicklichkeit, daß oft Schaaren derselben weit weg in fremder Herren Länder berufen wurden, um beginnende oder stockende Bergbaue in Gang zu bringen; es waren durchweg rüstige, kühne Gesellen, die auch wohl gelegenheitlich, wenn Noth an Mann war, auf den Ruf ihrer Landesfürsten zu Schwert und Lanze griffen, und den Feind, war es ein äußerer oder innerer, auf gut bergmännisch zu Boden schlugen. Die Reformation, der sie der Mehrzahl nach anhingen, brachte später den Geist des Aufruhrs unter sie, und war Schuld, daß sie mit verdienter Strenge angelassen und versprengt wurden. Von jenem Zeitpunkte datirt der rasche Verfall des Schwazer Silbergwerkes, von dem gegenwärtig auf dem Arzberge nur mehr schwache Reste bestehen; die Ausbeute beschränkt sich jetzt vorherrschend auf Eisenerze, u. z. auf Spatheisenstein, der in dem k. k. Werke zu Jenbach verarbeitet wird.

Doch nun wieder zur Pfarrkirche zurück, die in einem großen Altarbilde von Josef Schöpf, dem Tiroler Guido Reni, die Himmelfahrt Mariens darstellend, einen wahren Schatz besitzt. Man kennt die großen künstlerischen Schwierigkeiten dieses Gegenstandes; denn gerade hier muß die Mutter des Erlösers zumeist in der Würde der Himmelskönigin, und in der höchsten Verklärung ihres körperlichen Daseins erscheinen; dazu gesellt sich die heiklige Darstellung des Schwebens und Getragenwerdens, die in dem Künstler ein höchst feines Gefühl für die Mechanik der menschlichen Form voraussetzt, damit er nicht in seinem Bilde dem einen oder dem andern Elemente allzu viel Recht einräume. Drittens endlich ist die schöne und befriedigende Anordnung der Engelschaaren, die theils tragen helfen, theils anbetende Zeugen sind, ein Gegenstand großer Schwierigkeit; das sind denn konventionellerweise lauter dickleibige Kindergestalten, jede mit einem in seinem Ausdrucke wechselnden Kopfe, und alle insgesammt mit viermal so viel Armen und Beinen, die da alle Platz finden müssen und weder in unschöne noch unmögliche Stellungen gerathen dürfen. Man sieht hieraus, daß diese Aufgabe in dem Künstler, nebst dem Vorhandensein der übrigen mehr materiellen Bedingungen, einen eben so hohen Flug als großen Reichthum der Phantasie, eine tiefe religiöse Begeisterung, und eine vollendete Virtuosität in der Zeichnung erheischt. Josef Schöpf hat in seinem Bilde diesen Forderungen rühmlich Genüge gethan, nur ist sein Kolorit, obgleich zart und harmonisch, nicht so tief und glänzend, als es zu wünschen wäre. [10])

Schwatz selbst ist ein freundlicher Markt, der in seinen 208 Häusern 1219 Einwohner beherbergt. Das hier befindliche Provinzial-Strafhaus und die k. k. Tabakfabrik sind ansehnliche Gebäude, die der Ortschaft zur Zierde gereichen, doch hat sich diese, bei den geringen Quellen des Erwerbes, von dem allgemeinen Brande im Jahre 1809 noch immer nicht zu ihrem früheren Wohlstande erheben können.

Um 4 Uhr Nachmittags nahm uns ein Postwagen in seinen kühlen ledernen Raum auf, brachte uns in wenigen Stunden wieder nach Innsbruck zurück, und setzte damit dieser genußreichen kleinen Reise, inmitten der Meinigen, ein frohes Ziel.

—   — — —

Anmerkungen.

[1] Doktor Bürstenbinder war, wenn mein Gedächtniß mich nicht täuscht, aus Magdeburg gebürtig, und noch ein junger Mann voll Kühnheit und Stolz. Aber die Bergwanderung hat ihre Gesetze, denen sich nicht leicht jemand entziehen darf, wenn er nicht, besonders auf verrätherischem Gletscherboden, den größten Gefahren sich aussetzen will. Diese Gesetze hat nicht die Furcht oder irgend eine andere Ueberschätzung der Gefahr dictirt, sondern sie sind das Ergebniß jener Vorsicht, die durch die Erfahrungen vieler Jahrhunderte sich als nothwendig erwies. So pflegen sich z. B. bei dem Uebersteigen eines Gletschers, wenn frischer Schnee das Eis reichlich bedeckt, und in der Firnregion fast unter allen Umständen, die Wanderer mit einer langen starken Leine, die um die Mitte des Leibes oder um einen Arm geschlungen wird, mit einander zu verbinden, was deshalb geschieht, damit derjenige, unter dessen Füßen die oft dünne und eine tiefe Kluft überspannende Schneedecke zusammenbricht, an dem Seile erhalten und vor dem Sturze in einen mehr oder minder gefährlichen Abgrund bewahrt werde. Dasselbe geschieht auch bei dem Auf- oder Abklettern über sehr geneigte Eis- oder Schneehänge. — Doktor Bürstenbinder hatte in Gurgl zwei Mann als Führer für den Uebergang über den großen Oetzthalgletscher aufgenommen, die es nicht unterließen, ihn, beim Anlangen an dem Firnfelde des Gletschers, auf die Nothwendigkeit des Zusammenbindens mit dem Seile aufmerksam zu machen; er weigerte sich jedoch dieser Aufforderung Folge zu leisten, und hieß seine beiden Begleiter vorausgehen, um ihm durch den lockeren Firn bequeme Fußstapfen zu treten. Mit einem Male hörten die beiden Vorangehenden ein Geräusch hinter sich, und als sie sich umsahen, war Doktor Bürstenbinder bereits verschwunden, und stak, zwischen den Wänden einer Eiskluft eingeklemmt, in großer Tiefe fest. Unsäglich waren nun die Anstrengungen der beiden Führer, um ihren Schutzbefohlenen zu retten. Erst ließ sich der stärkere und kühnere von beiden am Seile in die Kluft hinab, band den Unglücklichen an sich fest und meinte auf diese Art ihn retten zu können, aber dem Manne oben versagten die Kräfte, er konnte einen Knoten im Seile nicht über den Rand der Kluft hinüberbringen, und mußte demnach die Last, die er nicht zu bewältigen vermochte, wieder in ihre frühere Lage hinabsinken lassen. Der Führer in der Kluft band sich jetzt los, ließ sich in die Höhe ziehen, und nun fuhr der minder kräftige Führer in die Kluft, band den Doktor abermals an das Seil, und schon waren beide der Rettung nahe, als das Seil plötzlich riß, und beide vereint noch um ein gutes Stück tiefer in den Abgrund hinabstürzten, als dies bei dem Doktor vorher der Fall gewesen. Nun schwebte auch der Führer unten in augenscheinlicher Lebensgefahr; doch dieser, ein kräftiger und gewandter Mann, arbeitete sich unter gro-

ßer Anftrengung, erft mit Hilfe feines Meffers unb ber eifenbefchlagenen Sohlen feiner Schuhe, unb bann mittelft ber oben gebliebenen Hälfte bes Seiles wieder zu Tag hinauf. Da jeboch jetzt alle vorhandenen Rettungsmittel erfchöpft waren, fo eilten beibe Führer fo fchnell als möglich in bas Dorf Gurgl hinab, unb kehrten in unglaublich kurzer Frift mit 12 Mann unb ben nöthigen Seilen wieder auf ben Unglücksort zurück; ber Doktor wurde nun ohne Schwierigkeit aus ber Kluft hervorgezogen; er ftammelte noch einige Worte, boch hatte bie Kälte feine Kräfte bereits fo weit aufgezehrt, baß er alsbalb in Bewußtlofigkeit verfiel, aus ber er wahrfcheinlich nicht wieder erwachte. Die Führer fchickten fich nun an, ihn ins Dorf hinabzutragen, ba fiel plötzlich bichter Nebel ein, ber bei längerem Verweilen auf bem ftunbenlangen unb ftarkzerklüfteten Eisfelbe ber ganzen Gefellfchaft leicht hätte Verberben bringen können. Die guten Leute entlebigten fich baher aller überflüffigen Kleiber, bebeckten bamit einen flachen Moränenblock, legten ben Unglücklichen barauf unb bebeckten ihn mit bem Refte ber Kleiber fo warm, baß, wenn er anbers noch lebensfähig gewefen wäre, er in biefer Lage leicht ben nächften Morgen hätte erwarten können; man fanb ihn jeboch tobt unb bie Kleibungsftücke, bie ihm zur Decke bienten, unverrückt. Die Gnabe Sr. Majeftät bes Königs von Preußen verlieh nachher ben beiben Führern, für ihre felbftverläugnenbe Thätigkeit, nebft einem Gelbgefchenke, bie golbene Verbienft-Medaille.

²) Die „faligen Fräulein" finb wohlthätige weibliche Genien, bie benjenigen Menfchen, bie fromm unb reinen Wanbels finb, gerne bienen, helfen unb fie befchützen. Ihnen ift bas Wilb bes Gebirges zu eigen, unb fie haffen bie frechen Schützen, bie mit töbtlichem Blei ihren Befitz antaften. Wenn ein Gemsjäger von ber Felswanb ftürzt unb feinen Tob finbet, fo haben bie „faligen Fräulein" es ihm angethan. Es finb auch Fälle vorgekommen, wo ein folches Bergfräulein mit irgenb einem bevorzugten Sterblichen in Ehebunb trat, Kinder zeugte unb ihrem Gatten ein Leben voll Glück unb Seligkeit bereitete. Die nächfte Indiskretion feinerfeits aber war hinreichenb, bie holbe Fee für immer aus feiner Nähe zu bannen. Von ganz verfchiebenem Charakter finb bie Norken: mißgeftaltete, häßliche Zwerge, bie ben Menfchen fowohl als ben „faligen Fräulein" übelwollen, befonbers letzteren, weil biefe bie Menfchen gegen ihre Tücken gerne in Schutz nehmen. Doch foll es ben Norken gelungen fein, in einer großen Schlacht bie „faligen Fräulein" gänzlich auszutilgen, weshalb feit jenem Unglückstage fie frei ihr Unwefen treiben unb bie Menfchen mit vielfachem Unglück heimfuchen. — Es befteht eine Sammlung von Märchen bes Deßthales von Babenfelb; Lubwig Steub in feinen „brei Sommern in Tirol" erzählt nicht minber hie unb ba mit gewohnter Anmuth eine biefer Sagen; weitere Beiträge biefer Art hat A. J. Hammerle geliefert, unb Martin Meyer in Innsbruck, beffen launige, volksthümliche Darftellungsweife bereits ben verbienten Beifall geerntet, ift jetzt baran, eine Sammlung von Volksfagen aus Tirol ber Oeffentlichkeit zu übergeben.

³) Dr. M. Stotter war Sekretär bes geognoftifch-montaniftifchen Vereines von Tirol, unb ein Mann von wahrhaft feltener Energie im Intereffe ber Wif-

fenschaft und der geologischen Durchforschung seines engeren Vaterlandes. Von ihm rührt das Werkchen: „Die Gletscher des Vernagtthales in Tirol und ihre Geschichte" her, eine Arbeit, die in der Gletscherliteratur einen wichtigen Platz einnimmt, und auch darnach geachtet wird. Dr. Stotter starb viel zu früh für die Wissenschaft und für seine Freunde, unter die auch ich mich zählen durfte, im Jahre 1848 auf dem Marsche nach den Grenzen des Landes, wo er, als Offizier einer freiwilligen Schützenkompagnie, an der Bekämpfung des welschen Feindes Theil zu nehmen gedachte.

*) Eine in dem Fremdenbuche auf der Kuratie zu Fend durch die Hand des vorigen Kuraten H. Arnold aufgezeichnete Notiz liefert ein merkwürdiges Beispiel britischer Exzentrizität. Es war im Sommer des Jahres 1850, als ein junger Engländer nach Fend kam und die Grille an den Tag legte, das Hochjoch ohne Führer zu übersteigen. Die Aufnahme eines solchen schien ihm, wahrscheinlich für die eigene Vorstellung von seinem Muthe, präjubiziös, und deshalb wollte er den Uebergang allein und nur mit der Karte in der Hand auffinden. Aber anstatt den Hintereisgletscher quer zu überschreiten und dann jenseits die Höhe des Neußberges zu gewinnen, ging er auf dem Gletscher weiter, in der Richtung gegen die Jnnquellspitze, verfehlte sonach den Weg gänzlich, fand zuletzt keinen Ausweg, und kehrte Abends wieder zur Hintereishütte zurück, wo er die Nacht über schlief. Am nächsten Tage ging er von neuem an die Ausführung seines Vorhabens, schlug wieder dieselbe falsche Richtung ein, verirrte sich zwischen den Klüften im hintern Eise und stürzte zuletzt in eine derselben. Mit Hilfe seines Taschenmessers, mit dem er Stufen in die Eiswände schnitt, gelang es ihm jedoch, sich aus dieser engen und kalten Haft zu befreien, doch hatten aber diese Anstrengungen seine Kräfte so erschöpft, daß er spät Abends und sprachlos vor Ermattung wieder bei der Hintereishütte anlangte, wo ihm die beiden Hirten etwas Branntwein einflößten und für die Nacht ein bequemes Ruhelager bereiteten. Des nächsten Morgens fühlte er sich etwas besser, doch bemerkte er jetzt mit Schmerz, daß er aus seiner ledernen Packtasche, bei Gelegenheit als er in der Kluft das Messer hervorholte, einige höchst wichtige Papiere verloren hatte, auf denen nichts Geringeres als verschiedene Partien verzeichnet waren, die er in diesem Jahre in Tirol und in der Schweiz noch auszuführen gedachte. Er bewog nun die beiden Hirten, allsogleich sich zur Aufsuchung dieses Schatzes auf den Weg zu machen. Aber all seiner Andeutungen zum Trotz, konnten sie die ominöse Kluft nicht auffinden, und kehrten daher erfolglos zurück. Am Morgen des vierten Tages war der unternehmende Brite wieder so weit hergestellt, daß er seine Reise fortsetzen konnte, aber auch jetzt noch lagen ihm die verlorenen Papiere so sehr am Herzen, daß er in eigener Person, jedoch diesmal mit Hilfe der beiden Hirten, ihre Auffindung versuchen wollte. In der Nacht war jedoch frischer Schnee gefallen und dadurch jede Spur des ihm betretenen Weges verwischt worden. Diese eigenthümliche Exkursion hatte ihm indessen vor allen Gletschern einen solchen Ekel beigebracht, daß er sofort auf dem weiten Umwege über Fend,

Zwiefelstein und das Timbeljoch, wo nirgends ein Gletscher zu überschreiten ist, Meran erreichte. — Hat das Benehmen dieses Briten manche grillenhafte und lächerliche Seite, so gibt es dafür von manchem ehrenwerthen Zuge Zeugniß, von einem stolzen Selbstvertrauen, und von einer Kühnheit und Thatkraft, die keine Schwierigkeit in Verfolgung des einmal gesteckten Zieles abzuschrecken vermag.

*) Die Höhe der Finailspitze ist bisher weder trigonometrisch noch barometrisch gemessen worden, was übrigens bei den meisten Gipfeln dieses großartigen Bergsystems der Fall ist. Die gemessenen Höhen sind folgende:

Die Wildspitze . . . . . . 11,911 W. F. trigon. Best.

„ Weißkugel oder hintere wilde
   Eisspitze . . . . . . 11,870 „ „ „ „
Der Similaun . . . . . . 11,424 „ „ „ „
„ hohe Fürst . . . . . . 10,752 „ „ „ „
„ Platteikogel . . . . 10,666 „ „ barom. „
„ Glockthurm . . . . . 10,578 „ „ trigon. „
Die Remsspitze . . . . . 10,186 „ „ „ „

aber es kann mit Bestimmtheit behauptet werden, daß nebst der Finailspitze am Hochjoch, noch die Innquellspitze westlich dieses Joches, dann alle Gipfel, in dem zwei Meilen langen Eisgrath zwischen der Weißkugel und der Wildspitze, dann im Gurglerthale, die Höhe von 11,000′ entweder übersteigen oder ihr sehr nahe kommen. Eben so gewiß ist es, daß der größte Theil der Bergspitzen um Fend, Heiligenkreuz, Zwiefelstein, Sölden und Lengenfeld, so wie jene zwischen dem Rofen- und Niederthal, im oberen Pitz-, Kauns-, Langtauferer- und Schnalserthal, das Maß von 10,000 Fuß erreichen und übersteigen. So erscheint z. B. vom Neußberg aus betrachtet der Platteikogel weit niedriger als die Schwarzwand, die Urkundspitze, der Prochkogel und noch andere Spitzen hinter und neben ihm; der Spiegelkopf, die Firmianschneid und der Schalfkogel im Niederthal stehen, von der Ferne gesehen, der Similaunspitze an Höhe nicht viel nach; von der Elevation des Joches bei Sölden habe ich im Texte bereits gesprochen, und ein Blick vom Jaufen aus läßt unzweifelhaft die größere Höhe der Hochwildspitze, gegenüber des Hohen Fürst, erkennen. Ich weiß zwar recht wohl, wie bedeutend das Auge im Schätzen von Höhenmaßen irren kann, doch liefern die schon bekannten Höhen gewisser Berge, die obere Vegetationsgrenze, die Schneehöhe und andere Umstände mehr, hinreichende Anhaltspunkte zu einer so oberflächlichen Schätzung, wie ich sie oben auszusprechen mir erlaubte. Im Uebrigen ist die ungeheure Massenhaftigkeit der Oezthaler Berggruppe durch die interessante Bemerkung Herrn v. Simony's dargethan, nach welcher, auf einem Flächeninhalte von 80 geog. Quadratmeilen, kein Punkt in diesem Gebirge anzutreffen, der niedriger wäre als 4000 Fuß; eine Erscheinung, die in Europa nirgends ihres Gleichen hat. Wenn die Schweiz auch höhere Bergspitzen aufweist, so ist dafür in Tirol eine weit größere Oberfläche mit sehr hohen Bergen bedeckt, eine

Oberfläche, die fast das ganze Land von der Zugspitze bis zum Monte Adamello, vom Ortles bis zum Großglockner umfaßt, und es ist gewiß, daß fortgesetzte Untersuchungen und Höhenbestimmungen den Alpen Tirols zu höheren Ehren verhelfen werden. Die eben im Zuge befindliche neue Triangulirung des Landes von Seite des k. k. Militär-Geographenkorps wird hiezu ohne Zweifel reichlichen Beitrag liefern.

⁶) Eine Galtalpe ist eine solche, die zur Weide desjenigen Viehes dient, das keine Milch liefert, und daher zur Sennwirthschaft ungeeignet ist. Es ist klar, daß nur die magersten Alpenreviere zu diesem Zwecke bestimmt werden. Die Wohnung der Hirten des Galtviehes heißt Galthütte, und sie ist gewöhnlich eine ärmliche, beschränkte Behausung, in der es fast an allem gebricht, was nicht ein Gegenstand der allereinfachsten Nothdurft ist. In der Regel wird den Galthirten bloß eine einzige Kuh zur Aufbesserung ihrer Nahrung zugewiesen.

⁷) Die „gefrorne Wand" gehört so gut wie der Olpererberg und der Alpeinerferner in Fals, einem hohen Bergzweige an, der sich am Pfitscherjoche, über welches man aus dem Zemm- und Zamserthale in das bei Sterzing mündende Pfitschthal gelangt, von der Centralkette ablöst und bei Finkenberg endigt; er hat die Thäler von Fals, Schmirn und Dur zur linken und das Zemmthal zur rechten Seite.

⁸) Aus dieser Gegend, d. i. aus Finkenberg, Meyerhofen und Hippach, stammte der größte Theil jener Sektirer, die es vorzogen, ihr schönes Heimatland zu verlassen und in die Fremde zu wandern, als sich zu einer der bestehenden Konfessionen zu bekennen. Es ist bekannt, wie viel Lärm dieses Ereigniß seiner Zeit in der Welt machte, und wie sehr man die Regierung verunglimpfte, weil sie in ihren Landen eine neue, auf unbestimmte, vage Vorstellungen gegründete Religionssekte nicht aufkommen lassen wollte. Freilich verdarb dabei der mißleitete Eifer einiger Organe Vieles, und vereitelte die Rückkehr der Verirrten in den Schooß der Kirche, von welcher falsche Lehren sie abgewendet hatten.

⁹) Die Legende der heiligen Rothburga ist zu schön, als daß ich sie jenen meiner Leser, die sie nicht schon kennen, vorenthalten dürfte. Die h. Rothburg wurde im Jahre 1265 zu Rattenberg von armen, aber redlichen Bürgersleuten geboren, die ihr nicht allein eine gottesfürchtige, sondern auch in soweit gute Erziehung zu geben wußten, daß Rothburg schon in ihrem achtzehnten Jahre als Schafferin in den Dienst der Herrin von Rottenburg nächst Straß eintreten durfte. Die Burg dieses berühmten und mächtigen Geschlechtes, von dem ein späterer Sprosse seine Hand, wiewohl vergeblich, nach der Krone des Landes ausstrecken konnte, und das schon im Jahre 1410 erlosch, stand auf einem steilen Hügel des rechten Innufers, etwa gegenüber von Jenbach, und ist lange schon in Ruinen. Die größte Freude der frommen Rothburg war die Unterstützung der Armen, wozu sie nicht allein ihren eigenen Lohn aufwendete und sich die Speise vom Munde abbrach, sondern auch von ihrer liebevollen Gebieterin auf das Beste unterstützt wurde. Ihre Frömmigkeit aber brachte dafür den Segen des Himmels unter das

18

Dach ihrer Herrschaft, deren Wohlstand immer mächtiger anwuchs, und deren Glück in guten und frommen Kindern und jedwedem andern Gedeihen sich kund-gab. Da starb Ottilie, die edelmüthige Hausfrau, und ihr folgte eine junge, hoch-fahrende Dame, die das Bettelvolk mit Abscheu vor dem Thore erblickte, es mit hartem Befehl forttreiben ließ, und Rothburgen jede Unterstützung der Dürftigen untersagte. Da ging die fromme Magd, was ihr Niemand wehren durfte, selbst in die Hütten der Armuth, und linderte die Noth mit ihren eigenen Ersparnissen so gut sie konnte. Bei solcher Gelegenheit geschah es, daß ihr eines Tages der Burgherr vor dem Schloßthore begegnete, sie rauh anfuhr und wissen wollte, was sie in ihrer Schürze trüge; aber anstatt des Brotes lagen, durch ein Wunder des Himmels verwandelt, Steine nur in dem Tuche. Da ergrimmte der Ritter, der dies für einen Spott der treuen Schafferin hielt und jagte sie aus dem Hause. Aber mit ihr entfernte sich von Rottenburg das bisherige Glück in jeder Art; Krankheiten begannen zu herrschen in dem Schlosse, Fehden mißlangen und keine andere Unternehmung wollte glücken. Da erkannten Herr und Frau zu spät, wel-chen Engel sie an ihrer frommen Dienerin verloren. Rothburg war mittlerweile bei einem Bauer in Eben eingestanden, und als man ihr da verwehren wollte, zur festgesetzten und von ihr ausbedungenen Stunde der Andacht obzuliegen, da warf sie die Sichel in die Höhe, und siehe da — diese blieb zum Zeugniß ihres Rechtes schwebend in der Luft hängen. Um diese Zeit erkrankte schwer die Dame auf Rottenburg und ihr Herz verlangte nach der Pflege der verstoßenen Magd; da ward diese von Eben zurückgeholt, und mit ihrem Erscheinen kehrte auch wieder der alte Segen im Schlosse Rottenburg ein und blieb bis Rothburga starb, was im Jahre 1313 geschehen sein soll. Und als sie auf dem Sterbebette lag, da stellte sie an ihren Herrn die Bitte, es möge ihre Leiche auf einen Wagen gelegt und dort beerdigt werden, wohin ihn ein Gespann ungebändigter Ochsen ziehen würde. Man that wie sie gewollt; das wilde Gespann nahm seinen Weg durch den Inn, dessen Wellen rechts und links stille standen und den Wagen ungefähr-det durchziehen ließen, und hielt endlich erst auf der Höhe des Dorfes Eben, wo jetzt die der Heiligen geweihte Kirche steht, und wo ihre irdischen Reste die gezie-mende Verehrung finden.

[19]) Josef Schöpf wurde im Jahre 1745 zu Innsbruck geboren und lernte bei Josef Bergler zu Salzburg. Besser als in seinen Oelgemälden ist sein Kolorit in den von ihm ausgeführten Fresken, unter welchen das Plafondgemälde an dem Portale der Johanniskirche auf dem Inrain zu Innsbruck besondere Erwähnung verdient. Er starb im Jahre 1822.

Eine Glocknerfahrt.

18 *

Eine Glocknerfahrt.

Fort über Berge, Seen und Ströme
Ging's nun, das Fabelreich zu schau'n,
Wo finst're Wolkendiademe
Des Atlas Riesenstirn umgrau'n.

F. v. Matthisson.

Vorwort. Abreise von Wien. Der Semmering. Bruck. Leoben. Schladming. Die Klamm. Hofgastein. Wildbad - Gastein. Besteigung des Gamskarkogels. In und um Gastein. Kötschachthal. Auf der Naus. Nachdem. Tauernhaus. Das Hochthor. Heiligenblut. Die Leiterhütte. Besteigung des Großglockners. Der Leitergletscher. Die Hohewarte. Die Adlersruhe. Erster Gipfel. Hauptgipfel des Großglockners. Rasttag in Heiligenblut. Erkarsen auf dem Pasterzengletscher. Von Heiligenblut nach Fusch. Fehrleiten. Dorf Fusch. Zell am See. Saalfelden. Salzburg.

Wieder war die Ferienzeit gekommen und mit ihr meine Furcht vor einer sechswöchentlichen Ruhe. Nun gibt es zwar viele redliche Leute, bei denen Ferien und Nichtsthun zusammengehörige Begriffe sind, und die die Ferien nur deßhalb als die angenehmsten Zeiträume des Jahres ansehen, weil sie solche mit Nichtsthun würdig auszufüllen im Stande sind. Diese Ansicht ist Geschmackssache, und wenn ich ihr nicht anhänge, so verdiene ich hierüber eben so wenig Tadel als Jene, die ihre Ferien allenfalls verschlafen, wozu sie, etwa aus Erholungsgründen, berechtigt sind. Kurz, ich meines Orts fürchtete die Ruhezeit, und hatte mir deßhalb in meiner Wohnung vorsorglich eine Last von Büchern zusammengetragen, zu deren Lektüre und Studium, nicht die gefürchteten sechs Wochen allein, sondern noch zwei bis drei Jahre mehr erforderlich gewesen wären. Als dann die Ferienzeit wirklich eintrat, las ich in der That in einem Tage mehr als sonst in einer Woche. Da aber keine andere ernstliche Beschäftigung diesem Lesen das Gleichgewicht hielt und ihm Reiz verlieh, so lief mein Geist gleichsam Sturm auf den Gegenstand meiner Lektüre, wodurch er sich den Genuß verdarb und mir die Augen blöde machte. Das um diese Zeit herrschende üble Wetter begünstigte wie natürlich diese Beschäftigungsweise ungemein.

So ward ich denn in meiner Ruhe immer unruhiger. Nur große Menschen vermögen es, der Zeit einen Inhalt zu geben; gewöhnliche verlangen, daß die Zeit diesen Inhalt mitbringe. Auch die Spannungen über die politischen Ereignisse des Tages hatten eben etwas nachgelassen, und nun freuten mich auch die langen Leitartikel in den Zeitungen nicht mehr — jene breitmäuligen politischen Kämpen, von denen jeder berufen ist, allein nur Recht zu haben und jeder Andersredende Unrecht. Die Russen, die um diese Zeit die Walachei und Moldau zu räumen begannen, ließen sich „aus strategischen Gründen" zu einer veränderten Aufstellung ihrer Streitkräfte herbei, und betrogen so die Türken um neue Lorberwälder und die aufhorchende Welt um viele pikante Neuigkeiten. Es wäre daher für mich nichts zu verlieren, sondern eher vieles zu gewinnen gewesen, wenn eine Fußpartie nach dem Schneeberge und in das Höllenthal, die ich mit meinem Freunde, dem Herrn Kanonikus H....., verabredet hatte, würde ausgeführt worden sein. Aber das Wetter, dessen unwirsche Launen kein Ende nehmen wollten, setzte sich unserem Projekte unablässig entgegen, bis wir es endlich gänzlich fallen ließen.

Dies geschah auf folgende Weise. Ich besuchte eines Tages meinen geistlichen Freund, und fand ihn wie gewöhnlich hinter einer mächtigen Barrikade von Büchern und Manuskripten am Schreibpulte; denn mein Herr Kanonikus ist, wie man weiß, Schriftsteller, und schreibt fortwährend interessante Bücher für fromme Magyaren. Er sah offenbar angegriffen aus, und eine auffallende Blässe deckte diesmal die Façade der Werkstätte seiner Gedanken. Seine stille, bienenfleißige Natur macht ihm Zeit und Arbeit zu identischen Dingen, und gestattet seinem Körper, den sie bloß als einen Gegenstand der Duldung betrachtet, keine anderen als nur die allgemeinsten Rechte. Diese Wahrnehmung machte mich auf die Zweckmäßigkeit aufmerksam, meinen gelehrten Freund auf einige Zeit seinen anstrengenden Studien zu entziehen, und ihn, durch den Genuß erfrischender Bergesluft und einen intensiveren Verkehr mit der Natur, mit neuen Kräften zu versorgen. Hiebei unterlief freilich etwas mein eigener Wunsch, einen mir noch unbekannten Theil unserer Alpen kennen zu lernen, und namentlich mein Verlangen den Pasterzengletscher zu sehen, der mir durch das

Werk der Gebrüder Schlagintweit über die östlichen Alpen, und durch meine eigenen Gletscherstudien so interessant geworden war. So kam es, daß ich meinem Herrn Kanonikus den Vorschlag machte, im Vereine mit mir, eine Exkursion in die Gasteiner- und Heiligenbluter Gebirge zu versuchen.

Noch sehe ich wie Se. Hochwürden, als ich dieses Projekt mit raschen Worten und in aller Einfachheit hinstelle, erst den Kopf bedenklich schüttelt, dann über die angebliche Extravaganz meines Vorschlages lächelt, nachher dessen Erläuterung begehrt, und diese mit sichtlichem Interesse entgegennimmt. Im Verfolge derselben hatte ich bald nicht mehr nöthig, viel von den Wundern und Freuden der Bergwelt, und von den heilsamen Wirkungen einer größeren Fußwanderung auf die Gesundheit zu sprechen. In weniger als einer Viertelstunde hatte ich seine Zustimmung gewonnen, aber nicht ohne daß ich den grausamen Vorwurf erdulden mußte: ich sei ein Verführer. Es ward sofort beschlossen, unseren Weg über den Semmering, über Bruck, Leoben und Rottenmann, dann durch das schöne Ennsthal nach Gastein zu nehmen, von da aus nach Heiligenblut zu wandern, und die Heimfahrt durch das Fuscherthal, über Zell am See, Berchtesgaden, Salzburg und Linz zu bewerkstelligen. Als Tag unserer Abreise ward, ohne weitere Rücksicht auf das Wetter, der 29. August festgesetzt. .

Ich freute mich herzlich über diesen improvisirten raschen Beschluß, nicht nur weil er mir die gewisse Aussicht bot, meiner Ruhe auf vierzehn Tage los zu werden, sondern auch weil er mir einen positiven Genuß, und bezüglich meiner Studien manche erwünschte Belehrung versprach. Das Vergnügen, die Erholung, ward jedoch als der Hauptzweck unserer Exkursion oben angestellt, und deshalb geflissentlich keine jener Maßnahmen getroffen, die uns von diesem Zwecke hätten ablenken können, was auch mit Rücksicht auf die kurze Dauer der Partie um so mehr angezeigt schien. Was daher in wissenschaftlicher Beziehung zu gewinnen war, durfte nur nebenher erreicht werden. — Als ich dann später mit etwas mehr Ruhe über die ungewöhnliche Geschwindigkeit nachdachte, mit welcher H...... meinem Vorschlage sich anschloß, da wollte es mir scheinen, als ob es es hauptsächlich mir zu Liebe that, worüber ihm dann mein Herz doppelt warme Empfindungen der Erkenntlichkeit widmete.

Dies trug sich ungefähr am 20. des Augustmonats zu, wornach noch etwa acht Tage übrig blieben, die ich zu den nöthigen Vorbereitungen für die Reise benützte. Erst bestellte ich bei Demmer ein Paar kostspieliger Bergschuhe, von deren Leistungen diese Erzählung später einen traurigen Bericht abstatten wird. Dann sorgte ich für eine gute Detailkarte jener Gebirgsgegend, und setzte alle erforderlichen Reiserequisiten in den besten Stand. So kam endlich der 29. August herbei, und mit ihm auch die gegründete Aussicht auf ein besseres Wetter. Nachdem noch der Abschied von den Meinen einen vorübergehenden Schatten in meine Seele geworfen hatte, flog der Eilzug um 7 Uhr Morgens mit uns von bannen.

Da die Erzählung, die nun folgen wird, kein pragmatisches Geschichtswerk werden soll, mit tiefen Blicken in die Vergangenheit und schlagenden Aufschlüssen über den Zusammenhang der Schicksale auf Erden, sondern bloß eine einfache Darstellung des Gesehenen und Erlebten, so wähle ich zu meinem Vortrage die chronistische Form, nämlich die eines Tagebuches.

***

Am 29. August 1834.

Als ich mich in einem Wagen der zweiten Klasse auf meinem Sitze gehörig etablirt hatte und mich um meine Nachbarschaft umsah, fand ich mir gegenüber einen F. v. S., Hofrath bei irgend einem Ministerium, und mir zur Seite dessen Tochter, ein blühendes Fräulein mit reichen Ringellocken, einem gewissen Fettglanz im Gesichte, und etwas profusen Dimensionen um den Nacken und den angrenzenden, etwas tiefer liegenden Theilen des Körpers. Sogar ihr Blick hatte gewissermaßen etwas Substantielles, Oelartiges an sich, was ihm eine eigenthümliche Milde verlieh. Doch das Alles kümmerte mich an sich wenig, und ich sage es nur im Vorbeigehen. Ihr Papa aber zeigte in seinen Reden sehr viel Bestimmtheit und Selbstbewußtsein, und schien die Hauptstärke seiner Dialektik in Behauptungen gefunden zu haben. Obgleich er stets nur Cigarren rauchte, so führte er dennoch einen herrlichen, goldgestickten, persischen Tabaksbeutel mit sich, den er für den Fall, als er unversehens etwa in Graz oder Laibach eine Pfeife rauchen sollte, vorsichtshalber immer vor sich auf den Knieen liegen hatte. Bis nach Baden pries ich diesen Beutel zweimal und wollte dies später noch einmal thun, wurde jedoch daran durch den Umstand verhindert, daß in der genannten Station unser Wagen zurückblieb, wodurch wir bei der Uebersiedlung in andere Wägen von unserer bisherigen Reisegesellschaft und von dem schönen persischen Tabaksbeutel getrennt wurden.

Ich bedauerte übrigens den Verlust dieses Wagens auch noch deshalb, weil ich darin einen Platz auf der linken Seite inne hatte, was sehr nothwendig ist, wenn man nachher von den Semmeringbauten irgend etwas zu Gesicht bekommen will. In dem neuen Wagen mußte ich mich mit einem Sitze auf der rechten Seite begnügen, was sich jedoch später dadurch ausglich, daß ich in Gloggnitz für die Bahnstrecke über den Semmering eine Karte für die erste Wagenklasse löste, wo ich mich der Gesellschaft eines sehr artigen Franzosen erfreute, der den Berg bereits zum vierten Male passirte, um sich seine Wunderbauten desto deutlicher zu imprimiren.

Der Wagen, nach welchem wir in Baden übersiedelten, hatte eine bei weitem dichtere und verschiedenartigere Bevölkerung. Da gab es k. sächsische Bergbeamte mit seltsam horizontalen Mützenschirmen, hohen steifen Halsbinden und singender Sprache — allerlei Offiziere, welche Romane lasen, worunter Paul und Virginie, endlich eine aus fünf Personen bestehende englische Familie, in deren Mitte mir das Fatum einen Platz anwies.

Und es war eine ganz nette Familie. Das Haupt derselben, ein stattlicher Gentleman, in den Fünfzigen stehend, hatte ein offenes, wohlwollendes Gesicht, und schien, sowohl nach dem etwas deklamatorischen Ton seiner Reden, als auch nach einigen seiner Bemerkungen zu schließen, dem geistlichen Stande anzugehören. Ein nicht minder stattliches und behäbiges Aussehen zeigte seine Frau, die, die Möglichkeit einer Irrung zugegeben, durch eine zarte Blüthe auf Nase und Wangen, als eine nachdrückliche Gönnerin des Weinbaues sich auswies. Die übrigen drei Mitglieder der Familie waren Miß Jenny, Miß Betty und Miß Mary — ich vermuthe nämlich, daß sie so hießen — die Töchter jener Beiden. Miß Mary, augenscheinlich die Jüngste unter ihnen, ist

282

etwa achtzehn Jahre alt, von großer Schönheit, hat etwas trotzige
Augen, und spricht französisch mit ziemlicher Geläufigkeit und Reinheit; — Miß Betty, die ihr im Alter zunächst steht, ist gleichfalls sehr
hübsch und lacht viel; — Miß Jenny endlich, ein freundliches Geschöpf
mit einem mehr interessanten Gesichtchen, hat schwache Augen und trägt
deshalb Brillen mit immensen grünen Gläsern, die sich, aus einiger
Entfernung betrachtet, wie große finstere Höhlen im Kopfe ausnehmen.
Niemand aber in dieser ganzen Familie zeigte in seinem Benehmen eine
Spur jener sprichwörtlichen englischen Steifheit und Abgeschlossenheit,
die die Söhne und Töchter Altenglands auf Reisen gewöhnlich so
widerwärtig macht.

Daß sich unter solchen Umständen eine lebhafte Konversation leicht
entwickeln könnte, ist erklärlich; ja es nahm dieselbe sogar recht bald
einen fröhlichen, scherzenden Charakter an. Die gleiche Kleidung der
drei Misses veranlaßte mich zu der Bemerkung, daß diese Fräulein uni-
formirt seien und sicherlich demselben Regimente angehören. Und es sei
ein schönes Regiment, so fuhr ich fort, in welchem nicht leicht jemand un-
gerne dienen möchte, und zu dessen Besitz ich seinem Chef nur gratuliren
kann; auch sehe ich im Geiste den Zeitpunkt schon ganz nahe, wo sich
in England die Offiziere für dieses Regiment finden, und es in einzelne
Kompagnien theilen würden. Dieser Scherz ward laut belacht, worauf Miß Jenny meine englische Aussprache lobte, was ich jedoch als
ein, bloß ihrer Güte entstammendes, Kompliment erklärte. Mit Papa
sprach ich auch über Politik; er behauptete: nichts sei natürlicher als
die Allianz zwischen Oesterreich und England, denn Oesterreich bedürfe
der Fabrikate Englands, und England kaufe die Naturalien Oesterreichs. Da dieser Standpunkt der Betrachtung mir etwas zu hoch und
sublim erschien, um meinem scharfsinnigen Gentleman darauf folgen zu
können, so ließ ich dieses Thema lieber fallen, und wendete mich zu den
Damen, die eben das Thema behandelten, daß allein in der deutschen
Sprache die Sonne des weiblichen und der Mond des männlichen Geschlechtes sei, da doch, so meinte Miß Betty, die der deutschen Sprache
ein besonderes Interesse abgewonnen zu haben schien, diese Vertheilung
mit der Macht und Weltstellung der benannten beiden Geschöpfe im
Widerspruch stehe. Hierauf erwiederte ich, daß die deutsche Sprache

hierin logischer verfahre als jede andere, denn mit Grund sei die Sonne bei uns weiblichen Geschlechtes, da sie Licht und Wärme über die Welt verbreite, und was den Mond anbelange, so sei auch der mit Recht ein Mann, denn gewiß wäre es unschicksam für eine Dame, sich so oft zur Nachtzeit außer dem Hause sehen zu lassen, wie dies eben bei dem Monde der Fall. Diese wohlfeilen Witze wurden enorm belacht, was denn auch auf die Verdauungsorgane dieser Familie so drastisch einwirkte, daß sie im Mürzthale, als ich eben die Schönheit der Gegend ihrer Aufmerksamkeit empfahl, nach ihrem Havresack griff, aus seinem Innern einen gebratenen Kapaun hervorzog, ihm mit blanken Waffen zu Leibe ging, und so rasch den Garaus machte, als stünde Altengland mit dem Geschlechte der Hühner, einer alten ungesühnten Schuld wegen, in dem schauerlichsten Verhältnisse der Blutrache. Auch ich mußte, alles Sträubens ungeachtet, an dem Vernichtungswerke Theil nehmen, zu welchem Ende mir ein sonst höchst delikater Flügel von beträchtlicher Größe dargeboten wurde. Als der Rachedurst — man könnte hier Rachehunger sagen — gesättigt war, gefiel Allen die Gegend vortrefflich, wobei noch nachträglich den vorzüglichen Eigenschaften des Wiener Milchbrotes, das, als wäre es ein naher Verwandter des armen Kapauns, mit diesem gleichzeitig geopfert worden war, rühmend erwähnt wurde.

Die Bahn über den Semmering ist ein Werk von einer Kühnheit und Großartigkeit, das alle meine Vorstellungen weitaus übertraf. Von Gloggnitz weg führt die Trace auf einem großen Umwege, allmälig ansteigend, erst gegen Payerbach zu, wendet sich hier auf dem Boden des Thales, erhebt sich sofort auf die andere Seite der Thalwand, und klimmt dann in unzähligen Serpentinen, die durch eine Zahl kleinerer Thäler bedingt werden, bis zur Höhe empor. Bald hängt sie an senkrecht abstürzenden Felswänden hoch in der Luft, und läßt den Blick dicht nebenan in schwindlige Tiefen sinken, bald durchbohrt sie die Masse des entgegentretenden Gebirges, als hätte sie, die eine Tochter des Lichts, eine Freude daran, sich in die tiefste Finsterniß zu hüllen, — bald schwebt sie wieder auf dem Rücken eines stolzen Baues, der in zierlichen, zwei- bis dreifach übereinander gestellten Bogenreihen eine tiefe Bergschlucht übersetzt. Hier folgt ein Tunnel nach dem anderen,

eine Brücke nach der anderen; nicht die Breite eines Fußes findet sich,
die nicht ein größeres oder kleineres Hinderniß zu überwältigen gebot.
Die oft meilenlangen Mauern, mit denen die Bahn gegen die Tiefe zu
gesichert werden mußte, überfliegt der Blick nur zu oft mit Unrecht,
weil sie keine Formen zeigen, die das Auge fesseln, und Gleiches widerfährt den mühevollen Absprengungen des Gesteins, von deren Umfang
die vielen Flecken auf den grauen Kalksteinwänden ein oft sehr groß-
artiges Zeugniß liefern. — Bis jetzt kennt die Welt keinen größeren
Sieg des menschlichen Geistes und der menschlichen Thatkraft über die
Hindernisse der Natur, als die Eisenbahn über den Semmering.

Aber nicht bloß großartig ist dieses Werk, es ist auch schön zugleich; alle Konstruktionen an Häusern, Biadukten, Tunnels u. s. w.
genügen nicht allein ihren materiellen Zwecken, sondern sie erfreuen
auch den ästhetischen Sinn durch die Leichtigkeit und Anmuth der Verhältnisse. Die Biadukte in der kalten Rinne und im Ablitzgraben überraschen eben sowohl durch die Kühnheit und Seltsamkeit der Anlage,
als durch den vollendeten Geschmack ihrer Architektur. Dabei trägt Alles
den Stempel der Festigkeit und Dauerbarkeit in so ausreichendem Maße,
und die Fahrt selbst geht mit so viel Ruhe und Sicherheit vor sich, daß
auf natürlichem Wege wohl nirgends ein Gefühl von Unbehagen über
die Gefährlichkeit der Bahn entstehen wird. Wem vor einem Blicke in
die Tiefe graut, der nenne die Bahn deßhalb noch nicht gefährlich, denn
sonst müßten alle Wohnungen in höheren Stockwerken als gefahrdro-
hend bezeichnet werden, weil es Diesem oder Jenem schwindelt, wenn
er von ihren Fenstern hinab in die Straße sieht.

Endlich ist diese Bahnstrecke auch in landschaftlicher Beziehung
von größtem Interesse. Sie führt ins Hochgebirge hinauf, und zeigt
demnach alle Reize einer großartigen Bergwelt. Da liefert jeder Augenblick ein neues, fesselndes Bild; bald sind es die wilden, in bizarren
Formen sich gefallenden Klippen des hier herrschenden Kalks, bald ist
es die ungeheure Masse des Gebirges, bald wieder der Blick auf grüne,
sonnige Matten von dunklem Wald umschlossen, bald die weite Fernsicht in das ebene duftige Land hinaus, die das Auge in raschem Wechsel beschäftigt und erfreut. Schöne Punkte sind vor allen die Schwarz-
au, das Schloß Klam, und einige andere, die ich nicht näher zu bezeich-

nen weiß. Und so vereinen sich denn hier Natur und Kunst, um in dem Geiste des sinnigen Beschauers einen Eindruck hervorzubringen, den er mit Bewunderung empfängt und gewiß mit Liebe zu bewahren suchen wird.

Um 12 Uhr Mittags geschah unsere Ankunft in Bruck, wo wir, nach einem freundlichen Abschiede von unserem britischen Gentleman und all den Seinigen, den Train verließen.

Ein günstiger Zufall wollte, daß wir gleich am Bahnhof dasjenige fanden, was wir jetzt suchten, nämlich eine passende Gelegenheit für die Weiterreise nach Leoben. Sie bestand in einer einspännigen, etwas verkommen aussehenden Kalesche, mit einem guten kräftigen Pferde, das uns in weniger als zwei Stunden nach Leoben brachte, wo wir Mittagsstation hielten, und etwa um ¼4 Uhr weiter fuhren.

Leoben hat eine überaus reizende Lage, die sich von der Anhöhe westlich des Städtchens, über welche die Straße hinaufzieht, in besonders günstigem Lichte zeigt. Dieser und noch viele andere Punkte, die unseren Beifall fanden, wurden mit Gesang begrüßt und durchfahren. Nichts kann lieblicher sein als diese Thallandschaften der oberen Steiermark. Keine übergewaltigen Bergkolosse und einförmig hinstreichenden Kämme hemmen da das Licht; starre pralle Felswände unterbrechen nur selten das dunkle Grün der Wälder oder die bunte Anmuth der meist reichbebauten Thalseiten, und noch seltener verdüstern breite und mißfärbige Mauerbrüche und Schutthalden die Fröhlichkeit des landschaftlichen Bildes. Schmucke Dörfer in großer Zahl beleben den Thalgrund, und nicht leicht wird das Auge irgendwo jene hohen rauchgeschwärzten Schornsteine vermissen, unter denen rüstige Cyklopen jenes Eisen hämmern und verarbeiten, das unter den Produkten der Monarchie eine so hohe und wichtige Stelle einnimmt. Von den Berghängen aber schauen zerstreute Bauernhöfe in Menge, und hie und da auch wohl eine alte verwitterte Burg freundlich ins Thal herab. Ein nie abbleichendes Grün deckt allenthalben die Höhen und Tiefen, weßhalb die Steiermark nicht ohne Grund der Smaragd in der Krone Oesterreichs genannt werden kann. — Um 5 Uhr erreichten wir St. Michael, wo sich das Liesingthal mit jenem der Mur vereinigt. Schon hatten sich die Schatten des Abends dicht über das stille Thal gelagert, als wir die Station Kalwang erreichten, wo wir bis zum nächsten Morgen blieben.

Am 30. August

führte uns der Eilwagen weiter, der um 7 Uhr Morgens in Kalwang
eintraf. Die Stunde konnte keine bessere, der Morgen kein schönerer,
und das Land umher nicht reizender sein. Mit diesen erfreulichen Um=
ständen stand denn auch unsere Stimmung im rechten Gleichgewicht.
Ueberdies traf es sich, daß wir den Beiwagen, der uns zugewiesen
wurde, mit niemand zu theilen hatten, so daß wir uns nach Belieben
breit machen, und eben so benehmen konnten. Wir ließen den Wagen
zurückschlagen, und genossen in vollen Zügen der frischen, köstlichen
Luft und der herrlichen Natur. — Dies änderte sich erst in Notten=
mann, wo uns zwei Studenten aus München zugesellt wurden, die
jedoch in nichts die Heiterkeit des Tages verdarben. Sie erzählten uns
viel von dem steigenden Ansehen Oesterreichs im Reiche, von den Sym=
pathien, die es sich allenthalben in Deutschland durch seine Haltung in
der orientalischen Frage erworben, und von der Unzufriedenheit des
baierischen Volkes über das Benehmen seiner Regierung seit der Bam=
berger Konferenz. — In Liezen, wo wir das schlechteste Diner zu uns
nahmen, das mir noch je vorgekommen, lernten wir die übrigen Mit=
glieder unseres Eilwagenkurses etwas näher kennen. Erst einen Frei=
herrn von B°°°°, der einstens in österreichischen Diensten gestan=
den, es darin bis zum Oberlieutenant in einem Dragonerregi=
mente gebracht, und nun schon seit Jahren zu Breslau lebt. Er
ist ein etwas alter Knabe, sehr artig in seinem Benehmen, solda=
tisch in seiner Haltung, und führt mehr Bart auf seinen Wangen, als
ein k. k. Offizier vor dem Jahre 1848 ohne Neid betrachten konnte.
Mit ihm reiste seine Gemahlin, eine ernste, stille Dame, die ohne Zweifel
mehr dachte als sie sprach. Auch zwei Engländer fanden sich vor, blonde,
etwas trockene Bursche, von denen einer mich um Nachrichten über Se=
bastopol fragte; er hatte in Varna die versammelten Flotten und die
Einschiffung der alliirten Truppen gesehen; aber er hatte einige Jahre
vorher auch Sebastopol besucht, sprach mit Achtung von der bedenk=
lichen Stärke dieser Festung und von den großen Opfern, die ihre Ein=
nahme den Alliirten kosten würden.

Wie fuhr sich's herrlich in dem wunderschönen Thale, das uns aus
seinen smaragdenen Wiesengründen, aus seinen Büschen und Wäldern,

seinen freundlichen über Berg und Thal hingestreuten Dörfern, aus
seinen Burgruinen und Schlössern, so traulich anzulachen schien, als
hätte es eben heute eine besondere Freude daran, uns alle seine Reize zu
enthüllen! Nur Altvater Grimming, der seinen alten Platz hinter
Steinach noch immer nicht verlassen hatte, sah etwas trotzig ins Thal
herunter, als wollte er sagen: das rührt mich. Alles wenig, — für mich
ist's ein alter Spaß! — Fast schneller als es uns lieb war kamen wir
in Steinach an, wo wir den Eilwagen, der nach Aussee und Ischl weiter fuhr, im Stiche ließen, und mit der ordinären Post den Weg
in das obere Ennsthal einschlugen. Und es ging ganz lustig vorwärts,
erst an dem schönen, stolzen Schlosse Neuhaus *) vorüber, dann mit
den grotesken Felszinken des Grimmingkammes zur Seite, bis wir bei
Sonnenuntergang, als eben die Spitzen der nahen Berge sich an den
letzten Strahlen der Sonne dunkelroth entzündet hatten, den schönen
Markt Gröbming erreichten.

Gröbming liegt auf einer ziemlich hohen und etwa eine halbe
Stunde breiten Terrasse der linken Thalseite. Hat nun die Straße nach
Schladming dieses Dorf passirt, so tritt sie bald an die Thalwand hervor, senkt sich längs derselben allmälig zur Enns herab, und gestattet
so dem Blicke lange Zeit die freie Aussicht in das reichbebaute herrliche
Thal. — Noch ehe das letzte Abendroth verklang, hatte das Mondlicht
so viel Kraft gewonnen, um überall hin seinen stillen, träumerischen
Schimmer auszugießen. Jetzt wurde der Ernst der Alpenwelt noch ernster; zur rechten Hand erhoben sich, steil und zerrissen, die weißen
Kalkmassen des Dachsteins gleich drohenden Riesen, indeß die Berge
links auf der Schattenseite des Thales wie schwarze Basaltmauern her-
niedersahen. Da wendete sich der Sinn gerne einwärts in die eigene
Brust, und hielt manchen innigen Gedanken an die fernen Lieben fest.

Wir erreichten Schladming um ½10 Uhr Abends, fanden hier
ein treffliches Souper und ein gutes Nachtquartier, und schliefen köstlich bis um 4½ Uhr des nächsten Morgens. **)

---

*) Auch Trautenfels genannt.

**) Die früheren Schicksale von Schladming sind zu eigenthümlich und interes-
sant, als daß ich ihrer hier nicht in Kürze erwähnen dürfte. Wohl schönere

288

An diesem Tage galt es bis um 1 Uhr Nachmittags die Poststation St. Johann im Pongau zu gewinnen, um uns daselbst dem von Salzburg nach Gastein führenden Eilwagenkurse anschließen zu können. Dies war der Grund unseres frühzeitigen Aufbrechens von Schladming. Und wieder begünstigte uns der Himmel mit dem schönsten Wetter; nur war es etwas kalt, so zwar, daß dicker Reif sich sehen ließ, und wir unsere Mäntel hervorholen mußten. Später, gegen Mandling zu, fiel leichter Nebel ein, der über dem Boden des Thales hinzog, und uns etwa eine Stunde lang unausgesetzt das Schauspiel eines vor uns schwebenden Nebelbogens darbot. Ich hatte früher nie noch einen solchen Bogen gesehen, der ein Analogon des Regenbogens ist, und, nur wegen der geringeren Fähigkeit der Nebelbläschen das weiße Sonnenlicht zu zerlegen, ein schwaches, undeutliches Kolorit zeigt. Die obere Hälfte des Bogens hatte eine blaßgelbe und die untere eine bräunliche Färbung, doch waren beide Nuancen kräftig genug, um den Bogen selbst aus der übrigen Nebelmasse deutlich herauszuheben.

Zeiten sah einst dieser Ort als er noch eine Stadt war, und der Bergbau in der Umgebung in weit größerem Umfange und mit lohnenderem Erfolge betrieben wurde, als es jetzt geschieht. Dies war namentlich im vierzehnten und fünfzehnten Jahrhunderte der Fall, und eine Zahl höchst werthvoller Privilegien spricht von der Achtung, die man damals dem Reichthume und dem Gewerbfleiße dieses Gemeindewesens zollte. Aber Reichthümer, Rechte, und noch mehr als dies, ging in der ersten Hälfte des sechzehnten Jahrhunderts kläglich zu Ende, als die von dem Protestantismus unterwühlte Stadt mit den rebellischen Bauern des Erzstiftes Salzburg gemeinschaftliche Sache machte. Da geschah es im Jahre 1525, daß eine ansehnliche Abtheilung kaiserlicher Truppen, die, dem Gelöbniß der Treue und Unterwürfigkeit von Seiten der Einwohner vertrauend, die Quartiere bezogen hatte, von den Schladmingern nächtlicher Weile überfallen und hingewürgt wurde. Des nächsten Tages wurden 32 Edelleute, die bei dieser Gelegenheit in Gefangenschaft gerathen waren, von den Aufrührern öffentlich enthauptet. Schrecklich war die Rache, die bald darauf der kaiserliche General Graf Niklas Salm über die treulose Stadt verhängte. Zuerst von allen Seiten eingeschlossen, wurde sie verbrannt und dann von Grund aus zerstört. — Neue Ansiedler erbauten später auf den Trümmern ein neues Schladming, dem es erst nach fast hundert Jahren gelang, das Marktprivilegium zu erwerben.

Das Ennsthal, das schon bei Gröbming sich bedeutend verengt, preßt sich hinter Schladming vollends zu einem langweiligen Paß zusammen, der erst vor Radstadt in eine überaus freundliche, mit Ortschaften und einzelnen Bauernhöfen dicht besäete Thalweitung übergeht. Als wir uns Radstadt näherten, verzog sich allmälig der Nebel, und ließ uns der schönen Aussicht in vollem Maße froh werden. Die Stadt liegt auf einer mäßigen Anhöhe inmitten des Thales, war einst mit Ringmauern und Gräben, wovon noch Spuren sichtbar sind, umschlossen, und besitzt einige hübsche Gebäude aus der alten, erzbischöflichen Zeit. — Nach kurzem Verweilen setzten wir von hier um 9 Uhr unsere Reise gegen St. Johann fort. Hinter Altenmarkt öffnete sich uns linker Hand der Blick gegen die Flachau, ein zu dem Kamme der Radstädter Tauern aufsteigendes Thal, aus dessen Hintergrund ein breites, an der Riffelwand hängendes Schneefeld herabblickte, indeß rechts, gegen Hüttau zu, der südliche Abfall des Tennengebirges seine kahlen, wildschönen Klippen gegen den blauen Himmel hebt. Hier steigert sich mit einem Male um ein gutes Stück der stille, feierliche Ernst der Alpenwelt, was später vor Wagrein noch mehr der Fall ist, wo durch die, nach Südwest gerichtete Thalöffnung ein wahrscheinlich den Fuscherbergen angehöriges Eisfeld sich sehen läßt. Die Wasserscheide zwischen dem Enns- und Salzachthale übersetzt die Straße durch einen tiefen Einschnitt in dem Gebirge, auf eine kaum merkliche Weise, und zieht dann, von Wagrein angefangen, durch das Kleinarlthal, eine tief eingeschnittene Schlucht, nach dem Markte St. Johann.

Obgleich wir dieses Dorf erst um ½2 Uhr Nachmittags erreichten, so war der Eilwagen doch noch nicht angekommen, was uns die erwünschte Gelegenheit gab, unser Mittagmahl in Ruhe einzunehmen. Vorher noch genossen wir den Spaß, einen alten, halb orientalisch gekleideten Bojaren, der vor dem Wirthshause saß und aus seiner türkischen Pfeife rauchte, von den herumlungernden Leuten als einen chinesischen Grafen bezeichnen zu hören. Er sah wohl gewissermaßen chinesisch aus, hatte einen langen grauen Bart, trug einen schmutzigen, buntfärbigen Gürtel und einen pelzverbrämten Kaftan, doch fehlte der lange Zopf, und alle die anderen Kleinigkeiten, durch die sich eben ein Bojar aus Bukarest von einem Sohne des himmlischen Reiches unterscheidet. —

19

Als dann der Eilwagen anlangte, fand ich unter seinen Passa=
gieren das Fräulein T°°°° aus Graz, eine alte, werthe Bekannte, die
eben eine große Rundreise durch Ungarn, das Banat, Siebenbürgen,
die Bukowina, Galizien, Mähren und Oesterreich vollendet hatte, und
nun nach Gastein eilte, um sich daselbst von den Mühen dieser langen
Fahrt wieder zu erholen.

Als wir weiter fuhren, traf es mich, im Coupé des Hauptwagens
neben Fräulein T°°°° zu sitzen, was mir in der That viele Freude
machte. Ein oftmaliger Aufenthalt in Gastein hatte sie mit der Ge=
gend, die wir jetzt durchzogen, vollkommen bekannt gemacht, so daß sie
mich auf jeden interessanten Punkt im voraus aufmerksam machen
konnte, was sie denn auch, bei ihrer leidenschaftlichen, fast sentimenta=
len Liebe zur Natur, mit edlem Eifer und ansprechender Beredsamkeit
that. Und diese Beredsamkeit hatte hier ihren vollen Grund; es ist das
grünste, freundlichste Land der Welt. Keine der geringsten Zierden des
Pinzgaues ist der Fall der Gasteinerache bei Lend, der, von der Straße
unten sichtbar, an sich und durch seine Umgebung, ein pittoreskes Bild
von großer Schönheit liefert. Mit diesem Sturze befreit sich die Ache
aus den Umarmungen der Klamm, eines grauenhaften Felsenschlun=
des, der die Mündung des Gasteinerthales bildet, und dessen nähere
Bekanntschaft wir wenige Momente später machen sollten.

In Lend, wo einer der Passagiere den Eilwagen verließ, verlor
ich meinen Platz neben Fräulein T°°°° und erhielt einen andern im
Beiwagen, neben dem Herrn Kanonikus und zwei Studenten aus Leip=
zig. — Gleich bei Lend verläßt der Weg nach Gastein das Pinzgau
oder Salzachthal, hebt sich erst steil aufsteigend auf die Thalwand em=
por, und biegt dann, dicht ober dem vorerwähnten Wasserfalle, in die
Klamm ein, längs deren senkrecht aufsteigenden, oft sogar überhängen=
den Felswänden er sich mühsam fortwindet. Die Berge bestehen hier
aus Gneiß, und in dieses dichte Gestein mußte die Straße, etwa eine
halbe Meile lang, eingeschnitten werden. Diese Felsmauern, deren
Schichten durchweg von Osten gegen Westen streichen, und gegen die
Centralkette zu, d. h. auf ihrer südlichen Seite, unter einem Winkel
von beiläufig 30 Graden gehoben sind, steigen in fast vertikaler Rich=
tung 1500—2000 Fuß hoch empor, und stehen sich so nahe, daß ihre

Oeffnung wohl an den meisten Stellen mit einem Steine überworfen werden kann. Und auf dem Boden dieses Schlundes braust die in weißen Schaum aufgelöste Ache, nicht anders als beeile sie sich, diesen, einer finsteren Laune der Natur entsprossenen Abgrund so schnell als möglich zu verlassen. Der Schneckengang unserer Wägen machte das Absteigen zulässig, wodurch wir dieses wunderbare Kuriosum der Natur erst recht ins Auge fassen konnten. Diese kleine Promenade und eine kurze Untersuchung der anstehenden Gesteine verschaffte uns die Bekanntschaft eines Mannes, der zu den Passagieren unseres Eilwagens gehörte, und nachher in der Geschichte unserer nächstfolgenden Tage eine Hauptrolle zu spielen berufen war. Aus seinen kurzen Aeußerungen über den muthmaßlichen Ursprung des Gneißes und Glimmerschiefers sprach eine mehr als gewöhnliche Kenntniß der Naturwissenschaften, und aus der Art, wie er sie vortrug, offenbarte sich ein klarer, gebildeter Geist, was ihn mir alsbald zu einem Gegenstande warmen Interesses machte. Er war, seiner deutschen und französischen Aussprache nach zu schließen, offenbar ein Engländer, doch gewiß einer von der besten Sorte, denn auch sein Gesicht trug einen offenen, wohlwollenden Charakter, und sein Auge den Ausdruck von Freundlichkeit und Güte. Er frug uns wohin wir gingen, und als wir ihm Heiligenblut als das Ziel unserer Reise bezeichneten, erwiederte er, daß er nicht minder die Absicht habe nach Heiligenblut zu gelangen, und daß er uns, wenn wir einwilligten, bis dahin seine Gesellschaft anbiete, den Fall vorausgesetzt, daß er in Gastein gewisse Briefe fände, die er dort mit Bestimmtheit erwarte. Wir hatten keinen Grund diesen Antrag abzulehnen, doch legten wir ihm vor der Hand keine besondere Bedeutung bei, da wir schon des nächsten Morgens Gastein zu verlassen gedachten.

Hat man die Klamm hinter sich, so öffnet sich das Thal allmälig, und erreicht bei Hofgastein sogar die Breite von einer Viertelstunde, was für ein Hochthal schon etwas sagen will. Als wir Dorfgastein passirten, ging die Sonne eben unter, und ihre letzten Strahlen vergoldeten die höheren Regionen des Gebirges; Hofgastein aber sahen wir nur mehr beim Scheine des Mondes und der aufgezündeten Lampen und Kerzen, die durch die Fenster manch stattlicher Gebäude, Gasthöfe, Kaffeehäuser und Privatwohnungen lustig hervorblitzten. Als wir endlich

19 *

auch Hofgaſtein verließen, hatte unter allen großen und kleinen Lichtern dieſer Welt der Mond allein die Herrſchaft, und ſein Schimmer
lag wie ein ſtiller, heiliger Gottesfriede über dem ſtolzen Prachtbau der
Natur, deſſen offene Hallen wir bewundernd durchfuhren. Mächtige
Bergrieſen, unter denen der 7700 Fuß hohe Gamskarkogel, der näher
an Hofgaſtein ſtehende 7200 Fuß hohe Tennkogel, u. a. m. erheben
ihre Häupter dicht neben dem Thale. Aus den Seitenthälern gucken
nahe, weitgedehnte Eisflächen neugierig hervor, und nur das Rauſchen
ſtürzender Wäſſer zieht durch die Stille der Nacht. — Wenn das Gebirge ſchön und reizend iſt bei Tage, ſo iſt es zur Nachtzeit, und beſonders bei hellem Mondlicht, von ehrfurchtgebietender, ergreifender Wirkung. Da zerſtreuen die Farben und das unermeßlich vielfältige Detail
das Auge nicht mehr; die Formen fließen in große, imponirende
Maſſen zuſammen, die dem Geiſte ein deutlicheres Bild von der
Größe der waltenden Naturkräfte und dem koloſſalen Umfange
ihrer Bildungen liefern. Die Nacht zeigt gleichſam die Contouren
des Weltbaues in einfachen und kühn gezogenen Linien, während
der Tag dieſe Umrißzeichnung mit Licht und Farben ausführt und
alle Details hineinſetzt. Deshalb gehört die Nacht der Phantaſie
und der Beſchauung, der Tag aber dem Auge und dem grübelnden
Verſtande an.

Etwa eine halbe Stunde vor Wildbad-Gaſtein erhebt ſich die
Straße auf die linke Thalwand, und läßt die kleine Ebene zwiſchen
Hofgaſtein und Ketſchach weit unter ſich. Das Thal engt ſich hier wieder zu einer tiefen Schlucht zuſammen, und immer näher zieht der Donner des Gaſteiner Waſſerfalles, an deſſen Ufern die kleine vielbeſuchte
Ortſchaft mit ihrer berühmten Heilquelle liegt. Endlich blitzen die Lichter aus den beleuchteten Fenſtern durch den Wald herauf, einige Augenblicke ſpäter rollt der Wagen über die Brücke, die ober dem wilden,
dampfenden Kaktarakte hängt, und hält, unmittelbar nebenan, bei dem
Hôtel Straubinger ſtill, wo uns ein nettes freundliches Zimmer mit
der Ausſicht in das tiefere Thal angewieſen wird, und wo wir vorher
die Fenſter ſchließen müſſen, um uns, über dem Toben des Waſſerfalles,
dem Kellner verſtändlich machen zu können. — Es war jetzt ¼ 10 Uhr
und eine halbe Stunde ſpäter ſaßen wir im Speiſeſaal ſoupirend, und

ich mit unſerem Engländer in einer warmen Kontroverſe über die
Gletſchertheorie begriffen.

Unſere ſpäte Ankunftsſtunde in Gaſtein machte ſowohl die Aufnahme eines Führers für den nächſten Tag, als auch die Abgabe unſerer überflüſſigen Bagage an die Poſt, für ihre Spedition nach Zell
am See, an dieſem Abende unmöglich. Daburch wurden wir zu dem
Entſchluſſe bewogen, einen Tag in Gaſtein zu bleiben, und dieſen Tag
der Beſichtigung des Babeortes und ſeiner intereſſanten Umgebungen
zu widmen. Auch konnten mittlerweile die von unſerem Engländer erwarteten, und bisher nicht eingetroffenen Briefe wirklich anlangen, und
ihn dadurch in die Möglichkeit verſetzen, die projektirte Bergpartie im
Vereine mit uns auszuführen, was er eben ſo ſehr zu wünſchen ſchien,
als uns ſeine Geſellſchaft, nach den Erfahrungen, die wir bezüglich ſeiner Perſon bisher zu machen Gelegenheit hatten, angenehm geweſen
wäre. — Wir verſchoben daher alle weiteren Vorkehrungen über die
Fortſetzung unſerer Reiſe auf den nächſten Tag.

Am 1. September.

Der lärmende Waſſerfall unter unſerem Fenſter hatte in der Nacht
meine Träume ſo merklich zerſtört, daß ich am Morgen die Nothwendigkeit des Aufſtehens kaum begreifen konnte. Auch H..... ſchien in
derſelben Ungewißheit zu ſchweben, und in ſeinem Geiſte einen Syllo-
gism zu ſuchen, der unſeren Zweifeln in dieſem Punkte ein Ende machen
konnte. Endlich ſchlug's 8 Uhr im Zimmer nebenan, was ſchnell etwas
Klarheit in unſere Anſichten brachte, und uns aus den Betten jagte.

Bei der Toilette, die nun folgte, zeigte ſich ein merkwürdiger Fall.
Mein geiſtlicher Freund hatte nach einem Barbier geſchickt, und ſiehe
da! anſtatt eines be-inexpreſſibelten Künſtlers erſchien eine etwas ältliche,
in die gewöhnliche Landestracht gekleidete Dame, die in ſtiller Weiſe und
mit zarter Hand allen überflüſſigen Haarwuchs aus dem Geſichte des
geiſtlichen Herrn entfernte.

Nach dem Frühſtück im Kaffeeſalon, wo ich, beiläufig geſagt, die
Zeitungen fand, die in Wien am Morgen unſerer Abfahrt ausgegeben
wurden, mußte in Betreff der Verwendung des Tages etwas beſchloſſen
werden. Ich wollte mich zu dieſem Ende in unſer Zimmer verfügen,

wo H..... sein Brevier las, als ich im Speisesaal einem Führer begegnete, der, mit Bergstock und Reisetasche versehen, offenbar im Begriffe
stand eine Bergtour anzutreten. Auf meine Frage, was er vorhabe, gab
er zur Antwort, daß er einen Herrn aus Wien, der ein Baron sei und
auf Nr. 20 wohne, auf den Gamskarkogel führen werde. Diese Auskunft bestimmte rasch meinen Entschluß; ich eilte diesen Herrn aufzusuchen, und fand in ihm einen sehr artigen, gebildeten jungen Mann,
in zierliche Steirertracht gekleidet, und eben im Begriffe seine Erkursion anzutreten. Unsere gegenseitige Bekanntschaft war bald gemacht;
er nannte sich mir als den Freiherrn Karl von T°°°, und war so artig
mir zu sagen, daß ihm unsere Gesellschaft bei der Besteigung des Gamskarkogels nur willkommen sein könne. Nun ging's rasch an die erforderlichen Vorbereitungen; H..... mußte sein Brevier bei Seite legen,
ich meines Orts steckte die Füße in meine Demmer'schen Bergschuhe,
die Kellner schleppten Schinken, Käse, Brot und eine große Flasche
Gumpoldskirchner herbei, endlich wurden noch zwei tüchtige Bergstöcke
acquirirt, und beiläufig um 10 Uhr die Bergfahrt angetreten.

Das Wildbad Gastein, dessen Lage wir jetzt zum ersten Male
deutlicher überblicken konnten, liegt mitten auf jener steilen Senkung
der Thalsohle, die die obere Thalterrasse von Böckstein mit der unteren
von Hofgastein verbindet. In diese Senkung hat sich die Ache ein tiefes
Bett eingeschnitten, durch das sie, in zwei größeren und vielen kleineren
zusammenhängenden Absätzen, mit ungeheurem Getöse und unter höchst
malerischer Wirkung in die Tiefe stürzt. Gastein selbst, das bereits 3023
P. F. über der Meeresfläche liegt, war einst ein armseliges Alpendörf-
chen, bis der steigende Ruf der Heilquelle die Spekulation herbeilockte,
und eine Zahl, zum Theil elegant gebauter, Häuser entstehen ließ, die,
über den unebenen und bewaldeten Boden des Thales zerstreut, der Ortschaft ein stattliches Aussehen verleihen und zu der pittoresken Wildheit der Umgebung einen freundlichen Gegensatz darbieten. Der Mittelpunkt des interessanten Badeörtleins ist ohne Frage das Gasthaus
Straubinger, das schon seit 222 Jahren immer denselben Namen führt
und immer derselben Familie angehört. Denn schon im Jahre 1632
erscheint Veit Straubinger als Besitzer der hiesigen „Taferne," die damals und bis vor etwa dreißig Jahren herab die Straubingerhütte hieß.

Aus dieser Hütte ist nun im Laufe der Zeit ein eleganter, weitläufiger Gasthof geworden, der, mit einem Lesekabinet und Billard ausgestattet, den wesentlichen Vortheil besitzt, zugleich das Badehaus zu sein. Der Hauptbeförderer des raschen Aufblühens von Gastein in jüngster Zeit ist unstreitig Se. kaiserliche Hoheit der Erzherzog Johann, Höchstwelcher sich, bei seinen häufigen Besuchen dieses Badeortes, eine schmucke Villa hierselbst erbauen ließ, welchem Beispiele bald auch andere Privaten nachfolgten.

Nach dem Gamskarkogel gibt es zwei Wege; der eine führt von Hofgastein aus zur Spitze, ist selbst für Saumthiere praktikabel, doch mit Rücksicht auf Badgastein der längere, indeß der andere zwar kürzer, aber dafür auch beschwerlicher ist. Wir wählten den zweiten.

Der Morgen war schön und warm, und es ging anfangs recht munter vorwärts. Nach einer halben Stunde erreichten wir das Kötschachthal, das am Ankogel unter Gletschern entspringt und nach kurzem Verlaufe in das Gasteinerthal mündet. Als wir den Bach überschritten, begann allsogleich das Steigen, u. z. plötzlich so steil und anhaltend, daß ich mir in kurzer Zeit vor Engheit des Athems, unerträglicher Hitze, Trockenheit des Mundes und Mattigkeit kaum mehr zu helfen wußte. Ich entledigte mich meines allzu warmen Paletots, und als wir darauf eine halbe Stunde lang weiter gegangen waren, bemerkte ich, daß ich mein Reisetäschchen, worin sich alle meine Baarschaft befand, in der Angst meines Herzens auf dem Grase vergessen hatte; der Führer mußte sich hinab bemühen, um es zu holen. Zuletzt wurde es mir gar ein wenig übel, so daß ich fürchtete, unverrichteter Dinge wieder nach Gastein zurückkehren zu müssen, in welchem Falle ich dann auch auf alle anderen kühnen Projekte und deren Ausführung hätte verzichten müssen. Stand es so mit meiner, von mir selbst so laut gepriesenen Fähigkeit im Bergsteigen? Noch den Tag vorher hatte ich zu H....., mit der ganzen Zuversicht selbstbewußter Ueberlegenheit gesagt: „Nehmen Sie sich zusammen, geistlicher Herr! — so ein Alpenjoch ist kein Spaß, und ein Gipfel noch weniger, und es kommt oft vor, daß manchen Menschen derlei Höhen, die sie erklimmen sollen, um etliche tausend Fuß höher dünken, als sie wirklich sind!" und dabei erzählte ich, wie ich einst, in den Alpen Vorarlbergs, drei hohe Joche an einem Tage überstiegen, und was alles bei solchen Gewalttouren zu thun und was zu unterlassen sei. — Und nun war ich daran, bei der nächsten besten Probe zuerst zu unterliegen, und meine Ehre auf das Schlimmste zu kompromittiren. — Doch wenn vielleicht H.... damals über meine Schwäche triumphirte — was ich jedoch durchaus nicht voraussetze, — so fand er doch bald Gelegenheit sein Unrecht einzusehen. Ich war zwei volle Jahre lang nicht in die Berge gegangen, hatte während dieser Zeit bloß einige Hügel der nächsten Umgebung Wiens bestiegen, war etwas dicker und schwerer geworden, und mußte mich sonach erst wieder im Bergsteigen gleichsam akklimatisiren. Dies geschah indeß schon während dieser ersten Tour; denn als wir auf halbem Wege zum Gipfel neben der Remsacher Sennhütte kurze Zeit gerastet hatten, fühlte ich mich so wohl und leicht, als hätte ich immer nur auf den Bergen gelebt. Um 1 Uhr gewannen wir den Sattel, über den der Weg von Badgastein in das Großarlthal führt, und etwa anderthalb Stunden später betraten wir, nach einem sehr mühevollen Klimmen über steile, dürre Grasflächen, unwegsame Klippen und lockere Steinhalden, den Gipfel des Gamskarkogels.

Die erste und stärkste Empfindung, nachdem wir, d. h. Baron von T*** und ich, die Höhe erreicht, war die eines wüthenden Hungers. Ich konnte unmöglich das Eintreffen des geistlichen Herrn erwarten, den wir noch einige hundert Fuß unter uns im ausdauernden Kampfe mit den Schwierigkeiten des Lebens erblickten. Schnell wurden aus der Waidtasche des Führers die mitgebrachten Viktualien hervorgeholt, und mit einem Appetit genossen, wie ihn nur je, nach einem ziemlich mageren Frühstück, ein anstrengender, fünfstündiger Marsch zu Stande bringen kann. Bald kam auch H.... herbei, und hielt sich, des Fasttages wegen, an den Käse, wodurch ich in den alleinigen Besitz des Schinkens gerieth, was meinen vollen Beifall fand. Inzwischen wurde auch dem Gumpoldskirchner wacker zugesprochen, und dieser mit dem Baron getheilt, der uns dafür einige Becher trefflichen Ofnerweins kredenzte. Diese gastronomische Einleitung zu dem Genusse der schönen Aussicht, die uns hier nach allen Seiten offen stand, konnte der Wirkung dieser letzteren nur förderlich sein. Düstere Nebelmassen stiegen zwar am südwestlichen Himmel auf, verhüllten uns den Herzog Ernst,

den Hochnarr, den Großglockner, und noch andere eisgraue, ehrwürdige
Häupter, und umdüsterten überhaupt das ganze Gebirge in jener Richtung; dafür aber prangte alles Uebrige in der Glorie des hellsten Sonnenlichtes. Einen gewaltigen Eindruck brachte der südwärts liegende,
aus seiner breiten, von schimmernden Eisfeldern überlagerten, Basis
aufsteigende Ankogel hervor; der Flug der Wolken ging über sein stolzes Haupt, doch hatte keine den Muth es zu erfassen und zu verhüllen.
Von dem ungeheuren Eismantel des Ankogels zieht ein großer, blau-
gesprenkelter Zipf als Tischlkargletscher ins Ketschachthal herab, wo man
ihn, etwa eine Stunde von Gastein, in ziemlicher Nähe sehen kann. —
In östlicher Richtung überflog der Blick eine Zahl verworrener Bergketten bis zu den Radstädter Tauern und zum Dachstein hinüber, den
jedoch eben ein Haufen schmutzigen Nebels überdeckte. In klaren Umrissen zeigte sich dafür das Tennengebirge bei Golling, der ewige Schnee,
das steinerne Meer, der Watzmann, dann die näheren Kämme und
Spitzen in der Rauris und Fusch, welche alle — eine kurze Weile lang,
bis nämlich der überwuchernde Nebel es unseren Augen verhüllte —
das Wiesbachhorn, diese stolze, silberne Ehrensäule des Allmächtigen,
weitaus überragte. Mitten in dieser mehr machtvollen, als freundlichen
Szenerie lagen das obere Großarl- und das Gasteinerthal, wie zwei
duftige, saftgrüne Oasen, heimlich zwischen den Bergen eingebettet, und
gerne verweilte das Auge, von dem wilden Auf- und Niederwogen der
Berge eher verwirrt als befriedigt, auf dem Bilde der Ruhe und des
Friedens, das sie zeigten. — Diese wenigen Details mögen zur Kenn-
zeichnung einer Rundsicht hinreichen, die uns damals mit gerechter Bewunderung erfüllte, deren Wirkung aber in unserer Erinnerung durch
das, was wir nachher sahen, freilich bedeutend geschmälert werden
mußte.

Noch während wir unser Mittagmahl hielten, war von der Seite
von Hofgastein eine aus zwei Männern und einer Dame bestehende
Gesellschaft an uns vorübergegangen, und hatte sich uns, ihrer Sprache
nach, als Preußen angekündigt. Gegen diese Nationalität, die in Oesterreich nicht viele warme Verehrer zählt, demonstrirten wir, auf Baron
T***'s Vorschlag, durch laute und begeisterte Absingung des Volkslie-
des und ebenso lauten Lebehochs auf unseren Kaiser. Später kamen sie

in unfere Nähe, traten mit uns in Gespräch, und erwiesen sich, ihrem
ganzen Wesen nach, als echte Kosmopoliten, d. h. als Söhne Israels,
als koschere Juden auf Reisen um schweres Geld. Der eine unter ihnen
hatte eine spitzige Nase, einen spitzigen Zwickelbart, und sonst im Gesichte alles Typische seiner Race; der andere war groß gewachsen und
rothhaarig, und die Dame endlich übertraf an Zartheit und Zimpfer-
lichkeit alles bisher Gesehene, so daß sie fast zu zart und feinfühlend
für diese rauhe Welt, und deshalb uns, und vielleicht auch sich selbst,
annähernd wie ein überirdisches Wesen erschien. Dies ist der Grund,
warum wir sie sowohl jetzt, als später, als sie uns noch zweimal begegnete, in Ermanglung der Kenntniß des Namens höherer Wesen, denen
sie angehören mochte, bloß nur „Plus-que-femme" nannten. Sie
war auch liebenswürdig, betheilte uns mit Alpenrosen, und ließ es
an anerkennenden Blicken nicht fehlen, als wir später mit unseren Bergstöcken nach dem Ziele warfen, und schwere Felsenstücke, auf gut appen-
zellerisch, von der Achsel weg fortschleuderten. — Unterdessen hatten
sich über der Tauernkette die Nebel zu finstern Wolken verdichtet und
gingen im Naßfelde in grauen Streifen als Regen nieder. Dies mahnte
uns zur Rückkehr, die wir, nachdem wir uns von Plus-que-femme em-
pfohlen, und von Itzig und Nephthole verabschiedet hatten, beiläufig
um 4 Uhr antraten.

Nun kam für mich die Zeit bitterer Klagen über meine Bergschuhe.
Früher, so lange es aufwärts ging, thaten sie ihre Schuldigkeit wie
sichs gehört, doch nun beim Abwärtssteigen bildete der Schuh des linken Fußes eine üble Falte, die mich in die Ferse und in die Achillessehne
schnitt und mir bei jedem Schritte Schmerz verursachte. Noch diesen
Tag trug mein Fuß eine kleine Wunde davon. Vergebens frug ich: welches Recht hat Schuhmacher Demmer in Wien auf die Fersen und
Achillessehnen anderer Leute? — keines, und mag er von allen Indu-
strie-Ausstellungen der Welt mit goldenen und silbernen Medaillen be-
theilt werden! Diese Frage half dem Uebel nicht ab, und wenig nützte
es, daß ich den betreffenden, sündhaften Schuh anderen unbefangenen
Schustern zur Behandlung übergab; er drückte mich immer wieder, bis
ich endlich, aber freilich erst am letzten Tage unserer Fußwanderungen,
durch einen energischen Schnitt so vielem Ungemach ein Ende machte.

Wir erreichten Gastein um ¼7 Uhr Abends, einige Minuten bevor sich der Regen auch hier in dichten Strömen entlud. Diese fatale Veränderung des Wetters schreckte uns von jedem Beschlusse für den kommenden Tag ab, nur so viel ward ausgemacht, daß wir uns den Launen der Witterung mit Geduld zu unterwerfen hätten, eine Tugend, die in manchen Beziehungen nirgends mehr am Platze ist als im hohen Gebirge. Einen Ersatz für dieses Grollen des Wetters fanden wir darin, daß sich Baron T°°° für die Reise nach Heiligenblut unserer Gesellschaft anschloß, ein Gewinn, der bei den vielen liebenswürdigen Eigenschaften dieses jungen Mannes, bei seiner Artigkeit, Weltbildung, freien Anmuth und Heiterkeit, nach Gebühr gewürdigt wurde.

Am 2. September

regnete es des Morgens so arg wie am Abende vorher, doch besserte sich das Wetter gegen 10 Uhr, und die Sonne trat wieder aus ihrem Wolkenversteck hervor. Da nun für diesen Morgen nichts beschlossen worden war, so machte ich einen Besuch bei Fräulein T°°°°, die nahebei in der Prälatur ein Zimmer inne hatte— so nennt man nämlich ein, am linken Ufer der Ache nächst der Wandelbahn liegendes Haus, das in früheren Jahren der Erzbischof Pyrker bewohnte — und willigte gerne und mit Dank in ihren Vorschlag zu einer kleinen Promenade ein, bei der ich einige schöne Partien des Wasserfalles und eine Aussicht nach Böckstein genießen sollte. Ich erbat mir die Theilnahme H..... an diesem Spaziergange, der in der That sehr lohnend ausfiel. Besonders reizend ist die Aussicht von einer Gloriette — sit venia verbo — deren Namen ich vergessen habe, und die höchstens 200 Fuß oberhalb des Badeortes an der Stelle liegt, wo die beschriebene Thalsenkung, auf welcher Badgastein erbaut ist, ihren Anfang nimmt. Diese Lage macht es möglich, sowohl das obere Thal von Böckstein, als auch das untere von Hofgastein, von demselben Punkte aus zu überschauen. Ein bequemer, sorgfältig unterhaltener Weg führt in weniger als einer halben Stunde zu diesem freundlichen Belvedere, das selbst schwächlichen Badegästen eine leicht erreichbare Quelle des Genusses ist. Der schon bekannten Aussicht gegen Hofgastein zog ich jene gegen Böckstein vor, dessen Lage zwischen grünen Wiesenmatten und mit dem kolossalen

Rathhausberge dahinter, etwas Melancholisches an sich hat. — Auf dem Rathhausberge wird nach edlen Metallen gegraben, und wer ein gutes Auge hat, der kann von dieser Gloriette in der Höhe von etwa 7000 Fuß das Knappenhaus erblicken. Der Bergbau in Gastein und Rauris datirt schon aus sehr alter Zeit her, erreichte im fünfzehnten und sechzehnten Jahrhunderte, durch die energische Betriebsamkeit der Familie Weitmoser, seine höchste Blüte, und erlitt unter den Religionswirren der Reformationszeit den ersten empfindlichen Stoß. Seither ist er fast ganz in Verfall gerathen, und die Ausbeute lohnt zur Zeit kaum mehr die Mühen des Betriebes.

Nach Tisch ward eine Promenade in das Ketschachthal unternommen, an der außer dem Kanonikus und mir, auch unser Engländer Theil nahm. Und abermals fing es tüchtig zu regnen an, was unserer frohen Laune jedoch nicht den mindesten Eintrag that. Unter Scherz und Gesang ging's lustig genug her, bei welcher Gelegenheit der wackere Engländer eine erstaunliche Kenntniß aller Schubert'schen Lieder, ihrer Texte sowohl als ihrer Melodien, an den Tag legte. Auf meine Frage, wie er dazu gekommen alle diese Lieder zu lernen, gab er zur Antwort: er habe einst einige dieser Lieder singen gehört, und so viel Gefallen daran gefunden, daß er spornstreichs zu einem Musikalienhändler geeilt und alle vorfindlichen Schubert'schen Lieder, über hundert an der Zahl, zusammengekauft habe. Mit dem Besitze der Noten war aber nicht viel gewonnen, sie mußten studirt und erlernt werden, und hiezu besaß unser Engländer nur sehr unzureichende musikalische Vorkenntnisse. Was that er nun? — er suchte sich auf dem Klavier, bloß mit Hilfe eines einzigen Fingers, mühsam die Melodie jedes Liedes heraus, lernte sie, so wie den Text, auswendig, und sang sie dann, für sich allein und nur zu seinem eigenen Vergnügen, wie er sagte. So kam er allmälig dahin, sich alle genannten Gesangskompositionen anzueignen; gewiß ein Beispiel von Energie und Ausdauer, das alle Achtung verdient.

Das Ketschachthal, dessen Jagd dem Erzherzog Johann gehört, soll reich an Gemsen sein, was sehr wahrscheinlich ist, denn hohe Berge mit wilden, fast unzugänglich aussehenden Felshängen schließen es ein; im Hintergrunde des Thales liegt, wie schon erwähnt, der Tischkargletscher. — Auf dem Rückwege begegneten wir Plus-que-femme mit

Reb Itzig und Nephthole; aber diesmal war sie eine Arkadierin geworden, denn ein breiter gelber Strohhut, der vorne und rückwärts bei
jedem Schritte heftig oszillirte, bedeckte ihr Lockenhaupt; — vielleicht
wollte sie damit, wie es sich für eine Arkadierin geziemt, ihre oppo-
sitionelle Haltung gegen Wind und Regen ausdrücken.

Nun ist es Zeit, etwas Näheres über unsern Engländer zu er=
wähnen, der bei dieser kurzen Promenade in das Ketschachthal unauf=
gefordert sein Inkognito fallen ließ, und sich uns als Master John Ball,
als Irländer von Geburt, als Katholik, und Parlamentsmitglied für
Irland vorstellte. Hieburch ward uns mit einem Male Vieles in dem
Wesen dieses trefflichen Mannes klar. Rinnt doch in seinen Adern nicht
das kalte, dickflüssige Blut der angelsächsischen Race; dennoch ist er
dieser letzteren nicht abgeneigt; er ist eher ihr Freund, und hält mit
klarer Ueberzeugung die Repeal, wenn sie je zur Ausführung käme, für
das unglücklichste Ereigniß, mit dem sein engeres Vaterland heimgesucht
werden könnte; — es würde in Bälde, so waren seine Worte, bei der
ungeheuren Uebermacht Englands, dasjenige Schicksal erfahren, das
Ungarn zu Theil wurde, nachdem es im Jahre 1848 seine Repeal
durchsetzte. Der politischen Farbe nach ist Mr. Ball Tory und Peelite,
dabei mäßig in seinen Ansichten, ein Feind jeder Revolution, ein Freund
Oesterreichs. — Sein Lieblingsstudium ist die Botanik, in der er er=
staunliche Kenntnisse besitzt, und in deren Interesse er jedes Jahr eine
Reise in die Alpen unternimmt. In den folgenden Tagen erregte seine
Unermüdlichkeit in dieser Richtung oftmals unsere Bewunderung. Nicht
selten geschah es, daß er, nach langem, ermüdendem Marsche, wenn wir
Uebrigen uns auf kürzere oder längere Zeit der ersehnten Ruhe überließen, noch in die höheren Theile des Gebirges aufstieg, um seine Bo=
tanisirbüchse mit Pflanzen zu füllen, die er dann Abends, wenn wir
alle gern das Bett aufsuchten, ordnete und in sein Herbarium einlegte.
Aber auch in vielen anderen Bezirken des Wissens sind seine Kenntnisse
tief und umfassend; von seinen Studien in der Geologie habe ich anderwärts bereits Erwähnung gethan. Er spricht ferner, außer der englischen Sprache, französisch, italienisch und spanisch mit gleicher Eleganz
und Fertigkeit; auch des Deutschen ist er, wiewohl in minderem Grade,
mächtig. Dies gab oft zu seltsamen, polyglotten Konversationen Ver=

anlaſſung, die zuweilen von höchſt komiſcher Wirkung waren. So wurde z. B. eine deutſch begonnene Phraſe, italieniſch oder franzöſiſch weiter geführt und engliſch geendigt. — Von den übrigen, inneren Eigenschaften Mr. Ball's, den wir, beiläufig geſagt, ſpäter ſcherzweiſe den „Geſetzgeber" nannten — von ſeiner Dienſtwilligkeit, Uneigennützigkeit, Offenheit und Wärme des Gefühls, wird die Fortſetzung dieſer Reiſeſkizze noch manches Zeugniß liefern.

Nach unſerer Ankunft im Hôtel wurde von uns allen, im Verein mit unſerem Führer Joſef Zimmer aus Gaſtein, großer Kriegsrath gehalten, und einſtimmig beſchloſſen: des nächſten Morgens auf jeden Fall unſere Reiſe nach Heiligenblut anzutreten, u. z. bei vollkommen reinem Wetter über das Naßfeld und die Rauriſer Tauern, bei Regen oder Nebel aber über Bucheben und das hohe Thor. Das Steigen des Barometers und der eingetretene günſtige Wind ließen uns, bezüglich der Witterung, für den kommenden Tag die beſten Hoffnungen faſſen. Sofort ward alle überflüſſige Bagage in eine unſerer Reiſetaſchen gepackt, und dieſe der Poſt zur Spedition nach Zell am See übergeben.

Am 3. September.

. Später als wir feſtgeſetzt hatten, nämlich um 6 Uhr, geſchah unſer Aufbruch von Gaſtein, in der Richtung gegen Bucheben in der Rauris. So zeigte ſich gleich bei Beginn unſerer Vierfahrt, daß eine größere Geſellſchaft ſchwerer zu lenken iſt, als eine kleine. — Das Wetter hatte ſich entſchieden gebeſſert, nur lichte Nebel zogen flüchtig über das Thal, und erlaubten zum mindeſten den Zweifel über das völlige Reinwerden der Berge von den umhüllenden Dünſten, ein Umſtand, der unbedingt nothwendig war, wenn wir den Weg über das Naßfeld und die Eisberge der Rauriſertauern hätten wählen wollen. Aus dieſem Grunde eben ſchlugen wir, auf den Rath unſeres Führers, die Richtung gegen die Heiligenbluter-Tauern ein, wo bis zu dem nächſten Ziele unſerer Reiſe nirgends ein Gletſcher zu überſchreiten war. Wir gingen daher zuerſt etwa eine halbe Stunde lang abwärts in der Richtung gegen Hofgaſtein, und bogen dann links in das Angerthal ein, wo uns ein bequemer Pfad, erſt durch Kornfelder und an einigen einzeln ſtehenden Bauernhöfen vorüber, allmälig in eine grüne, lachende Alpen trift führte, die an Frische und Schönheit ihres Gleichen sucht. Mittlerweile hatten sich auch die Nebel größtentheils verzogen, die Sonne trat hervor, und goß durch Licht und Luft einen warmen, sommerlichen Ton. Das Joch, „auf der Stans" genannt, lag klar vor uns und war nicht zu verfehlen; da ging fast Jeder, die oft weit ausholenden Serpentinen des Weges geringachtend, seinen eigenen Weg, und gefiel sich in der Ueberwindung selbstgeschaffener Schwierigkeiten. Nur unser Kanonikus hielt sich mit kluger Vorsicht dicht hinter den beiden Führern, die, mit dem Gepäcke beladen, keine Lust zu Privaterkursionen empfanden. Baron T°°° und ich kamen bei dieser Gelegenheit an der Stanser Alphütte vorüber, und ließen uns von der schmucken Sennerin, die beim Sprechen Zähne gleich zwei Perlenschnüren zeigte, einige Gläser trefflicher Milch reichen, für die sie sich reichlich bezahlt hielt, als wir ihr jeder ein Sechskreuzerstück boten. Wie sehr stand doch dieses Alpenkind noch zurück in der Kultur! — als aufgeklärte Schweizerin hätte sie sich mit 30 Kreuzern per Person nicht nach Gebühr bezahlt geglaubt. Mir selbst geschah es einst in Vorarlberg, für zwei (sage Zwei) Gläser Milch 20 Kreuzer C. M. zahlen zu müssen. Wir hüteten uns indeß, besagte Stanser Sennerin, in deren Hütte es übrigens auch ganz rein und komfortabel aussah, auf die Mängel ihrer Bildung und auf ihren Vortheil aufmerksam zu machen.

Es mochte beiläufig ½ 11 Uhr gewesen sein, als wir den höchsten Punkt des Ueberganges erreichten. Aber welch' überaus herrliches Panorama that sich hier unseren staunenden Blicken auf! Nirgends mehr als bei dem Wunsche, so reizende und großartige Naturbilder mit Worten zu malen, beweist sich die Unzulänglichkeit der menschlichen Sprache. Vor Allem fesselten den Blick zwei gigantische, gerade in westlicher Richtung vor uns in den dunkelblauen Himmel aufsteigende Eiskegel; der eine war der Großglockner, der andere das Wiesbachhorn. Ueber die dunkeln Vorberge in unübertrefflicher Klarheit sich erhebend, glich jener, in der nadelartigen Schärfe seines Gipfels, einem an das Firmament angesetzten riesigen Bohrer aus lauterem Silber, indeß das andere, aus örtlichen Gründen höher scheinend, sich wie ein kolossales Dreieck, aus gleich edlem Stoffe gebildet, hinter dem nahen Ritterkopf emporhob. Unmittelbar vor uns stand jenseits des Thales der Hoch-

narr (10935'), und der Sonnenblick (9257' hoch), beide von zerklüfteten Eismassen umlagert, noch weiter links aber schimmerten die Gletscher der obersten Rauris in meilenlanger Erstreckung, hier eben und
glatt, dort einem Gewirre von Krystallnadeln gleich, steile Abhänge be-
deckend. Das Scharreck, das mit einer Seite schon dem Naßfeld angehört, schloß gegen Süden die herrliche Fernsicht ab. Vor uns endlich
lag in dunkelblauer Tiefe das Rauriserthal, oben an der Grenze der
Eiswelt breit und hell, weiter abwärts von dichtem Walde bedeckt, und
in der Höhe unsers gegenwärtigen Standpunktes zu einem jähen Abgrund verengt, dessen Boden sich nur hie und da erblicken ließ. — Das
Ganze floß zu einem erhabenen, an frappanten Gegensätzen überreichen,
wundervollen Bilde zusammen. Die Fernsicht war gewiß weitaus nicht
so ausgedehnt wie jene am Gamskarkogel, und doch war sie großartiger
und lohnender.

Während wir all das genossen, baute Mr. Ball aus vier Bergstöcken und seinem Plaid ein Zelt, in dessen Schatten wir uns lagerten,
um in unserer Freude durch die lästig gewordene Sonnenhitze nicht
gestört zu werden. Jetzt zeigte uns der alte Zimmer, unser Führer, den
Ort, wo das Rauriser Goldbergwerk an einer Stelle liegt, deren Erhöhung über das Meer nicht weniger als 8468 P. F. beträgt, und
längst schon von dem vorrückenden Gletschereise überdeckt ist. Das Werk
ist Staatseigenthum und trägt keinen Gewinn, wird jedoch fortgeführt,
um den armen Bewohnern dieses Thales einen wichtigen Theil ihres
Lebenserwerbes nicht zu entziehen. Wir sahen auch den Aufzug, eine
als weiße, schnurgerade Linie sich darstellende Bahn, auf welcher, mittelst Winden und Seilen, die Produkte dieses Bergbaues in das Thal
herabgelassen, und die Bedürfnisse der Arbeiter mühsam hinaufgewun-
den werden. Das wenige Gold, das hier gewonnen wird, findet sich, wie
ich später in Bucheben an Handstücken des Gesteins wahrnahm, in den
Quarzgängen des hier herrschenden Glimmerschiefers. Auch das Knappenhaus konnte man unweit des Gletscherendes, neben einem schwarzen
Felshange des Sonnenblick's, an seinen weißen Mauern erkennen. Dieser Ort heißt der Hüttwinkel.

Nach halbstündiger Rast wurde das Lager abgebrochen und der
Marsch nach Bucheben angetreten, wo wir, nach dritthalbstündigem

raschem Bergabsteigen, etwa um ½2 Uhr Nachmittags einrückten. Bucheben ist ein nur aus wenigen Häusern bestehender Weiler, die höchste Ortschaft im Thale, und mit einem zierlichen, auf einer kleinen Erhöhung des Thalgrundes erbauten, Kirchlein geschmückt. Das Wirthshaus wird von sieben ledigen Schwestern unterhalten, von denen die jüngste gewiß noch in den Kinderschuhen stäke, wenn sie dieselben nicht vor etlichen dreißig Jahren ausgezogen hätte. Es konnte deshalb vernünftiger Weise niemand Wunder nehmen, daß eine unter ihnen, die ein seltsames Gemisch von Hochdeutsch und Rauriserisch redete, mir eine Schüssel voll Mineralien zeigte, und dabei diese Spezies als Rutil, jene als Cyanit, eine dritte als Apatit u. s. f. bezeichnete. Wer lange lebt, kann Vieles lernen. Wünschenswerther aber wäre es uns gewesen, wenn sich der Wissensdurst dieser reizenden Plejaden etwas mehr der Kochkunst zugewendet hätte, denn der Rostbraten war schwer und hart, fast wie eines jener Mineralien, und der Kaiserschmarren schmeckte bitter und ranzig.

Als wir Bucheben verließen, war's 3 Uhr Nachmittags. Wir schritten im Rauristhal abwärts, belugten den Markt Rauris aus der Ferne, erreichten nach ¾ Stunden den Weiler Wörth und bogen hier links in das Seidelwinkelthal ein. Hier durch führt der Saumpfad zum Hochthor, dessen Bedeutung als Hauptverbindungsweg zwischen dem Möllthal jenseits und dem Pinzgau diesseits der Tauernkette, wir durch eine verhältnißmäßig nicht unbeträchtliche Anzahl Reisender erkannten, der wir hier noch vor Abend begegneten. Das Thal selbst ist eng, wild und düster; häufig überlagern breite Mauern den Weg, und die Zuflüsse des Baches eilen als weiße, über die Berge gelegte Bänder in langen Wasserfällen zu Thal. Unter diesen zeichnet sich der Dießbachfall, von einem Abflusse des Weißenbacher-Keeses gebildet, durch Wassermenge und Schönheit besonders aus. Doch alle diese Wasserkünste der Natur beleben nur sehr wenig die traurige Oede des Thales, die noch trauriger wird, als die Schatten der Nacht sich niedersenken, und ärgerlich zuletzt, als, schon ganz in der Nähe des Tauernhauses, unsere Füße schuhtief in den Koth des Weges einsinken, und eine ziemliche Strecke lang gar nicht mehr herauskommen. — Endlich erreichten wir nach 8 Uhr Abends das Tauernhaus, das Ziel unserer heutigen Reise.

20

Nach unserer Ankunft belebte sich schnell die Küche dieses nicht eben sehr freundlich blickenden Hauses; bald loderte auf dem immensen Herde ein lustiges Feuer empor, das uns mit den schönsten Hoffnungen erfüllte. Wir hatten indeß in der rauchgeschwärzten Stube Platz genommen, und ich meines Orts hatte mich meiner preiswürdigen Schuhe entledigt, was an sich schon eine wahre Wohlthat war. Nach einer halben Stunde belastete sich der Tisch mit reichen Quantitäten von Thee (aus Mr. Ball's Vorräthen), Kaffee, weichgesottenen Eiern, Butter, Schinken, Weißbrot und sauern Wein, welche Gottesgaben sofort, in nicht besonders logisch angeordneter Reihenfolge, und mit fanatischem Appetit vertilgt wurden. Der mangelhaften Beleuchtung half Baron T*** großmüthig mit einer Stearinkerze ab. Doch nun erhob sich für unsere Aussichten auf einen gesunden Schlaf plötzlich eine drohende Gefahr; im Zimmer nebenan ließ sich das Quicken einer Klarinette hören, und als wir hierüber Erkundigungen einzogen, ward uns die schreckenvolle Mittheilung gemacht, daß hier, des Sonntags wegen, auf dem Tauernhause, 5500 Fuß über dem Meere, von dem Sennervölklein eine Tanzunterhaltung abgehalten werden sollte, zu deren Anfang unser Schlafengehen das Signal zu geben hätte. Es war übrigens nicht einzusehen, wo sich für dieses Amusement der nothwendige Raum finden würde, denn die Stube in der wir saßen war durch den Ofen, der breit und geräumig bis gegen die Mitte des Zimmers vorsprang, so beengt, daß darin von dem tanzlustigen Alpenvölkchen höchstens eine zahme Quadrille hätte prästirt werden können. — Vor dieser Gefahr, der Gefahr nämlich, den größten und besten Theil der Nacht schlaflos hinbringen zu müssen, rettete uns endlich unser Baron T***, der den Leuten das projektirte Tanzvergnügen für zwei Maß Wein abkaufte. — In wahren Prokrustesbetten, und unter Plumeaux von immensem Gewicht, schliefen wir gleichwohl trefflich bis 5 Uhr Morgens.

Am 4. September.

Das Tauernhaus ist eigentlich nichts mehr und nichts weniger als eine Sennhütte, die wegen ihrer Lage am Fuße der Heiligenbluter-Tauern, und der hieraus oft hervorgehenden Nothwendigkeit einer Unterkunft für Reisende, zur Aufnahme derselben nothdürftig eingerichtet ift. Gegenwärtig ift fie ein Eigenthum des Wirthes in Heiligenblut. Unfer Aufbruch gefchah um 6 Uhr, und etwa eine halbe Stunde fpäter ftanden wir an der Schwelle des hohen Thores, deffen Säulen ober unferen Köpfen zu fchwindelnber Höhe fich aufthürmten. Linker Hand raffelte ein anderer Abfluß des Weiffenbacher Gletfchers ins Thal herab. Nun gings fteil aufwärts, balb über Felfengrund, balb über lockeren, unter dem Tritte weichenden Glimmerboden, in unzähligen Windungen, langfam und mühevoll, bis wir nach anderthalb Stunden die Höhe erreichten; boch war's noch weitaus nicht das Joch, es war nur eine breite Terraffe in der oberften Thalmulde, hinter der fich ein zweiter, noch höherer und gleich fteiler Abhang, der das Thor felbft unferen Blicken hartnäckig entzog, emporhob. Ein eiskalter Norboft blies aus dem Thal herauf, und bot nur den einen Vortheil, uns die Fortbauer des heiteren Wetters zu verbürgen; bloß um das nahe, grüngraue Haupt des Brennkogels, eines über 9000 Fuß hohen, aus chloritifchen Geiteinen gebauten Felfengipfels, fpielte der Nebel in leichten, im Sonnenlichte fchimmernden Flocken. Nach einer kurzen Raft bei der Quelle am Fuße des zweiten Abfatzes gings wieder aufwärts, auf eine noch höhere Terraffe, über der fich endlich das Joch, noch etwa eine Viertelmeile entfernt, erblicken ließ. Hier ift der Weg, der winterlichen Schneeanhäufungen wegen, durch eingerammte Pfähle bezeichnet, und wie fehr dies nothwendig fein mag, erfuhren wir einige Tage fpäter, als wir diefes Joch auf unferem Rückwege zum zweiten Male überfchritten, durch die Erzählung eines fchauberhaften Vorfalles, der fich vor einer Reihe von Jahren, deren Zahl unfer Führer nicht mehr anzugeben wußte, dafelbft zutrug. Wie es in jedem Jahre gefchieht, hatte fich einft am Fefttage der heiligen Apoftel Peter und Paul eine Prozeffion Andächtiger aus dem Fufcherthale, nach Heiligenblut begeben, und wurde bei der Rückkehr auf diefem Joche von einem heftigen Schneefturm überfallen, der bei der ftellenweifen Gefährlichkeit des Weges jedes Weitergehen unmöglich machte. Die Prozeffion machte Halt und Jedermann verbarg fich fo gut er konnte hinter den umherliegenden Felsblöcken. Doch alles war umfonft, — die Sommerkleider der armen Leute gewährten keinen Schutz, und fo erfroren nahe an hundert Perfonen; bloß die Wirthin von Fufch, der ein Knecht mit einem

20 *

Saumpferde auf das Joch entgegengekommen war, soll dadurch dem Tode entronnen sein. Das Hochthor hat eine Höhe von 8128 P. F.

Von geologischem Interesse war für uns die Schichtenlage eines schmalen Rückens, der, beiläufig von der Höhe jenes zweiten Absatzes, der Länge der Terrasse nach, gegen das Joch hinlief, und mit seinen rechts und links in den Boden hinablaufenden Schichten der Firstlinie eines Daches verglichen werden konnte. Diese Linie hat die beiläufige Richtung von Nord gegen Süd, und bezeichnet ohne Zweifel das Streichen einer jener großen Erhebungen, die dieses mächtige Gebirge aufthürmten. — Auch hier war einst, kaum einige hundert Fuß tiefer als der höchste Punkt des Ueberganges, der Schauplatz bergmännischer Thätigkeit, wovon sich, in den noch sichtbaren Trümmern einer Knappenhütte und in den aus dem Innern des Gebirges herrührenden Steinhalden, deutliche Spuren finden.

Endlich, nachdem wir vorher noch einige kleine Firnflecken überstiegen hatten, betraten wir gegen 11 Uhr, also nach fünfstündigem, anstrengendem Marsche, die höchste Stelle des Ueberganges, das Hochthor, und damit die Grenze zwischen dem Salzburgischen und dem Herzogthume Kärnthen. Und wie mit einem Zauberschlage öffnete sich hier dem Auge die Aussicht auf ein neues, unübersehbares Gebiet von Bergen, Gletschern, Alpen, Wäldern, Thälern und Schluchten, alle still, lautlos und feierlich vor uns liegend, als horchten sie mit angehaltenem Athem auf ein tiefes, noch unausgesprochenes Geheimniß der Natur. Ein hölzernes Kruzifix auf der Höhe des Joches sorgt dafür, dem sinnigen Wanderer die Beziehung all der Herrlichkeit, die hier sein Auge schaut, zu ihrem großen Schöpfer oben in das Gedächtniß zurückzurufen. — Wir eilten abwärts, der Sonne entgegen, die uns müden' Hyperboräern jetzt mit warmen, strahlenden Blicken entgegensah. Heller schien das Licht, blauer der Himmel und saftiger das Grün der Berge. Nach einer Stunde gewannen wir eine Stelle, wo sich uns der Großglockner, in der ganzen Erhabenheit und Pracht seiner Erscheinung, mit einer Reihe von Eisbergen neben sich, in großer Nähe enthüllte. Wir jubelten ihm laut entgegen und konnten seines Anblickes nicht satt werden. „Wie herrlich wär's ihn zu besteigen!" so meinte Einer von uns, womit er offenbar nur einen theoretischen Satz auf-

stellte, denn die Folge lehrte, daß er sich der Praris dieser These nur
in passiver Weise anschloß. „Und wenn wir's thäten," entgegnete ein
Anderer, „wär's etwa irrational? — und wer weiß, ob es nicht noch geschieht!" — Und weiter ging's, immer abwärts, bis sich nach einer
Wendung das Möllthal aufschloß, mit seinen sammtenen Wiesenmatten,
seinen buntfärbigen Ackergründen, seinen schattigen Lärchenhainen, seinen Dörfern und stattlichen Bauernhöfen, und dem darüber schwebenden Hauche des Friedensengels — die freundlichste Idylle, eingeschaltet
in das stolzeste Epos der Natur. Nun zeigte sich auch Heiligenblut dicht
vor uns in der Tiefe, und der Entfernung wegen wie ein zierliches
Krippenspiel erscheinend. Als wir ihm endlich nahe kamen, was bei
den endlosen Zickzacks des Saumsteiges von Osten her geschah, gab die
Häusergruppe der Ortschaft mit der schönen Kirche dazwischen, einer
etwas höher stehenden Kapelle, dem dunkeln Nadelgehölz im Mittel-
grunde, und dem himmelstürmenden Eisgipfel des Großglockner dahinter, ein unvergleichlich schönes, strahlendes Bild. — Um 2 Uhr Nachmittags nahm uns das Gasthaus in Heiligenblut in seine kühlen, wirth-
lichen Räume auf.

Ich vergaß zu erwähnen, daß Mr. Ball, noch bevor wir das hohe
Thor erreicht hatten, sich auf kurze Zeit von uns trennte, um die Abhänge des Brennkogels botanisch zu durchforschen. — Im Gasthause
ward uns ein freundliches, jedoch nicht allzu geräumiges Zimmer mit
vier Betten angewiesen, in das wir nach Bestellung unseres Mittag-
mahls einzogen, und worin wir uns auf kurze Zeit einer wohlthätigen
Ruhe überließen. Als man uns gegen 3 Uhr zu Tisch rief, erschien auch
Mr. Ball mit gefüllter Botanisirbüchse, und nahm alsogleich Theil an
dem Mahle, das der Frau Wirthin, einem hübschen, nur etwas gedrückt
blickenden, Weibe alle Ehre machte. Das nichts weniger als einnehmend
aussehende, hinterhältige Wesen ihres Eheherrn ließ uns bald den Grund
ihrer Schwermuth errathen.

Nach Tisch erhob sich nun bei Kaffee und Cigarren nochmals die
Frage der Glocknerbesteigung. Dieser schöne, herrliche Gipfel war
uns zweimal in so anlockender Weise erschienen, und die Gelegenheit
seine Besteigung zu versuchen bot sich jetzt in so günstiger Weise dar,
daß bei denjenigen Mitgliedern der Gesellschaft, die hiezu den Muth

und den Willen hatten, diese Frage wohl sehr nahe lag. Jene Mitglieder waren Mr. Ball und ich. Zuerst ward festgestellt, daß dasjenige, was Andere konnten, auch uns möglich sein werde, und zweitens ward geltend gemacht, daß ein Unternehmen, das Diesem und Jenem wohl gelungen, eben deßhalb kein übermäßig schwieriges sein könne. Dies mußte zugegeben werden, wodurch auch Baron L***'s Zustimmung in kurzer Zeit gewonnen wurde, während der geistliche Herr schon von vorne herein erklärte, sich unbedingt den Beschlüssen der Majorität unterwerfen zu wollen. Nach Gewinn dieses wichtigsten Resultates der Berathung wurde die weitere Frage aufgeworfen: wann die Besteigung vorgenommen werden sollte. Da ergriff Mr. Ball das Wort und sagte: „Messieurs, si vous avez l'intention de faire cette ascension, müssen Sie noch heute bis zur Leiterhütte ˙gehen, denn die Luft ist von einer serenité parfaite, et le vent vient d'un bon coté; this gives you good hope for the next day, aber nicht für übermorgen, und Sie wissen wie rasch das Wetter im Gebirge wechselt." — Man wird bemerken, wie Mr. Ball, als geübter Parlamentsredner, nie seine eigene Person in Beziehung zu der Sache setzte, von deren Richtigkeit er uns überzeugen wollte, was er auf gleiche Weise bei jeder anderen ähnlichen Gelegenheit that, und was seinen Reden dann einen eigenthümlichen Anstrich gab. — Mir schien diese Ansicht allsogleich einleuchtend, doch unserem Baron nicht, der den heutigen achtstündigen Marsch und das hohe Thor in Rechnung gebracht zu sehen verlangte; H..... endlich wiederholte seine Unterwürfigkeit unter das Votum der Majorität, welches Verfahren, da es den eigenen Willen nicht in Versuchung führte, individuell ein sehr bequemes war, während es anderntheils auch diplomatisch klug genannt werden mußte, weil es die eigene Ansicht außerhalb des Skrutiniums stellte, und dadurch erst einen Mehrheitsbeschluß ermöglichte. Dieser war nun, bezüglich des noch heute zu geschehenden Aufbruchs, wirklich vorhanden. Es ward sofort nach einem verläßlichen Führer geschickt, und von uns mittlerweile die Zahl der nothwendigen Führer auf 3 Mann festgesetzt, die zur Fortbringung unserer Mäntel und der erforderlichen Lebensmittel, so wie auch zur Leistung allfälliger Hilfe bei der Besteigung, als zureichend erschienen. — Nach einer halben Stunde stellte sich uns ein Mann als Führer vor, der, mit seinem markirten, wettergebräunten Gesichte, mit dem gedrungenen, sehnigen Bau seines Körpers, und mit dem sicheren, fast stolzen Ausdrucke seines ganzen Wesens, auch allsogleich unser Vertrauen herausforderte. Baron T°°° übernahm die Stelle des Unterhändlers und erklärte dem Führer, daß wir den Großglockner zu besteigen die Absicht hätten, und hiezu der nöthigen Gehilfen bedürften. Fleißner, so hieß nämlich der Mann, erwiederte keine Silbe, sondern nickte bloß zustimmend mit dem Kopfe, als wollte er damit sagen: „das ist klar und verdient daher nicht, daß man darüber auch nur ein Wort verliere." Sofort bemerkte Baron T°°°, daß drei Führer für diese Tour wohl hinreichen würden, worauf Fleißner die Frage stellte, wie Viele von uns die Besteigung mitzumachen gedächten. Wir alle Vier, war die Antwort. „Wenn das der Fall ist," fuhr Fleißner fort, „so kann die Besteigung nur mit sechs Führern geschehen, und mit keinem Einzigen weniger!" — Das war mehr als wir erwartet hatten; wir begriffen den Grund dieser übertriebenen Forderung nicht, erklärten sie für eine Erwerbmäkelei, und zuletzt gar für puren Unsinn. Doch all dieses Gerede machte auf Fleißner keinen Eindruck. Wir stellten ihm vor, daß Mr. Ball mehrere Male in der Schweiz gewesen, dort viele hohe Berge, und darunter selbst den Monte Rosa bestiegen habe, der doch um mehr als 2000 Fuß höher ist als der Großglockner, und daß er daher, seiner Erfahrung nach, recht wohl als ein Führer betrachtet werden könne. Fleißner versetzte darauf: „Der Herr mag wohl den Muntroser, und Gott weiß, welche andern Berge noch bestiegen haben, aber den Großglockner hat er nicht bestiegen. Es ist bei uns hier noch nie ein Unglück geschehen, meine Herren, und ich möchte nicht, daß jetzt eines geschehe. Scheint Ihnen diese Zahl von Führern zu groß, so suchen Sie sich einen andern Führer, mich aber lassen Sie meines Weges ziehen!"

Diese kategorischen, mit einer Art Stolz, und sogar mit etwas gehobener Stimme ausgesprochenen Worte machten Eindruck auf uns, und ließen vermuthen, daß sie nicht ohne kausale Berechtigung waren. Wir amendirten daher unseren ursprünglichen Antrag von drei auf vier Mann, welche neue Motion jedoch mit gleicher Strenge wie die frühere von unserem Führer-Premier verworfen wurde. Dies führte zum Abbruch der Unterhandlungen, die Parteien traten in ein gefpanntes Berhältniß, worauf Fleißner die Stube verließ. Nun folgte eine momentane Stille in unferer Gefellfchaft; Diefem fchien es leid zu thun, auf ein fo fchönes und kühnes Projekt verzichten zu follen, während Jener vielleicht eine Freude daran hatte, daß die gewiß nur fingirte Geldfrage zu einem fo wichtigen Hinderniß anfchwoll. Nun nahm wieder Mr. Ball das Wort und fprach: „Wer kann es wiffen, meine Herren, ob diefer Mann mit feinen fechs Führern nicht Recht hat. Man kann auf großen Höhen nicht genug vorfichtig fein. Je connais un triste exemple d'un tel manque de precaution. Ein Engländer überftieg vor zwei Jahren das Theobul-Joch in der Schweiz, und hatte hiezu nur einen einzigen Führer gedungen. Voilà ce qui arriva; le guide, qui portait dans son havresac tout l'argent de l'Anglais, glissa, perdit le sol et tomba dans une immense crevasse du glacier; der Engländer konnte allein nichts thun zu feiner Rettung, und als fpäter ein Jäger zufällig vorbeiging, zogen beide den todten Führer aus dem Schrund. So was I told by this hunter himself a few weeks afterwards." Durch diefe Erzählung ermuthigt, machte ich den Antrag fünf Führer zu concediren, und hierüber, mittelft Brotkügelchen von verfchiedener Größe, in geheimer Ballotage zu entfcheiden. Doch als auch dies nicht gleich verfangen wollte, fing die Sache an mich ernftlich zu ennuyiren, und ich verließ das Zimmer. Diefes Weggehen war von unvermuthet großer und entfcheidender Wirkung. Da niemand feinen wahren Grund kannte, fo meinten alle, ich fei, in der Vorausfetzung eines zuftimmigen Befchluffes, fortgegangen um den Führer herbeizuholen, deffen Stimme fich zeitweife in der Nebenftube hören ließ. Als ich nach kurzer Zeit ohne den Führer wieder zur Gefellfchaft zurückkehrte, ward ich befragt, ob derfelbe etwa nicht mehr zu finden fei. Dies erklärte mir die verbefferte Stimmung, ich öffnete rafch die Thüre, rief Fleißner herbei, und nun war mit ihm in Bälde ein auf fünf Führer lautender Vertrag, dem er beipflichtete, mündlich abgefchloffen.

Jetzt ward im Sturmfchritt an die nöthigen Vorbereitungen gegangen; es war 4 Uhr Nachmittags, und um 5 Uhr follte aufgebrochen werden. Fleißner eilte von dannen, um feine Gehilfen herbeizuholen, und auch mein leidiger Schuh, der mich heute vom Hochthor herab auf eine unverantwortliche Weise gepeinigt hatte, mußte zum Schuster wandern, um daselbst gehörig ausgeweitet zu werden. In der Küche wurden zwei Dutzend Eier hart gesotten; Reis, Kaffee, Zucker, Schinken, Käse und Brot wurde herbeigeschafft, und Wein in Flaschen gefüllt. Auch eine Kaffeekanne aus Zinn ward requirirt, um auf der Leiterhütte als Theebowle zu dienen. Kurz es trat eine allgemeine Geschäftigkeit ein, wobei an Vieles gedacht wurde, woran zu denken nicht nöthig gewesen wäre, und Manches dafür unberücksichtigt blieb, was nicht hätte vergessen werden sollen. So verging eine volle Stunde, bis wir endlich, in Begleitung Fleißners und noch eines Führers — die andern drei sollten noch vor Nacht in die Leiterhütte nachkommen — um 5¹/₂ Uhr Nachmittags die eigentliche Glocknerfahrt antraten.

Da Heiligenblut nicht eigentlich auf dem Thalboden, sondern etwas über demselben auf einer sanftgeneigten Abdachung der linken Thalseite liegt, so führte unser Weg anfangs, obwohl in der Richtung gegen den Ursprung des Thales, eine Strecke lang abwärts, bis zu einer Brücke über die Möll, die hier eigentlich noch den Namen des Pasterzenbaches führt, und durch die milchweise Farbe ihrer Wellen die hohe Abkunft, der sie sich rühmen kann, verräth. Es ist erst halb sechs Uhr, und schon ist die Sonne hinter dem nahen Gößnitzkamme zur Ruhe gegangen, so eng, tief und schattig ist dieses Thal. Seine absolute Höhe beträgt an dieser Stelle etwa 4000 Fuß, und noch wächst und gedeiht mit Vortheil das gefügige Korn, das hier freilich erst vor wenigen Wochen zur Reife kam. Nach drei Viertelstunden erhebt sich der Pfad links auf die felsigen und waldbedeckten Abhänge des Saukopfs, wo uns bald der schöne Gößnitzfall zu Gesichte kommt, durch den der weiter oben liegende Gößnitzgletscher seinen Wassertribut herab in das Thal der Möll schüttet. In dieser Gegend holten wir eine derbe, kubisch gebaute Sennerin ein, die an unserer Gesellschaft viel Gefallen zu finden schien; denn bald sah sie einen von uns, bald einen der beiden Führer mit blödem, lächelndem Gesichte an. Fleißner, der jetzt in fideler Laune war, schloß sich an sie an und machte ihr auf seine Weise den Hof, worüber sie oft in ein lautes Kichern verfiel, und dabei mit der Hand jedesmal auf eine komische Art über die Nase fuhr. Hinter der Trogalpe, die, sammt den nebenan weidenden Kühen, ein Eigenthum Fleißners ist, nahm jene holde Sennerin Abschied von uns, und schritt links der Gößnitz zu.

Schon fing es tief zu dämmern an, als wir etwa um $\frac{1}{2}$8 Uhr Abends das Leiterthal errreichten, das, an dem südlichen Abhange des Glocknerkamms entspringend, sich in seinem Laufe in einem Bogen gegen Osten wendet, und etwa anderthalb Stunden ober Heiligenblut in das Möllthal mündet. Es liegt demnach mit Rücksicht auf den Glocknerkamm auf der, der Pasterze entgegengesetzten Seite. Die Besteigung des Großglockners ist jedoch bloß nur auf dem Wege durch das Leiterthal möglich, da auf der Pasterzenseite die furchtbare Steilheit und Zerrissenheit der beiden Glocknerkargletscher jeden Versuch einer weiteren Annäherung an den Gipfel, als etwa der ebene Eisboden der Pasterze reicht, als eine Tollheit erscheinen ließe. — Man betritt das Leiterthal weit oberhalb seiner Mündung, und hier stellt es sich, besonders in der Richtung nach aufwärts, als eine Art Wolfsschlucht dar, in deren Tiefe der nicht unbeträchtliche Leiterbach mit betäubendem Geräusche dahintobt. Alsbald beginnt der verrufene Katzensteig, der wohl zur Nachtszeit etwas gefährlich ist, bei Tag aber einem, an Hochgebirgspfade auch nur halbwegs gewöhnten Bergsteiger keine erheblichen Schwierigkeiten darbietet. Der Pfad windet sich nämlich auf die steilen und rissigen Abhänge der linken Thalwand empor, ist meistentheils sehr schmal, hie und da höchst steil und uneben, läuft nicht selten über glatte und stark geneigte Schieferblöcke weiter, und hat durchweg den oft 100—200 Fuß tiefen Absturz gegen den Leiterbach zur Seite. Das Mondlicht, das freilich den Weg in diese Schlucht nicht zu finden wußte, doch bereits die oberen Regionen des Luftkreises verklärte, war vollkommen hinreichend, um in uns Allen jeden Gedanken an eine wesentliche Gefahr zu beseitigen; nur unserm guten Kanonikus imponirte die Rauheit des Weges und die überhand genommene Dunkelheit dergestalt, daß er bald alles Vertrauen in seine eigenen Kräfte einbüßte, sich immer häufiger, behufs des Weiterkommens, der Hände und Füße zugleich bediente, und endlich der thätigen Mithilfe der Führer bedurfte, wenn er nicht verunglücken, oder die Geschwindigkeit unseres Marsches in sehr beträchtlichem Maße beeinträchtigen wollte. Er nahm daher einen Führer vor, und den anderen hinter sich, ließ sie auf der Seite des Abhanges

einen Bergstoc horizontal tragen, und schritt so, sich immerfort an dieses ambulante Geländer festhaltend, mit mehr Sicherheit weiter. Auf
diese Weise erreichten wir endlich nach 4¼ Stunden, also um eine
Stunde später als es unter gewöhnlichen Umständen geschehen wäre,
die Leiterhütte. Neben einer steil gegen den Abendhimmel aufsteigenden kolossalen Felswand erbaut, lag diese Hütte tief unten im Thale
und von der Berge schwärzestem Schatten bedeckt, während gegenüber
die weißen Glimmerschiefermauern des Leiterkopfs gespenstig und still
im Mondlicht glänzten. — Die Leiterhütte hat eine Meereshöhe von
6240 P. F.

Wer immer den Großglockner besteigen will, dem muß diese Alphütte als Nachtquartier dienen, wenn er des folgenden Tages auf den
Gipfel gelangen, und auf der Rückkehr Abends wieder eine menschliche
Wohnung erreichen soll. Aber ungeachtet all dieser beziehungsweisen
Wichtigkeit der Leiterhütte ist sie dennoch ein sehr dürftiges, beschränk-
tes, und von allen möglichen Zugwinden durchstrichenes Obdach. Mag
irgend ein leidenschaftlicher Naturfreund, Asket und Musterbild der
Genügsamkeit, seine Begriffe von nothwendigem Komfort noch so tief
herunterstimmen, in der Leiterhütte wird er alle derartige Vorstellungen
übertroffen finden. Da ist von Tisch und Stuhl, von Flasche und Glas,
von Teller und Schale, von Messer und Gabel, da ist von allen diesen
seltsamen und noch vielen anderen Dingen keine Rede. Eine eiserne
Pfanne, ein Topf, etliche hölzerne Schüsseln, und die zur Käsebereitung
nothwendigen Gefäße sind der ganze Hausrath dieser primitiv gehalte-
nen Behausung. Wer ferner nach einem noch so ärmlichen Schlafge-
mache, oder gar nach Betten fragen wollte, der liefe Gefahr schnöde
verlacht zu werden. Wenn nicht hier, so findet sich nirgends anders mehr
der Ort für das Minimum der Gewährungen des Lebens. Leicht wird
man sich daher unsern Schrecken erklären, als wir die Wahrnehmung
machten, daß unser ganzer Viktualienschatz, den wir so sorgsam vorbe-
reitet hatten, und der uns in dieser Wildniß etwas aufgerichtet haben
würde, in Heiligenblut zurückgeblieben war, um von den noch rückstän-
digen drei Führern nachgebracht zu werden. Bloß der Wein, etwas
Brot, einige Gläser und die Zinnkanne fanden sich in dem Tragkorbe
Fleißners vor. Der Schlag war hart, aber dennoch erhob sich nach kur-

zem Verdrusse unsere Stimmung siegreich über das herrschende Mißgeschick. Wir tranken Milch, aßen frische Butter, versuchten den Wein,
und nahmen zuletzt etwas Thee, den Mr. Ball der Gesellschaft zum
Besten gab. Dabei schwätzten, lachten, sangen und deklamirten wir um
die Wette und es ist gewiß, daß diese enge, rauchige Küche nie eine fröhli-
chere Genossenschaft beherbergt hat. Die dominirendste Stellung nahm
darin ohne Zweifel Mr. Ball ein; mit Zuhilfenahme eines Melkschä-
mels saß er, plaidumhüllt, hoch oben auf dem Herde, den Kampf mit
dem Rauche nicht scheuend, den ihm der wechselnde Zugwind zeitweise
entgegentrieb, indeß wir Uebrigen uns mit den niedrigeren Plätzen auf
den nahen Bänken begnügten. — Als sich die Glocke endlich der eilften
Stunde näherte, und jede Hoffnung auf Verbesserung unserer Küchen-
zustände unerfüllt blieb, stiegen wir von der Küche weg auf einer Leiter
— nicht zu Bett, sondern — zu Heu, um hier den Versuch anzustellen,
ob sich, unter den Zudringlichkeiten der unsere Gesichter invadirenden
Heuhalme, unter dem Geschwätz der Führer innerhalb, und dem
Blöcken der Rinder außerhalb der Hütte, der Nacht ein oder zwei Stunden Schlafes abgewinnen ließen. —

Am 5. September.

Als wir um 1 Uhr nach Mitternacht von den Führern geweckt
wurden, konnte ich meinerseits mich rühmen, bei jenem Experimente
nicht unglücklich gewesen zu sein; ich hatte etwa anderthalb Stunden
lang geschlafen, und fühlte mich wohl und gestärkt. Nachdem wir etwas
Toilette gemacht, ward unverzüglich zum Frühstück geschritten, welches
diesmal aus Milchreis und Kaffee bestand und uns trefflich schmeckte;
nachdem dies abgethan, verließen wir Punkt 2 Uhr nach Mitternacht
die Leiterhütte.

Noch stand zwar der Mond, der den Tag darauf seine Fülle gewann, am nächtlichen Himmel, aber sein Schimmer erreichte uns jetzt
eben so wenig, als er es gestern vermochte. Die Führer hatten sich deshalb mit Laternen versehen, unter deren Hilfe es rasch über die Fortsetzung des Katzensteiges aufwärts ging. Die Nacht war empfindlich
kalt, und als wir weiter oben über ebenen Grasboden hinschritten, funkelte das Licht der Laternen in den winzigen Krystallen des Reifes, und

unfere Tritte zogen bunkfe Streifen burch bie weißlich überkleibeten
Matten. Das rafche Steigen bes Weges verfcheuchte jeboch balb bas
Gefühl ber Kälte, welch' leßteres fich eher angenehm empfanb, wenn
wir, um Athem zu holen, von Zeit zu Zeit minutenlang ftille hielten.
Diefer Nachtmarfch burch bie feierliche Stille ber Bergwelt, mit ber
großartigften Alpenfzenerie ringsum, mit ben trübfchimmernben Later=
nen zur Seite, bem reinften Sternenhimmel ober uns unb ben ftolzen
Hoffnungen in uns, war von fo eigenthümlich tiefer Wirkung, baß ich
ihn jeßt als eine meiner liebften Erinnerungen aus jenen genußreichen
Tagen betrachte. Ich fpreche hier nur von mir felbft, boch bin ich
überzeugt, baß bies auch bei ben übrigen Mitgliebern ber Gefellfchaft
ber Fall ift.

Zur Verwunberung unferer Führer waren wir fchon nach fieben
Viertelftunben, b. i. um ¾ auf 4 Uhr, am oberen Enbe bes Leitertha=
les angekommen, unb ftanben nun am Fuße einer gewaltigen Ranb=
moräne, über bie ber bahinter liegenbe Leitergletfcher, ber eisbebeckte
Glocknerkamm, unb ber Glocknergipfel felbft, vom Monbe bleich be=
ftrahlt, herüberfah. Hier ruhten wir etliche Minuten lang, unb ftärkten
uns mit etwas Wein für bie Mühen, bie uns jeßt erwarteten. Nach ber
ziemlich mühfamen Ueberkletterung ber aus lockerem Schutt gebilbeten
Moräne betraten wir fofort ben Leitergletfcher, ber von bem Glockner=
kamm herabfteigenb, bie ganze obere Thalmulbe zwifchen ber langen
Wanb rechts unb ben Abfällen bes Kellerberges links, in ber Breite
von beiläufig einer brittel Meile bebeckt. Er ift ein fchöner fekunbärer
Gletfcher von nicht unbeträchtlicher Größe, unb befißt nicht weniger als
acht Mittelmoränen. Von ber Salmshütte in ber Nähe feines Enbes
konnten wir fowohl jeßt, als fpäter, als wir ihn bei vollem Tageslichte
überfchritten, keine Spur mehr entbecken. Sie wurbe vor etwa zehn
Jahren burch eine vorrückenbe Oszillation bes Gletfchers zerftört.

Bei ber geringen Neigung ber Oberfläche war bas Ueberfchreiten
bes Gletfchers mit nur geringer Mühe verbunben, was felbft bann ber
Fall war, als wir bie Firnregion erreichten. Der Schnee war feft ge=
froren unb knirfchte unter unferen Tritten. Auch Klüften begegneten
wir nur felten, bie bann leicht umgangen ober überfprungen wurben.
— Doch nun begann ein anberes, gleich wunbervolles Schaufpiel

unfere ftaunenben Blicke zu feffeln. Schon früher, als wir den Leitergletfcher zuerft betraten, oder höchftens eine halbe Stunde barnach, zeigten fich gegen Sonnenaufgang die Vorboten des nahenden Morgens;
das Firmament hatte fich in jener Himmelsgegend zuerft mit einem
fchwachen Roth überzogen, das nach und nach immer dunkler ward und
fpäter in ein tiefes, zart verlaufendes Gelb überging. Diefe Färbung
hatte eine beftimmte Grenze, die es deutlich von dem dunkeln Azur des
übrigen Himmelsraumes trennte, und die Region des Lichtes von der
der Finfterniß fchied. Eine folche Abgrenzung kann man, wiewohl in
umgekehrtem Verhältniffe, auch in der Ebene an jedem heiteren Abende
wahrnehmen. — Diefe Grenze, die fich am Himmel als ein großer
Bogen projektirte, fchritt nun rafch gegen Weften vor, goß immer mehr
Licht auf die Erde nieder, nahm immer mehr an Deutlichkeit ab, bis fie
endlich ganz verfchwand, und nun loderte mit einem Male der Gipfel
des Großglockner, von den erften Strahlen der Morgenfonne angezün-
det, in dunkelrother Glut auf. Vor dem azurnen Hintergrunde fchwe-
bend, glich diefer Berg einem filbernen Obelisk, deffen Spitze von den
Flammen des Himmels angeleckt, rothglühend geworden war. Mit einem
Auffchrei freudigen Staunens begrüßten wir Alle die herrliche Erfchei-
nung, und H....., feiner Nationalität eingedenk, rief ihm ein begeifter-
tes Eljen! zu. — Wir hatten um diefe Zeit die Höhe von 9000 Fuß
erreicht, und kamen baburch in die Lage, die weiteren Effekte des Sonnenlichtes in einem ziemlich großen Umkreife zu beobachten. — Gleich
nach dem Großglockner entbrannte hinter uns der hohe Schober, der
höchfte Gipfel der Gößnitzgletfcher, dann die Hohewarte vor uns, und
fo nach und nach alle anderen, näheren und ferneren Bergfpitzen Kärn-
thens und Tirols. Deutlich konnte man das allmälige Vorrücken des
Lichtes von Oft gegen Weft wahrnehmen. So glänzte z. B. der hohe
Gößnitzgipfel bereits in den erften Strahlen der Sonne, indeß die Berge
des Pufterthales und deffen Seitenthäler, und felbft die hohe Vedretta
marmolata noch im Schatten lagen. Nicht minder intereffant war,
wenige Minuten fpäter, der Blick auf diefes Labyrinth von Bergen, aus
dem die Spitzen, von rofenrothem Lichte angeflogen, deutlich hervortraten, indeß die Thaleinfchnitte nebenan noch bunkelblaue Nacht
bebeckte.

In den höheren Theilen des Leitergletschers wurde, der zuneh=
menden Steilheit wegen, das Ansteigen etwas mühsamer. Wir beweg=
ten uns, die nöthigen Zickacks abgerechnet, so ziemlich nach der Rich=
tung der Längenachse des Gletschers, und erreichten etwa um ½ 6 Uhr
den Fuß des Glocknerkamms, unterhalb der hohen Warte. Dieser Kamm,
den wir von unserem gegenwärtigen Standpunkte nur in seiner Er=
streckung vom Glocknergipfel bis zum Kellerberge übersehen konnten,
stürzt gegen die Leiterseite allenthalben in furchtbarer Steilheit ab, und
ist meist mit Eis und Hörnerschnee bedeckt; nur hie und da ragen kahle
Klippen und dunkle, senkrecht aufsteigende Felswände aus dieser wei=
ßen Decke hervor. Sie gleichen Beinbrüchen im Innern des Gebirgs=
körpers, wobei die Knochen sich durch das Fleisch der Erde bohrten. —
Zwei dieser Wände werden durch die Hohewarte und den Kellerberg
gebildet, und durch die Scharte dazwischen drängt sich, aus den ober=
sten Firnlagen des Kamms entspringend, ein schmaler, unter einem
Neigungswinkel von nahezu 40 Graden herabsteigender Eisstreifen her=
vor, der zu beiden Seiten von steilen Felsmauern eingeschlossen, einem
erstarrten Wasserfalle ähnlich sieht, und sich zuletzt in dem Firnmeere
des Leitergletschers verliert. Dieser Hohlweg, dessen Höhe, von dem
weitklaffenden Schrunde bei seinem Ausgange bis zur Scharte, ich auf
mindestens 300 Fuß schätze, bildet die einzige praktikable Verbindung
mit dem Glocknerkamme, und mußte deßhalb von uns durchschritten
werden. Jetzt wurden die Steigeisen aufgeschnallt, und in scharf abge=
bogenen Approchen an der Hand eines Führers aufgestiegen. Nicht
bloß in seiner Steilheit, sondern mehr noch in seiner Ebenheit und
Glätte, lag die Schwierigkeit dieses Weges. Nur Mr. Ball, der bei allen
schwierigeren Passagen, wo er konnte, seinen eigenen Weg ging und
immer allen Anderen weit voran war, bedurfte keiner fremden Hilfe.
Doch hier geschah es, daß ihm der Bergstock aus den Händen glitt, und
mit der Spitze voraus, wie ein Pfeil an uns vorüber zur Tiefe fuhr,
wo er in dem erwähnten Firnschrunde verschwand. Dieser Vorfall, so
unbedeutend an sich, machte uns auf die Nothwendigkeit vermehrter
Vorsicht aufmerksam. Nachdem nun unserem wackeren Briten dieses
kleine Mißgeschick widerfahren war, hielt er sich, ohne Stock, auf dem
glatten Eise nicht mehr für sicher, und kletterte deßhalb links hin auf

bie Klippen ber Hohenwarte; boch hier brachte er bie locker liegenben Steintrümmer aus ihrem Gleichgewichte, woburch einige berselben ben Halt verloren, unb sofort, in immer größeren Sprüngen, an uns vorbei unb über unsere Köpfe hinweg, ben steilen Eishang hinabsausten. Diese etwas gefährliche Episobe zog Mr. Ball von Seite unsers Barons einen, mit Ernst ausgesprochenen, Ordnungsruf unb bie wohlberechtigte Aufforberung zu, sich auf seinem Platze so lange ruhig zu verhalten, bis wir seine Höhe erreicht hätten, was Mr. Ball auch ohne Wiberrebe that. Um ¼7 Uhr betraten er unb ich zuerst bie Scharte unb bamit ben Kamm bes Gebirges.

Von ber Scharte weg biegt nun ber Weg unter einem rechten Winkel gegen bie linke Seite ab, unb verläßt bis zum Glocknergipfel ben mit kompaktem Schnee bebeckten Kamm nicht mehr. Nach einigen Minuten schon stanben wir auf ber Hohenwarte, 9813 P. F. hoch, unb erfreuten uns hier ber an Ausbehnung wachsenben Fernsicht. Balb nachher schärft sich ber Kamm zu einem schmalen, felsigen Grat zu, ber nach beiben Seiten, b. h. sowohl gegen ben Leitergletscher als gegen bie Pasterze, so steil abfällt, baß hinabgeworfene Steine, hier wie bort in gewaltigen Sprüngen bis auf ben Boben bes Thales hinabsetzen. Wilb zerklüftete Eismassen bebecken bie Abhänge nach beiben Richtungen, unb mahnen ben eilenben Fuß an bie brohenbe Gefahr. Doch ist ber Weg von hier bis zur Adlersruhe weber besonbers mühsam noch gefährlich; bie meist sanft abgebachten Flächen, mittelst welcher sich bas Gebirge von Terrasse zu Terrasse erhebt, sinb eher geeignet ben Muth bes rüstigen Wanberers zu beleben, als ihn zu brücken. Der Böschungswinkel bewegt sich zwischen 10 unb 17 Graben. — Doch nun erhebt sich ein eiskalter, schneibenber Norbost, ber nach unb nach so heftig wirb, baß er bie festgefrornen Schneeflächen aufwühlt, ben Schnee in bie Luft emporhebt, unb ihn als „Bergrauch" in bas Leiterthal hinabfegt. Unb bennoch benkt niemanb an ben Kleibervorrath in ben Körben ber Träger; ber rasche Schritt unb bie Bewegung aufwärts hält bas Blut warm unb bie Haut thätig. Endlich erscheint bie Adlersruhe, ber letzte Ruhepunkt vor ber Besteigung bes eigentlichen Glocknergipfels, unb ber Ort, ben wir, in Folge gewisser Wahrnehmungen, zur Einnahme eines geeigneten Gabelfrühstückes für vollkommen tauglich erklären.

Die Adlersruhe ist nichts anderes als ein schmaler, felsiger Absatz des Kamms, eine kurze Pause, die sich der von dem Glocknergipfel in unerhörter Steilheit herabsteigende Rücken gönnt, um wieder etwas zu Athem zu kommen. Mit dem Athem fängt es hier überhaupt etwas kritisch zu werden an, was sich vor der Hand wohl nur bei angestrengterer Bewegung zeigt. Die Meereshöhe der Adlersruhe beläuft sich bereits auf 10,432 P. F. — Grund genug zu einigem Stolze, denn es ist dies die höchste Höhe, die ich bisher erstiegen. Vor Jahren wurde hier, aus den umherliegenden Chloritschieferblöcken, eine etwa 10 Fuß im Geviert haltende Hütte erbaut, von der es ungewiß ist, ob sie je ein Dach besaß; noch stehen zwar ihre Mauern, aber "des Himmels Wolken schauen hoch hinein." Als wir sie erreicht hatten, freuten wir uns des Schutzes, den uns ihre Wände gegen den Wind gewährten, der in unverminderter Kälte und Heftigkeit daherfuhr, und uns zeitweise mit Wolken gefrornen Schneestaubes umhüllte. Eine unbeschreibliche Oede und Verlassenheit beherrschte diese stillen, eisumstarrten Reviere; nirgends die leiseste Spur eines Lebens; selbst die geduldigsten, winterlichsten Flechten scheuten die Ansiedlung auf dem Gesteine dieser unheimlichen Region. Aber alle diese Umstände zeigten sich, gegenüber unserem Appetite, den ein sechsstündiger, angestrengter Marsch und die herrschende Kälte wohl nicht anders als schärfen konnte, wirkungslos. Jetzt focht uns auch die herrliche Fernsicht nicht an, die sich vor uns, in unendlicher Weite und Pracht, aufschloß. — Der bleiche Käse, der purpurne Schinken, die weißgelben Eier und der dunkle Wein, letzterer ein preiswürdiges Tirolergewächs, schmeckten trefflich, nur die Cigarre wollte nicht munden; wie ich denn überhaupt dem Tabake auf größeren Höhen keinen Geschmack abgewinnen konnte.

Die Ruhe und Stärkung, die wir auf solche Weise fanden, war jedoch nicht bloß ein Bedürfniß für unsere müden Glieder, sie war es auch für unseren Muth, der sich hier erst an der Schwelle wirklicher Prüfungen sah. Denn in der That, nicht ohne einen leisen Schauer vermochten wir, von diesem Platze aus, nach dem Gipfel des Großglockners emporzublicken, der sich, noch etwa 1800 Fuß hoch, gleich einem Zuckerhute vor uns aufthürmte. Bei der Energie dieser aufstrebenden Linien, bot er ein Bild von niegesehener Kühnheit. Wir suchten uns

21

eine, in jedem Momente leicht zu erneuernde, Vorstellung seiner Gestalt
dadurch zu verschaffen, daß wir die beiden flach gegeneinander gelegten
Hände senkrecht vor uns hielten, die Fingerspitzen mit dem Gipfel ein-
richteten, und dann den unteren Theil der Hände so weit öffneten, bis
die äußeren Handflächen mit der Ebene der beiden Bergabdachungen
genau abschnitten. Als diese Oeffnung der Hände erreicht war, konnte
man in der Höhe der Daumen nicht mehr als drei starke Finger zwischen die beiden Handflächen einführen. Diese Steilheit eines so hohen
Gipfels war nahezu unbegreiflich. Nach den gewöhnlichen Begriffen
hätte er sich in dieser Beschaffenheit keinen Tag lang erhalten können;
er hätte in sich selbst zusammenstürzen müssen. So würde ich nämlich,
nach meinen Studien in der Oryktognosie, geschlossen haben, wenn mir
jemand einen solchen Gipfel beispielsweise auf das Papier hingezeichnet
hätte. Der Beweis von dem Irrthum meiner Vorstellungen stand jetzt
vor mir. Freilich war diese Steilheit des Glocknergipfels nicht diejenige,
die wir bei seiner Besteigung zu überwinden hatten, aber sie brachte in
uns den bemerkten Eindruck hervor, der keineswegs ein freudiger und
ermuthigender war.

Demungeachtet mußte endlich aufgebrochen werden, was, nach ein-
stündiger Rast, ohne ein sichtbares Zeichen der Schwäche auf irgend
einer Seite geschah. Eben schlug's 9 Uhr auf der Kathedrale zu Salzburg — so lehrte mich nämlich meine Taschenuhr, deren Zeiger ich in
Gastein nach Salzburger Zeit korrigirt hatte.

Da sich nun, sehr bald nach unserem Aufbruche von der Adlersruhe, die Wichtigkeit der Führer für uns auf das Beträchtlichste stei-
gerte, so halte ich es für nothwendig, von diesen wackeren Leuten jetzt
ein Wörtchen zu sprechen. Anton Fleißners habe ich früher bereits
Erwähnung gethan; er hatte früher als Soldat im Regimente Pro-
baska gestanden, und die Feldzüge in Italien und Ungarn mitgemacht.
Von daher rührt ohne Zweifel seine gerade, freie Haltung, seine bün-
dige, scharf akzentuirte Redeweise, das bessere Deutsch das er spricht, und
ein gewisses, doch völlig unostensibles Selbstbewußtsein, das sich in
allen seinen Handlungen ausdrückt. Er hatte sich den Baron zum
Schützling gewählt, und leistete diesem, nach dessen eigenem Geständ-
nisse, zweimal höchst wesentliche Dienste. — Ein anderer Führer war

Josef Kramser, eine aus breiten, offenen Zügen mit treuherzigen Augen hervorblickende Natur. Bei der sehnigen Gedrungenheit seines Körpers und der Breite von Brust und Schultern schien er fähig, uns alle mit einem Male auf die Spitze des Großglockners zu tragen. An ihn hielt sich unser Kanonikus, und fand an ihm einen eben so verläßlichen, als umsichtigen Beschützer. Mir selbst fiel als Protektor der Schmid Eder aus Pockhorn zu, ein höchst gutmüthiger Alpensohn, der mich wie seinen leiblichen Bruder bewachte, und mir sehr viel zu sagen wußte, wovon ich jedoch leider oft nur sehr wenig verstand. Auch die beiden noch übrigen Führer, deren Namen ich nicht mehr zu nennen weiß, und von denen einer sich zu Mr. Ball gesellte, waren gleich treffliche, in ihrer Aufmerksamkeit und Thätigkeit unermüdliche Leute. Gewiß, nur der Umsicht und sorgsamen Führung dieser wackeren Männer verdanken wir die glückliche Ausführung des Unternehmens.

Von der Adlersruhe aufwärts gewinnt die Neigung des Abhanges vom Flecke weg das beträchtliche Maß von 25 bis 30 Graden, bei dem sie jedoch nicht stehen bleibt, sondern nach und nach in rascher Folge einen Grad um den anderen zusetzt. Mit diesem Wachsen des Böschungswinkels verengt sich eben so rasch die Breite des herabziehenden Rückens, wodurch bald alle ausholenden Zickzacks ein Ende nehmen, und unser Weg sich nothgedrungen in einer geraden Linie gegen die Spitze bewegt. Jetzt wird auch das Steigen über die steinharte Schneefläche, die ihrer großen Neigung wegen die Fußgelenke hart mitnimmt, in hohem Grade beschwerlich; dennoch geht es, etwa eine halbe Stunde lang, noch auf gewöhnliche Weise vorwärts. Endlich wird jedoch der Abhang so steil, und die Gefahr des Ausgleitens so groß, daß eine veränderte Manier des Aufsteigens angewendet werden muß. Jeder Passagier wird nämlich von seinem Führer an das Seil genommen, die Gesellschaft ordnet sich in eine Reihenkolonne, wobei in jeder Partie der Führer sich voranstellt, und der letzte ledige Führer sich an die Tête setzt, um mit der mitgeführten Haue Stufen in die feste Eisrinde zu graben. Das Maß, mit der diese Arbeit fortschreitet, bestimmt jetzt unabänderlich das Maß der Geschwindigkeit, mit der wir uns vorwärtsbewegen, und dies geschieht langsam, denn die Arbeit ist keine leichte, und der eishauende Führer muß von Zeit zu Zeit abgelöst werden.

21 *

Bald nachdem die Erbauung dieses Treppenwerkes ihren Anfang genommen, hatte sich der schmale Rücken, über den wir aufwärts stiegen, zur Breite von einigen wenigen Schritten zugeschärft, so daß wir jetzt nach beiden Seiten den Blick in grauenvolle Tiefen frei hatten, in die sich, dicht neben uns, hüben wie drüben, der Abhang in einer einzigen, durch kein Hinderniß irgend einer Art gesänftigten Linie von entsetzlicher Steilheit, hinabstürzte. Wer jetzt ausglitt und mit den Füßen den Boden verlor, der hatte die sicherste Aussicht, auf die schnellste Art, und in einem einzigen ungestörten Fluge, den zwischen 4 und 5000 Fuß tiefen Abgrund zu erreichen. Freilich gingen wir jetzt am Seile, dessen eines Ende fest um die Mitte des Körpers geschlungen war, indeß das andere Ende sich eben so fest um den linken Arm des Führers wand; aber auch einer der Führer konnte ausgleiten, und dann, entweder mit seinem Seilgefährten allein, oder in Gesellschaft mit noch anderen Personen, die er etwa im Sturze mit sich riß, hinab in die Tiefe und in die Ewigkeit wandern. Und gewiß dachte damals keiner von uns, auch nur mit einiger Besorgniß, an die Gefährlichkeit der Lage, in der wir uns befanden. Die Großartigkeit und Erhabenheit alles dessen, was uns umgab, nahm unsere Aufmerksamkeit so unablässig in Anspruch, daß sie für die Regungen der Furcht keine Zeit fand. Da das Aufklimmen über die Eistreppe ruckweise und in dem Maße geschah, als 6 bis 8 Stufen fertig wurden, so gaben die hiedurch entstehenden Zeitintervallen die Gelegenheit zu allerlei Beobachtungen. So faßte ich jetzt die überraschend schöne Zeichnung der Ogiven des Pasterzengletschers, der, in der Tiefe zur rechten Hand, wie ein breiter, mächtiger Strom in seinem Bette dahinfloß, — den Gang seiner Moränen, und einige andere, von hier aus wahrnehmbare Verhältnisse desselben, erst recht ins Auge; gleiches that ich in Beziehung auf den links liegenden Leitergletscher.

Doch nun traf, beiläufig jenseits der Mitte zwischen der Adlersruhe und dem Gipfel, unser Stufenpfad auf eine scharfe Schneekante, die, von vorausgegangenen heftigen Westwinden erzeugt, von der Bergspitze gerade gegen uns herablief, sich dann rechtshin abkrümmte, und in der Tiefe verlor. Dieser Kante, die die Linie des geringsten Falles bezeichnete, folgte jetzt unser Weg in dem Abstande von wenigen Zollen. Es war nun interessant anzusehen, wie die durch das Einhauen

der Stufen losgelösten Schneeschollen, erst mit rasender Geschwindigkeit an uns vorüberfuhren, und dann, je nachdem sie rechts oder links
ausgeworfen wurden, entweder gegen die Pasterze oder gegen den Leitergletscher das Weite suchten. Hier wuchs die Steilheit unsers Weges
mit jedem Schritte und erreichte endlich sogar das Maß von 49 Graden. *) Zu den hieraus entspringenden mechanischen Schwierigkeiten
des Aufsteigens gesellte sich nun auch, in immer steigendem Maße, ein
Druck auf die Respiration, der das Blut zu Kopf trieb und Kopfschmerz verursachte. Die dünne Luft dieser, zwölfthalbtausend Fuß über-
schreitenden Höhe genügte während der Bewegung dem Bedürfnisse
der Lunge nicht mehr, die deshalb durch ein fliegendes Athmen das
Defizit wieder zu gewinnen suchte. Sind nun solche pathologische Erscheinungen auf großen Höhen allgemein, so treten sie doch bei san-
guinischen Menschen früher auf, und sind auf sie von größerer Wirkung, als bei Leuten von verhältnißmäßig wenigem und dickflüßigerem
Blute. Deshalb eben empfand ich den Einfluß der verdünnten Luft unzweifelhaft am meisten. Bei der Eingenommenheit meines Kopfes befiel
mich auf kurze Zeit eine Anwandlung von Schlaf, wodurch es mir geschah, daß ich, bei einer der erwähnten Pausen, die wir zuweilen zum
Niedersitzen auf die Stufen verwendeten, beinahe eingeschlafen wäre.
Dies bemerkte H....., der mir zunächst stand, und wollte das Faktum
mit Worten konstatiren, wurde jedoch von mir noch zur rechten Zeit
durch ein kräftiges „O nein, kanonok úr!" und durch Aufstehen von
meinem Sitze widerlegt. Später ergriff mich gar ein kleiner Brechreiz,
der jedoch nach einiger Ruhe auf dem Gipfel wieder verschwand. Mit
all diesem Ungemach verband sich jetzt zum Ueberfluß eine drückende
Hitze; der kalte Wind hatte aufgehört, und die von der blanken Schneefläche heftig reverberirten Sonnenstrahlen wirkten nun mit einer Kraft,
die wir ihnen in solcher Höhe nimmer zugetraut hätten. Demungeachtet
ward der Raum, der uns von dem Zielpunkte unserer Wünsche trennte,
von Minute zu Minute kleiner, bis wir endlich, nach zweistündigen
Mühen seit dem Aufbruche von der Adlersruhe, um 11 Uhr den ersten
oder niedrigeren Gipfel des Großglockners betraten.

---

*) Siehe die Monographie der östlichen Alpen von den Brüdern Schlagintweit.

Aber hilf Himmel, was war das für ein Gipfel! war's etwa eine breite, zu behaglichem Lagern auffordernde Kuppe? oder war's ein trotziger, schwarzbrauner Felsenkamm, in dessen Klippen wir, Adlern gleich, in Ruhe und Sicherheit horsten konnten? — nichts von all dem! es war bloß eine, nach der Steilheit der beiden Seitenwände zugespitzte Schneeschneide, so scharf, daß, wenn sie fest gefroren, eine rasch darüber hinfahrende Hand sich daran hätte schneiden mögen. Wem diese Ansicht tropisch erscheint, der berichtige sie nach seinen eigenen Vorstellungen über den höchsten Grad von Steilheit und Schärfe, unter welchem vom Winde zusammengewehter und gefrorner Schnee sich nur immer erhalten kann. Dabei überhing der Gipfel, vermittelst des unter dem Schnee befindlichen Hocheises, um etwa 6—8 Fuß horizontaler Entfernung, gegen die Pasterzenseite. Auf dieser schwebenden Unterlage gruben uns nun unsere Führer, gleich vorne wo wir den Gipfel zuerst betraten, eine Art von Kanape in den Schnee, auf dem wir etwa eine halbe Stunde lang ausruhten, so lange nämlich, als die Führer Zeit benöthigten, um den Uebergang auf den höheren Gipfel vorzubereiten, wobei auch sie sich gegenseitig — ein uns damals auffallendes und sicheres Zeichen der wachsenden Gefahr — mit den Seilen zusammenbanden.

Wir saßen auf unserem Kanape mit dem Gesichte gegen die Sonne, die uns mit ihren glühendsten Strahlen bedeckte. Und so steil schoß unter unseren Füßen die Schneewand in die Tiefe, daß wir unsere Bergstöcke, in den durch die Sonnenwärme mittlerweile etwas aufgelockerten Grund, nur dann verläßlich einrammen konnten, wenn wir sie oben vom Leibe entfernten, um ihre Richtung mit der Ebene des Abhanges in den erforderlichen Winkel zu versetzen. Auch hielten es zwei der Führer für rathsam, an unserer Seite zu verbleiben, und die Seile in ihren sicheren Händen fest zu halten. — Das Thermometer zeigte in der Sonne nicht weniger als $+$ 23 Grad R.; wir hatten daher seit der Adlersruhe, wo die Temperatur auf — 3 Graden stand, also in nicht vollen zwei Stunden, eine Temperaturdifferenz von 26 Graden durchgemacht; ein Faktum, das gewiß höchst seltener Art ist. Als wir jedoch das Thermometer über die Schneide hinüber in den Schatten brachten, sank es bis auf 6½ Grade herab, was zwischen Licht und Schatten einen

Temperaturßunterschied von 16½ Graden gibt. Die Höhe dieses Gipfels beträgt 12,088 P. F.

Der Uebergang zum höheren Gipfel geschah einzelweise, da jetzt jeder von uns, gegen vorne sowohl als gegen rückwärts, ins Seil genommen wurde, und daher zweier Führer beburfte. Vom Kanape weg führte der Weg erst längs der, etwa 50—60 Fuß langen, Schneeschneide des Gipfels, auf einem Pfade weiter, deffen Breite die einer Handfläche kaum übertraf, und von den Führern mit der Haue in die Schneewand eingerissen worden war. Die Gipfelschneide lag uns zur Rechten, überhöhte den Fußsteig um 3—4 Fuß und konnte als Geländer dienen; wer aber, wie ich es that, seinen Bergstock fest dagegen stemmte, dem geschah es, daß er die dünne Schneekante durchstieß, und durch die hieraus entstandene Oeffnung den jenseits in der Tiefe liegenden Pasterzengletscher erblicken konnte. Am jenseitigen Ende des Gipfels angelangt, setzte der Weg auf die nördliche oder Pasterzenseite über, und senkte sich jetzt, immer längs der in ihrer Schärfe sich gleichbleibenden Schneeschneide hinführend, in fast senkrechtem Absturze, zu jenem Sattel herab, durch welchen beide Gipfel mit einander zusammenhängen. Hier mußte man sich umkehren, wie man es thut, um über eine Leiter herabzuklettern; ein Führer schritt einige Stufen voraus hinab, indeß der auf dem Gipfel zurückbleibende zweite Führer sich mit den Füßen und Knien fest in den Schnee eingrub, da die Sicherheit des Hinabsteigenden zumeist von der Festigkeit des oberen Seiles abhing. Mit dem einen Fuße in der oberen Stufe stehend, mußte man mit dem anderen Fuße die nächste Stufe suchen; da aber bei der großen Steilheit des Abhanges die Stufen nur sehr weit von einander entfernt angelegt werden konnten, da sie sonst im Schnee leicht durchgetreten worden wären, so war die nächsttiefere Stufe nur dadurch zu erreichen, daß der obere Fuß seine Stufe verließ, und der Körper am Seile hängend langsam hinabglitt, wobei der untere Führer den Fuß ergriff und ihn vorsichtig in die gesuchte Stufe einsetzte. Solcher Stufen gab es sechs bis acht. Ich legte dabei einige Male, wo es anging, den rechten Arm über den nahen Schneegrath, um mich daran festzuhalten, und fühlte wie seine Spitzen unter dem Drucke meines Körpers zerbröckelten. — Das Absteigen über diese vertikale, lockere, und nicht

mehr als fußbreite Treppe, die über einem Abgrunde von 5000 Fuß
Tiefe hing, wird gewiß selbst von dem kühnsten Bergebesteiger als ein
nicht zu verachtendes Muthpröbchen willig anerkannt werden, und dennoch erschien es mir weitaus nicht so grauenvoll, als die kurze Passage
über den Sattel selbst. Hier sah man sich auf einer durch Felsen gebildeten und von etwas Schnee geebneten, 4—6 Zoll breiten Schneide,
mit Felswänden von so entsetzlicher Steilheit zu beiden Seiten, daß sich
die Hände, die keinen greifbaren Gegenstand in ihrer Nähe fanden, unwillkürlich dem Boden näherten, um den Schwerpunkt des Körpers
tiefer zu stellen. Zum Glück betrug die Länge dieses Sattels nicht mehr
als höchstens 36 Fuß; er war in wenigen Augenblicken überschritten.
Nach solchen Gefahren war das Erklimmen des noch etwa 120 Fuß
über den Sattel sich erhebenden eigentlichen Glocknergipfels, ungeachtet
seiner Steilheit, nur mehr ein Spiel. Dennoch geschah es hier, daß Baron T*** auf einer vom Schmelzwasser des Schnees befeuchteten Felsplatte ausglitt, und unfehlbar in den Abgrund gestürzt wäre, wenn
nicht Fleißner vermittelst des Seiles ihn zurückgehalten und gerettet
hätte. Als wir endlich alle auf dem Gipfel vereinigt waren, zeigte meine
Uhr Punkt 12 Uhr Mittags.

Man kann sich die freudige Genugthuung vorstellen, die wir empfanden, als wir uns endlich, nach 14stündigem Marsche von Heiligenblut, glücklich am Ziele unserer Reise angekommen sahen. Nicht größer
aber hätte der Lohn sein können, als derjenige es war, der sich uns jetzt
in dem Genusse einer über alle Beschreibung großartigen und reizvollen
Rundsicht darbot. In dem tiefergreifenden Gefühle dessen, stimmten
wir unverzüglich den Hymnus „Großer Gott, wir loben Dich!" an,
und brachten auf solche Weise, aus voller Brust, den Tribut der Er-
kenntniß, des Dankes und der Anbetung zuerst Demjenigen dar, dessen
Größe und Macht sich unseren Seelen auf diesem Punkte in so un-
aussprechlicher Erhabenheit enthüllte. Und als wir so sangen, verrieth
das Zittern unserer Stimmen die Vibrationen des Gefühles im Innern
der Brust. Ich dachte an Weib und Kinder, an meine fernen Eltern,
und an den Verlust, der sie bedrohte, wenn es der Vorsehung gefallen
hätte, mir in den Gefahren, denen wir soeben entronnen waren, ihre
schützende Hand zu entziehen. Zwei Strophen jenes schönen Liedes schie-

nen uns hinreichend, und als wir damit zu Ende waren, rief der ehrliche Kramser mit lauter Stimme: „Nun, das ist einmal ein Gesang,
der sich hören läßt! — so viel ich weiß, hat dieses Lied an diesem Platze
noch Niemand gesungen!" — Nunmehr intonirten wir das hohe Lied
des Kaisers, und zuletzt, unserem guten Mr. Ball zu Ehren, „God
save the queen!" wofür er uns am Schlusse seinen Dank votirte. Nachdem dies Alles geschehen, holten wir Fernröhre und Karten hervor,
orientirten letztere nach einem bekannten Punkte, und gaben uns nun
dem Genusse, sowohl des Ganzen als seiner Details, mit ungetheiltem
Interesse hin.

Und dieser Genuß war wahrhaftig von überschwenglicher Größe.
Da der Großglockner in seiner dominirenden Stellung durch keinen anderen nahestehenden, gleich hohen oder höheren Berg beinträchtigt wird,
so ist die Rundsicht vollkommen, und umfaßt ein so weites Gebiet, wie
es vielleicht in Europa nur von der Spitze des Montblanc und des
Monte Rosa, in gleichem oder größerem Umfange, überblickt werden
kann. Die Vortheile dieser günstigen Lage erhielten jedoch für uns erst
durch die helle, spiegelklare Witterung ihren ganzen Werth. Der Tag
war rein wie ein Diamant; überall war auch nicht die leiseste Spur
einer Wolke oder eines Nebels sichtbar, und so frei von Dünsten war
die Luft, daß sich die größten Fernen, ja selbst die Ebenen des südlichen Deutschlands in vollkommener Klarheit übersehen ließen. Ein solcher Tag gehört unter solchen Umständen gewiß zu den köstlichsten Geschenken des Himmels. Da war nirgends von dunkeln, nebelgrauen
Tiefen die Rede, in denen die Menschen ihr sorgenvolles Dasein hin-
schleppen, wie uns dies so manche Touristen beschreiben, die das
Schicksal zufällig weniger als uns begünstigte, und die daher das tiefere Land, wo der Mensch haust und sich seinen etwas komplizirten
Lebensapparat zurichtete, nur durch die verdüsternde Hülle einer trüben
Atmosphäre erblickten. Uns lag der Erdkreis in dem vollen Glanze
seiner Farben vor den staunenden Augen, und da das tausendfache Weh
der Menschheit, ihre Klagen und Nöthen, ihre Thorheiten und Leidenschaften, ihre lärmende Ruhelosigkeit und Zwietracht, ihre Liebe und
ihr Haß, sich von dieser Höhe aus nicht mehr wahrnehmen ließ, so befleckte nichts das reine, weiche Kleid des Friedens, das über der Welt

ausgebreitet lag, und die Berge darin hoben ungestört und feierlich ihre Häupter empor, und schienen in ein stummes Gebet versunken. — Bis in die fernste Zeit wird meine Erinnerung dieses überherrliche Bild wie eine Art Heiligthum verehren!

Ich will es nun versuchen, die Grenzen des von hier aus über- sehbaren natürlichen Horizonts zu bezeichnen, in so weit nämlich, als uns dies mit Hilfe eines nicht eben sehr vorzüglichen Fernrohres mög- lich gewesen.

Am nächsten lag diese Grenze gegen Süden, wo der hohe Berg- wall der karnischen Alpen die dahinter liegende venetianische Tiefebene unseren Blicken entzog. Vom Terglou angefangen sah man den ganzen Bergzug der eben genannten Alpen, mit allen ihren Spitzen: den gro- ßen Mannhart bei Tarvis, den Kreuzberg und die Cima grande im Gail- thal u. A. m. — Kurze Zeit bevor wir den niedrigeren Gipfel des Großglockners erreichten, schien es mir eine Weile lang, als sähe ich, durch eine tiefere Einsattlung dieses Gebirges, eine oben durch eine horizontale Linie abgeschnittene Wasserfläche blitzen, die ich für den Spiegel des adriatischen Meeres hielt. Später suchte ich, von dem höheren Gipfel, und selbst mit Hilfe des Fernrohrs, diesen Glanz ver- gebens, weßhalb ich meine frühere Wahrnehmung damals für eine Täuschung hielt. Nachher erfuhr ich jedoch, daß auch Andere das adriatische Meer vom Glocknergipfel aus erblickt haben sollen, und nun bin ich der Meinung, daß meine eigene Wahrnehmung vielleicht doch keine Täuschung gewesen. Als ich jenen Glanz erblickte, war es bei- läufig 10 Uhr Morgens, eine Stunde, wo die Morgendünste noch über den Tiefen lagerten und die Strahlen kräftiger gegen das Neigungs- loth brachen, als dies zu Mittag geschah, wo ihre Dichtigkeit wesent- lich abgenommen hatte.

Etwas weiter gegen Westen machte sich die Vedretta marmolata mit ihrem Gletscher bemerkbar, und nebenan zeigten sich die weißen Zinken des Schlern und der übrigen Dolomitberge bei Botzen.

Jenseits dieser Höhen übersah man noch andere Gebirgszüge in unbestimmter Anzahl, und wir zweifelten nicht, daß der äußerste der- selben jener des Monte Baldo bei Verona gewesen.

Nun folgte die Gletschergruppe des Monte Adamello und der

Vebretta di Carefallo, an der Grenze zwischen Südtirol und der De-
legation Brescia, und dann, in noch mehr westlicher Richtung, das
System des Ortles, mit seinen weitausgedehnten Eisfeldern. Die hervorragendsten Spitzen dieser Gebirge zeigte das Rohr mit vollkommener
Deutlichkeit.

Zwischen dem letztgenannten Gebirgszuge und den Gletschern des
Oetzthales, erblickte man in weiter Entfernung eine langgestreckte Reihe
schneebedeckter Berge, die sich vermittelst der Karte als die Kette der
lepontinischen Alpen, mit dem Bernina und dem Monte delle disgrazie,
leicht nachweisen ließ.

Das mächtige Gletschersystem des Oetzthales, das nun in dieser
Richtung den Gesichtskreis begrenzte, stand, mit der Stellung des vor-
genannten Alpenzuges verglichen, so nahe, daß es für die Fernsicht fast
wie ein Hinderniß erschien. Seine drei hervorragendsten Spitzen: der
Similaun, die Weißkugel und die Wildspitze, erkannte ich an ihren,
mir wohlbekannten Formen schon mit unbewaffnetem Auge. — Rechts
von diesen Bergen lag in noch größerer Nähe die Gruppe der Stubaier-
Ferner.

In der Linie der Stubaiergletscher, aber weit jenseits derselben,
konnte man, mit Hilfe des Fernrohrs, noch deutlich jenen mächtigen,
eisbedeckten Bergkamm erblicken, längs welchem die Grenze zwischen
Vorarlberg und Graubünden hinzieht. Der Albuinkopf, die Rab-, Litz-
ner- und Strohfettnerspitze und die Sessaplana sind seine höchsten
Gipfel.

In nordwestlicher Richtung verlor sich der Blick endlos in das
würtembergische Hügelland und die baierische Hochebene. Nur die Sehkraft des Auges beschränkte hier die Weite der Fernsicht.

Gegen Norden sah man den Böhmerwald und das böhmisch-mäh-
rische Grenzgebirge, und weiter östlich die kleinen Karpathen. Gleich
niedrigen, hie und da etwas gescharteten Dämmen, die in ihrem Verlaufe dem Auge keinen erheblichen Wechsel darboten, umsäumten diese
Höhenzüge den weiten Horizont.

Gegen Sonnenaufgang konnte der Blick mit Sicherheit den ganzen Zug der norischen Alpen verfolgen. In einer der letzten höheren
Kuppen desselben glaubten wir den Schneeberg wiederzufinden. Aehn-

liches war bei den steierischen Gebirgen der Fall; mit voller Klarheit
zeigten sich die bekannten schönen Umrisse der Steiner Alpen, in der
Nähe von Laibach. Jenseits aller Berge der steierischen Mark aber
schloß die Ebene des westlichen Ungarns als eine gerade Linie den Gesichtskreis auf dieser Seite ab.

Innerhalb dieses ungeheuren Kreises stand nun Berg an Berg,
gleich den Riesenwogen eines, inmitten seiner wildesten Empörung plötzlich starr gewordenen Ozeans. Doch fand sich das Auge auch in diesem
Labyrinthe bald zurecht. Ohne große Mühe ließen sich die Depressionen
des Drau= und Pusterthales, des Vintschgaues, des Wipp=, Inn= und
Zillerthales, des Pinzgaues u. A. m. erkennen. In die naheliegenden
kleineren Thäler aber, wie z. B. das obere Möllthal, das Leiter=, Kal-
ser=, Isel=, Virgen= und Teffereggenthal, konnte man fast so hinein-
sehen, wie von einem Kirchthurme in die umliegenden Straßen der
Stadt.

Es war überhaupt merkwürdig, wie verändert sich manche Verhältnisse darstellten. Bekannte Berge, die vom Thal aus angesehen
durch ihre Höhe imponirten, und die selbst neben dem Großglockner
noch Figur machten, waren zu kleinen Bergen eingesunken; andere
minder bedeutende Erhebungen waren gar nicht mehr zu finden. Nicht
minder interessant war jetzt das klare Hervortreten der räumlichen Beziehungen einzelner Terraintheile gegen einander. Die Verzweigung der
Gebirgszüge, die Lage der Thäler und ihre Verbindungen unter sich,
und dergleichen Dinge mehr, die durch die Karten und mit Hilfe der
Phantasie nur schwer und unvollkommen erkannt werden, lagen jetzt in
voller Uebersichtlichkeit offen. So wurden wir auch, gleichsam auf pla-
stischem Wege, über das Maß der Elevation belehrt, die wir erklommen
hatten.

War nun dieses Rundbild in seiner Totalität von fast sinnver-
wirrender Großartigkeit, so war dafür manches Detail unendlich schön
und reizend. Wendeten wir z. B. den Blick gegen Norden, so sahen
wir in der Tiefe vor uns den herrlichen Pasterzengletscher, von seinen
schimmernden Firnmeeren angefangen, durch seine ganze $^5/_4$ deutsche
Meilen messende Länge, bis zu seinem wildzerklüfteten Ende hinab. Ihn
überragte hochthronend das stolze Wiesbachhorn, und schien von hier

aus fast mit den Händen greifbar. Rechts hin strich die östliche Hälfte
der Tauernkette: aneinander gereihte Titanen, mit den Stirnen voll
eisigem Ernst. — Südwärts glänzten, unter den blendenden Reflexen
des Sonnenlichtes, die breiten Schneefelder der nachbarlichen Gößnitz.
In westlicher Richtung blickend, begegnete das Auge zunächst einer
weitausgedehnten Eisfläche, aus welcher die tadellos weiße Pyramide
des Sulzbacher Venedigers, 11,400 Fuß hoch, mächtig emporstieg. Ihr
zur Seite, doch etwas mehr rückwärts, erhob die Dreiherrenspitze ihren
Silberscheitel, hinter dem sich die Gletscherzeilen des Zillerthales
großentheils verbargen. In etwas nach Süden abweichender Richtung hob sich nebenan die kleine Fernergruppe von Antholz in Tirol,
klar und kräftig aus der blauumschatteten Masse der übrigen Berge
heraus.

Gegen das blendende Weiß der Schneeberge und das düstere Grau
der Felsen bot das helle Grün der nahen Thäler einen freundlichen
Gegensatz. Die kleinen Dörfer Kals in Tirol und Heiligenblut in Kärnthen — die einzigen menschlichen Wohnstätten, die wir mit freiem Auge
von dieser Höhe erblicken konnten — lieferten mit ihren Kirchen, ihren
weißblinkenden Häusern und den brennend grünen Wiesengründen daneben, ein reinliches, lachendes Bild menschlichen Seins und Schaf-
fens. Neben so viel Großem und Gottentsprossenem, das den Geist
aus dem Kreise der Alltäglichkeit entrückte, ihn über sich selbst erhob
und der Gottheit näher brachte, erinnerten jene Bilder wieder an die
engeren Interessen des Lebens, an die eigene liebe Heimat und die
Freuden des häuslichen Herdes.

Je länger wir auf dem Gipfel verweilten, desto mehr veränderte
sich das Aussehen des Himmels ober uns. Die schöne dunkle Farbe
deßselben, wie wir sie anfangs sahen, hatte sich jetzt in ein tiefes
Schwarzblau verwandelt, deßen Ton mit der Farbe von dunkelangelau-
fenem Stahl einige Aehnlichkeit zeigte. Noch deutlicher trat dieses unheimliche Kolorit hervor, als wir rückkehrend die Adlersruhe wieder erreicht hatten, und unsere Blicke nochmals der Höhe zuwendeten. Der
weißstrahlende Gipfel schien da, vor dem dunklen, fast grünblauen
Himmel, von einem röthlichen, fremdartigen, magischen Lichte beleuchtet.

Nun noch ein Wort über den Gipfel selbst. Von der niedrigeren

Spitze angesehen, stellt er sich als ein schlankes, etwas gegen Norden geneigtes, scharf zugespitztes Horn dar, auf dessen unebenem, felsigem Rücken höchstens zwölf Personen sichere Ruheplätze finden. Die Fels= art, aus der er besteht, ist dunkelgrüner Chloritschiefer. Der Barome= terkasten und der Blitzableiter nebenan, die Erzbischof Fürst Salm einst hier aufrichten ließ, sind von den Stürmen zertrümmert worden; nur von dem Blitzableiter hängt noch die eiserne Stange, verkrümmt und niedergeworfen, an der Vernietung im Felsen.

Nach der barometrischen Messung der Gebrüder Schlagintweit beläuft sich die absolute Höhe des Glocknergipfels auf 12,158 P. F. — Er soll daher die Ortlesspitze um 138 P. F. überragen und daher, nach der Behauptung jener beiden Gelehrten, der höchste Punkt der öster= reichischen Monarchie sein.

Nach anderthalbstündigem Aufenthalte verließen wir den Gipfel. Die Scharte zwischen den beiden Spitzen bot jetzt auf dem Rückwege dieselben Schwierigkeiten dar, wie bei der Besteigung. Leichter aber, als wir fürchteten, geschah nun die Abfahrt über die steile Schneefläche bis zur Adlersruhe. Der mittlerweile durch die Sonnenhitze aufgelo= derte Schnee ließ jetzt den Fuß bei jedem Schritte tief einsinken, und verminderte dadurch die Möglichkeit des Ausgleitens. Jetzt hielt sich der Führer in jeder Partie rückwärts, nahm das Seil lang, stellte sich auf seinem Platze fest, und ließ seinen Passagier acht bis zehn Schritte ab= wärts schreiten, worauf dieser seinerseits so lange stehen blieb, bis der Führer wieder herangekommen war, worauf dieses Verfahren von neuem begann. Später jedoch, als wir mehr Muth gewonnen hatten, gingen wir ohne Aufenthalt weiter, und beobachteten bloß die Vorsicht, Fuß und Stock nicht gleichzeitig mit jenen des Führers niederzusetzen. Auf solche Weise ging es rasch abwärts. In weniger als einer Stunde erreichten wir fast athemlos die Adlersruhe, wo wir von den Seilen losgebunden wurden, und wo wir kurze Zeit verweilten, um wieder etwas zu Athem zu kommen. Mit ungleich ruhigeren Empfindungen als vor wenigen Stunden, sahen wir jetzt zu dem Gipfel auf, dessen Bild sich sonst von keinem anderen Orte in so erschrecklicher Schärfe und Wildheit präsentirt. — Unangenehm war jetzt das Ueberschreiten des Leiterfirns, in den sich unsere Füße schuhtief eingruben; noch

unangenehmer aber machte sich auf dem festen Grunde bei mir das Drü-
den meines linken Schuhes fühlbar; diesmal kam es sogar zum Blut-
vergießen. Aber auch der Kopfschmerz wollte mich nicht verlassen; er
wurde durch die Schnelligkeit, mit der wir abwärts stiegen, und die hiedurch hervorgebrachte Vehemenz des Blutumlaufes, noch mehr befördert;
erst als wir das Leiterthal hinter uns hatten, und der Weg etwas bequemer wurde, ließ es allmälig nach, und hörte endlich, noch bevor
wir Heiligenblut erreichten, vollständig auf.

Nicht so gut ging es unserem Kanonikus. Bis auf die Spitze des
Großglockners, und auf dem Rückwege bis über den Leitergletscher herab, hatte er sich mit einer Standhaftigkeit benommen, die wir ihm,
nach den Erfahrungen des vorigen Tages auf dem Katzensteige, nicht
im entferntesten zugetraut hatten. Vor Erreichung der Leiterhütte
aber brach seine Kraft zusammen, und nun bot er, auf dem Heimwege
bis Heiligenblut, das lebende Bild der Erschöpfung. Der Kopf schmerzte
ihn heftig, sein Antlitz gewann eine erbfahle Farbe, und der leidende
Ausdruck seiner Mienen verkündete die Pein, die jeder neue Schritt
ihm bereitete. Schweigend schleppte er sich hinter uns her, und nur
sein Stolz war noch so stark, um jede Hilfe, die wir ihm anboten, rundweg abzulehnen.

Um 7 Uhr Abends trafen wir endlich wieder in Heiligenblut ein,
nachdem wir seit 37 Stunden, 25 Stunden lang auf den Beinen gewesen, und, was meine Person betrifft, eines nur anderthalbstündigen
Schlafes genossen hatten. H..... hatte in dieser Zeit kein Auge zu-
gemacht.

Aus dieser Geschichte unserer Glocknerbesteigung wird genügend
klar geworden sein, daß zu einer solchen Expedition eine nicht unbedeutende körperliche Kraft, ein frischer Muth, eine gute Brust und
vollkommene Schwindelfreiheit unentbehrliche Requisiten sind.

Mirl, die frische, unermüdliche, und sehr baußbäckige Kellnerin
unseres Gasthauses, die uns nach unserer Rückkehr zuerst begrüßte, war
so freundlich uns zu versichern, daß sowohl sie, als Andere, für unsere
glückliche Heimkehr in der Kirche gebetet hätten. In solcher Achtung
steht die Besteigung des Großglockners selbst bei den Bewohnern
des Thales. — Da wir den nächsten Tag zur Ruhe bestimmt

hatten, so legten wir uns ohne Sorgen für den kommenden Morgen zu
Bett, und schliefen herrlich wie nie.

Am 6. September.

Es ist, wie ich glaube selbstverständlich, daß wir uns weder mit
dem Aufstehen noch mit unserer Toilette sonderlich beeilten. Das große
Werk war ja vollbracht, und das Bett mußte jetzt die Lorbeern vertre=
ten, auf denen sich's, wie die Sage geht, gut ruhen soll. Bezüglich
unserer Betten war dies vollkommen der Fall, und die Substitution
konnte diesmal für gelungen erklärt werden. Zu welcher Stunde wir
aufstanden, scheint nicht nöthig zu berichten ; wenn ich nicht irre, so
geschah es zwischen der 7. und 10. Morgenstunde. Aber auch von un=
serem diesmaligen Frühstücke will ich schweigen, wenn nicht allenfalls
der Umstand von Interesse ist, daß es bloß aus 8—10 Gläsern Kaffee,
2 Pfund Butter, 6 Tassen Honig, 12 Stück weichen Eiern und bei=
läufig 15 Semmeln bestand — welche Kleinigkeiten sich jedoch nur un=
ter drei Personen zu theilen brauchten, da H..... im Bette lag und sich
marode gemeldet hatte.

Nach so frugalem Verhalten ergab sich Baron T°°°° der Kunst,
Mr. Ball der Wissenschaft, und ich mich der Humanität. Der erstere
ging nämlich ins Freie, und zeichnete eine Ansicht von Heiligenblut,
der Brite ordnete die gesammelten Pflanzen und legte sie in sein Her=
barium ein, indeß ich einen Brief an die Meinigen schrieb und eine
kurze Skizze unserer Glocknerbesteigung in das Fremdenbuch eintrug.
In so weit ging Alles trefflich, und jede Spur der Mühsale des gestri=
gen Tages war verwischt, nur der geistliche Herr litt noch immer, und
sein Zustand fing nachgerade an, uns Besorgnisse einzuflößen. Nicht
allein, daß sich bei ihm das Gefühl der Ermattung noch nicht gehoben
hatte, sondern es trat jetzt auch ein heftiger Durchfall und eine Schlaf=
sucht ein, die ihn fast volle 36 Stunden ans Bett fesselte. Bloß zum
Diner erschien er auf eine halbe Stunde in unserer Mitte, und da be=
wies denn eine, bei ihm ganz und gar ungewöhnliche Reizbarkeit, daß
durch die Alteration seiner körperlichen Kräfte auch seine moralischen
hart mitgenommen waren. Und so tief war plötzlich sein Muth gesunken,
daß er als ein Axiom die Behauptung hinstellte: er werde kein Narr

sein und auf der Rückkehr noch einmal über das Gebirge wandern;
sein Weg gehe jetzt, zu Karren oder Saumthier, durch das Möllthal,
zum nächsten besten Eilwagen, und mittelst diesem zur Eisenbahn nach
Laibach." Wir glaubten nicht an die Richtigkeit dieses Axioms, und
hatten Recht; denn schon bis zum nächsten Morgen hatte sich H.....
so weit erholt, daß er sogar die Exkursion auf den Pasterzengletscher,
die für diesen Tag festgesetzt worden war, in unserer Gesellschaft vergnügt mitmachen konnte.

Es versteht sich von selbst, daß wir es nicht versäumten, die schöne,
schon im Jahre 1483 in gothischem Style erbaute Pfarrkirche in Augenschein zu nehmen. Sie stellt ein großes, stattliches Gotteshaus dar,
das seine Entstehung den hier ruhenden Gebeinen des seligen Briccius
verdankt, der, ein Däne von Geburt und Feldherr des Kaisers Leo,
auf der Reise nach seiner Heimat, von einem Schneesturme überrascht,
in dieser Gegend den Tod fand. Eine Kapelle, nordwestlich von Heiligenblut und auf dem Wege gegen das hohe Thor gelegen, bezeichnet
den Ort, wo zuerst sein Leichnam im Schnee aufgefunden wurde. Dies
geschah im Jahre 714. Die Reliquie, die er bei sich trug — ein Fläschchen mit einigen Tropfen heiligen Blutes, das einer geweihten Hostie
entquoll als ein Jude im wüsten Frevelmuthe sie durchstach — wird
sammt der die Echtheit dieser Reliquie beglaubigenden Urkunde, die sich
gleichfalls in dem Kleide des frommen Mannes vorfand, in dem schönen Sakramenthäuschen neben dem Hochaltare wohlverschlossen aufbewahrt. Hiedurch erklärt sich der Name „Heiligenblut" und die Bedeutung der Kirche als vielbesuchter Wallfahrtsort. Ihr schönster Schmuck
aber ist der gothische Hauptaltar: ein aus Holz geschnitztes, mit trefflichen Skulpturen und Gemälden ausgestattetes, sehr ansehnliches Kunstwerk, und ohne Zweifel aus der Zeit herrührend, in der die Kirche erbaut wurde.

Nach Tisch unternahmen wir, d. h. Mr. Ball, Baron X**** und
ich, eine kleine Promenade zu dem, etwa eine halbe Stunde unterhalb
Heiligenblut befindlichen Möllfalle, wo wir Gentianen von enormer
Größe fanden. Auf dem Heimwege machte uns Mr. Ball viel Spaß
durch seine Mühe, den Text des Liedes: „Bua willst auf d'Alma
foahrn" rc. auswendig zu lernen. War schon sein Hochdeutsch zuweilen

22

seltsam anzuhören, so machte die Härte, mit der er den weichen ober-
österreichischen Dialekt radebrechte, eine sehr komische Wirkung.

Im Gasthause fanden wir Abends zu unserem Erstaunen die Stube
fast voll mit Fremden, unter ihnen den Maler Libai aus Wien, einen
gebildeten jungen Künstler, dessen Bekanntschaft ich einige Tage vorher
in Gastein bereits gemacht hatte; ferner unsere Freunde vom Gamskarkogel, doch diesmal ohne Plus-que-femme; endlich zwei andere jüdische Touristen aus Wien, denen wir, noch diesseits des Leiterthales,
auf ihrem Wege zum Großglockner, bei unserer Rückkehr von demselben begegneten; einer von ihnen (Herr Sch***, siehe das Fremdenbuch in Heiligenblut) war auf der steilen Schneetreppe zum Gipfel dreiviertel Stunden lang ohnmächtig gelegen, worauf sie von der Verfolgung ihres Unternehmens abstanden; endlich einen Engländer, Namens
Dunburry, der der deutschen Sprache auf eine für einen Fremden seltene Weise mächtig war, rasch und in einem Tone fortredete, und nach
jeder Phrase so heftig Athem holte, als hätte er sich jedesmal ganz unvermuthet die Finger verbrannt ꝛc.

Wir nahmen unser Souper ziemlich spät. Der Abend war so
rein und klar, als es der Tag vorher gewesen, und der Mond stand eben
in seiner Fülle und blickte durch das Fenster in unsere Stube herein.
Da forderte Mr. Ball uns auf, hinaus und vor das Haus zu treten,
um den Großglockner im Mondlichte zu betrachten. Wie eine erhabene
Geistergestalt, von weißen Gewändern umhüllt, stand er vor uns in
magischer Verklärung, und in seinem Glanze gehoben durch die schweren, schwarzen Massen des tieferen Gebirges. Da nahm mich Mr. Ball
beim Arme und sagte: „Ich mache Ihnen einen Vorschlag, Major!
Wenn wir Morgen auf der Pasterze sind, so bleiben wir so lange dort, bis
wir den Gletscher im Mondlicht sehen. — Sie und ich, denn ich wage es
nicht, auch die beiden anderen Herren hiezu aufzufordern. Thun wir
es! und ich bin überzeugt, Sie werden einen tieferen Eindruck mit sich
heimtragen, als alles was Sie bisher gesehen haben!" Auch dies
sprach er in seiner gewöhnlichen polyglotten Weise, aber diesmal lag
in seinen Worten der Ausdruck eines so tiefen Interesses an der Sache,
daß ich schon deßhalb zugestimmt hätte, wäre auch mein eigener Antheil daran minder groß gewesen, als er es war. — Des anderen Mor-

gens theilten wir unser Projekt den zwei übrigen Herren mit, und fan=
den in ihren Antworten die Bestätigung von Mr. Ball's Voraussetzung.
Der geistliche Herr hatte vollen Grund sich zu schonen, und Baron
T**** zog es vor, sich durch eine ungeschmälerte Nachtruhe für die Fa=
tiguen des nächstkommenden Tages vorzubereiten.

Am 7. September.

Wir verließen Heiligenblut um 10 Uhr Vormittags und schritten,
des noch nicht völlig hergestellten Kanonikus wegen, ziemlich sachte vor=
wärts, obgleich der Weg weder steil noch unbequem ist. Diesmal blie=
ben wir, wie natürlich, im Thale der Pasterze, und erhoben uns, nach
etwa einer halben Stunde, auf den Abhang des Gasserothkopfs, *)
dessen Schichten, in der Nähe des Gipfels, eine seltsame, kreisförmige
Verkrümmung zeigen. Bald nachher kamen wir an der, jenseits des
Baches liegenden, Mündung des Leiterthales vorüber, das hier mit
einem steilen Felsenhange endigt, und zu einem sehr schönen Wasserfalle
die Gelegenheit liefert. So zeigt der Leiterbach noch im Sterben was
er kann, und wie tief alle Welt es zu beklagen hat, daß er so bald
schon sein junges Leben einbüßen muß. Im Uebrigen hatten wir es jedoch
selbst erfahren, auf welche wüste Art er seine Jugend durchgebracht, und
wie wenig Anstand er genommen, allerlei Leute, worunter selbst geist=
liche Herren und infulirte Pröpste, auf einsamen Bergpfaden in Schre=
cken zu versetzen.

Der Weg bleibt immerfort gleich anmuthig, ist selten rauh und
steinig, und führt durchweg über schöne, fette Alpenweiden. Der Pa=
sterzenbach braust nebenan in seinem tief in den Boden eingefressenem
Bette. Die Abhänge des Gasserothkopfs und seines westlichen Nachbars,
des hohen Albez, bestehen aus einem weißlichen, kalkigen Glimmerschie=
fer, und nur im Thale trifft man häufig auf transportirte Massen diori=
tischer und kalkiger Gesteine, worunter herrliche Hornblendschiefer, mit
dichten Lagen von silberschimmerndem Asbest. — Und allgemach verliert
die Umgebung den landschaftlichen Schmuck des tieferen Landes, die

---

*) Von den Brüdern Schlagintweit „Wasserabkopf" genannt, und 9822 P. F.
hoch angegeben. Der nebenstehende Albez hat eine Höhe von 9645 P. F.

22 *

Bäume hören auf, das Alpengrün wird bleicher und die Blumen selte=
ner. Nach dreistündigem Marsche erreichten wir die Höhe des Gletscher=
endes, und sahen wie das Eis mehr als thurmhoch das Thal ausfüllt.
Noch standen wir zu tief, um den oberen Boden der Pasterze, d. h. die
ebene, stundenlange Oberfläche ihrer Hauptmasse, übersehen zu können;
sie war für uns noch durch den Absturz verdeckt, durch den sich der mäch=
tige Eisstrom, etwa eine Viertelmeile vor seinem Ende, aus seinem
höheren Bette in ein tieferes wälzt. Dieser Absturz, dessen vertikale
Höhe bei 400 P. Fuß beträgt, bot in seiner wilden Zerrissenheit, mit
seinen hängenden Eiswänden, Zacken und Nadeln, und den oft unge=
heuern, wirr durcheinander laufenden Schründen dazwischen, ein eben
so grauenvolles als fesselndes Bild. — Von jenem Punkte am Glet=
scherende, in dessen Nähe wir, beiläufig gesagt, Edelweiß in Menge
pflückten, bog unser Weg etwas rechts gegen das Pfandelthal ab, dessen
Bach wir auf einem ziemlich kunstlosen Steg überschritten, für den
gleichwohl eine Mauth von 6 Kreuzern per Person zu entrichten war.
Nun gings auf den Abhang der Freiwand hinauf, was in ziemlich
gerader Linie und mit etwas Mühe geschah, da wir auch hier die
unbequeme Grille hatten, die sachte bergan führenden Windungen des
Weges mit Verachtung zu behandeln. Die Freiwand, deren Kamm eine
Höhe von fast 9000 P. F. erreicht, ist, so weit sie sichtbar, völlig eis=
frei und schließt, etwa eine halbe Meile lang, den Pasterzengletscher
auf seiner nördlichen Seite ein, während der eisbedeckte Glocknerkamm
und dessen Abfälle sein südliches Ufer bilden. — Um 3 Uhr Nachmit=
tags hatten wir endlich den hohen Sattel erreicht, einen, etwa 500 Fuß
oberhalb des oberen Gletscherbodens, und dicht neben dem vorerwähn=
ten Absturze liegenden Felsen der Freiwand, wo wir den Gletscher in
seiner ganzen Entwicklung, und in der vollen Pracht seiner Umgebungen
vor uns liegen sahen. Rechts hin stieg das ungeheure Eisfeld, erst blau
auf dem eigentlichen Gletscher, dann blendend weiß und schimmernd in
seiner Firnregion, bis zu weit entfernten Schneespitzen auf, die in
einem großen Kreise das gewaltige Firnmeer der Pasterze einschließen —
ein Amphitheater, stundenlang und breit, wo die Dämonen des Win=
ters ihre wildesten Kampfspiele halten. Vor uns hatte die Eiszunge eine
Breite von dritthalbtausend Fuß, die, über das Spaltenlabyrinth des

Absturzes betrachtet, noch viel größer erschien. Jenseits des Gletschers aber thronte, nah' vor uns, der schöne Glocknergipfel — der Stolz des Gebirges — und mit dem Fernrohr konnte man auf seiner Schneehülle noch deutlich das von uns eingegrabene Treppenwerk wahrnehmen. Die hohe Warte, der Kellerberg, das Schwerteck und die Leiterköpfe waren, in der Richtung gegen Osten, die übrigen hervorstehenden Spitzen dieses Kamms. — Wir wollten hier unser Diner einnehmen, zu dem es, unserem Appetite nach, schon hoch an der Zeit stand; da wir jedoch kein Wasser fanden, so gingen wir zum Gletscher hinab, setzten uns auf einen breiten Felsblock der Seitenmoräne, und hielten hier, bei ziemlich fühlbarer Kälte, unser nichts weniger als lucullisches Mahl, wobei unser Hauptgetränk aus dem köstlichen Gletscherwasser bestand. Um uns etwas mehr zu erwärmen, bereitete ich zuletzt einige Becher Grog. Es war nun ungefähr 4 Uhr, als wir uns, von dem Felsblock weg, auf den Gletscher in Bewegung setzten. Mr. Ball begleitete uns eine Strecke lang auf dem Eise, und erwies sich, nach allen seinen Ansichten über das Gletscherwesen, als ein Anhänger von Forbes, seines genialen Landsmannes. Bald jedoch nahm er Abschied von uns, um auf der Freiwand zu botanisiren, nachdem wir vorher die Johannishütte, die man etwa eine Stunde weiter oben nahe am Gletscherrande erblickte, als Rendezvous für 7 Uhr Abends festgesetzt hatten.

Wir traversirten nun den Gletscher in etwas schräger, gegen den Großglockner hinführender Richtung. Ueberall bot er den Anblick eines ebenen, nur von wenigen Klüften durchzogenen, völlig schneefreien Eisfeldes dar. Unzählige kleine Wasserfäden, die zuweilen mit kleineren und größeren Gletscherbächen abwechselten, rieselten über die griesige Oberfläche. Wir sahen die Klüfte, Moränen, blauen Bänder, Gletschertische, Schuttkegel, Gletschermühlen und noch andere Details, wie sie bei Gletschern gewöhnlich vorkommen. In den kleinen Tümpeln fanden wir die Larven eines kleinen Gletscherthiers, Podura glacialis, in Menge, und fischten einige derselben in ein Fläschchen auf. Eine schöne Eigenthümlichkeit der Pasterze ist die günstige Lage ihrer Mittelmoränen; da diese in der Nähe der Ränder hinziehen, so bleibt dadurch die Mitte und die Hauptmasse des Gletschers frei von Schutt und Steingetrümm, und bewahrt daher ein reinliches, dem Auge wohlgefälliges Aussehen.

Unter diesen Genüssen war es 5 Uhr geworden, als wir die erste Mittelmoräne der jenseitigen Gletscherhälfte erreichten; Kanonikus H..... und Baron T***" waren damit an ihrem heutigen Reiseziel angekommen; sie traten ihren Rückweg nach Heiligenblut an, und nun blieben nur mehr ich und unser Träger auf dem Gletscher zurück. Immer schon, seit wir nämlich des oberen Pasterzenbodens ansichtig geworden, hatte ich ein Interesse für die beiden Burgställe gefaßt — zwei ungeheure Felsenriffe, die in nicht allzu großen, und fast gleichen Abständen von den beiden Gletscherufern, dort aus dem Eise hervorstachen, wo unterhalb der letzten, steileren Senkung des Firnmeeres, der eigentliche Gletscher seinen Anfang nimmt. — Von meinem Standpunkt aus stand mir der kleine Burgstall näher, und gegen ihn richtete ich jetzt meine Schritte. Aber so durchsichtig war die Luft, und so sehr begünstigte sie die, auch noch aus anderen natürlichen Gründen entspringende Möglichkeit einer Täuschung über die Maße der Entfernungen, daß ich diesen Fels, den ich in einer Viertelstunde zu erreichen hoffte, erst in ¾ Stunden erreichen konnte. Er ist mindestens 300 Fuß hoch, besteht aus weißlichem Glimmerschiefer, und wird in seiner malerischen Wirkung dadurch erhöht, daß ein, von dem Romarißkenkopfe (einem westlich vom Großglockner liegenden Gipfel des Glocknerkamms) herabsteigender sekundärer Gletscher, der sich zwischen dem rechten Ufer und dem Burgstall hindurchzwängt, von der südlichen Ecke dieses Felsens durchschnitten, und dadurch gleichsam in Trümmer gelegt wird. Gleich riesigen Mauern von blauem Kristall erheben sich, 60—80 Fuß hoch in senkrechter Richtung, die geborstenen Wände des Gletschers, am Felsen selbst chaotisch übereinander gethürmt, weiter abwärts vielfach verschoben, und in jedem Momente mit dem Einsturz drohend. Große Eisblöcke, die auf den tieferen Boden des Hauptgletschers zerstreut umher lagen, bewiesen, daß dies von Zeit zu Zeit auch wirklich geschehe. Ich hatte Lust den Burgstall zu erklettern, und klomm längs der Felswand bis zu den blauen, spiegelblanken, und von dem Falle des Schmelzwassers leise erklingenden Eismauern empor, aber hier nöthigte mich die zunehmende Schroffheit des Gesteins und seine Schlüpfrigkeit, von meinem Vorhaben abzustehen. Der Fuß des kleinen Burgstalls hat eine Höhe von 8276 P. F. — Ich wendete mich nun dem

großen Burgstall zu, dessen lineare Entfernung von seinem Zwillings=
bruder, dem kleinen Burgstall, der ganzen Breite des Gletschers beim
Absturze gleichkommt, und erreichte ihn, nach oftmaligem Waten,
durch stehende, mit lockerem Firn erfüllte Wasseransammlungen, in
einer halben Stunde. Schon früher hatte ich zweimal ein eigenthüm=
liches Geräusch vernommen, das mit fernem Donner eine Aehnlichkeit
hatte, und das ich für dasjenige Getöse hielt, mit welchem, bei eintre=
tender Veränderung der Lufttemperatur, das Oeffnen der Klüfte ge=
schieht. Als ich jedoch jetzt dem großen Burgstall nahe kam, enthüllte
sich mir plötzlich die Ursache jenes Getöses. Auch hier zersägt sich der,
von der hohen Docke herabziehende Gletscher an der nördlichen Ecke
des Felsens, und schaut dann mit denselben senkrecht aufsteigenden und
zerklüfteten Eiswänden auf die Pasterze herab. Nur sind hier die Ver=
hältnisse noch größer, und die felsige Unterlage noch steiler, wie jenseits.
Hier geschah es nun, daß eine beträchtliche Partie dieser hängenden
Eiswand sich loslöste, und mit betäubendem Gepolter auf den unteren
Eisboden herabstürzte, wo sie, aufstäubend, in die kleinsten Trümmer
zerfiel. Dieses Abbrechen des Eises geschieht theils in Folge der korro=
birenden Wirkung der Wärme, die die Verbindung der durch die Zer=
klüftung ohnehin schon aus dem Zusammenhange gebrachten Eismassen
noch mehr verringert, theils und zwar hauptsächlich durch die allge=
meine Vorrückung des Eises selbst, wodurch die seitlichen Theile immer
mehr hervorgedrückt, und endlich über den steilen Abhang hinabgestürzt
werden. — Der große Burgstall ist um etwa 100 Fuß höher als der
kleine, und die Linie, die sie verbindet, bezeichnet so ziemlich die untere
Grenze des Firnmeeres, das — mit einem ziemlich steilen und stark
verschründeten Absturz, der sich in einem schönen, von einem Burgstall
zum anderen mit der Oeffnung nach abwärts gerichteten Bogen spannt
— zu höheren Lagen aufsteigt. Auf dem kleinen Burgstall hatte ich
Gelegenheit, einen Theil dieser weiten, trostlos öden Schneewüste zu
überschauen.

Es war bereits ½7 Uhr, als ich den großen Burgstall erreichte.
Schon fing es zu dämmern an, und am Johannisberge, im fernsten
Hintergrunde des Firnmeers, sammelte sich dunkelgrauer Nebel, der im=
mer tiefer herabzusinken drohte. Es galt nun den Rückweg eilig anzu=

treten. Ich band mich, der Klüfte wegen, mit langem Seile an meinen Träger, und wandte mich mit schnellen und großen Schritten der Johannishütte zu. Aber nun erhob sich ein Hinderniß, das, bei dem sonst überall ebenen und wenig zerklüfteten Gletscher, nicht vorausgesehen werden konnte. Das Eisfeld gewann hier eine ziemlich große Neigung gegen sein linkes Ufer, weßhalb mit jedem Schritte, den wir vorwärts thaten, das Labyrinth der Klüfte verworrener wurde, und die Klüfte selbst nach und nach zu breiten, thurmtiefen Abgründen anwuchsen. Und immer mehr Zeit erforderte das Umgehen der Schründe, und immer schmäler wurden die dazwischen aufrecht stehenden Eiswände, und immer dunkler wurden die Schatten des Abends. Die Sache begann unheimlich zu werden, und doch war sie interessant, weil sie den Muth herausforderte und die Thatkraft spornte. Zuerst dachte ich, es müsse sich am Ufer des Gletschers ein bequemerer Weg ausfindig machen lassen, weßhalb ich die Richtung links hinab gegen die Tiefe nahm. Hier angekommen, sah ich mich jedoch am Rande eines unermeßlichen, längs des Ufers hinziehenden Schlundes, in welchen die Klüfte des, von der Höhe gegenüber steil herabsteigenden, Wasserfallgletschers einmündeten, und ihn dadurch nur zu vergrößern schienen. Ich faßte daher rasch einen anderen Entschluß, ich wendete mich wieder nach rechts, und trachtete, ungeachtet aller Steilheit und maßlosen Zerrissenheit des Eishanges, den oberen Boden des Gletschers wieder zu gewinnen, der, wie ich wußte, eben und gangbar war. Nach mancher Mühe und nach Ueberwindung mancher Gefahr, erreichte ich ihn endlich, doch bei schon so weit vorgeschrittener Dunkelheit, daß ich die Johannishütte nicht mehr zu erblicken vermochte. Doch war ihre Lage, der dunkeln Freiwand wegen, auf deren Abhang sie erbaut ist, ziemlich klar, und es bedurfte zuletzt nur einiges Rufens, um Mr. Ball aufzufinden, der mich bereits erwartete.

Wir traten nun unverzüglich unsere Heimfahrt an. Der Mond beleuchtete um diese Zeit erst die Spitzen des Glocknerkamms, und konnte wohl erst in einer Stunde dahin gelangen, über den Gletscher selbst seinen stillen Glanz zu breiten. Bis dahin aber war es möglich, den hohen Sattel zu gewinnen, der, wie bereits erwähnt, die freieste Aussicht auf den Gletscher und seine Umgebung gewährt. Wir kamen jetzt

nochmals zu jenem Felsblocke, der uns bei unserem Diner so treffliche
Dienste geleistet hatte; nun wiederholte er diesen Dienst, indem er uns
gestattete auf seinem Rücken unser noch frugaleres Souper einzuneh=
men. Als wir den hohen Sattel erreichten, zeigte meine Uhr ¼ auf 9;
wir setzten uns hier nieder und wendeten unsere Blicke dem wundervol=
len Schauspiele zu, dessen eigenthümlichen, zauberhaften Reiz kein Grif=
fel je wiederzugeben vermöchte.

Das Mondlicht, neben dem Freiwandeck hervorquellend, ließ noch
den größten Theil des oberen Pasterzenbodens bis zu den beiden Burg=
ställen hinauf im Dunkel liegen, indeß den unteren Boden, die Eisklip=
pen und Nadeln des Absturzes, den Glocknerkamm und die Schneewo=
gen des Firnmeeres, sein sanfter Silberschein bedeckte. Von Westen
zogen leichte Nebel daher, hüllten bald diese bald jene ferne Schnee=
spitze, und selbst den Glocknergipfel, minutenlang in durchsichtige Schat=
ten ein, und gaben durch ihr wechselndes Spiel dem stillen, träumeri=
schen Bilde eine Art geheimnißvollen Lebens. Am schönsten aber zeigte
sich der Effekt des Mondlichtes auf den bizarren Eisgebilden des Ab=
sturzes. In zahllosen Flächen, Streifen und Punkten glänzten, mit
scharfen Lichtern, die dem Monde zugekehrten Seiten des Eises, indeß
auf ihren rückwärtigen Theilen und in den Klüften nebenan, die schwär=
zesten Schatten aufgehäuft lagen. Kein Ton störte die feierliche Stille,
die rundum herrschte, nur das ferne Rauschen der von den Gletschern
des Glocknerkamms herabhängenden Wasserfälle zog mit eintönigem,
schwermüthigem Rhythmus herüber an unser Ohr.

Es war wohl eine Szene, geeignet den Schlag des Herzens zu be=
schleunigen. Hier war die Natur mit sich selbst allein, und spann in dem
Schweigen der Nacht ihre großen, heiligen Gedanken aus. Oder horchte
sie vielleicht jetzt auf das Wort desjenigen, der sie aufgebaut zu seiner
Ehre, und ihr bis an das Zeitende hinaus ihre Zwecke gesetzt? — Wer
weiß es; aber so viel ist gewiß, daß in diesem Augenblicke ein so mächti=
ger und ergreifender Zauber sie umhüllte, wie ich ihn so lange ich lebe
noch nie empfunden. — Auf einem Steine sitzend, gab ich mich eben
still sinnend diesen Eindrücken hin, als Mr. Ball mich sachte mit seinem
Arm berührte und mit der Hand nach der rechten Seite hinwies. „Look
there!" so sprach er leise, als fürchtete er mit einem lauten Worte die

wunderbare Magie des Moments zu stören. Was war es wohl, das ihn
so tief bewegte, ihn, den Mann mit der stillen, ernsten Seele? — Weit
oben, auf dem ebenen Boden der Pasterze, begann jetzt das Licht sich zu
regen, zu rücken, und in sonderbaren Schwingungen zu kommen und zu
vergehen. Es war, als ob der Gletscher aus sich selbst zu leuchten be-
gänne, und nur die Stelle suchte, wo er sein Licht auszustrahlen ge-
dächte. Endlich schimmerte es deutlicher, aber es schien, als ob es pul-
sirte wie Phosphorschein, den ein zarter Windhauch hin und wieder bewegt. Gewiß war dies Alles nichts weiter als das Spiel des Mondlichtes durch den wallenden Nebel, aber dennoch war die Erscheinung
von unbeschreiblichem Reiz. — Endlich mußte aufgebrochen werden, denn
noch hatten wir für diesen Abend einen dreistündigen Marsch bis Heiligenblut vor uns. Und nicht ohne eine Art Trennungsschmerz nahmen
wir Abschied von dem herrlichen, wehmüthig fesselnden, unheimlich süßen
Bilde, das ganz so wie Mr. Ball vorhergesagt, meinen Geist um eine
so schöne und intensive Erinnerung bereichert, wie kein anderer Naturgenuß sie jemals mir gewährt hat.

Auf dem Rückwege gab es viele tiefschattige Stellen, wo man den
Pfad verlieren oder fallen konnte; beides geschah mir bei dieser Nacht-
fahrt, u. z. ersteres im Pfandelthale, nachdem ich, gelegenheitlich eines
momentanen Zurückbleibens, meine Reisegefährten aus dem Gesichte
verlor, und letzteres durch das Abgleiten meines Bergstockes von einer
glatten und geneigten Felsplatte.

Wir trafen eine halbe Stunde vor Mitternacht in Heiligenblut
ein, wo ich, der Ermüdung wegen, die ich fühlte, vor dem Schlafengehen noch ein kaltes Bad nahm, um mich für den morgigen Tag etwas
zu stärken, an welchem wir, unsere Heimreise antretend, den Uebergang
in das Fuscherthal zu machen hatten.

So endigte dieser etwas mühevolle und genußreiche Tag, der in
der Geschichte dieser kurzen Bergtour eine fast eben so glänzende
Stelle einnimmt, als selbst der Tag unserer Glocknerbesteigung.

Am 8. September.

Die gestrigen Nebel auf der Pasterze und der Westwind, der sich
erhoben hatte, waren von keiner guten Vorbedeutung. Wir hatten unter

uns festgesetzt, bei schönem Wetter den Weg über die etwas entferntere Pfandelscharte, bei Regen und Nebel aber jenen über das hohe Thor zu benützen. Der Morgen war grau und unfreundlich, dichter Nebel um= hüllte die Spitzen der Berge, und während unseres Frühstückes fing es gar etwas zu regnen an. Dies war uns wie natürlich sehr unangenehm, da wir nicht allein an Genuß einbüßten, sondern nun auch die Gele= genheit verloren, den Uebergang über die Pfandelscharte kennen zu ler= non, der, nach Allem was wir hörten, in hohem Grade lohnend ist. — Um 9 Uhr brachen wir sonach, nach einem herzlichen Abschiede von Mr. Ball, der von hier aus seine Schritte südwärts wandte, um die Berge Kroatiens und Dalmatiens botanisch zu durchforschen, von Heiligenblut auf, und schlugen die Richtung gegen das hohe Thor ein.

Und wieder übte die Natur einen Akt der Freundlichkeit gegen uns. Da sie sich jetzt in kein anderes Kleid als in das graue eines trü= ben Wetters hüllen durfte, so riß sie doch zur rechten Zeit eine Naht dieses Kleides auf, und zeigte uns, noch einmal bevor wir schieden, den Großglockner im hellsten Sonnenlichte. Den Gasserothkopf, und die übrigen Berge des Gutthales, waren ziemlich weit herab mit frischge= fallenem Schnee besprengt, der auch auf dem hohen Thor nicht fehlte, wo er, selbst noch zu Mittag, in der Höhe eines halben Zolls hinter jedem Steine lagerte. Als wir das Joch überschritten, zweigte sich, eine halbe Stunde weiter abwärts, der Weg in die Fusch, von jenem in das Seidelwinkelthal gegen die linke Seite ab, und zog, dicht an den Ab= fällen des Brennkogel vorüber, dem „Fuscherthörl" zu, das bereits nicht mehr der Centralkette, sondern dem Zweigkamme angehört, welcher das Fuscherthal von dem Seidelwinkel= und Rauristhal scheidet. Es war empfindlich kalt, was wir erst recht deutlich spürten, als wir uns, zwischen den beiden Uebergängen und in einer Höhe von beiläu= fig 7000 F., lagerten um unser Mittagmahl einzunehmen. Am Fuscher= thor stehend, sahen wir in das obere Fuscherthal wie in einen Abgrund hinunter, den die Schatten des Gewölks verdüsterten, und in den von allen Seiten die, aus der grauen Wolkenhülle herabhängenden Glet= scher brausend ihre Wässer schütteten. Zuweilen blickte aus enormer Höhe das Wiesbachhorn undeutlich aus dem ziehenden Nebel hervor, und ließ uns ahnen, wie viel wir durch die Ungunst des Wetters an Genuß

einbüßten. Als wir weiter zogen, flogen dicke Dunstmassen uns entge=
gen, hüllten uns auf kurze Zeit in ihre Finsterniß ein, und huschten
dann wie jagende Geister zu höheren Revieren fort. Jetzt sahen wir auch
zuweilen, was wir von der Höhe des Joches nur hören konnten, das
eilige Herabgehen der Lawinen, mit denen abbröckelnde Eislasten und
der frischgefallene Schnee, unter nachhallendem Krachen, über die Glet=
scherschweife gegenüber, zur Tiefe fuhren. Nach britthalbstündigem Ab=
steigen erreichten wir die Droneralphütte im Thal, und eine halbe
Stunde später, den Alpenweiler F e h r l e i t e n, eine große Sennerei
und Eigenthum zweier Bauern in Pinzgau.

Das Dekorum verbietet mir den Hunger zu beschreiben, mit dem
wir in dem Gasthause über Kaffee, Butter und Honig herfielen. Der
achtstündige Marsch und die frische Luft hatten unseren Appetit so ge=
reizt, daß die Frau Wirthin in Fehrleiten mit den Repetitionen in
Herbeischaffung der verschiedenen Gegenstände des Konsums gar nicht
fertig werden konnte.

Dadurch kehrte nach und nach eine gewisse Befriedigung in unsere
Gemüther ein, die nur dadurch eine kleine Störung erfuhr, daß wir
hier keine Fahrgelegenheit nach Fusch vorfanden, wie wir dies mit eini=
ger Sicherheit gehofft hatten. Es war nun nichts anderes zu thun, als
neuerdings unser Bündel zu schnüren, und unsere Fußreise bis Fusch
fortzusetzen.

Das Wirthshaus in Fusch, in das wir um 8 Uhr Abends, zwei
Stunden nach unserem Aufbruch von Fehrleiten, den Fuß setzten, ist ein
großes, altes, in ländlichem Style gebautes Haus. Es ist gerade so, wie
ich es bei einem Dorfwirthshause am liebsten sehe; einfach, ohne über=
triebenen Komfort, gemüthlich, und mit einer Zahl heimlicher, unentdeck=
barer Ecken und Winkel ausgestattet. Der erste Stock hat eine geräu=
mige, ausgetäfelte Vorhalle, und die Küche einen Herd, der groß genug
gewesen wäre, dem lemnäischen Gotte selbst als Werkstätte zu dienen. Vor
dem Schlafengehen hatte die behäbige, freundliche Wirthin die Güte,
meinem wunden Fuße ein Pflaster zu appliziren.

Am 9. September.

Nach so vielen Tagen beschwerlicher Fußreise that es uns Allen
unglaublich wohl, bequem zu sitzen und, von Pferden gezogen, durchs
Land zu fahren. Auch das Wetter hatte sich wieder „aufgethan," die
Sonne schien hell und warm, und ließ uns das frischgrüne, dichtbevölkerte Thal im freundlichsten Lichte erscheinen. Bald hatten wir die Fusch
hinter uns, und freuten uns, ins Pinzgau eintretend, des offenen, sonnigen Landes. Ueber Alles lieblich aber ist die Lage von Zell, an seinem
schönen, dunkelgrünen See, mit den bunten, saftiggrünen Bergen gegenüber, der schimmernden Eiswelt rechts, und den weißgrauen Zinken
des steinernen Meeres links. Die Ortschaft selbst ist schmuck und stattlich, und trägt das Aussehen der Wohlhabenheit. — Auf der Post
übernahmen wir unser Gepäck, besahen uns nachher die Kirche, und bestiegen den Kirchthurm, der uns einen lohnenden Ueberblick der nächsten
Umgebung gewährte. — Fast eben so anmuthig ist die Lage von Saalfelden, mit dem Schloß Lichtenberg auf einer nahen Höhe, und dem
Blick in vier Thalöffnungen, die sich hier vereinigen. Doch alle Anmuth
dieser blühenden Landschaft konnte die nahen, himmelhohen Kalkspitzen
des steinernen Meeres nicht bewegen, ihre bräuende Wildheit abzulegen.
Da gibt es ein Hollermannshorn, einen Hundstod, und andere derlei
Häupter mehr, die sich an die 8000 F. hoch emporstrecken, und seit
Menschengedenken stets so ernst und mürrisch dreinblicken, als hätten sie
gute Lust herabzustürzen, um diese lachenden Gefilde zu zermalmen. —
Der Weg durch die „Hohlwege" zwischen Saalfelden und Lofer ist bei
der Engheit des Thales etwas zu lang; wenn er um die Hälfte früher
endigte, würde er weniger monoton und ermüdend scheinen. — Die
Route von Lofer bis Salzburg ist zu bekannt, als daß es nöthig wäre,
ihrer des Näheren zu erwähnen.

Man wird bemerken, daß wir einen Theil unseres Reiseprojektes,
d. i. den Uebergang von Saalfelden nach Berchtesgaden, unausgeführt
ließen. Wir hatten in Gastein und Heiligenblut zu viel Zeit aufgewendet, und mußten demnach nach Hause eilen. Ich meines Orts kenne
Berchtesgaden, so wie auch den Königssee, durch wiederholten
Besuch.

In Salzburg, wo wir nach 10 Uhr Abends anlangten, schieden

wir von unſerem Baron, den wir in dieſen Tagen achten und lieben lernten. Er hatte, beſonders in der allerletzten Zeit, einige ſo intereſ=ſante und liebenswürdige Eigenſchaften zu Tag gekehrt, daß mir die Fortſetzung ſeines Umganges nicht anders als ein Gewinn erſchiene. — Er blieb in Salzburg zurück, um daſelbſt Bekannte zu treffen, und eine Exkurſion nach Berchtesgaden zu unternehmen.

————

Am 10. September

kamen wir bis Linz, und

Am 11. September

mit dem Dampfboot nach Wien.

Um 5 Uhr Abends befand ich mich wieder zu Hauſe, im trauten, lieben Kreiſe der Meinigen.

————

Zum Schluſſe noch eine Notiz über Mr. Ball. Wie ich von ihm auf brieflichem Wege erfahren, iſt es ihm gelungen noch in dieſem Jahre die Gebirge Kroatiens und Dalmatiens ohne Unfall botaniſch zu durchforſchen und manches Neue zu entdecken. In der darauf folgenden Parlamentsſeſſion, alſo noch unter dem Miniſterium Aberdeen, ward er zum Unterſtaatsſekretär der Kolonien ernannt.

.

Inhalt.

In's Tatragebirge!

   1. Von Wien bis Trentschin . . . . Seite   3

   2. Von Trentschin bis in die Arva . . . . „ 39

   3. Von Tyerhova bis Käsmark . . . . „ 76

   4. Aufenthalt in Schmecks . . . . „ 103

   5. Rückreise über Neusohl und Schemnitz . . . . „ 134

Reisen in Tirol.

   1. Oetzthal, Schnals, Meran und Passeyr . . . . „ 165

   2. Dur, Zellerthal, Achensee . . . . „ 229

Eine Glocknerfahrt . . . . „ 277

Druckfehler.

Seite 122 dritte Zeile von unten, 8330½ anstatt 8530½ Fuß.

" 133 Zeile 25, Grath statt Graz.

" 176 " 9, bleibt das Wörtchen „zu" weg.

" 234 " 3, drücke statt drückte.

" 285 " 22, Murrbrüche statt Mauerbrüche.

Druck:
Customized Business Services GmbH
im Auftrag der KNV-Gruppe
Ferdinand-Jühlke-Str. 7
99095 Erfurt